Tengo ganas de ti

Bestseller Internacional

Biografía

Federico Moccia (Roma, 1963) ha trabajado como escenógrafo en el cine y como guionista de televisión. Es autor de *Perdona si te llamo amor* (Planeta, 2008) y *A tres metros sobre el cielo* (Planeta, 2008). De ellas, y también de *Tengo ganas de ti*, se ha hecho la versión cinematográfica en Italia. En 2010 Planeta ha publicado *Perdona pero quiero casarme contigo*, continuación de *Perdona si te llamo amor*.

Más información en: www.federicomoccia.es

Federico Moccia

Tengo ganas de ti

Traducción de M.ª Ángeles Cabré

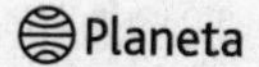

El papel utilizado para la impresión de este libro es cien por cien libre de cloro y está calificado como **papel ecológico**.

Título original: *Ho voglia di te*

Avinguda Diagonal, 662, 6.ª planta. 08034 Barcelona (España)

Diseño de la cubierta: mot_studio
Ilustración de la cubierta: © Paul Edmondson / Getty Images
Fotografía del autor: © Leonardo Cendamo-Grazia Neri / Contacto
Primera edición en Colección Booket: junio de 2010

Depósito legal: B. 19.085-2010
ISBN: 978-84-08-09397-8
Impresión y encuadernación: Litografía Rosés, S. A.
Printed in Spain - Impreso en España

A Gin
Tu sonrisa me ha contado esta historia

A la abuela Elisa y a la tía Maria, que cocinaban bien y con amor. Y que, ese día, vinieron a verme...

Uno

«Me quiero morir.» Eso es lo que pensé cuando me marché. Cuando cogí el avión, hace apenas dos años. Quería acabar con todo. Sí, un simple accidente era lo mejor. Para que nadie tuviera la culpa, para que yo no tuviera que avergonzarme, para que nadie buscara un porqué... Recuerdo que el avión se movió durante todo el viaje. Había una tormenta y todos estaban tensos y asustados. Yo no. Yo era el único que sonreía. Cuando estás mal, cuando lo ves todo negro, cuando no tienes futuro, cuando no tienes nada que perder, cuando... cada instante es un peso enorme, insostenible. Y resoplas todo el tiempo. Y querrías liberarte como sea. De cualquier forma. De la más simple, de la más cobarde, sin dejar de nuevo para mañana este pensamiento: «Ella no está.» Ya no está. Y entonces, simplemente, querrías no estar tampoco tú. Desaparecer. Paf. Sin demasiados problemas, sin molestar. Sin que nadie tenga que decir: «Oh, ¿te has enterado? Sí, precisamente él... No sabes cómo ha sido...» Sí, ese tipo contará tu final, lleno de quién sabe cuáles y cuántos detalles, se inventará algo absurdo, como si te conociera de siempre, como si sólo él hubiera sabido realmente cuáles eran tus problemas. Es extraño... Si quizá ni siquiera has tenido tiempo de entenderlos tú. Y ya no podrás hacer nada contra ese gigantesco boca-oreja. Qué palo. Tu memoria será víctima de un imbécil cualquiera y tú no podrás hacer nada por remediarlo. Sí, ese día hubieras querido encontrar a uno de esos magos: colocan un pañuelo sobre una paloma recién aparecida y, paf, de repente ya no está. Ya no está y basta. Y tú sales satisfecho del espectáculo. Quizá hayas visto bailarinas un poco más gordas de lo debido, hayas estado sentado en una de esas sillas antiguas, algo rígidas, en una sala ubicada en el mejor de los casos en un sótano cualquiera. Sí, también olía a moho y a humedad. Pero una cosa es cierta: no te preguntarás nunca adónde ha ido a parar la paloma. En cambio, nosotros no podemos desaparecer tan fácilmente. Ha pasado el tiempo. Dos años. Y ahora saboreo una cerveza. Y acordándome de cuánto me hubiera gustado ser esa paloma, sonrío y me siento un poco avergonzado.

–¿Le apetece otra?

Un azafato en pie junto a su carrito de las bebidas me sonríe.

–No, gracias.

Miro por la ventanilla. Nubes teñidas de rosa se dejan atravesar, blandas, ligeras, infinitas. Una puesta de sol lejana. El sol, que hace un último guiño. No puedo creerlo. Estoy regresando. A-27, ése es mi asiento en el avión. Fila de la derecha inmediatamente detrás de las alas, pasillo central. Y estoy volviendo. Una guapa azafata me sonríe de nuevo mientras pasa cerca. Demasiado cerca. Parece enviada por los Nirvana: «*If she comes down now, oh, she looks so good...*» Lleva un perfume ligero, un uniforme perfecto, una camisa casi transparente hasta el punto de dejar apreciar el sujetador de encaje. Camina arriba y abajo por el avión, sin problemas, sin preocupaciones, sonriendo. «*If she comes down now...*»

–Eva es un nombre precioso.

–Gracias.

–Usted es un poco como la primera Eva, usted me tienta...

Se queda un momento en silencio, mirándome. La tranquilizo.

–Pero es una tentación lícita. ¿Me podría dar otra cerveza?

–Es la tercera...

–Pues claro, si sigue pasando así por mi lado... Bebo para olvidarla.

Sonríe. Parece sinceramente divertida.

–¿Cuenta siempre lo que beben los pasajeros o soy yo, que le he quedado grabado en la memoria?

–Decida usted. Sepa que es el único que ha pedido cerveza.

Se marcha, pero antes de irse sonríe de nuevo. Después rebota alegremente mientras se aleja. Asomo la cabeza al pasillo. Piernas perfectas, medias gruesas de compresión, oscuras, y zapatos serios de uniforme como las demás. El pelo recogido, una doble coleta con algún que otro enredo de más, de un rubio ligeramente mechado. Se para. La veo hablar con un señor de mi misma fila que está un poco más adelante. Escucha sus peticiones. Simplemente asiente, sin hablar. Después dice algo riendo y lo tranquiliza. Se vuelve una última vez hacia mí antes de marcharse. Me mira. Ojos verdes. Una raya ligera. Una sombra alta color ébano y algo de curiosidad. Estiro los brazos. Esta vez soy yo quien sonríe. El señor dice algo más. Ella contesta con profesionalidad y después se aleja.

–Muy mona, esa azafata.

La señora de mi lado se inmiscuye en mis pensamientos. Atenta y sonriente, ojos picarones tras unas gruesas gafas. Cincuenta años bien llevados, no como sus dos pendientes, demasiado grandes, precisamente como el azul pesado que lleva en los párpados.

–Sí, una *gnocca*.

–¿Qué?

–Es una *gnocca*. En Roma decimos eso de una azafata como ésa.

Realmente decimos mucho más, pero no me parece apropiado comentárselo.

–*Gnocca*... –Sacude la cabeza–. No lo he oído nunca.

–*Gnocca*... A veces, preciosa *gnocca*. Es una expresión simpática robada a la pasta. Sabe cómo son los ñoquis, ¿no?

–Sí, claro. Los he oído nombrar y los he comido un montón de veces.

Se ríe divertida.

–Perfecto, ¿y le han gustado?

–Muchísimo.

–¿Ve?, pues entonces es fácil. Cuando a una chica se le dice que es una *gnocca*, quiere decir que está «buena», como los ñoquis que ha comido usted.

–Sí, pero me resulta extraño pensar en ella como en un ñoqui. Me parece..., ¿cómo se dice?..., eso: ¡grosero!

–¡No! Tiene que pensar en esos ñoquis que llevan la salsa caliente por encima, ese tomate dulce, esos que se deshacen en la boca, que casi se pegan hasta que la lengua tiene que despegarlos del paladar.

–Sí, ya lo he entendido. Parece que le gustan a usted mucho los ñoquis.

–Bastante.

–¿Los come a menudo?

–En Roma, muy a menudo. En Nueva York no he probado la comida italiana..., ¿qué sé yo?, por principios, supongo.

–Qué extraño, dicen que hay un montón de restaurantes italianos buenísimos. Oh, mire, está volviendo la... *gnocca*.

La señora se ríe divertida y señala a la azafata, que llega sonriente con el vaso de cerveza. Es tan guapa que parece casi salida de un anuncio.

–Dígale que es una *gnocca*, ya verá como le gusta.

–Me toma usted el pelo...

–Que no, le aseguro que es un cumplido.

–Entonces, ¿se lo digo?

–Dígaselo.

La azafata llega y me ofrece una pequeña bandeja con el vaso encima de un posavasos de papel.

–Aquí tiene su cerveza. No puedo servirle nada más porque estamos a punto de aterrizar.

–No se lo hubiera pedido. Estoy empezando a olvidarla, aunque no es fácil.

–Ah, sí... Bien, gracias.

Pruebo la cerveza.

–Está muy buena, gracias, perfecta, fría en su punto. Además, traída por usted, parece la cerveza del anuncio.

–Despéjeme una curiosidad. ¿Cuál es la primera cosa que olvidará?

–Quizá cómo iba vestida...

–¿No le gusta nuestro uniforme?

–Mucho. Es que la imaginaré de una manera distinta...

Me mira algo perpleja, pero no le doy tiempo a contestar.

–¿Se queda mucho tiempo en Roma?

–Algunos días... Septiembre en Roma es una maravilla. Quiero pasear e ir de compras; quizá encuentre algo para que no me olviden.

–Oh, estoy seguro. Encontrará ropa perfecta para usted. Porque usted es..., ¿cómo decirlo?..., ¿cómo se dice?

Me vuelvo hacia la señora sentada a mi lado.

–Por favor, ayúdeme.

La señora parece un poco cortada pero después se lanza:

–¡Usted es una... *gnocca*!

La azafata la mira perpleja por un instante y después me mira a mí. Levanta la ceja y, de repente, estalla en una carcajada. Menos mal. Ha salido bien. Hasta yo me río.

–¡Oh, muy bien, señora, eso es precisamente lo que yo hubiera dicho!

La azafata, llamada Eva, se aleja sacudiendo la cabeza.

–Abróchense los cinturones, por favor.

Su cola alta se mueve perfecta como todo lo demás. Perfecta como las alas de una mariposa, una mariposa lista para ser cazada. Había una estrofa de una canción que me hacía enloquecer cuando estaba en Estados Unidos, una estrofa en inglés de hace algunos años... «*I'm gonna keep catching that butterfly...*», del grupo The Verve. Intento recordarla entera, pero no puedo. Una voz llega para distraerme. La señora está trajinando con algo, y no lo hace precisamente en silencio.

–Uf, nunca puedo encontrar el cinturón en estos aviones.

Ayudo a la mujer, que literalmente se ha sentado encima.

–Aquí está, señora, aquí debajo.

–Gracias, aunque no consigo entender para qué puede servir. No es que nos mantenga muy sujetos, que digamos.

–Ah, eso no, seguro.

–Sí, quiero decir... que si nos estrellamos, no es como ir en coche.

–No, como ir en coche precisamente, no... ¿Está nerviosa?

–Me muero de los nervios.

Me mira y se arrepiente de haber usado esa expresión.

–Pero, señora, el destino es el destino.

–¿Qué quiere decir?

–Lo que he dicho.

–Sí, pero ¿qué ha dicho?

–Lo ha entendido muy bien.

–Sí, pero esperaba no entenderlo. Me dan pánico los aviones.

–No lo sabía.

La veo muy preocupada mientras me sonríe con la boca pegajosa. Sorbo mi cerveza y decido divertirme.

–Piense que la mayoría de los desastres aéreos tienen lugar en el momento del despegue o bien...

–¿O bien...?

–Del aterrizaje, es decir, dentro de poco.

–Pero ¿qué está diciendo?

–La verdad, señora, siempre hay que decir la verdad.

Bebo un largo trago de cerveza y por el rabillo del ojo me doy cuenta de que me mira fijamente.

–Por favor, dígame algo.

–¿Qué quiere que le diga, señora?

–Distráigame, no me deje pensar en lo que podría...

Me aprieta la mano con fuerza.

–Me hace daño.

–Ah, perdone.

Afloja un poco, pero no la suelta. Empiezo a contarle algo. Trocitos de mi vida un poco confusos, tal como se me ocurren.

–Entonces, ¿quiere saber por qué me marché? –La señora asiente. No consigue articular palabra–. Mire que es una larga historia... –Asiente aún con más vigor; sólo quiere escuchar, lo que sea con tal de distraerse. Tengo la sensación de hablar con un amigo, con mi amigo...–. Se llamaba Pollo, eso. ¿Extraño nombre, verdad? –La señora no sabe si debe decir que sí o que no, lo que sea para que yo siga hablando–. Él es el amigo que perdí hace más de dos años. Estaba siempre con su novia, Pallina. Una persona encantadora, ojos vivaces, siempre alegres, con carácter, de broma fácil y afilada... –Escucha en silencio, con los ojos curiosos, casi embelesados por mis palabras. Es extraño... A veces te sientes más cómodo con una persona que no conoces, hablas de ti con mayor libertad. Te sinceras. Quizá porque no te interesa su opinión–. Yo, en cambio, estaba con Babi, la mejor amiga de Pallina.

Babi. Se lo cuento todo... Cómo la conocí, cómo empecé a reír, cómo me enamoré, cómo la eché de menos... Sólo adviertes la maravilla de un amor cuando ya lo has perdido. Tal vez uno se siente así cuando se psicoanaliza; es algo que siempre me he preguntado. Pero de ese modo, ¿se logra ser realmente del todo sincero? Tengo que preguntárselo a alguien que lo haya probado. Pienso mientras hablo. Hago pequeñas pausas de vez en cuando. La señora, divertida y curiosa, en seguida se interesa; ahora ya está más tranquila, e incluso me ha soltado la mano. Se ha olvidado de la tragedia del avión. Ahora, según dice, le interesa la mía.

–¿Y ha vuelto a hablar con Babi?

–No, he hablado con mi hermano de vez en cuando. Y alguna vez con mi padre. Pero no muy a menudo, porque las llamadas desde Nueva York salen carísimas.

–¿Se ha sentido solo?

Le cuento algo vago. No consigo decirlo. Me sentía menos solo que en Roma. Después, inevitablemente, menciono a mi madre. Me sumerjo a fondo y casi me divierte ofender los principios de la mujer. Mi madre engañó a mi padre. Yo la pillé con el tipo que vivía enfrente. Casi no se lo cree. La noticia le ha hecho olvidarse de todo. ¿El avión? Ni siquiera se acuerda de que está en un avión. Me hace mil preguntas... Casi no me da tiempo a seguirla. ¿Cómo puede ser que nos guste tanto chapotear en los asuntos de los demás? Temas picantes, detalles prohibidos, actos casi oscuros o pecados veniales. Quizá porque así, sólo escuchándolos, uno no se ensucia. La señora parece disfrutar y, al mismo tiempo, sufrir con mi relato. No sé si es sincera; la verdad, no me interesa. Se lo cuento todo sin problemas. La violencia que empleé con el amante de mamá, mis silencios en casa, no haberles dicho nunca nada a mi padre ni a mi hermano. Y después el juicio. Mi madre sentada allí, frente a mí. Ella, en silencio; ella, que no tuvo la valentía de admitir lo que había hecho. Ella, que no ha podido confesar su traición para justificar mi violencia. Y yo allí, sereno, casi riéndome del juez, que me inculpaba de un acto para mí tan natural:

machacar a un imbécil que había violado el vientre de la mujer que me engendró. La señora me mira con la boca abierta. Podemos decirlo de mil maneras... Pero una cosa es bromear como hizo Benigni cuando saltó sobre la Carrà. Aquí, en cambio, se trataba de mi madre. La mujer se da cuenta. Repentinamente vuelve a ponerse seria. Silencio. Entonces intento desdramatizar:

–Como diría Pollo, ¡a mí *Beautiful* me pone, me encanta esa canción!

En lugar de escandalizarse, se ríe; ahora ya es cómplice.

–¿Y después? –me pregunta con curiosidad acerca del próximo capítulo. Yo sigo hablando sin problemas, sin tapujos. Mi relato no tiene precio. Le explico el porqué de Estados Unidos, el querer marcharme con la excusa de hacer un curso de diseño gráfico...

–Es fácil encontrarse en una gran ciudad... Es mejor cambiar tu vida de forma radical. Nuevas realidades, personas nuevas y, sobre todo, ningún recuerdo. Un año de charlas difíciles en inglés, ayudadas por la presencia de algún que otro italiano encontrado casualmente. Todo muy divertido, una realidad llena de colores, música, sonidos, tráfico, fiestas y novedades. Un inmenso ruido envuelto en silencio. Nada de lo que la gente te decía tenía que ver con ella, podía evocarla, darle vida de nuevo. Babi... Días inútiles para dejar descansar mi corazón, mi estómago, mi cabeza. Babi. Imposibilidad total de retroceder, de estar en un momento debajo de su casa, de encontrarla por la calle. Babi. En Nueva York no hay peligro... En Nueva York no hay espacio para Battisti: «Y si vuelves a mi mente basta pensar que no estás, que estoy sufriendo inútilmente porque sé, yo lo sé, yo sé que volverás.» Falsos acordes para intentar evitar todos los sitios que conoce y frecuenta también ella, Babi. La señora sonríe.

–Yo también conozco esa canción.

La canturrea mal que bien.

–Sí, ésa es.

Intento hacer mi pequeña aportación a esa interpretación de *Corrida*.

Pero me salva el avión. *Sta-tu-p*. Un ruido seco, metálico. Un movimiento duro y una pequeña sacudida del aparato.

–Dios mío, ¿qué es eso?

La señora se lanza sobre mi mano derecha, la única libre.

–Es el tren de aterrizaje, no se preocupe.

–¡Pero ¿cómo que no me preocupe?! ¿Y hace tanto ruido? Parece que se ha soltado...

No muy lejos, la azafata y los demás miembros de la tripulación ocupan los asientos libres y algunos extraños asientos laterales cercanos a las salidas. Busco a Eva, la encuentro, pero no mira hacia mi lado. La señora intenta distraerse sola. Lo consigue. Suelta mi mano a cambio de una última pregunta.

–¿Por qué se acabó?

–Porque Babi se marchó con otro.

–¿Cómo? ¿Su novia? ¿Con todo lo que me ha contado?

Ahora casi se divierte más ella poniendo el dedo en la llaga. El avión y su aterrizaje han pasado a un segundo plano. Y me abruma a preguntas hasta no dejar ni una; es más, presa del arrebato, ha pasado a tutearme. Y va directa al grano. «Desde que la dejaste, ¿has hecho el amor con otra mujer?» Y aún más hacia el fondo, en picado, como los Stukas de los dibujos animados, Linus, el barón rojo: «¿Volverías con ella?» Pazienza y sus tiroteos: «¿Es posible que la perdones? ¿Has hablado con alguien?» O la cerveza se me ha subido o es ella y sus preguntas las que hacen que la cabeza me dé vueltas. O el dolor de ese amor aún no olvidado. Ya no entiendo nada. Sólo siento el redoblar del motor del avión y la turbina girando al revés en el proceso de aterrizaje. Eso es, tengo una idea, puedo salvarme de este interrogatorio...

–Mire las luces de la pista. No lo conseguiremos –le digo riendo, de nuevo amo del juego.

–Oh, Dios mío, es cierto, allí están...

Mira asustada por la ventanilla el avión y sus alas, que casi rozan el suelo y ondean indecisas. Con un brillo de vieja pantera, me agarra la mano derecha al vuelo. Mira afuera otra vez. Todavía en un último instante, lanza la cabeza hacia atrás en la butaca y empuja con las piernas hacia adelante, como si quisiera frenar con los pies. Me clava las uñas en la mano. Con algún suave rebote, el avión toca tierra. En seguida, las turbinas de los motores empiezan a girar al revés y la enorme masa de acero tiembla enloquecida con todos sus asientos, señora incluida. Pero ella no se da por vencida. Cierra los ojos con fuerza y tiembla ensañándose con mi mano.

–El comandante informa de que hemos llegado a Roma Fiumicino. La temperatura exterior...

Una tentativa de aplauso se levanta desde el fondo del avión, apagándose casi en seguida. Eso ya no está de moda.

–Bueno, lo hemos conseguido.

La señora suspira:

–¡Gracias a Dios!

–A lo mejor volvemos a encontrarnos.

–Oh, sí, me ha gustado mucho hablar contigo. Pero ¿es cierto todo eso que me has contado?

–Tan cierto como que usted me ha apretado la mano.

Le enseño la mano derecha y la marca de las uñas.

–Oh, cuánto lo siento.

–No importa.

–Dios mío...

–No, de verdad, no pasa nada.

Empiezan a sonar algunos móviles. Sonrisas de tranquilidad tras el aterrizaje. Casi todos abren los compartimentos situados encima de los asientos y sacan bolsas de regalos traídos de Estados Unidos, más o menos inútiles, dispuestos a ponerse en fila y llegar a la salida cuanto antes. Después de las horas inmóviles en el avión, donde uno se ve obligado a hacer un balance de los años pasados hasta el momento, se vuelve a la prisa de no pensar, a los falsos pensamientos, a la carrera hacia la última meta.

–Adiós.

–Gracias, buenas noches.

Azafatas más o menos monas saludan a la salida del avión. Eva, con porte profesional y una sonrisa estampada, los saluda a todos, perfecta.

–Gracias por las cervezas.

–Es mi trabajo.

Me sonríe quizá con más naturalidad.

–Si tienes algún problema... –le dejo una tarjeta.

Lo mira perpleja: es mi número de Roma.

–Esta tarjeta fue mi examen en el curso de diseño gráfico.

–¿Y fue bien?

–Estaban todos muy contentos. Les pareció genial dividirla en blanco y azul.

–Es bonita.

Se la mete en el bolsillo. No he querido decirle que soy de la Lazio. Después, bajo la escalera.

Viento tibio. Septiembre. Son apenas las ocho y media y el sol se pone. Puntualidad británica. Es bonito caminar otra vez después de haber volado durante ocho horas. Subimos al autobús. Miro a la concurrencia. Algunos chinos, un estadounidense robusto, un chico que no ha dejado de escuchar uno de esos Samsung YP–T7X de 512 MB que también vi en Nueva York. Dos amigas de vacaciones que ya no hablan, saturadas acaso por la larga convivencia. Una pareja enamorada. Se ríen, se dicen siempre algo más o menos útil, bromean. Los envidio o, mejor dicho, me gusta mirarlos. Mi compañera de viaje, la señora rellenita que ahora lo sabe todo de mi vida, se me acerca. Me mira y sonríe, como diciendo: «Lo hemos conseguido, ¿eh?» Asiento. Casi me arrepiento de haberle contado tanto. Después me tranquilizo: no volveré a verla. Control de pasaportes. Algún pastor alemán, vigilante, pasea nerviosamente arriba y abajo buscando un poco de coca o de hierba. Perros insatisfechos nos miran con ojos buenos, contentos de mantenerse en forma. Un policía abre distraídamente mi pasaporte. Después cambia de idea, se salta por error una página, la recupera y mira con más atención. Mis latidos se aceleran un poco. Nada, no le intereso. Me lo devuelve, lo cierro y lo meto en el petate. Recupero mi equipaje. Salgo libre, de nuevo estoy en Roma. He estado dos años en Nueva York y tengo la sensación de que fue ayer cuando me marché. Camino veloz hacia la salida. Me cruzo con gente que arrastra maletas, con un tipo que corre jadeante hacia un avión que tal vez perderá. Más allá de las vallas de contención, parientes esperan a alguien que no llega. Chicas guapas y aún bronceadas por el verano aguardan a su amor o a quien lo fue. Con los brazos cruzados, paseando o quietas, con los ojos inquietos o tranquilos, sea como sea esperan.

–Taxi, ¿necesita un taxi? –Un falso taxista sale a mi encuentro fingiéndose honesto–. Le hago un buen precio.

No contesto. Entiende que no soy un buen negocio y me deja en paz. Miro a mi alrededor. Una señora guapa, elegante, con un vestido claro y oro liviano al cuello, sostiene tranquila la mirada a mi paso. Es guapa. Le sonrío. Ella esboza una respuesta mínima que aun así lo dice todo. Traicionar querría, pero no puedo, su deseo de libertad. Después mira hacia otra parte, renunciando. Sigo observando a mi alrededor. Nada. Qué estúpido. ¿Y qué me esperaba? ¿Qué estoy buscando? ¿Es por eso por lo que has vuelto? Entonces no has entendido nada, todavía no has entendido nada. Sintiéndome como un cretino, me dan ganas de reír.

–Ya tendría que haber llegado.

Escondida detrás de una columna, en silencio pero con el corazón a mil por hora, habla en voz baja para sí misma. Quizá para tapar el ruido de su corazón, que en realidad está latiendo a dos mil por hora. Después, se arma de valor. Respira hondo y lentamente se asoma.

–Allí está. ¡Lo sabía, lo sabía!

Casi salta de alegría.

–No puedo creerlo... Step. Lo sabía, lo sabía, estaba segura de que volvía hoy. No lo puedo creer. Madre mía, es verdad que ha adelgazado un montón. Pero sonríe. Sí, me parece que está bien. ¿Será feliz? Quizá haya estado bien fuera. Demasiado... Pero ¿es que soy imbécil? Ahora tengo celos. Pero ¿acaso tengo derecho? Ninguno... ¿Entonces? Madre mía, qué mal estoy. En serio, estoy fatal, demasiado mal. Es decir, estoy demasiado contenta. Demasiado. Ha vuelto. No me lo puedo creer. ¡Dios mío, está mirando hacia aquí!

Se esconde en seguida otra vez detrás de la columna. Un suspiro. Cierra los ojos apretándolos con fuerza. Permanece apoyada con la cabeza en el frío mármol blanco, con las manos abiertas contra la columna. Silencio. Respira hondo. Fiuuuuu. Inspira... Fiuuuuu. Espira... Vuelve a abrir los ojos. Precisamente en ese momento pasa un turista que la mira perplejo. Ella esboza una sonrisa para hacerle creer que todo es normal. Pero no hay duda de que no lo es.

–Diablos, me ha visto, lo sé. Dios mío, Step me ha visto, lo sé.

Vuelve a asomarse. Nada. Step ha pasado de largo como si nada.

–Pues claro, qué imbécil. Además, si me hubiera visto, ¿qué?

Aquí estoy, he vuelto. Roma... Fiumicino para ser exactos. Camino hacia la salida. Atravieso las puertas de cristal y salgo a la calle, frente a los taxis. Pero precisamente en ese momento experimento una extraña sensación. Me parece que alguien me está observando. Me vuelvo de golpe. Nada. No hay nada peor que quien espera algo... y no encuentra nada.

Dos

La puesta de sol tiñe de naranja algunas nubes esparcidas aquí y allá. Una luna ya pálida en el cielo se esconde entre las últimas ramas de un árbol frondoso. Ruidos extrañamente lejanos de un tráfico algo nervioso. De una ventana llegan algunas notas de una música lenta y agradable, el sonido de un piano que mejora con el tiempo. Ese mismo chico, más mayor, prepara los próximos exámenes para la especialización. Un poco más abajo, las líneas blancas del campo de tenis resplandecen bajo la palidez lunar y el fondo de la piscina vacía espera triste como todos los años el próximo verano. También esta vez ha sido vaciada demasiado temprano por un portero demasiado estricto. En el primer piso del bloque de apartamentos, entre plantas cuidadas y lindes señaladas por una valla de madera, una chica se ríe.

–Daniela, ¿has acabado ya con el teléfono? ¡Tenéis un móvil, vuestro padre os lo recarga prácticamente a diario! ¿Por qué usáis siempre el fijo?

–Mamá, ¿acaso no sabes que aquí no hay cobertura? ¡Sólo en el salón, y allí estáis vosotros escuchando!

–Es que resulta que nosotros también vivimos en esta casa.

–Vale, mamá. Estoy hablando con Giuli. Acabo de contarle una cosa y cuelgo.

–Pero si la has visto esta mañana en el colegio. ¿Qué puede haber pasado desde entonces, eh? ¿Qué tienes que contarle?

Daniela tapa el auricular con la mano.

–Aunque fuera lo más estúpido del mundo, me gustaría ser yo quien decidiera si quiero contárselo a todo el mundo o no, ¿de acuerdo?

Daniela se vuelve y le da la espalda a Raffaella pensando que así tiene de alguna manera la razón. La madre se encoge de hombros y se aleja. Daniela comprueba por el rabillo del ojo que se ha quedado sola.

–Giuli, ¿has oído? Tengo que colgar.

–Entonces, ¿cómo quedamos?

–Nos vemos allí.

–¡No... no hablaba de eso!

–Oye, está decidido. –Daniela mira preocupada a su alrededor–. Éste no es un buen momento para hablar, con todos dando vueltas por la casa.

–¡Pero, Dani, es una cosa demasiado importante! ¡No puedes decidirla así..., en frío!

–Escucha, ¿no podemos hablar directamente en la fiesta?

–Bien, como quieras. Entonces nos vemos allí dentro de tres cuartos de hora. ¿Te parece?

–¡No, al menos necesito una hora y cuarto!

–Vale, adiós.

Dani cuelga el teléfono. A veces, Giuli es imposible. ¿Es que no entiende que a veces una necesita esa media hora de más. Tengo que estar perfecta, guapísima. En la vida sucede pocas veces que una tenga que prepararse para una noche como ésta. Es más –se ríe para sus adentros–, no sucede nunca. Por lo general, «eso» ocurre precisamente cuando menos te lo esperas. Después se va a su habitación, indecisa por primera vez sobre qué ropa interior ponerse. Se siente distinta, extrañamente insegura. Después se tranquiliza. Es normal sentirse así, una no puede estar segura de cómo saldrá la primera vez que se hace el amor. Respira hondo. Es cierto. Lo único de lo que estoy segura es de que lo haré esta noche y con él. Raffaella se cruza con ella por el pasillo precisamente en ese momento.

–Daniela, ¿se puede saber en qué estás pensando?

–En nada, mamá... tonterías.

–Pues entonces, si son tonterías, ¡piensa en algo más importante!

Por un instante Daniela querría decirle de todo. Su decisión es importante y sobre todo irrevocable. Luego lo piensa mejor y entiende que acabarían mal.

–Cierto, mamá, tienes razón.

Al fin y al cabo, no vale la pena discutir con ella. Se sonríen. Después Raffaella mira el reloj de péndulo que hay en el salón.

–Oh, no tiene remedio. Le había pedido a tu padre que volviera antes: tenemos que ir a casa de los Pentesi, que viven en Olgiata. Pero no hay ni una sola vez que me dé una satisfacción...

Tres

–¡Stefano!

De pie frente a mí, en el centro de la calle, está mi hermano. Sonrío.

–Hola, Pa.

Me alegra verlo. Casi me emociono, pero consigo que no se note demasiado.

–¿Cómo estás? No sabes cuánto me he acordado de ti.

Me abraza con fuerza. Me estrecha entre sus brazos. Me gusta. Por un instante me acuerdo de la última Navidad que pasamos juntos, antes de marcharme. Y esa pasta que había preparado y que pensaba que no me gustaría...

–¿Y bien? ¿Te has divertido allí abajo, en Estados Unidos?

Me coge una maleta de la mano. Naturalmente, la menos pesada.

–Sí, he estado bien allí abajo, en Estados Unidos. Pero ¿por qué dices «allí abajo»?

–Ah, es una forma de hablar.

Mi hermano, que ahora conoce distintas formas de hablar; es verdad que las cosas han cambiado. Me mira feliz, sonríe. Está sereno. Me quiere de verdad. Pero no se me parece en nada. Me recuerda a Johnny Palillo.

–¿De qué te ríes?

–No, de nada.

Lo miro mejor. Todo planchado, camisa nueva, perfecta, pantalones ligeros de color marrón oscuro, con vuelta, americana de cuadritos y finalmente...

–¿Has perdido la corbata, Paolo?

–Bueno, en verano no me la pongo. ¿Por qué?, ¿estoy mal?

No espera ni siquiera respuesta.

–Ya está, ya hemos llegado. Mira qué me he comprado... –Estira el brazo para enseñármelo según él, en todo su esplendor–: Un Audi A4 último modelo. ¿Te gusta?

¿Cómo decir no a tanto entusiasmo?

–Es bonito, sí, no está nada mal.

Pulsa un botón del mando que lleva en la mano. Después de dos bips, la alarma y los intermitentes dobles se apagan. Paolo abre el maletero.

–Ven, pon las maletas aquí.

Meto detrás los dos sacos estadounidenses más el petate pequeño que él coloca ordenadamente:

–Eh, despacio.

Entonces se me ocurre una idea:

–¿Me lo dejas probar?

Me mira. Su cara cambia de expresión. El corazón le da un vuelco. Pero el amor por su hermano puede más.

–Claro, toma.

Sonríe haciendo un pequeño esfuerzo y me tira las llaves con el mando a distancia. Qué loco. Jamás quieras a un hermano como yo. Sobre todo, si te pide un Audi A4 como ése. Y nuevo. Me pongo al volante. Huele a nuevo, un coche impecable, sólo un poco estrecho. Pongo en marcha el motor.

–Se conduce bien.

–Piensa que aún está en rodaje...

Me mira preocupado y se pone el cinturón. Y yo, quizá porque he regresado a Roma, porque querría gritar, qué sé yo, porque querría de alguna manera librarme de estos dos años de silencio, de mi rabia vivida lejos, salgo de improviso dando gas. El Audi A4 derrapa, colea, se rebela, grita, sus ruedas rugen en el asfalto caliente. Paolo se coge con las dos manos al agarradero que hay junto a la ventanilla.

–¡Lo sabía, lo sabía! Pero ¿cómo puede ser que contigo se acabe siempre así?

–¡Pero qué dices! ¡Si acabo de ponerme al volante!

–¡Me refería a que contigo no se puede estar nunca tranquilo!

–Vale...

Acelero, cojo la curva y juego un poco con el volante hasta casi acariciar el guardarraíl.

–¿Vas bien así?

Paolo se acomoda de nuevo en el asiento, bajándose la americana.

–No hay nada que hacer, contigo nunca hay un segundo de tranquilidad.

–Vamos, sabes muy bien que estaba bromeando. No te preocupes, he cambiado.

–¿Aún más? ¿Cuánto has cambiado?

–Eso no lo sé; he vuelto a Roma para comprobarlo.

Nos quedamos en silencio.

–¿Aquí dentro se puede fumar?

–Preferiría que no.

Me pongo un cigarrillo en la boca y aprieto el botón del mechero.

–Pero ¿qué haces? ¿Lo enciendes de todos modos?

–Ha sido el «preferiría» el que lo ha fastidiado.

–¿Ves?, has cambiado, pero a peor.

Sonrío y lo miro. Lo quiero mucho. Y quizá él sí ha cambiado de verdad; me parece más maduro, más hombre. Doy una calada al Marlboro medium y hago ademán de pasárselo.

–No, gracias.

Como respuesta abre un poco la ventanilla. Después vuelve a estar animado:

–¿Sabes una cosa? Salgo con una tía.

Mi hermano es siete años mayor que yo. Es increíble, a veces parece un niño, es un placer ver las ganas que tiene de contarme las cosas. Decido darle gusto.

–¿Y cómo es?, ¿mona?

–¿Mona? ¡Es guapa! Alta, pelo rubio claro... Tienes que conocerla. Se llama Fabiola, se dedica a la decoración, sólo le gusta ir a determinados sitios, tiene mucho gusto...

–Claro, claro...

–Que no te lo crees, ¿no? Eres un incrédulo, es más, eres «increíble». ¿Te gusta esa expresión? ¡Ella siempre la dice!

–¿Que soy qué? Un poco rarita la chica... Ahora entiendo por qué estáis tan bien juntos.

–Bueno, sea como sea, sintonizamos bien.

Sintonizar... ¿Qué querrá decir? La sintonía es algo que tiene que ver con la música. O peor aún, con los circuitos. El amor, en cambio, es cuando no respiras, cuando es absurdo, cuando echas de menos, cuando es bonito aunque esté desafinado, cuando es locura... Cuando sólo de pensar en verla con otro cruzarías a nado el océano.

–Pues si os lleváis bien, eso es lo importante. Además... –intento acabar de la mejor manera posible–, Fabiola es un bonito nombre.

Remate banal, pero no he encontrado otro. Básicamente no me importa nada, pero si le dijera que el nombre es espantoso, no le iba a hacer gracia. Paolo necesita siempre la opinión de todos. La gilipollez más grande que se puede cometer. Además, ¿quiénes son todos? Ni siquiera los nuestros han sido todos para nosotros.

Casi me lee el pensamiento.

–Papá también sale con alguien, ¿sabes?

–¿Cómo voy a saberlo si nadie me lo cuenta?

–Mónica, una mujer guapa. Cincuenta años, muy bien llevados. Le ha revolucionado la casa. Ha sacado algunas antigüedades, las ha desempolvado...

–¿A papá también?

Paolo se ríe como un loco:

–¡Muy bueno!

Mi hermano y su entusiasmo idiota. ¿Antes ya era así? Cuando regresas de un viaje, todo parece un poco distinto.

–Viven juntos, tienes que conocerla.

Tienes... ¿Qué quiere decir «tienes»? Doy un golpe seco al volante para esquivar a un tipo que no quiere quitarse del medio. ¡Sal de ahí! Hago luces, nada. Doy gas, cambio de marcha. Pego el coche a la derecha para adelantarlo.

Paolo empuja con las piernas hacia adelante y se agarra al brazo que hay entre su asiento y el mío. Después vuelvo a la izquierda y lo tranquilizo.

–Todo bien. En Estados Unidos no podía hacer esto: te controlan al milímetro.

–Y has vuelto para desahogarte con mi coche, ¿no?

–¿Cómo está mamá?

–Bien.

–¿Qué quiere decir «bien»?

–¿Y qué quiere decir «cómo está»?

–Sí que me lo pones difícil. ¿Está tranquila? ¿Sale con alguien? ¿Hablas con ella? ¿Se ve o se habla con papá?...

No consigo hacerle esa última pregunta: ¿Ha preguntado por mí?

–A menudo me pregunta por ti. –Es la única a la que responde–: Quería saber si llamabas desde Nueva York, cómo iba el curso, etcétera.

–¿Y tú?

–Y yo le dije lo poco que sabía. Que el curso iba bien, que extrañamente aún no te habías partido la cara con nadie, y después me inventé algunas cosas.

–¿Del tipo...?

–Que hacía dos meses que salías con una chica italiana. Si hubiera dicho estadounidense, habría visto que mentía: no os hubierais entendido.

–Ja, ja... Dime cuándo tengo que reírme. ¿Eso también es un chiste «incredible»?

–Después le dije que te divertías, que salías bastante por la noche, pero nada de drogas, aunque sí un montón de amigos. En definitiva, que no tenías intención de volver pero que, de todos modos, estabas bien. ¿Lo hice bien?

–Más o menos.

–¿O sea...?

–He salido con dos estadounidenses y nos hemos entendido muy bien.

No le da tiempo a reírse, acelero y salgo cortando a la derecha. Lejos de la tangencial, en la curva, doy gas y las ruedas chirrían. Un coche viejo toca el claxon a mis espaldas. Sigo la curva como si nada hubiera pasado y entro en la salida. Paolo se recoloca en el asiento y tira de la americana hacia abajo. Después intenta decir la suya.

–No has puesto el intermitente.

–Ya.

Conduzco un rato en silencio. Paolo mira a menudo hacia afuera; después de nuevo hacia mí, intentando atraer mi atención.

–¿Qué pasa?

–¿Cómo acabó la historia del juicio?

–No acabó mal.

–¿O sea? –me mira con curiosidad.

Me vuelvo y le sostengo unos instantes la mirada. Se queda en silencio mientras me mira tranquilo, sereno. No creo que mienta, aunque quizá sea un actor estupendo. Paolo es un buen hermano, pero entre sus hipotéticos méritos no se encuentra el de «estupendo». Vuelvo a mirar la calzada.

–Nada, fui indultado y punto.

–Explícamelo mejor.

–¿Acaso no sabes de estas cosas? ¿Recuerdas las condonaciones cuando hay elecciones? Pues éste es uno de esos casos: los delitos como el mío se olvidan y, en cambio, se recuerda al presidente.

Sonríe.

–¿Sabes?, hace mucho que me pregunto por qué le pegaste al tipo que vivía enfrente de nosotros.

–¿Y has podido sobrevivir a ese increíble interrogante?

–Sí, también he tenido otras cosas que hacer.

–En Estados Unidos no durarías ni un día. No tienes tiempo para hacer preguntas.

–Pero como estaba en Roma, pensé en ello entre un capuchino y un aperitivo. Y llegué incluso a una conclusión.

–¡No me digas! ¿Y?

–Que nuestro vecino molestaba de alguna manera a mamá, piropos pesados y alguna bromita de más. Tú, no sé cómo, lo supiste y, ¡pum!, lo mandaste al hospital...

Me quedo en silencio. Paolo me mira. Querría evitar su mirada.

–Pero hay una cosa que no entiendo, que se me escapa... Mamá estaba en el proceso y no dijo nada, no contó qué había pasado, qué le podía haber dicho ese tipo o, en definitiva, por qué tú habías reaccionado así. Si tan sólo hubiera hablado, quizá el juez podría haberlo entendido.

Paolo. ¿Qué sabe realmente Paolo? Lo miro un instante y después vuelvo a mirar la calle. Líneas blancas en el suelo, una tras otra, tranquilas bajo el Audi A4. Una tras otra, a veces ligeramente borradas. El ruido de la calle. Batum, batum, el Audi A4, suave, se levanta y vuelve a bajar a cada pequeño desnivel. Las junturas de la calle se notan todas, pero no molestan. ¿Es justo decir la verdad? Dar a conocer a una persona a otra bajo una luz distinta. Paolo quiere a mamá tal como es. La quiere como cree que es. O como quiere creer que es.

–¿Por qué me preguntas eso, Paolo?

–Pues para saber...

–No te cuadra, ¿verdad?

–Bueno, la verdad...

–Y para un asesor financiero como tú, es una pesadilla.

Giovanni Ambrosini era el nombre de nuestro vecino, no lo descubrí hasta el día del juicio. No, mejor dicho, supe el apellido antes. Cuando llamé a su puerta estaba escrito en el timbre. Salió a abrir en calzoncillos. Cuando me vio, cerró de golpe. Yo había ido allí sólo para hablar, para pedirle educadamente que bajara la música. Después sentí un vuelco en el corazón. En la rendija de la puerta, enmarcado en la jamba, su rostro. Esa mirada que nos unió y nos separó para siempre. No lo olvidaré jamás. Desnuda como no la había visto nunca, hermosa como siempre la he querido... Mi madre. Entre las sábanas de otro. No recuerdo más que el cigarrillo que tenía en la boca. Y su mirada. Como el deseo de consumar alguna otra cosa después de él, ese cigarrillo y finalmente... A mí. Mira, hijo mío... ésta es la realidad, ésta es la vida. Aún me arden las mejillas del corazón. Y después, Giovanni Ambrosini. Lo saqué fuera de su casa por el pelo. Acabó en el suelo. Le rompí los dos pómulos con una patada en la nuca. Se metió entre la barandilla de la escalera y seguí golpeándolo con el tacón en la oreja derecha, en la cara, en las costillas, en las manos, hasta despellejárselas. Esas manos que la habían tocado. Y... Basta. Basta. Basta, por favor. No puedo más. Esos recuerdos que no te abandonan nunca, nunca. Miro a Paolo. Respiro hondo. Calma. Más hondo. Calma y mentiras.

–Lo siento, Paolo, pero a veces las cosas no encajan. Ese tío me tocaba las pelotas, eso es todo. Mamá no tiene nada que ver, ¿vale?

Parece satisfecho. Le gusta oír esta versión. Mira por la ventanilla.

–Ah, no te he dicho una cosa.

Lo miro preocupado.

–¿Qué?

–He cambiado de casa. Sigo estando en la Farnesina pero he alquilado un ático.

Al fin, una noticia tranquilizadora.

–¿Bonito?

–Una pasada. Tienes que verlo. Esta noche duermes en mi piso, ¿no? El número de teléfono sigue siendo el mismo. He conseguido que volvieran a dármelo gracias a un amigo que trabaja en Telecom.

Sonríe satisfecho de ese pequeño poder suyo. ¡Joder, menos mal que ha mantenido el mismo número! Es el que he puesto en mi tarjeta, el que le he dado a la azafata. A Eva, la *gnocca*. Sonrío para mis adentros. Corso Francia, Vigna Stelluti, en subida hacia piazza Giochi Delfici. Paso por delante de la via Colajanni, el atajo que lleva a piazza Jacini. Una motocicleta se detiene repentinamente en el stop. Una chica. Dios mío, es ella. Pelo rubio ceniza, largo, debajo del casco. Viste también una gorra con visera. Lleva el ipod azul y una chaqueta azul cielo como sus ojos. Sí, parece ella... Reduzco. Mueve la cabeza al ritmo de la música y sonríe. Me paro. Ella arranca. La dejo pasar. Gira alegre frente a nuestro coche. Me da las gracias sólo con los labios... Ahora mi corazón se desacelera. No, no era ella. Pero un recuerdo me asalta. Como cuando estás en el agua, en el mar, por la mañana temprano y hace frío. Alguien te llama, te vuelves y lo saludas... Pero cuando te vuelves para seguir caminando llega una ola imprevista. Y entonces, sin quererlo, me encuentro allí, náufrago en cualquier sitio, en cualquier día de hace apenas dos años. Es de noche. Sus padres están fuera. Me ha llamado por teléfono. Me ha dicho que vaya a verla. Subo la escalera. La puerta está abierta. La ha dejado entornada. La abro lentamente.

–Babi... ¿Estás ahí? Babi...

No oigo nada. Cierro la puerta. Camino por el pasillo. Paso de puntillas frente a los dormitorios. Una música suave sale de la habitación de sus padres. Qué extraño, había dicho que estaban en el Circeo. Por la puerta entreabierta sale una luz débil. Me acerco y abro. Junto a la ventana, repentinamente, aparece ella, Babi. Lleva puesta ropa de su madre, una blusa de seda ligera color arena, transparente y desabrochada. Debajo se entrevé un sujetador color crema. Después, una falda larga con dibujos de cachemir. Lleva el pelo recogido en una trenza. Parece mayor, pretende ser mayor. Sonríe. Lleva en la mano una copa llena de champán. Ahora está sirviendo un poco para mí. Deja la botella en una cubitera llena de hielo que está sobre la cómoda. Alrededor hay velas y un perfume de rosas salvajes que poco a poco nos envuelve. Apoya un pie en una silla. La falda se abre por la raja, cae hacia un lado, descubriendo un botín, y su pierna, cubierta con una media fina de rejilla color miel, con ligas. Babi me espera con las dos copas en la mano y sus ojos repentinamente cambian. Como si hubiera crecido de repente.

–Tómame como si fuera ella... Ella, que no te quiere; ella, que a diario me vuelve loca intentando separarnos...

Me pasa la copa. Me la bebo entera de un trago. El champán está frío, está bueno, es perfecto. Después le doy un beso intenso como el deseo que experimento. Nuestras lenguas saben a champán, adormecidas, perdidas, borrachas, anestesiadas... Repentinamente se despiertan. Le paso la mano por el pelo y quedo prisionero de mechones apelmazados, de cabellos trabajados. Le mantengo la cabeza así, perdida entre mis manos, perdidamente mía..., mientras un beso suyo se vuelve más ávido. Del todo dueña en mi boca, parece que quiera entrar dentro de mí, devorarme, llegar a mi corazón. Pero ¿qué haces? Para. Ya es tuyo. Babi se aparta y me mira. En realidad se parece mucho a su madre. Y me da miedo la intensidad que advierto, que no había visto nunca. Entonces me coge una mano, se levanta un poco la falda y la mete por debajo. Después la guía hacia arriba, más arriba... con ella a lo largo de las piernas. Abandona la cabeza hacia atrás, con los ojos cerrados. Su sonrisa, escondida. Un suspiro, fuerte y claro. Lleva mi mano aún más arriba. Sin prisa, sobre sus bragas. Aquí. Las aparta un poco y me pierdo con los dedos en su placer. Babi suspira ahora con más fuerza. Me desabrocha los pantalones y me los baja veloz, ávida también aquí, como nunca. Y dulcemente lo encuentra. Se detiene. Me mira a los ojos y sonríe. Me lame la boca, me muerde, tiene hambre. Tiene hambre de mí. Se apoya, me empuja, tiene su frente contra la mía, sonríe, suspira, empieza a moverse con la mano arriba y abajo, perdiéndose hambrienta en mis ojos y en los suyos... Después se baja las braguitas, me da un último beso suave y me acaricia con la mano bajo la barbilla. Se pone sobre la cama a cuatro patas y se descubre por detrás levantándose la falda. Se la apoya en la espalda y se vuelve hacia mí.

–Step, por favor, tómame con fuerza, como si yo fuera mi madre, hazme daño... Te lo ruego, te lo juro, tengo ganas.

Y me parece increíble. Pero lo hago. Obedezco y ella empieza a gritar como no lo había hecho nunca, y casi me desmayo de placer, de deseo, de lo absurdo de la situación, del amor de aquello que no creía posible. Aún estoy ansioso de placer en el recuerdo y casi me falta la respiración...

–¡Eh, Step!

–¿Sí?

De repente, vuelvo en mí. Es Paolo.

–¿Qué pasa? Te has parado en mitad de la calle.

–¿Qué?

–Me sorprende tanta amabilidad por tu parte. Nunca te había visto hacer una cosa parecida: ¡darle preferencia a una chica que ni siquiera la tiene! Increíble. O Estados Unidos te ha sentado realmente bien, o has cambiado en serio. O bien...

–¿O bien?

–O bien esa chica se parecía a otra.

Se vuelve hacia mí y me mira.

–Eh... No olvides que somos hermanos...

–Precisamente, eso es lo que me preocupa... Es una «broma», por si no lo has entendido.

Paolo se ríe. Yo vuelvo a conducir buscando de nuevo el control. Lo encuentro. Después, respiro hondo. Más hondo. El dolor de saber que esa marea alta no me abandonará nunca.

Cuatro

El Z4 es un coche increíble. Daría cualquier cosa por tenerlo. Claudio Gervasi está en Porta Pinciana, parado delante del escaparate del concesionario BMW. Lo mira como si fuera un niño, extasiado, deseoso, disgustado porque no lo puede tener. Si Raffaella se enterara de lo que está deseando, tendría problemas. Y si se enterara de todo lo demás, lo mataría. Prefiere no pensarlo. No lo sabrá nunca. Y a esas alturas, como ha llegado hasta allí, merece la pena entrar. No hay nada malo en tener un deseo. ¿O eso también está incluido en la lista de los pecados sociales? Claudio intenta convencerse. Tampoco me comprometo de ninguna manera..., sólo quiero saber cuánto me darían en una hipotética permuta. A lo mejor me tasan bien mi Mercedes 200. Tiene sus kilómetros, pero está en buen estado... Da una vuelta alrededor del coche, examinándolo. Exceptuando esa pequeña rozadura culpa de Babi y Daniela y, sobre todo, de cómo aparcan su Vespa. Veamos qué me dicen... Entra en la tienda. En seguida se le acerca un joven dependiente, impecable, con una bonita corbata grande, azul como su traje con la americana ajustada y pantalones estrechos perfectos, con la vuelta que acompaña sus mocasines oscuros, sencillos, pero perfectamente lustrados. Precisamente como ese coche. Visto de cerca parece aún más bonito. Es azul cielo pálido y el interior un poco más oscuro, con los acabados de piel de colores beige claro y negro que con suavidad forra cada pieza, del volante al cambio. Irresistible.

–Buenas tardes, ¿puedo ayudarlo?

–Sí, quisiera saber el precio de este BMW. ¿Es el Z4, verdad?

–Por supuesto, señor. Entonces, *full optional*, llaves en mano con ABS y llantas, naturalmente, de aleación... Veamos..., señor, es usted afortunado, estamos de promoción. Para usted serían cuarenta y dos mil euros. Euro más, euro menos, se entiende.

Seguramente más. Menos mal que soy afortunado y que están de promoción. Entonces, el dependiente, que lo ve algo desilusionado, le sonríe.

–Mire que éste era el coche de James Bond.

Claudio no cree lo que oye.

–¿Precisamente éste?

–¡No, no, éste no! –El dependiente lo mira intentando averiguar si le está tomando el pelo–. Entre otras cosas, porque creo que el que usaron en esas películas fue el Z3, el BMW de la serie anterior, y debieron de destruirlo o sacarlo a subasta. Pero éste en concreto se usó en *Ocean's Twelve*, ¿o era *Eleven*? Ahora no me acuerdo bien... De todos modos, lo han llevado George Clooney, Matt Damon, Andy García, Brad Pitt y ahora... ¡usted!

Claudio esboza una sonrisa.

–Quizá...

El dependiente se percata de que tiene delante a un indeciso crónico. No conoce la verdad. Tiene delante una sombra enorme, un holograma terrible, una proyección en láser, Claudio envuelto por el pensamiento de su mujer. El chico decide calentar al cliente potencial con algunas informaciones. Da una vuelta alrededor del coche dando datos: velocidad, consumo, prestaciones de todo tipo y, naturalmente, posibilidad de *leasing*.

–A propósito... –ante este último dato, Claudio recobra la esperanza–, si se da el caso, ustedes compran el coche antiguo, ¿no?

–¡Claro, por supuesto! Aunque en estos momentos el negocio del automóvil no está muy boyante, señor.

Claudio no tenía dudas al respecto.

–¿Puede echarle un vistazo? Lo tengo aquí fuera.

–Claro, vayamos a verlo.

Claudio sale de la tienda acompañado por el dependiente.

–Aquí está, éste es.

Muestra orgulloso su Mercedes 200 gris oscuro metalizado. El chico está ahora atento, serio, minucioso. Lo mira tocándolo de vez en cuando, comprobando eventuales trabajos de reparación engañosamente ocultos. Claudio intenta tranquilizarlo.

–Ha pasado siempre todas las revisiones, y hace poco cambié también las ruedas...

El dependiente da una vuelta alrededor del vehículo y mira el otro lado, el estropeado por la Vespa. Entonces Claudio intenta distraerlo.

–Y precisamente la semana pasada le hicieron una revisión completa.

Pero a un dependiente como ése no se le escapa nada.

–Sí... ¡pero tiene un buen golpe, ¿eh?!

–Bueno, mis hijas. ¡Les he dicho mil veces que peguen la Vespa a la pared, pero ni caso!

El dependiente se encoge de hombros, como diciendo «¿Y yo qué puedo hacer?».

–Bueno, de todo modos lo arreglarán. Y habrá que revisar el motor. Lo verá el jefe técnico. Bueno, si no hubiera más problemas, yo creo que su valor estaría sobre los cuatro mil o cuatro mil quinientos euros.

–Ah... –Claudio se queda sin palabras. Esperaba al menos el doble–. Pero es del 99.

–La verdad es que yo pensaba que era del 2000; de todos modos, le confirmo el precio que ya le he dicho, ¿le parece bien?

¿Que si me parece bien? A ti te parece bien. Tendría que pagaros 37.500, euro más, euro menos. Pero Claudio decide no pensar más.

–Sí, bien... claro...

–Entonces, quedamos así. Si nos necesita, ya sabe dónde estamos.

El joven dependiente le estrecha la mano con fuerza, seguro de que más o menos lo ha convencido. Después le da una tarjeta con su nombre y el logo de BMW. Claudio lo observa alejarse. Cuando el dependiente ya está cerca de la tienda y no lo puede ver, Claudio rompe la tarjeta y la tira a una papelera cercana. Sólo faltaría que Raffaella encontrara la prueba del delito. Sube a su Mercedes y apoya las manos en el volante. ¡Querida, ya sabes que no te traicionaré nunca! Después coge el móvil, mira a su alrededor y escribe un sms. Lo envía y, naturalmente, un segundo después lo borra. Finalmente, como último gesto de gran libertad, enciende un Marlboro.

Cinco

–Ya estamos, Step, es el 237. Espera, que abro la verja. Apárcalo aquí. El número 6 es el mío. –Paolo está orgulloso. Cogemos las bolsas–. El ascensor sube directamente desde el garaje.

También está orgulloso de eso. Llegamos al quinto piso. Abre la puerta como si se tratara de una caja fuerte. Alarma, dos cerraduras, puerta blindada... Su nombre: Paolo Mancini, una tarjeta impresa sobre una pequeña placa enmarcada en oro. Es horrible, pero no se lo digo.

–¿Has visto? He puesto una de mis tarjetas en la placa. Está también el número de teléfono. Buena idea, ¿no? Pero ¿por qué te ríes? No te gusta, ¿verdad?

–Claro que sí. Pero, según tú, ¿por qué debería decirte siempre mentiras? Me gusta de veras, créeme.

Sonríe algo más relajado y me hace entrar.

–De acuerdo, ven. Mira, aquí está...

Por dentro, la casa no está nada mal: parquet nuevo, colores claros, paredes blancas...

–Falta un poco de decoración, pero lo he reformado entero. Mira, he puesto reguladores en los interruptores, ¿ves? –Prueba uno subiendo y bajando una luz–. Una pasada, ¿no?

–Una pasada.

Me quedo en la entrada con los dos sacos en la mano. Paolo sonríe feliz por su idea.

–Te enseñaré dónde puedes dormir. –Abre la puerta de una habitación que hay al fondo del pasillo–. ¡Tachán!

Paolo se queda en la puerta, sonriente.

–Eh...

Debe de haber alguna sorpresa dentro. Entro.

–He recuperado tu ropa y la he traído aquí. Algunos jerséis, las camisetas, las sudaderas... Y mira esto. –Me muestra un cuadro colgado de la pared–. Quedó una ilustración de Andrea Pazienza. Ésta no la quemaste.

Me recuerda, sin quererlo, esa Navidad de hace dos años y medio. Tal vez lo entiende y un poco lo lamenta.

–Bien, yo me voy a mi habitación. Instálate a tu gusto.

Dejo el saco encima de la cama, abro la cremallera y empiezo a sacar la ropa. Jerséis, chaquetas. Una chaqueta de deporte Abercrombie. Vaqueros descoloridos de la marca Junya. Una sudadera de color arena Vintage 55. Camisas bien dobladas Brooks Brothers. Las pongo dentro de un armario blanco. Tiene varios cajones. Abro también la otra bolsa y los lleno todos. En el fondo del saco hay un paquete envuelto. Lo cojo y salgo del cuarto. Paolo está en su habitación, tumbado sobre la cama con los pies fuera.

–Toma –arrojo el paquete sobre su barriga. Lo coge como si de un puñetazo se tratara y se dobla en dos haciendo que el paquete caiga sobre la cama.

–Gracias, ¿y esto por qué?

Siempre busca una explicación.

–Es la última moda en Estados Unidos.

Lo desenvuelve y lo desdobla delante de sus ojos. Está un poco perplejo.

–Es la chaqueta de los bomberos. Allí se la ponen todos los recién llegados.

Ahora que se lo he dicho, le gusta más.

–¡Me la pruebo!

Se la pone encima de la americana y se mira al espejo. Intento no reírme.

–¡Ostras, qué pasada!

Esa expresión no es propia de él; le ha gustado de verdad.

–Has acertado hasta la talla.

–Cuídala bien. Vale un trocito de tu casa.

–¿En serio es tan cara?

–Eh, tu habitación es más bonita que la mía, es más grande.

–Sí, lo sé, Step, pero...

–Paolo... lo decía en broma.

Él suspira, aliviado.

–No, en serio, sea como sea, la has reformado bien.

–No sabes lo que me he gastado...

Ya asoma de nuevo el asesor financiero. Regreso a mi habitación y empiezo a desnudarme. Tengo ganas de darme una ducha. Paolo entra en la habitación, todavía lleva la chaqueta puesta con la etiqueta colgándole del cuello y un paquete en la mano.

–Yo también tengo una sorpresa para ti. –Hace ademán de lanzar el paquete pero después cambia de idea y me lo pasa despacio–. No se puede tirar, es delicado.

Lo abro con curiosidad.

–Es por tu cumpleaños. –Consigue turbarme–. En realidad, es por el cumpleaños que pasaste en Estados Unidos. Sólo pudimos llamarte por teléfono.

–Sí, escuché el mensaje en el contestador.

Sigo desenvolviendo el regalo. Intento no pensar en ese día, pero no lo consigo. 21 de julio... Estar fuera adrede todo el día para no esperar inútilmente junto al teléfono. Después volver a casa y ver el contestador parpadeante. Un mensaje, dos, tres, cuatro. Cuatro mensajes, cuatro llamadas recibidas. Cuatro posibilidades. Cuatro esperanzas. Vamos con la primera: «Hola, Stefano, soy papá... ¡Felicidades! Creías que me había olvidado, ¿eh?»

Mi padre. Siempre tiene que añadir un toque de humor a lo que hace. Aprieto la tecla y avanzo. «Cumpleaños feliz, cumpleaños feliz para Step...» Mi hermano. Mi hermano, que hasta me canta feliz cumpleaños por teléfono. ¡Menudo pringado! Quedan dos. Otro mensaje, el penúltimo. «Hola, Stefano...» No, es mi madre. Lo escucho en silencio. Su voz se desliza suave, lenta, amorosa, tal vez algo cansada. Entonces cierro los ojos y los puños y trato de contener las lágrimas. Y lo consigo. Hoy es mi cumpleaños, mamá. Quiero estar contento, quiero reír, quiero estar bien, mamá... Sí, yo también te echo de menos. Son tantas las cosas que echo de menos... Pero hoy tengo ganas de no pensar. Te lo ruego. «Muchas felicidades, Stefano, y, por favor, llámame cuando puedas. Un beso.» Queda, pues, un último mensaje. La luz verde parpadea silenciosa. La miro en silencio. Se enciende y se apaga lentamente. Esa luz verde podría ser el mejor regalo de mi vida. Su voz. La idea de que a mí también me eche de menos. De poder en un instante volver atrás, a entonces, volver a empezar... Sueño aún por un instante. Después pulso la tecla. «¡Hola, mítico! ¿Qué tal estás? Oh, qué placer absurdo oír tu voz aunque sea sólo en el contestador. No sabes cuánto te echo de menos... Muchísimo. Roma está vacía sin ti. Me has reconocido, ¿verdad? Soy Pallina. Claro que ahora tengo la voz más de mujer. Tengo que contarte un montón de cosas. ¿Por dónde empezamos? Veamos... Al fin y al cabo, puedo apalancarme: mis padres han salido, llamo desde casa y gasto que es un placer porque me han hecho enfadar. Así los castigo un poco, ¿no?...»

Me hace reír, me alegra. La escucho con una sonrisa. Pero no puedo mentir, no a mí mismo. No era ésa la llamada que esperaba. No es un cumpleaños sin su voz. No me parece ni siquiera que haya nacido. Y en cambio ahora, después de más de dos años, estoy otra vez aquí.

–Entonces, ¿qué dices?, ¿te gusta?

Termino de desenvolverlo y después miro la caja.

–Es el último modelo: un Nokia fantástico.

–¿Un móvil?

–Una pasada, ¿eh? Tiene cobertura en todas partes. Lo he conseguido gracias a un amigo porque todavía no está en las tiendas. Es un N-70, tiene de todo y es pequeño. Cabe en el bolsillo de la chaqueta.

Se lo mete para demostrarme que lo que dice es verdad.

–Está visto que tienes amigos diligentes, ¿eh?

–*Et voilà*, ¿has visto? Se abre así y se puede quitar el sonido y hacer que sólo vibre. Toma.

Ni siquiera ha oído mi broma. Sólo espera mi reacción.

–Gracias –es lo único que consigo decir–. Necesitaba un móvil.

–Ya tienes el número: 335 808 080, ¿fácil, no? También es cosa de mi amigo de Telecom.

Está aún más satisfecho. Mi hermano y sus amigos... Ahora tengo un número. Estoy fichado, identificado. Localizable, quizá.

–Es muy bonito, pero ahora tengo que darme una ducha.

Dejo el móvil sobre la cama.

Paolo sale sacudiendo la cabeza:

–Ay, si lo tiras así, ese móvil durará poco.

Mi hermano. No tiene remedio. ¡Qué aburrido es! Y sin embargo, los dos nacimos del mismo semen, el de mi padre, o al menos eso espero. Enciendo la radio que hay en la mesilla y la sintonizo. Mientras me desnudo, me río solo. Mi madre seguro que engendró a Paolo con otro. Sería lo más. Al menos, tendría una explicación. Pero desecho la idea. Eran otros tiempos. Tiempos de amor. Me gusta este trozo. Me pongo a canturrear un poco.

Estoy debajo de casa de Paolo. He visto las luces que se encendían. Sé que ésta es la nueva casa de su hermano. Allí está, lo veo. Step pasa frente a la ventana. Ésa debe de ser su habitación. Pero si se está desnudando... Y está cantando. Me pongo los auriculares. Enciendo la radio de mi móvil. Cambio de emisora hasta que me parece encontrar lo que canturrea Step. Miro el dial: Ram Power 102.70. «Una la vives, una la recuerdas», dice su eslogan. Quién sabe qué prefiere Step... Miro la hora. Es tarde, tengo que volver a casa. Seguro que mis padres me están esperando.

–Paolo, ¿tienes una toalla?

–Te he dejado algunas en el baño. Las encontrarás en orden de color, el azul más claro para la cara; el más oscuro para el bidet, y finalmente hay un albornoz azul detrás de la puerta.

Es verdad, mi hermano es un auténtico obseso del orden.

–Eh, Step, deja que te vea.

Me planto frente a la puerta.

–Caray, qué bien estás. ¿Has adelgazado?

–Sí. En Estados Unidos se entrena de otro modo en el gimnasio.

Mucho boxeo. Nada más empezar entendí lo lentos que somos aquí, en Roma.

–Estás muy definido.

–¿Cuándo coño has aprendido tú esas expresiones?

Me abandono a mi tosco romano.

–Me he apuntado a un gimnasio.

–No puedo creerlo. ¡Ya era hora! Pero mira que me dabas la paliza: que si perdía el tiempo en el gimnasio, que qué más me daba el físico... Y al final, ¿qué haces?

–Me convenció Fabiola.

–Ah, ¿ves? Empieza a gustarme Fabiola.

–Me dijo que estaba demasiado tiempo sentado y que un hombre debe decidir quién es físicamente a los treinta y tres años.

–¿A los treinta y tres años?

–Eso dijo.

–Entonces aún tenías dos años de libertad.

–He preferido no ajustarme tanto a la regla.

–Bien por Fabiola. –Me voy al baño–. ¿Y dónde te has apuntado?

–En el Roman Sport Center.

Silencio. Vuelvo a aparecer por la puerta.

–¿Eso también lo decidió Fabiola?

–No. –Sonríe orgulloso, según él, de su elección–. Yo... bueno, la verdad es que ella ya iba allí.

–Ah, eso...

Vuelvo al baño y cierro la puerta. No puedo creerlo. No hay nada peor que ir al gimnasio con tu novia. Estás pensando en ella hasta debajo de las pesas, vigilando quién se le acerca, qué le dicen, ese tipo que finge enseñarle el movimiento adecuado..., y qué hace ella y cómo responde. Terrible. De vez en cuando veo esas parejas. Un beso al final de cada serie. Y después, tras el entrenamiento, la pregunta obligada: «¿Qué hacemos esta noche?»

Porque una pareja debe tener su programa. De lo contrario ¿qué clase de pareja es? Si, en cambio, estás «libre», entonces el Roman es perfecto. Automáticamente, el músculo trabaja el doble, debe ponerse en evidencia él mismo para pillar. Las máquinas y las pesas casi fingen trabajar, silenciosos espectadores de quién sabe cuántos amores calculados. Claro que sí, porque acabada cada serie la gente se mira, se sigue el rastro, una sonrisa y después dale con la charla inútil. Quién eres, dónde estuviste ayer, qué local han abierto hoy, qué planes tienes para la noche, qué haces mañana y cuánto dinero tienes. En definitiva, si vale o no la pena follarte.

Abro el grifo de la ducha y me meto debajo del chorro. Agua fría. Apoyo el brazo contra la pared y empujo hasta intentar inútilmente echarla abajo. Se me hinchan los hombros y el agua rebota, ahora más templada. Después inclino la cabeza hacia atrás, la boca medio abierta, y el agua cambia repentinamente de recorrido. Un pequeño río impetuoso que encuentra recodos y escondites entre mis ojos, entre la nariz y la boca, entre los dientes y la lengua. La escupo fuera de la boca, respirando. Mi hermano. Mi hermano, que va al Roman Sport Center. Mi hermano con su Audi A4 nuevo. Mi hermano con su novia. Mi hermano, que se entrena con ella y entre una risa y otra decide qué hacer esa noche. Ahora está todo claro. Él es papá, sin sombra de duda. Cuanto mayor se hace, más se define la fotocopia. Yo, en cambio, permanezco desvaído en una esquina. Me gustaría saber quién se ha agenciado mi tóner. Salgo de la ducha. Me pongo el albornoz y me seco el pelo con la toalla azul exactamente como él quiere. Me froto con fuerza el pelo recién cortado y en un instante lo tengo seco. Me dejo la toalla sobre la cabeza y voy a la habitación. Paolo me ve.

–Es impresionante cómo te pareces a mamá. Llámala, estará contenta.

–Sí, más tarde.

Hoy no tengo ganas de alegrarle el día a nadie.

Seis

Desde el fondo del pasillo se oye el ruido de las llaves que giran en la cerradura de la puerta. Raffaella se vuelve.

–Oh..., ¡aquí está Claudio!

La puerta del fondo del pasillo se abre lentamente. Pero, en cambio, en todo su nuevo esplendor entra Babi.

Raffaella sale a su encuentro.

–¡Pero ¿qué has hecho?!

–¿Cómo que qué he hecho?

–¡Sí, llegas tarde y encima te has cortado el pelo!

–¡Dios mío, mamá, me has dado un susto de muerte! ¡No sabía de qué hablabas! Sí, me lo he cortado esta mañana. ¿Me sienta bien? Ha dicho Arturo, que es quien me lo ha cortado, que así me favorece más.

–Sí... ¡pero es que lo habíamos planeado todo para tu pelo largo!

–Mamá, pero si sólo me lo ha escalado. –Babi le sonríe–. Sabía que dirías eso. Mira... –Abre una pequeña bolsa de Furla y saca tres Polaroids–. Mira, he hecho adrede las pruebas. ¿No me sienta mejor así?

Raffaella la mira. Después sonríe contenta y satisfecha de su hija y de su nuevo corte de pelo junto a todo lo demás que hay en esas fotos. Pero no quiere darse por vencida. No, no quiere ser excluida de ninguna decisión, sobre todo para una cosa tan importante.

–Sí, te sienta bien, pero la elección que habíamos hecho me parecía más adecuada..., la del pelo largo.

–¡Vamos, no te hagas la dura, mamá! Ya verás como para entonces ya me habrá crecido. He vuelto antes porque esta noche tenemos la cena en Mangili, ¿no?

–No, la he aplazado hasta la semana próxima.

–¡Pero, mamá, podrías haberme avisado! ¡He vuelto pronto adrede porque teníamos que ir allí! Llámame por teléfono, ¿no? ¡Siempre llevo el móvil encima! ¡Me llamas para las cosas más estúpidas y, en cambio, no me avisas de esto!

–No te llamo nunca para cosas estúpidas.

–Sí, lo sé, pero tenía mucho interés en resolver este problema.

Babi resopla y se lleva las manos a la cintura. Cuando pierde la calma es como una niña. Sólo le falta ponerse a patalear.

–Babi, no seas así; iremos a Mangili la semana que viene...

–¡Sí, pero pronto! Quiero estar segura de ese Mangili... No lo hemos probado nunca, y no lo conoce nadie.

–Pero si hasta organiza cenas para el Vaticano.

–¡Sí, lo sé, pero ésos no salen nunca, no están acostumbrados a comer! ¿Qué sabrán si es bueno o no lo que les dan en el convento?

–Babi, tranquilízate. Ya verás como todo saldrá bien.

Raffaella intenta calmarla.

–Es sólo una cena...

–¡Sí, pero es mi cena, y para mí es importante! ¡Uno espera que no sea la última cena, pero sí que sea al menos la única cena!

Y diciendo esto, Babi se marcha y se encierra en su habitación con un portazo. Raffaella se encoge de hombros. Es normal que esté nerviosa en esa situación. Precisamente en ese momento se abre la puerta de casa y entra Claudio.

–¡Amor, ya he llegado!

–Menos mal. Pero ¿qué has hecho hasta ahora?

Claudio la besa apresuradamente en los labios.

–Perdona, he tenido que revisar unos expedientes en la oficina.

No puede decirle que ha revisado cada accesorio, los consumos y las fantásticas prestaciones del Z4. Y no sólo eso. También ha pedido una valoración prácticamente irrisoria de su Mercedes.

–Cámbiate la camisa y ponte también otra corbata. Rápido. Lo tienes todo preparado sobre la cama.

–Pero ¿no teníamos que ir a probar el catering de mi amigo Mangili? ¿Para qué tengo que cambiarme?

–Claudio, pero ¿dónde tienes la cabeza? Te he llamado a propósito esta mañana a la oficina. Me había olvidado por completo de que esta noche teníamos que ir a casa de los Pentesti. ¡Lo de Mangili lo he pasado a la semana próxima! Venga, arréglate, que ya llegamos tarde.

–Ah, sí, es verdad.

Claudio va a la habitación e intenta recuperar el tiempo perdido. Se quita la chaqueta y se desnuda con rapidez. Precisamente en ese momento, el móvil suena con insistencia. Claudio lo coge del bolsillo de la chaqueta. He ahí la respuesta a su mensaje. Lo lee, sonríe y apenas le da tiempo a borrarlo antes de que entre Raffaella.

–Date prisa y no pierdas tiempo con el móvil. ¿Quién era?

–Sí, perdona, era Filippo Accado, que me ha mandado un mensaje.

–¿Filippo? ¿Y desde cuándo os escribís mensajes?

–Oh, así se pierde menos tiempo.

Claudio se quita la camisa y se pone la limpia, desabrochándose sólo el cuello para ir más de prisa, pero también para esconder la cara.

–Nada, me decía que el lunes no se juega al bridge, que no sé qué ha pasado.

–Mejor. Entonces organizaremos para el lunes la prueba del catering en Mangili. Venga, date prisa, te espero en el salón.

Claudio acaba de ponerse la camisa y se derrumba en la cama. Nunca las había pasado tan canutas. Muy bien, ha caído también el bridge. Bueno, ha sido lo primero que se me ha ocurrido, a algo hay que renunciar. Se pone la corbata, se levanta el cuello de la camisa y prepara el nudo. ¿Y si en casa de los Pentesti estuvieran también los Accado? Ostras, no había pensado en eso. ¿Y si Filippo, que es un zopenco, no lo entendiera a la primera? Ya le parece estar oyéndolo: «Pero, Claudio, ¿qué dices? Yo no te he mandado ningún mensaje.» Y en ese momento querría no ir a la fiesta. Se ata alrededor del cuello la elegante corbata azul elegida por Raffaella. Después se mira al espejo, y por un momento esa corbata le parece una terrible soga de ahorcado.

Siete

Paolo está viendo la televisión mientras habla por teléfono, tumbado en la cama con las piernas sobresaliendo un poco y el pulgar brincando en el mando a la búsqueda de algo que le interese más que quien está al otro lado del teléfono.

–Adiós, yo salgo.

–¿Adónde vas?

Por una vez, lo miro sin sonreír.

–A dar una vuelta.

Se arrepiente de habérmelo preguntado y en seguida intenta arreglarlo.

–La copia de las llaves la tienes en la cocina, en el armario de la izquierda que hay antes de la puerta, en un cuenco de cerámica. –Su precisión de costumbre. Después explica a quien está al otro lado del hilo telefónico qué está haciendo, para quién y por qué. Soy el hermano que ha vuelto de Estados Unidos. Después, me grita desde lejos–: ¿Las has encontrado?

Me meto las llaves en el bolsillo y vuelvo a pasar por delante de él.

–Ya las tengo.

Sonríe. Está a punto de seguir con su conversación cuando tapa de repente el auricular con la mano izquierda y después, tenso como una cuerda, dice:

–Oye... ¿Quieres que te preste el coche?

Está preocupadísimo por tener que decirlo, arrepentido de haberlo propuesto, desesperado ante la idea de escuchar un sí mío. Dejo pasar adrede algunos segundos, disfrutando. Por otro lado, yo no se lo he pedido.

–No, no hace falta.

–Ah, de acuerdo. –Suspira. Ahora está más relajado. Después, de todos modos, intenta solucionarme la vida–. ¿Has visto, Step? He hecho traer tu moto al garaje.

–Sí, ya la he visto, gracias.

Pero mi vida no se resuelve tan fácilmente. Cojo el ascensor y bajo al garaje. Debajo de una tela gris, al fondo, veo asomar una rueda. La reconozco. Ligeramente consumida pero aún viva, un poco de polvo y muchos kilómetros recorridos. Con un movimiento propio de un torero, aparto la tela. Ahí está, la Honda Custom VF-750 azul metalizada. Acaricio el depósito. Mi mano dibuja una ligera señal en el polvo que duerme sobre ese azul. Después levanto el asiento, uno los cables de la batería y lo vuelvo a cerrar. Me subo encima. Saco la llave de la chaqueta y la meto debajo, cerca del motor. El llavero cuelga con suavidad, oscila, rebota, tocando de vez en cuando el frío motor. Más arriba, una luz débil tiñe de verde y rojo el dispositivo de encendido. La batería está descargada. Lo intento con el pedal, pero será imposible arrancarla. Aprieto el pulsador rojo con la mano derecha. Vanas esperanzas ahora confirmadas: nada que hacer. Tengo que empujar. Salgo del garaje con la moto inclinada, apoyada en el cuerpo, a mi derecha, contra las piernas. Los cuádriceps se hinchan. Uno tras otro, pasos ágiles, cada vez más veloces. El latido de los pasos se alterna con el ruido de la gravilla, uno, dos, tres, cada vez más rápido. Salgo del patio y la empujo por la calle, ahora más de prisa. Algunos pasos más. Ya está puesta la segunda. Mantengo con la izquierda el embrague. Ha llegado el momento. Suelto el embrague y la moto frena casi de golpe, pero yo sigo empujando y la máquina barbota. Le doy al embrague y lo suelto otra vez. Y ella tose. Ahora un poco más, con fuerza. Estoy sudando. Un último empujón, lo noto. Y de hecho, se enciende de golpe. Da un salto hacia adelante. Embrago y doy gas con la derecha. El motor cobra vida y ruge en la noche, debajo de las casas, en la calle vacía. Más gas. Sale humo viejo de los tubos de escape, grandes nubes que tosen a causa del pasado, del largo reposo. Más gas. Monto y enciendo las luces. Después suelto el embrague y avanzo en el viento nocturno. Sudado, me seco corriendo veloz por la Farnesina. Paso debajo del puente. Tomo la curva cambiando de marcha doblado, sin frenar. Reduzco un poco el gas para volver a darlo a media curva y la moto colea. Acelero de nuevo y, como un perro obediente, ella corre conmigo encima, hacia el puente Milvio, después la iglesia, el Pallotta, las mil pizzas comidas allí, el Gianfornaio a la izquierda y algún florista cercano. Cuántas flores enviadas desde ese florista, el que hace más descuento de todos. Tantas flores, siempre distintas, siempre para la misma chica. No lo pienso, no quiero pensar en eso. Pistola, el vendedor de sandías, está allí fuera, probando un móvil. Dos bocinazos y me mira. Lo saludo pero no me reconoce. Iré a verlo más tarde para recordarle quién soy. No me importa, doy gas y me pierdo en la noche. Joder... Qué bonita es Roma. Te he echado de menos. Acelero y bajo por la orilla del Tíber. Driblo los coches. Derecha, izquierda... Finalmente aminoro al tiempo que me acerco a la acera. Rozo los pinos del Foro Itálico. Alguna que otra prostituta está cogiendo sitio junto a su fuego aún apagado. Piernas gruesas ruedan frenadas sólo por alguna caña de bota demasiado estrecha. Una, falsa o auténtica culta, lee un periódico y se ríe con una boca descoyuntada por cualquier idiotez encontrada entre sus páginas. Quizá sea una noticia triste y no la ha entendido. Otra ya está sentada en una pequeña silla plegable, tiene un crucigrama en la mano y, con un bolígrafo, lo rellena veloz. O escribe al azar o realmente sabe las respuestas. Doy otra vez gas y, al mismo tiempo, cambio de marcha. Quinta, cuarta, tercera, curva cerrada a la derecha. Freno un poco más allá, delante del Cineporto, un cine al aire libre. Pongo el caballete y bajo de la moto. Grupos de chicas se ríen divertidas fumando un cigarrillo sin que las vea ningún padre iluso. Una rubia con el pelo corto y el maquillaje demasiado abundante me mira y le da un codazo a su amiga. Morena, ojos de avellana, el pelo en casquete, sentada con las piernas cruzadas sobre una SH-50 gris petróleo. Esta última me mira turbada y se queda con la boca abierta. Me toco el pelo corto en la nuca. Estoy moreno, delgado, sonrío y me siento bien. Estoy tranquilo. Me apetece una cerveza fría y ver una película. Para ser sincero, tengo ganas de otra cosa, pero sé que no puedo tenerla.

–¡Step, no me lo puedo creer!

La morena baja de la SH-50 y corre a mi encuentro gritando como una loca. La miro intentando identificarla. Después, de repente, la reconozco: es Pallina. No puedo creerlo... Pallina. Pallina, la novia de mi amigo, de mi mejor amigo. De Pollo, el compañero de las primeras curdas, de las primeras chicas, de mil gilipolleces, de risas y hostias y peleas por el suelo, en la lluvia, en el fango, en las noches, en el frío, en el calor, en las vacaciones de la vida. Y cigarrillos a medias y centenares de litros de cerveza. Sí, Pollo, el de las mil carreras en moto y el de esa última...

–Pallina. –Me salta al cuello abrazándome con fuerza, con esa fuerza que me recuerda precisamente a él, a mi amigo que ya no está. Intento no pensarlo. La abrazo fuerte, más fuerte, y respiro entre su pelo, intentando recuperar el aliento, volver al presente, a la vida–. Pallina. –Se separa y se queda mirándome con los ojos brillantes. Me dan ganas de reírme.

–¡Joder, te has convertido en una superhembra!

–¡Oh, así que te has dado cuenta!

Se ríe divertida, se ríe y llora, como siempre, loca como está, más guapa que nunca.

Se seca la nariz con la mano y se sorbe los mocos.

–¡No te había reconocido!

Da una vuelta frente a mí sonriendo, con amor en los ojos, y me hace una especie de desfile.

–Entonces, ¿cómo estoy? He adelgazado, ¿eh? ¿Te gusta el pelo corto? ¿Qué me dices? ¿Habías visto antes un peinado como el mío?

–No, nunca.

–¡Anda ya, pero si es la última moda! ¡Cómo puede ser, precisamente tú, que has estado en Estados Unidos! –Se ríe como una loca–. ¡Es *fashion*! Lo he copiado de *Cosmopolitan* y de *Vogue*. ¿Tienes presentes a Angelina Jolie y a Cameron Diaz? ¡Pues eso, las he mezclado y superado!

El momento difícil ha pasado. Me da un puñetazo.

–Cuánto te he echado de menos, Step. –Y me abraza otra vez.

–Yo a ti también.

–Eh, tú también estás estupendo. Deja que te vea... Has adelgazado. ¿Todavía los tienes?

Me toca la camiseta y me pasa la mano por los abdominales.

–Caray si están... ¡Y más que nunca!

Me hace cosquillas.

–Eh, quieta.

Se ríe.

–Caramba, cómo te has puesto. Ven, que te presento. Ésta es mi amiga Giada.

–Hola.

–Él es Giorgio y ella es Simona.

Nos miramos dirigiéndonos gestos de saludo. Me detengo un instante de más en el rostro de Giada, que se sonroja dando ese último toque de colorete a sus mejillas, ya de por sí demasiado maquilladas. Pallina se da cuenta.

–Vamos bien... Acabas de llegar y ya haces estragos.

Giada se vuelve dejando caer el pelo sobre su cara. Se esconde, sonríe mientras se aleja, los ojos verdes asomando entre mechones claros de un pelo divertido, estilo Bambi. Pallina sacude la cabeza.

–Pero... Oh..., se ha marchado. Vayamos también nosotros, anda. Nosotros entramos a tomar una cerveza. Y en todo caso después venís, ¿vale? Tenemos que hablar de los viejos tiempos.

No me da tiempo a despedirme cuando Pallina me arrastra:

–Ostras, tengo que contarte mil cosas. Oye, podrías haberme escrito dos líneas, una llamada de teléfono, una postal... ¿Te acuerdas al menos de mi número?

Se lo digo de memoria. Después me traiciono:

–Es allí donde buscaba siempre a Pollo.

Joder, me gustaría no haberlo dicho. Por suerte estamos en la puerta. Pallina me salva. O no me ha oído o lo finge. Saluda a un guardia de seguridad delgado:

–Hola, Andrea. ¿Nos dejas entrar?

–Claro, Pallina, ¿estás sola con tu amigo?

–Sí, ¿no sabes quién es?

Andrea no contesta.

–Es Step. ¿Te acuerdas?, te he hablado de él...

–Cómo no –sonríe–. Joder, ¿son ciertas todas las cosas que he oído sobre ti?

–Redúcelas al sesenta por ciento y algo hay.

Pallina sacude la cabeza, me lanza un beso y entra.

–Es modesto. –Pallina le da un manotazo en el hombro–: Gracias, Andrea.

La sigo, divertido.

–Pues sí que han cambiado los tiempos...

–¿Por qué?

–¿Es así como actúan los gorilas ahora?

Pallina mira a Andrea, que nos sigue con mirada incierta. Quizá no está del todo convencido de que ése sea el Step del que tanto ha oído hablar.

–Es que ése es un gorila meticuloso, Step.

–Sí, meticuloso. ¿Qué quiere decir meticuloso? En los buenos tiempos, antes de trabajar de portero, te las hacían pasar canutas para comprobar si sabías apañártelas o no. Una vez, en el Green Time, me dijeron que dejara el dinero en una habitación situada al fondo... Entré y de pronto tres tipos se abalanzaron sobre mí.

Empiezo a contarle la historia. Ese día también estaba Pollo, pero esta vez consigo dejarlo fuera, que esté tranquilo, en su sitio, sea el que sea. Sólo espero que esté escuchando y que se divierta con este recuerdo.

–En resumen, que me habían robado el dinero, hostia. Así que, en un segundo, me quité el cinturón y, ¡pum!, en la cara a los tres. A uno le di con la hebilla y le rompí el pómulo. Los otros dos, poca cosa, aunque acabaron con algunas magulladuras en la cara. Desde ese día estuve cuatro meses trabajando en la puerta del Green Time. Cien por noche. Un sueño, y ligabas una pasada.

–Pollo tenía una cicatriz en la cara, debajo del pómulo izquierdo. Me dijo que había sido un correazo.

No se le escapa nada.

–Quizá fue su padre.

Me mira y sonríe.

–Mentiroso, veo que no has cambiado.

Nos sentamos a una mesa de plástico con sillas blancas y permanecemos en silencio. Me vuelvo para mirar alrededor. Detrás de nosotros hay una especie de balsa de goma gigante que hace las veces de piscina. Personas de todo tipo y condición vociferan allí dentro. Desde el borde, un chico grita como un loco, encoge las piernas y salta justo en el medio. Lo salpica todo. Una señora gorda con un traje de baño azul se protege el pelo como puede. «Virgen santísima...», maldice, levantando las manos hacia el chico, que se ríe con sus amigos. La mujer suelta algo más y retoma su baño en la piscina de agua caliente y espumosa. El marido, en el borde opuesto, medio calvo y obeso, se ríe mirándola. Sacude la cabeza y fuma un cigarrillo. Seguramente también se está meando. Después empieza a toser. El cigarrillo se le cae al agua y se apaga. El hombre le da un pequeño empujón con la mano alejándolo hacia un niño que nada intentando un torpe estilo libre.

–Así, ¿cómo estás?

–Muy bien, ¿y tú?

–Bien, bien.

Permanecemos un rato en silencio, cohibidos por ese tiempo que ya no existe. Por suerte, de los altavoces distribuidos por todas partes llegan las notas de una canción, *The lion sleeps tonight*. Quién sabe cuál de nosotros es ahora el león, y, sobre todo, si duerme realmente. Un camarero se acerca y nos pregunta qué queremos tomar.

–Espera, déjame adivinar. Una Coronita con una rodaja de limón.

Sonrío.

–No, ahora bebo Bud.

–Pero bueno, si a mí también me gusta un montón. Dos Bud, por favor.

Quién sabe si lo ha dicho en serio.

–¿Sabes?, he pensado en ti a menudo mientras estabas allí... En Nueva York, ¿no?

–Sí. –Me hace reír, no ha cambiado, habla a ráfagas y a veces por decir algo. Se ha acordado de mí tan a menudo que ni siquiera estaba segura de dónde me encontraba. Joder, Step, es Pallina. Déjala en paz. Es la novia de tu amigo Pollo. No la juzgues también a ella, no analices sus palabras todo el tiempo. Venga, déjalo. Me abofetea el cerebro–. Sí, en Nueva York. Y me divertí un montón.

–Me lo imagino. Hiciste bien marchándote. Aquí todo ha sido tan difícil.

Llegan las Bud. Las levantamos. Sabemos por qué estamos brindando.

–Por él... –lo digo en voz baja. Y ella asiente. Tiene los ojos empañados de amor, de recuerdos, de pasado. Pero ahora estamos en el presente. Y las Bud chocan con violencia. Después, bebo. Está helada y sienta de maravilla. Querría no parar, pero a la mitad me detengo y respiro. Apoyo la botella en la mesa–. Buena.

Busco en la chaqueta. Pallina es más rápida que yo. Saca un paquete de Marlboro light de la camisa verde claro con charreteras militares y bolsillos con cremallera. Coge uno y me tiende el paquete. Cojo uno y me doy cuenta de que no está el cigarrillo del revés, el del deseo. ¿Sueños acabados? Me ataca la melancolía. Cierro el paquete y se lo devuelvo. Me lo pongo en la boca. Después ella me alarga un encendedor, no, insiste en encenderme el cigarrillo. Tiene las manos frías, me sonríe.

–¿Sabes que desde entonces no he vuelto a estar con ningún hombre?

Doy una calada y me trago el humo, cargado, pesado.

–¿Hombre? ¡Chico! –intento banalizar.

–Bueno, eso, lo que sea. –Quizá la Bud, el cigarrillo, el follón, todo lo que hay sucio a nuestro alrededor. Nos reímos. Y todo se vuelve como tiempo atrás, sin problemas. Hablamos de todo: recuerdos, novedades nuestras, de los demás... Gilipolleces, las gilipolleces de siempre, pero estamos bien. Me informa de asuntos romanos–. Oye, te acuerdas de ésa de allí, ¿no? ¡No sabes en qué se ha convertido!

–¿En una tía buena?

–En un tonel.

Risas.

–Frullino, en cambio, está dentro otra vez.

–¡No jodas!

–Sí, acabó a hostias con Papero porque se había liado con su novia y éste lo denunció.

–No me lo puedo creer... Ya no hay respeto por nada.

–Te lo juro.

Nos reímos.

–Los hermanos Bostini han abierto una pizzería.

–¿Dónde?

–En Flaminio.

–¿Y cómo es?

–Está bien. Te encuentras con todo el mundo que conoces pero también hay un montón de gente nueva. Además no es demasiado cara. Giovanni Smanella, en cambio, no ha pasado la selectividad.

–No me lo puedo creer... Pero ¿qué tiene en el cerebro?

–Bah, piensa que el pasado invierno me iba detrás.

–Vamos... ¡Menudo mierda!

Vuelven los viejos tiempos. Pallina me mira preocupada.

–No, era una cosa simpática. Nos habíamos hecho amigos, me hacía compañía. Me hablaba a menudo de Pollo.

–¡Encima!

Me quedo en silencio.

–¡Joder, Step –Pallina da un largo trago a la cerveza–, no has cambiado nada!

Estoy tenso, pero después lo dejo correr. Tiene razón, ¿a mí qué me importa? No ha hecho nada malo. En el fondo, la vida continúa.

–He cambiado –digo sonriendo.

–Ah, menos mal, ¿entonces podemos hablar de otra cosa? –Sonríe y pone cara de lista, inolvidable–. Ah... –Se entiende que cambio de cara–. He aquí la nota doliente. Te la has buscado. –Bebe un último sorbo de cerveza y después vuelve a la carga hecha una mujer–: Entonces..., ¿has sabido de ella? ¿Cuánto hace que no habláis? ¿Has intentado llamarla desde allí?

Es una maquinita, parece que no pueda parar nunca.

–Eh, calma, caray. ¡Ni que me hubiera pillado la pasma! –Intento no parecer demasiado afectado por el tema, pero no sé si lo consigo–: No, no he vuelto a saber de ella.

–¿Nunca?

–Nunca.

–¡Júralo!

–Lo juro.

–No me lo creo.

–Qué demonios... ¿Crees que te estoy mintiendo? Entonces he hablado con ella.

–No, no, de acuerdo, te creo. Yo, en cambio, me la encontré un día.

Después hace una pausa, larga, demasiado larga. No dice nada. Lo hace adrede. Me mira y sonríe. Quiere que yo diga algo. Espera un poco, demasiado. Pero ¿por qué? Qué coñazo. Qué boba. No lo resisto.

–Vamos, Pallina, suéltalo, cuenta.

–Como siempre, muy amable, pero...

–¿Pero?

–Distinta. No sé cómo decirte. Eso es: ha cambiado.

–Bueno, sobre eso no tenía dudas, todos hemos cambiado.

–Sí, lo sé... Pero ella... Ella ha cambiado de una manera... Qué sé yo, eso, de una manera distinta.

–¡Eso ya lo has dicho! Pero ¿qué quiere decir de manera distinta?

–Oye, no lo sé. Distinta y basta. Es así, no sé cómo decirlo. O lo entiendes o tienes que verlo para entenderlo.

–Gracias.

Después, no sé cómo pero hago la pregunta. Me sale con normalidad. No quiero decirlo, pero sin embargo se me escapa. Me sale así, sin quererlo. Incluso parece que no sea yo quien lo dice.

–Y... ¿estaba sola?

–Sí. ¿Sabes adónde iba? De compras.

Me dan ganas de reír. La recuerdo, la imagino y de repente la veo. Babi.

–Espera aquí un momento. No te muevas, ¿eh?, Step. No desaparezcas como de costumbre. En serio, no te vayas, que quiero tu consejo... –Me deja delante del escaparate. Entra, mira, elige y después me llama–. Mira, he decidido que me quedo éste. ¿Te gusta? –Pero no me da tiempo a contestar. Lo piensa de nuevo y cambia de modelo.

Se prueba otro, le sienta bien. Ahora parece de nuevo decidida. Hace una especie de desfile y después me mira–. ¿Y bien?... ¿Qué dices?

–Me parece que te sienta muy bien.

Vuelve a mirarse al espejo. Pero encuentra algo que no va, que sólo ella sabe.

–Disculpe, pero tengo que pensarlo.

Entonces sale de la tienda y me abraza.

–No, no, he decidido que no. Es muy caro.

Y se siente feliz porque de todos modos ha decidido lo mejor. Al final, yo se lo regalaba algunos días después. Y ella se reía. Se había convertido en un juego, otro juego. ¿Por qué decidiste dejar de jugar, Babi? Pero no me da tiempo a encontrar la respuesta.

–¿Ya sabes que no sale con aquel tipo?

–No, no lo sé. ¿Cómo quieres que lo sepa? Te he dicho que no he vuelto a hablar con ella. ¿Qué te crees, que tengo informadores secretos?

–Creo que ahora no sale con nadie.

Lo dice adrede, sonriente, pensando que me alegra. No sé qué piensa y no quiero saberlo.

–Bueno, de todos modos, Babi no me interesa.

Ante mi respuesta, pone cara de incredulidad.

–¿Qué?

–Que no me interesa. En serio. Alguien dijo que si sobrevives a Nueva York puedes sobrevivir a todo, y yo creo que lo he conseguido.

–Ya. Pero no fue alguien: es una frase de la película *Mejor... Imposible*. De acuerdo, te creo.

Sonríe y enarca las cejas. Bebo otro sorbo de cerveza.

–En serio que no me interesa.

–Entonces, ¿por qué me lo repites?

Empieza a sonar un móvil. No es un timbre normal. Parece una musiquilla polifónica, pero baja, distorsionada, fea. Un chico sentado a la mesa de al lado se lo saca del bolsillo y se lo acerca a la oreja. El que suena no es el suyo. Sigue hablando con la chica sentada frente a él, ligeramente sonrojado. Quién sabe qué llamada podría recibir. La chica hace ver que no pasa nada. El móvil sigue sonando. La musiquilla insiste y sube de volumen. Un hombre gordo se saca un móvil diminuto de la camisa y lo mira. No ve bien y se lo acerca a la oreja. No, no es el suyo. Está a punto de arrojarlo sobre la mesa.

–Qué coñazo de móviles.

–Yo me lo he dejado en casa –dice Pallina–, o sea que no puede ser el mío. A veces, cuando no me apetece, lo apago, pero esta noche lo he olvidado.

El retintín insiste.

–Me parece que es el tuyo...

Acabo el último sorbo de cerveza, que casi se me va por el otro lado. Joder, es verdad, no me acordaba. Lo saco del bolsillo. Es el mío. Ahora suena más fuerte. La musiquilla debe de haberla elegido Paolo. La gente me mira. Pallina también. Trato de justificarme.

–Me lo ha regalado Paolo esta tarde. –Pallina asiente–. Diga.

Es el mío.

–Menos mal, pensaba que estabas en la discoteca. ¿No lo oías? –Es una bonita voz de mujer que al final se echa a reír–. Te estarás preguntando quién puede tener tu móvil. Tu hermano me lo ha explicado. Espero haber sido yo la primera en estrenarlo. Soy Eva.

Por un momento me quedó en silencio. ¿Eva? Claro... Eva, la azafata. Eva, la que me traía las cervezas. Eva, la que brincaba arriba y abajo en el avión. Eva la *gnocca*. Es para eso para lo que sirve un hermano... Y un móvil.

–Oye... ¿Estás ahí?

–Claro.

–¿Sabes ya quién soy o realmente has conseguido olvidarme?

–Como podría olvidarme de... –Querría decir de Eva la *gnocca* pero entiendo que no es el momento–. Eva, es que creía que este móvil no funcionaba. Aún no había llamado a nadie.

–¿A cuánta gente le has dado ya tu número?

Parece celosa. Me río:

–A nadie...

–¿Dónde estás?

–Estoy con una amiga.

Silencio del otro lado.

–¿Dónde?

–Por ahí...

Lo extraño del móvil es que estás en todas partes y en ninguna.

–¿Y cómo es esa amiga tuya?

–Una amiga.

–¿Y qué dice tu amiga si estás tanto rato al teléfono?

Pallina mira a su alrededor y saluda a los amigos que acaban de entrar.

–No dice nada. Ya te lo he dicho: es una amiga.

Parece aliviada.

–Oye, si te apetece, quedamos en algún sitio. Podríamos ir a dar una vuelta.

–Hay un problema...

–¿Tu amiga?

–No, mi moto. Voy en moto.

–Ah, entonces sí que es un problema.

–¿Tienes miedo?

–No, no tengo miedo, ¿tendría que tenerlo?

–No.

Esa chica me gusta.

–El problema es que no puedo subir. Me lo prohíbe el seguro del vuelo.

No sé si creerla, pero no importa.

–Es verdad, si te caes con la moto no pagan.

–¿Por qué no vienes a verme? Estoy en el hotel Villa Borghese.

Pallina me mira y hace un gesto con la mano como diciendo «¡Sí que dura esa llamada!».

–¿Y después cogemos un taxi? ¿O tampoco estás asegurada para eso?

Eva se ríe:

–Después decidimos.

Termino la llamada.

–Menos mal. ¿Una discusión con una chica?

–Sientes curiosidad, ¿eh?

Me levanto y cojo el ticket.

–¿Qué haces?, ¿te marchas?

–Sí, pero pago.

Pallina parece desilusionada.

–¿Nos veremos un día de éstos o vuelves a marcharte en seguida?

–No, me quedo.

–Dame tu número y así te llamo yo.

–No me lo sé de memoria.

Me mira con su cara graciosa. Ladea la cabeza y me mira fijamente. Está más mona, más mujer. Le tengo mucho cariño. Pero no hay nada que hacer, no me cree.

–Ya te llamaré yo. Si no, puedes llamarme a casa. Estoy en casa de mi hermano y tiene el mismo número.

Se tranquiliza. Se levanta y me da un beso:

–Adiós, Step. Bienvenido.

Luego va a reunirse con sus amigos.

Ocho

La moto arranca a la primera. La batería se ha recuperado sin problemas. Primera, segunda, tercera. En un instante estoy debajo del puente del corso Francia. Se me ocurre una cosa y vuelvo atrás. A una chica como Eva tal vez pueda gustarle. Y sobre todo me apetece a mí. Cinco minutos después. Corso Francia, piazza Euclide, viale Parioli. Una caterva de restaurantes y coches en doble fila. Falsos aparcacoches elegantes, probablemente polacos de parco italiano. Una señora más o menos negada intenta una maniobra para aparcar bien. En su opinión, claro. En realidad, ha bloqueado una curva. Chicos y chicas a las puertas del Duck obstaculizan el tráfico. Me escabullo veloz entre los coches, evito una tentativa de cambio de sentido y me planto en la piazza Ungheria. A la derecha y después recto hasta el zoo. Al fondo a la izquierda y después de nuevo a la derecha. Hotel Villa Borghese. Aparco la moto y bajo con la bolsa.

–Buenas noches. –Joder, no lo había pensado, no sé su apellido–. Buenas noches. –Vuelvo a intentarlo. Quién sabe de dónde puede llegarme la inspiración. El portero, un hombre de unos sesenta años con aspecto bonachón y simpático, decide salvarme.

–La señorita lo espera. Habitación 202, segundo piso.

Quisiera preguntarle por qué piensa que voy a verla precisamente a ella. ¿Y si hubiera querido una habitación o cualquier otra cosa? Una simple información, por ejemplo. Pero entiendo que es mejor que me quede callado.

–Gracias.

Me observa mientras me marcho. Esboza una media sonrisa y después suspira. Asiente con la cabeza. Siente envidia por Eva o por esos años ya pasados, más bonitos incluso para él. Subo la escalera. 202. Me paro y llamo.

–¿Traen el champán? –pregunta divertida yendo hacia la puerta.

–No, la cerveza.

Abre.

–Hola, entra.

Me besa en las mejillas. Camina tranquila, ligeramente altiva pero más delicada de como paseaba por el avión. Es otra cosa. Lleva el pelo suelto.

–Bromas aparte, ¿quieres beber algo? Pido que lo suban...

–Sí, ya te lo he dicho, cerveza.

–Hay en la nevera.

Me señala una pequeña nevera en la esquina opuesta. Voy a cogerla. Cuando me vuelvo, ya está sentada en el sofá. Tiene los brazos abiertos: uno apoyado sobre el brazo del sillón y el otro sobre un cojín. Las piernas medio estiradas, con las rodillas juntas.

–Estoy agotada. He dado una vuelta para hacer unas compras, tal como me dijiste.

–¿Y cómo ha ido?

–Bien. He comprado un camisón y un traje de chaqueta muy bonito de un azul especial; «azul perdido», así lo he llamado. ¿Te gusta el nombre?

–Mucho.

Sonríe y se sienta más erguida.

–¿Quieres ver cómo me queda?

Me sonríe vivaz, solícita, divertida. Me mira de un modo más intenso, con una extraña malicia. Para demostrar algo, su hipotética elegancia, o quién sabe qué. ¿Es un desafío? Lo acepto.

–Por supuesto.

Coge una bolsa. Me mira, después levanta las cejas y se aleja divertida. Pero sé que quiere que se lo diga.

–¿Adónde vas?

–Al baño. ¿Qué pensabas?

Cierra la puerta detrás de ella con una última sonrisa que significa: «Dentro de poco estaré de vuelta, ¿qué creías?»

Acabo la cerveza apenas a tiempo. Aquí está Eva.

–¿Cómo me sienta?

Lleva el camisón transparente resbalándole sobre el cuerpo como una ola suave, tan suave que me parece que casi oigo ese mar. Es de color azul polvo. Azul perdido, como ha dicho ella. También se ha peinado. Incluso la sonrisa, no sé, ha cambiado.

–Guapa. Mucho. Si ése es el camisón..., ahora me gustaría ver el traje.

Se ríe. Después cambia de expresión y se acerca con porte profesional. Ha vuelto la azafata.

–¿Es usted quien ha llamado? ¿Qué desea?

No se me ocurre ninguna broma. Finalmente pienso en decir: «Como diría la señora: "A ti, *gnocca.*"» Pero la encuentro malísima y la desecho. Y hago bien.

Ella insiste. Está muy cerca de mi cara, y me vuelve a la memoria por un momento esa canción de Nirvana: «*If she ever comes down now...*»

–Entonces, ¿qué te apetece?

–Perderme en tu azul perdido.

Y ésta le gusta. Eva se ríe. Da por buena la broma y decide que sí, que me pierda en seguida. Me besa. Maravillosamente bien, tranquila, dulce, mucho rato. Juega con mi labio inferior chupándomelo, lo estira ligeramente hacia ella, hacia su boca. Después, de repente, lo suelta. Me aprovecho.

–Te he traído una cosa.

Por otro lado, no hay prisa. El aterrizaje no está previsto. No ahora. Me separo de ella y cojo la bolsa. Se queda sorprendida mirándome. Los pezones le asoman entre los pliegues livianos del camisón. Pero no quiero perderme ahora en esas corrientes. Abro la bolsa delante de sus ojos.

–No me lo puedo creer, estupendo. ¡Dos rodajas de sandía!

–He ido a comprárselas a un amigo en el puente Milvio. Hacía un montón que no lo veía y me las ha regalado.

Le paso una.

–Tiene las sandías más buenas de Roma.

«Después de las tuyas», quisiera añadir, pero esta broma sería peor que la otra. Muerde la rodaja e inmediatamente, con un dedo, recoge un poco de jugo que se le resbala de los labios y chupa intentando no perder ni siquiera una gota. Me río. Sí, no hay prisa. Muerdo la mía a mi vez. Es fresca, dulce, buena, compacta, no harinosa. Eva sigue comiendo. Le gusta. Las devoramos mirándonos, sonriéndonos. Aquello se convierte casi en una competición. Las medias lunas rosadas al final se nos quedan en la mano, mientras seguimos masticando. El jugo nos resbala hasta la barbilla. Ella deja su rodaja acabada sobre la mesa y, sin secarse la boca, me besa otra vez.

–Ahora tú eres mi sandía.

Me muerde la barbilla y me lame alrededor de la boca, frenada tan sólo por mi barba aún suave. Y ella, decidida, hambrienta, divertida. Aún más mujer.

–¿Sabes?, te deseé en el avión y te deseo ahora...

No sé qué contestarle. Me resulta extraño oírla hablar. Me quedo en silencio mientras ella me sonríe.

–Es la primera vez que quedo con un pasajero.

Tranquilo, saco el móvil del bolsillo. Pienso en la musiquilla y lo apago. La verdad es que, tal como están yendo las cosas, es el mejor regalo que podría haberme hecho Paolo.

–En cambio, tú eras la única azafata que me faltaba.

Intenta darme un bofetón. Le detengo la mano al vuelo y la beso, dulcemente. Finge que se ha enfadado y resopla.

–Pero también eres la sandía más buena que he probado nunca.

Sacude la cabeza divertida y se libera de la presa. Se sienta frente a mí con las piernas cruzadas. Decidida, descarada, presumida. Me mete adrede la mano allí delante, lentamente, con dulzura. Donde ella sabe, donde yo sé. Me mira a los ojos, desafiante, sin pudor. Y yo la miro, sin ceder, sonriendo. Entonces me atrae hacia sí, con deseo, ávida, agarrándose casi a mis hombros. Y me dejo ir, así. Me pierdo en ese antiguo azul perdido, agradablemente arrebatado por la dulzura de todo esto, sandía incluida.

Nueve

Lejos. Por la Aurelia, antes de Fregene, en Castel di Guido. Un viejo castillo abandonado ha sido reformado. Cincuenta grafiteros han pasado cinco días llenándolo de *grafitti*. Cinco proyectores con focos de toda clase para poder, en un instante, iluminarlo como si fuera de día. Dentro, tres consolas con doscientos altavoces de 100 kw repartidos a lo largo de los salones abandonados, arriba, en la rocas, en las habitaciones con los frescos antiguos ahora descoloridos por el tiempo, e incluso en los sótanos. Cinco mil velas distribuidas al azar entre el jardín y los interiores. Y por si eso no bastara, dos camiones con más de doscientos colchones aún envueltos en celofán. Sí, porque nunca se sabe... Y ese nunca se sabe, Alehandro Barberini no lo va a dejar escapar. Ésta es su noche. Por su veinte aniversario, su padre le ha regalado una tarjeta negra de Diners. ¿Y qué mejor ocasión para inaugurarla sino ésa? Doscientos mil euros, un suspiro, *et voilà*, ya está. Y Gianni Mengoni no ha dejado escapar la ocasión de un acontecimiento como ése. Es él quien ha tomado las riendas de la situación. Ha encargado más de mil botellas de bebidas alcohólicas y trescientas de champán, cuarenta y cinco barreños hinchables llenos de hielo y veinte camareros... ¿Por qué escatimar? Él, sólo por la organización, se ha hecho soltar una paga y señal de treinta mil euros. Ya cobrados: «¿Sabes?, con estos nobles un poco decadentes, ¡nunca se sabe!», le dijo al pobre Ernesto, que ha tenido que ocuparse en serio de toda la organización. Para Ernesto, en cambio, mil ochocientos euros y un palizón que dura desde hace más de un mes. Claro que, para él, esos mil ochocientos son un maná del cielo. Quiere llegar al corazón de la bella Madda. Hace un mes que tontean pero aún no se le ha entregado. Esta noche cree que lo conseguirá. Le ha comprado el chaquetón que tanto le gustaba, mil euros a tocateja por una prenda de piel rosa, anticuada y arañada. Pero si ella está contenta..., él también. El paquete lo ha escondido en el coche y cuando vuelvan al final de la velada, al alba, o cuando, cuando... Ya le parece ver su sonrisa, esa sonrisa que le impresionó tanto, que lo convenció para contratarla como ayudante también para esa noche. Y por *sólo* quinientos euros. En definitiva, si todo va bien, al final de la noche Ernesto se embolsará trescientos euros pero tendrá a cambio algo que no tiene precio. Ciertas alegrías no entienden de ceros.

–Dani, pero ¿dónde te has metido? Llevo una hora esperándote fuera.

–Ya lo sé, pero hemos tenido que dejar el coche al fondo. Siempre tiene miedo de que se lo rayen.

–¿Por qué?, ¿con quién has venido?

–¿Cómo que con quién? ¡Ya te lo dije, con Chicco Brandelli!

–¡No me lo puedo creer!

–Pues cuando yo digo algo es verdad.

–Pero aún dura... ¡Pero si ése se ha fijado en ti sólo para vengarse de tu hermana!

–Mira que eres ácida. Pues, conmigo es encantador. Además, ¿a ti qué te importa? Giovanni Franceschini, el que siempre tiraba los tejos a esa de tercero A, ¿cómo se llama?

–Cristina Gianetti.

–Eso. ¿No salió después con la hermana pequeña cuando la conoció?

–¡Sí, porque la primera es una monja redomada y la otra dicen que hace unos numeritos que, comparada con ella, la estrella del porno Eva Henger es aburrida!

–Bueno, pues a mí Brandelli me gusta un montón y, además, ya te lo he dicho, dentro de cuatro días es mi cumpleaños y ya está decidido.

–¿Todavía con esa historia? ¡Pero si a los dieciocho años no se caduca! Estás obsesionada. ¿Qué te importa si tu primera vez es dentro de dos años?

–¿Dos años? Pero ¿estás loca? ¿Y cuándo recupero el tiempo perdido? ¿Cómo puede ser que ahora que me he armado de valor me desanimes así? Además, perdona, ¿tú cuándo lo hiciste?

–A los dieciséis.

–¿Ves?, y encima hablas por hablar.

–¿Y qué tiene que ver?, si yo salía con Luigi desde hacía dos años.

–Mira, no me agobies. Chicco Brandelli me gusta un montón y esta noche he decidido hacerlo con él. ¡Haz de amiga por una vez!

–Pues precisamente por eso te lo digo, porque soy tu amiga.

Dani se vuelve y lo ve de lejos.

–Venga, basta. Ya llega. Vamos, entremos y no hablemos más de esto.

–Hola, Giuli.

Chicco Brandelli la saluda con un beso en la mejilla.

–Qué bien te veo, hace mucho que no coincidíamos. Estás muy guapa... Así, ¿ha sido buena idea encontrar entradas para esta noche? ¿Estáis contentas, muñecas? Venga, entremos.

Chicco Brandelli coge de la mano a Daniela y va hacia la entrada. A sus espaldas, Giulia cruza la mirada con Daniela y se burla de Brandelli, imitándolo: «Muñecas...» Después hace una mueca de asco como diciendo: «Dios mío, es terrible.» Daniela desde detrás, sin que se note, intenta darle una patada. Giulia se aparta riendo. Chicco atrae de nuevo a Dani hacia sí.

–¿Qué hacéis? Vamos, sed buenas, siempre estáis jugando. Entremos.

Se acerca a los cuatro porteros, unos tipos enormes, de color, con el pelo rapado y rigurosamente vestidos de negro. Uno de ellos comprueba las entradas. Después asiente al ver que todo está en orden. Aparta un cordón dorado para dejarlos pasar. La pequeña comitiva entra, seguida de otros chicos que acaban de llegar.

Diez

Algo más tarde o quizá mucho más tarde. Cuando uno se duerme en una cama no sabe qué hora es. Me despierto, ella está a mi lado. Su pelo suelto se derrama sobre los pliegues del cojín, allí donde su boca enfurruñada busca la respiración. Empiezo a vestirme en silencio. Y mientras me pongo la camisa, Eva se despierta. Estira la mano a su lado y ve que no estoy. Después se vuelve y sonríe al verme aún allí.

–¿Te marchas?

–Sí, tengo que irme a casa.

–Me ha gustado mucho la sandía.

–A mí también.

–¿Sabes qué es lo que más me ha gustado?

Me acuerdo de lo que hemos hecho y me parece todo maravilloso. ¿Por qué estropearlo?

–No, ¿qué?

–Que no me has preguntado si me ha gustado.

Me quedo callado.

–¿Sabes?, eso es algo que todos me preguntan siempre y que me parece... estúpido, no sé cómo decirte.

¿Todos? ¿Todos, quiénes?, querría decir. Pero no es tan importante. Cuando sólo quieres sexo no buscas explicaciones. Es cuando no haces sólo sexo que buscas todo lo demás.

–No te lo he preguntado porque sé que te ha gustado.

–¡Tonto!

Me lo dice con demasiado amor. Me preocupo. Se acerca y me abraza las piernas, besándome en seguida en la espalda.

–¿Por qué?, ¿te ha gustado?

–Mucho.

–¿Ves?

Ella insiste:

–Muchísimo.

–Lo sé –y le doy un beso rápido en los labios y después me dirijo hacia la puerta.

–Quería decirte que me quedo aún unos días...

Una mujer algo disgustada.

–¿Para ir de compras?

–Sí... –Sonríe algo atontada todavía por el placer–. También...

No le doy tiempo a añadir nada más.

–Llámame, tienes mi número –y después salgo de prisa.

Aflojo el paso en la escalera. Otra vez solo. Me pongo la chaqueta y saco un cigarrillo del bolsillo. Sopeso la situación. Son las tres y media. En el vestíbulo, el portero ha cambiado. Es uno más joven. Dormita apoyado en la silla. Salgo a la calle y arranco la moto. Llevo aún encima el perfume de la sandía y de todo lo demás. Lástima. Hubiera querido darle las gracias al portero que había antes. Qué sé yo, darle una propina o reírme con él, fumarme un cigarrillo. Tal vez le hubiera contado algo, las tonterías que se cuentan siempre sobre lo que se ha hecho. Quién sabe, tal vez en el pasado él lo haya hecho con algún amigo. No hay nada más divertido que contarle los detalles a un amigo. Sobre todo si ella no te ha robado el corazón. No como entonces. Ella. De ella nunca le conté nada a nadie, ni siquiera a Pollo. Pero es un instante. Nada, no hay nada que hacer. Cuando haces sólo sexo, el amor de antaño viene a buscarte. Te encuentra en seguida. No llama a la puerta. Entra así, de repente, maleducado y hermoso como sólo él puede ser. Y de hecho, en un instante estoy otra vez perdido en ese color, en el azul de sus ojos. Babi. Aquel día.

–Venga, muévete... Sí que tardas.

Sabaudia. Paseo marítimo. La moto está aparcada debajo de un pino, cerca de las dunas.

–No te he entendido, Step. ¿Quieres o no el helado?

Estoy agachado, poniéndole el candado a la moto.

–¿Cómo que no me has entendido? Mira que eres boba. Te he dicho que no, Babi, gracias pero no.

–Pero sí que lo quieres, lo sé.

Babi, dulce testaruda.

–Entonces, ¿por qué me lo preguntas? Además, ¿te parece que si lo quisiera no lo compraría? No cuesta nada.

–Eso, ¿ves cómo eres?... En seguida piensas en el dinero, eres venal.

–Lo decía en el sentido de que el polo es barato. ¿Qué importa, Babi? Se compra de todos modos y si no se come, se tira.

Babi se acerca con dos polos en la mano.

–He comprado dos. Ten, uno para mí de naranja y otro para ti de menta.

–Pero si a mí no me gusta la menta...

–¡Hace un minuto no lo querías por nada del mundo y ahora te quejas del sabor! Mira que eres tonto. Pruébalo, ya verás como te gusta.

–¡Sabré yo si algo me gusta o no!

–Dices eso porque estás cruzado. Venga, que te conozco.

Primero le quita el papel al mío y empieza a lamerlo. Tras haberlo probado, me lo pasa.

–Hummm... El tuyo está buenísimo.

–¡Pues entonces tómate el mío!

–No, ahora me apetece el de naranja.

Y lame su polo mirándome y riendo. Y después se apresura porque el helado se derrite en seguida y se lo mete entero en la boca. Y se ríe. Y luego quiere probar otra vez el mío.

–Venga, dame un poco del tuyo. –Lo dice adrede, riendo, y se frota, y estamos apoyados en la moto, y estiro las piernas, y ella se mete dentro, y nos besamos.

Los helados empiezan a deshacerse y a chorrear por el brazo. De vez en cuando recogemos con la lengua un poco de naranja, un poco de menta. En las manos, entre los dedos, en las muñecas, en el antebrazo... Suave. Dulce. Parece una niña. Lleva un pareo largo, azul cielo, con dibujos de un azul más oscuro. Lo lleva atado a la cintura. Lleva sandalias azules y sólo un biquini, también azul, y un collar largo con conchas blancas, redondeadas, algunas más pequeñas, otras más grandes. Se pierden y bailan entre sus pechos calientes. Me besa en el cuello.

–¡Ay!

Me ha apoyado adrede el helado en la barriga.

–Mi pequeño, ay... –me imita–. ¿Qué pasa?, ¿te he hecho daño? ¿Tienes frío?

Endurezco los músculos y ella se divierte aún más. Hace que el polo resbale por mis abdominales, uno tras otro, hasta que doy un respingo.

–Ay.

–Tienes un poco de menta en la cintura.

Y seguimos así, pintándonos de naranja y menta en la espalda, detrás del cuello, en la pierna, y después entre sus pechos. El polo se rompe. Un pedazo se mete por el borde del bañador.

–¡Ah, idiota, está helado!

–¡Pues claro que está helado, es un polo!

Y nos reímos. Perdidos en un beso frío bajo el sol caliente. Y en nuestras bocas, la naranja y la menta se encuentran mientras nosotros naufragamos.

–Vamos, Babi, ven conmigo.

–¿Adónde?

–Ven...

Miro a derecha e izquierda, después cruzo la calle velozmente arrastrándola conmigo y ella corre, casi tropieza, arrancando las sandalias al asfalto caliente. Dejamos atrás el mar, la calle, para ir arriba, entre las dunas. Y correr aún más hacia el interior. Luego, cerca de un camping de turistas extranjeros, nos paramos. Allí, escondidos entre la maleza baja, entre el verde seco, sobre la arena casi enrarecida, bajo un sol mirón, me tumbo sobre su pareo. Ahora estamos en el suelo. Y ella se pone encima de mí, sin el bañador, mía. Y con el calor, gotas de sudor resbalan llevadas por regueros de cabellos rubio ceniza, perdiéndose en la barriga ya bronceada, más hacia abajo, entre sus rizos más oscuros y aún más abajo, entre los míos... Y ese dulce placer, el nuestro. Babi se mueve sobre mí, arriba y abajo, lentamente, feliz de ser amada. Hermosa con toda esa luz. Menta. Naranja. Menta. Naranja. Menta... Naranjaaa...

Basta. Estoy fuera. De los recuerdos. Del pasado. Pero también estoy perdido. Antes o después las cosas que has dejado atrás te alcanzan. Y las cosas más estúpidas, cuando estás enamorado, las recuerdas como las más bonitas. Porque su simplicidad no tiene comparación. Y me dan ganas de gritar. En este silencio que hace daño. Basta. Déjame. Ponlo todo de nuevo en su sitio. Así. Cierra. Doble vuelta de llave. En el fondo del corazón, allí, en aquella esquina. En aquel jardín. Algunas flores, un poco de sombra y después dolor. Ponlos allí, bien escondidos, te lo ruego, donde no duelan, donde nadie pueda verlos. Donde tú no los puedas ver. Eso. Otra vez enterrados. Ahora está mejor. Mucho mejor. Y me alejo del hotel. Y conduzco despacio. Via Pinciana, via Paisiello, recto hacia piazza Euclide. No hay nadie en la calle. Un coche de la policía está parado delante de la embajada. Uno duerme; el otro lee quién sabe qué. Acelero. Paso el semáforo y después bajo por via Antonelli. Noto cómo el viento fresco me acaricia. Cierro los ojos un instante y creo que estoy volando. Respiro hondo. Bonito. Además, el servicio de la azafata ha sido impecable. Eva. Perdida en ese «azul perdido». Guapa. Tiene un cuerpo perfecto. Y además me gustan las mujeres que no se avergüenzan de su deseo. Dulce. Dulce como una sandía. Es más, aún más. Tomo corso Francia. Es noche cerrada. Llego hasta el puente. Ahora hace casi frío. Algunas gaviotas levantan el vuelo del Tíber. Se asoman al puente. Es como si saludaran con timidez. Después, se lanzan de nuevo hacia el río. Articulan unas voces suaves, una llamada, una petición. Pequeños gritos ahogados, como si temieran despertar a alguien. Cambio de marcha y giro por Vigna Stelluti. Después me pongo a reír solo. Eva... Qué raro, ni siquiera sé su apellido.

Once

En Castel di Guido la fiesta enloquece. Dentro la música es ensordecedora. Luces rojas, violetas, azules. Unas bailarinas bailan sobre balas de paja, completamente desnudas. Un culturista encadenado con un capuchón en la cabeza, con el cuerpo oleoso cubierto sólo con un tanga grecorromano, gruñe y finge que arranca las cadenas de la pared para intentar cogerlas. Dani y Giuli gritan divertidas. Un caballero y su dama desnuda cruzan el salón a caballo. En un sofá, relajados, chicos y chicas beben, ríen, se besan parapetados en la penumbra, iluminados a ratos por un pequeño foco verde que atraviesa las habitaciones al ritmo de la música. Camareros con impecable chaqueta blanca pasan con bandejas sirviendo las mejores bebidas, del ron John Bally a la ginebra Sequoia. Chicco coge dos al vuelo y se los bebe. Después baila sin moverse del sitio levantando los dos brazos al cielo.

–¡Este lugar es estupendo! Es el infierno sólo para ricos, o sea, que es sólo para nosotros... ¡Grande!

Después coge a Daniela y la hace girar al ritmo de la música. Se ríe con ella, la abraza y la besa delicadamente en los labios. Luego la suelta así, con una pequeña vuelta de baile más o menos lograda.

–¡Esperad aquí, muñecas, voy a buscar algo más para beber!

Giuli lo observa marcharse y después se vuelve hacia Daniela y la mira en silencio.

–Dani..., ¿de verdad estás decidida?

–No puedo más...

–¡Ah, es eso!

–Claro que no, me gusta un montón, es sólo que tengo que soltarme y tú me lo haces todo aún más difícil.

–¿Yo?

–¡Quién si no! Me tengo que entonar. Lo que pasa es que si bebo, después me encuentro mal.

–Dani, mira, ¿ése no es Andrea Palombi?

–Sí, es él. ¡Madre mía, hacía un montón que no lo veía!

–Parece otro. Pero ¿qué le han hecho? ¿Le han pegado?

–No, cuando lo dejamos se deprimió.

–¡Joder! Eso, tu primera vez tendría que ser con él, con uno que al menos te quería de verdad. ¿Cuánto tiempo estuvisteis juntos?

–Seis meses.

–¿Y en seis meses no hubo ocasión?

–Supongo que sí, ¡pero si estoy así quiere decir que al final no la hubo! O sea que... ¡Además, no son cosas que se puedan decidir en frío!

–¡Pero qué dices! ¡Esta noche lo estás haciendo todo en frío!

–Basta, me estás liando. No lo conseguiré nunca. ¡Tengo que tomarme un éxtasis! Eso, eso es lo que necesito.

–Sí, es una pasada. Yo me tomé uno en la fiesta de Giada, eso sí que ayuda.

–¿Qué te hizo?

–Nada, me sentía de maravilla. Estaba también Giovanni e hicimos el amor. Fue maravilloso.

–Te creo, estabas bajo los efectos del éxtasis.

–¿Y qué tiene que ver? ¡Con Giovanni estoy siempre muy bien! Siempre me he encontrado bien con él desde ese punto de vista, nos entendemos muy bien la cama, ¿qué te crees?

–¡Claro, él en la cama se entiende bien con cualquiera que respire!

–Oye, que ahora la ácida eres tú, ¿eh? Entonces, podrías acostarte directamente con Giovanni en lugar de complicarte tanto la vida, ¿no?

–Basta, venga, no discutamos. ¿Dónde puedo encontrarlo?

–¿El qué?

–A Giovanni... ¡No, tonta, un éxtasis! ¡Te has acojonado!

–Mira, allí hay una camella.

–¿Quién?

–Una camella. Estás en Babia. Las camellas son las listillas, las que pasan las cosas. ¿La ves? Es aquella con el pelo con trencitas. ¡Venga, boba! La que está cerca de las consolas. Tiene de todo. La vi en la entrada. ¿Sabes quién te digo? Esa de allí, ¿la has visto?

–Sí, la que está al lado de Madda.

–¿De quién?

–De Madda Federici. La que acabó a hostias con mi hermana hace dos años.

–¿Y a ti qué más te da? ¿Qué tienes que ver tú en eso? Además, ésas trabajan juntas. Tú salúdala y ya verás como no tienes problemas.

–¿Seguro?

–Venga.

Daniela se envalentona y cruza el salón. Desde lejos, Madda la ve llegar y la reconoce. Nunca se olvidó de ella, de ninguna de las dos. Se dirige a la camella.

–Sophie, ¿qué te queda?

–Un éxtasis y un *scoop*.

–¿Ves a esa que viene hacia aquí?

La camella mira a Daniela.

–Sí, ¿qué?

–Si te pide algo, dale el *scoop*.

–¿Y cuánto le pido?

–Eso es cosa tuya.

Daniela llega y se para frente a las dos. La camella levanta la barbilla como diciendo: «¿Buscas algo?» Daniela saluda primero a Madda.

–Hola, ¿cómo estás?

Madda no contesta. Daniela sigue.

–Perdona, quería saber si tenías un éxtasis.

–Y yo quiero saber si tienes dinero –dice la camella.

–¿Cuánto tendría que darte?

–Cincuenta euros.

–De acuerdo, toma.

Daniela se saca un billete del bolsillo del pantalón y se lo da. La camella lo hace desaparecer en un momento en uno de sus bolsillos delanteros. Después se saca de la muñequera una pastilla blanca. Daniela la coge y hace ademán de marcharse.

–Eh, quieta. –Madda la para–. Eso no te lo puedes llevar por ahí. Te lo tomas ahora y aquí. Toma. –Y le alarga la media botella de cerveza que estaba bebiendo.

Daniela la mira preocupada.

–Pero ¿no me sentará mal con la cerveza?

–¡Si has venido hasta aquí, sólo puede sentarte bien!

Daniela se mete la pastilla en la boca y da un largo trago. Después baja la cabeza y retoma el aliento. Traga y sonríe.

–Ya está.

Madda la detiene de nuevo.

–Déjame ver. Levanta la lengua.

Daniela obedece. Madda la mira bien mirada. Sí, se ha tomado la pastilla.

–Bien, adiós, y diviértete.

Daniela se aleja precisamente al mismo tiempo que Chicco Brandelli se reúne con Giuli con dos botellas de champán. Madda y Sophie se quedan mirándola.

–Esa tía va a enloquecer, ya lo verás. Si no has tomado nunca nada, un *scoop* te hunde. No te acuerdas ni de lo que has hecho.

–Le está bien merecido. ¡Así le lleva recuerdos míos a su hermana!

–¡Qué peligro enfrentarse a ti, eh!

–Bueno, es sólo cuestión de tiempo.

–Oye, Madda, yo me marcho.

–¿Y con el último éxtasis qué haces?

–Me lo meriendo en casa. Estará Damian, que por la noche vuelve pronto. Al menos, así practicaremos un poco de sexo.

–Bien, disfruta, niña. ¿Me haces un último favor? ¿Te acuerdas del coche de Ernesto?

–Sí, el azul abollado.

–Eso, ven, que te explico qué tienes que hacer.

La música parece que haya subido. El *scoop* le está haciendo efecto. Dani baila desenfrenada delante de Giuli.

–¿Cómo estás?

–De maravilla.

–¿Y qué efecto te hace?

–¡Y yo qué sé! No lo sé. ¡Ya no entiendo nada, sólo sé que quiero follar! ¡Quiero follar!

Daniela salta como una loca gritando, ahogada a veces por el sonido de la música y otras veces no. Precisamente como cuando acaba delante de Andrea Palombi.

–¡Quiero follar! –grita Daniela.

Andrea le sonríe.

–¡Al fin! –le hace eco–. ¡Yo también!

–¡Sí, pero no contigo!

Y Daniela sigue corriendo y gritando, saltando de alegría, armando jaleo, perdida entre los brazos que la tocan, bebiendo vasos que le pasan por delante, bailando con desconocidos, hasta encontrar esas manos, esos labios, esa cara, esa sonrisa... Eso es. Te buscaba a ti. Me gustas. Eres muy guapo. Y lo ve rubio y después moreno y después ya no lo ve. Y luego se encuentra en una habitación y lo ve desnudarse. Y se ve desnudarse. Alguien retira el celofán del colchón como si fuera el envoltorio de un helado, de un helado que lamer. Y eso es lo que hace. Después se pierde tumbada sobre ese colchón frío. Unas manos la cogen por debajo, le tiran de las piernas. Y poco a poco se siente acariciar. Ah, me hace daño... Duele... Pero ¿tiene que doler? Es así, piensa. Sí, es así. Es bonito también porque hace daño. Y sigue viendo ese extraño mar a su alrededor. Y todo flota, arriba y abajo, como ese cuerpo encima de ella. Y después sonríe. Y se ríe. Y tiene una sola pregunta: ¿mañana por la mañana alguien escribirá algo en una pared para mí? Es así como funciona, ¿no? Una frase de amor sólo para mí... Y sonríe. Y se queda dormida. No sabe que no habrá ninguna frase, de ningún tipo. Ni siquiera un nombre.

Más tarde. Amanece.

–¡No, no me lo puedo creer!

Ernesto corre hecho polvo hacia su coche azul.

–¡Me han roto la ventanilla!

–Ya ves –dice Madda subiendo al vehículo–, ¡pero si ya estaba totalmente abollado!

–¡No, no me entiendes, me han robado un regalo que tenía para ti! No puedes ni imaginar la pasta que me había costado. ¡Era ese abrigo rosa, el que te gustaba tanto!

–Sí, ¿así que te has ventilado mil euros por mí? ¿Y qué querías a cambio? ¡Qué listo! No me lo creo. ¡Llévame a casa, venga, que estoy cansada y tengo sueño!

–¡Te lo juro, Madda! Lo había comprado...

–Sí, sí, de acuerdo. Oye, ahora tengo que ir a casa, que mañana por la mañana me marcho pronto.

–¿Adónde?

–A Florencia, estaré fuera una semana. Ya te llamaré cuando vuelva.

–¿Y qué vas a hacer?

–Voy por trabajo, otras fiestas, otras cosas. Pero ¿qué pasa?, ¿es esto un interrogatorio? Me estresas..., ¡siempre estás encima, déjame en paz!

Y así es como Madda baja en un segundo y se sube al primer coche que pasa. Es el de Mengoni y parece mucho más contenta de irse con él. Ernesto corre detrás, gritando.

–¿Adónde vas? ¡Espera!

Madda sonríe para sus adentros. ¿Espera, qué? El abrigo rosa ya está en casa, esperándome. Y sin darte nada a cambio. ¡Genial! Además, también he jodido a la menor de las Gervasi. ¡Ha sido una pasada! Pero Madda no tiene ni idea de la pesadilla de la que ella es responsable.

Doce

Duermevela. Oigo a Paolo trasteando en la cocina. Mi hermano. Mueve los cacharros intentando no hacer ruido, lo sé por cómo deja los platos sobre la mesa y cómo cierra los cajones. Mi hermano es como una mujer. Tiene los mismos detalles que tenía mi madre. Mi madre... Hace dos años que no la veo, quién sabe cómo llevará ahora el pelo. En el último año se lo cambiaba a menudo. Seguía la moda, los consejos de sus amigas, una foto en una revista... Nunca he entendido por qué las mujeres están siempre tan obsesionadas con su pelo. Me acuerdo de una película con Lino Ventura y Françoise Fabian, *Una dama y un bribón*. 1973. Él acaba en la cárcel. Ella va a buscarlo. Oscuro. Se oyen sólo sus voces.

–¿Qué pasa?... ¿Por qué me miras así?

–Has cambiado de peinado.

–¿No te gusta?

–Sí, pero cuando una mujer cambia de peinado significa que también está a punto de cambiar de hombre.

Sonrío. Mi madre ha visto muchas veces esa película. Quizá se haya tomado en serio esas palabras. Una cosa es segura: cada vez que la veo lleva un corte distinto. Paolo aparece en la puerta, la abre despacio, con cuidado de que no chirríe:

–Stefano, ¿vienes a desayunar?

Me vuelvo hacia él:

–¿Has preparado algo bueno?

Se queda un momento perplejo.

–Sí, creo que sí.

–De acuerdo, ahora voy.

Nunca entiende cuando hablo en broma. En eso no ha salido a mi madre. Me pongo una sudadera y me quedo en calzoncillos.

–Caray, cómo has adelgazado.

–Otra vez... Ya me lo dijiste.

–Tendría que ir yo también un año a Estados Unidos. –Se toca un michelín de la barriga cogiéndolo entre dos dedos–: Mira esto.

–El poder y la riqueza sientan bien a la barriga.

–Entonces tendría que estar delgadísimo.

Intenta bromear. También en eso es distinto de mamá, porque no lo consigue.

–¿En qué piensas?

–En que eres bueno poniendo la mesa.

Se sienta satisfecho.

–Bueno, sí, me gusta...

Me pasa el café. Yo lo cojo y le añado un poco de leche fría, sin siquiera probarlo, y después meto una gran galleta de chocolate.

–Están buenas.

–Son de cacao amargo. Las compré para ti. A mí no me gustan, son demasiado amargas. Mamá te las compraba siempre cuando estábamos todos en casa.

Me quedo en silencio bebiendo el café con leche. Paolo me mira. Por un instante querría añadir algo, pero lo piensa mejor y se prepara su capuchino.

–Ah, anoche te llamó una chica, Eva Simoni. ¿Te encontró en el móvil?

Eva. Ahora ya sé cómo se llama: Simoni. Mi hermano sabe hasta el apellido.

–Sí, me encontró.

–¿Y la viste?

–¿Qué son todas estas preguntas?

–Curiosidad: tenía una bonita voz.

–A la altura de todo lo demás.

Acabo de beberme el café con leche.

–Adiós, Pa, nos vemos.

–Dichoso tú, que estás así.

–¿Qué quiere decir?

Paolo se levanta y empieza a ordenarlo todo.

–Pues eso, que estás así, libre, que te diviertes, que haces lo que te apetece. Has estado fuera, aún estás dudoso, sin definir.

–Sí, soy afortunado.

Me marcho. Tendría que decirle demasiadas cosas. Tendría que explicarle de manera amable que ha dicho una innoble, grande y terrible gilipollez. Que uno busca la libertad sólo cuando se siente prisionero. Pero estoy cansado. Ahora no me apetece, no me apetece nada. Entro en la habitación, miro el despertador en la mesilla de noche y me quedo parado.

–¡Joder, me has despertado y sólo son las nueve!

–Sí, dentro de poco tengo que estar en la oficina.

–¡Pero yo no!

–Sí, lo sé, pero como tienes que ir a casa de papá... –Me mira perplejo–. ¿No te lo había dicho?

–No, no me lo habías dicho.

Sigue manteniendo una cierta seguridad. Después me mira con la duda de haberlo hecho o no. O está realmente seguro de habérmelo dicho o es un gran actor.

–Bueno, sea como sea, te espera a las diez. He hecho bien despertándote, ¿no?

–Pues claro, cómo no. Gracias, Paolo.

–De nada.

Nada. Ironía cero. Sigue metiendo las tazas y la cafetera ordenadamente en el seno derecho del fregadero, como siempre, sólo en el derecho.

Después vuelve sobre el tema.

–Oye, ¿no me preguntas por qué papá quiere verte a las diez? ¿No sientes curiosidad?

–Bueno, si quiere verme, imagino que después me lo dirá.

–Claro, claro.

Veo que se ha quedado un poco mal.

–De acuerdo... ¿Por qué quiere verme?

Paolo deja de lavar las tazas y se vuelve hacia mí secándose las manos con un trapo. Está entusiasmado.

–No tendría que decírtelo porque es una sorpresa.

Se da cuenta de que me estoy cabreando.

–Pero te lo digo porque me apetece. ¡Creo que te ha encontrado un trabajo! ¿Eres feliz?

–Muchísimo.

Creo que he mejorado. Consigo disimular incluso delante de una pregunta como ésa.

–Entonces, ¿qué dices?

–Que si sigo hablando contigo llegaré tarde.

Voy a arreglarme.

¿Eres feliz? La pregunta más difícil. «Para ser feliz –según Karen Blixen–, hace falta coraje.» ¿Eres feliz?... Una pregunta así sólo podría hacerla mi hermano.

Trece

Diez menos un minuto. Miro mi apellido escrito en el timbre. Es la casa de mi padre. Está escrito a bolígrafo de un modo irregular, sin fantasía, sin valor, y de alegría ni hablar. En Estados Unidos no habría pasado. Pero ¿qué importa? Estamos en Roma, en una pequeña plaza en corso Trieste, cerca de una tienda que vende ropa de imitación. La pila del escaparate, a 29,90 euros. Como si un imbécil cualquiera no entendiera que pagar por esa ropa de mierda equivale a treinta euros. Espíritu de comerciantes, falsos listillos y una sonrisa obligada. Llamo.

–¿Quién es?

–Hola, papá, soy yo.

–Eres puntual. Estados Unidos te ha cambiado –se ríe.

Querría volver a casa, pero ahora ya estoy aquí.

–¿En qué piso vives?

–En el segundo.

Segundo piso. Entro y cierro el portal a mis espaldas. Qué raro, el segundo piso nunca me ha gustado. Siempre lo he considerado una medianía entre el ático y el jardín, un lugar oscuro para quien sobrevive. Pulso el dos. Y lo mismo para el ascensor. Un trayecto demasiado corto. Inútil para quien quiere hacer un poco de deporte, incómodo de todos modos para quien no lo consigue. Papá está en la puerta, esperándome:

–Hola.

Está emocionado y me abraza con fuerza. Demasiado rato, demasiado. Se me hace un pequeño nudo en la garganta pero lo expulso a patadas. No quiero pensar. Me golpea suavemente en el hombro:

–Entonces..., ¿cómo va?

–Estupendamente.

Las patadas me han servido. Hablo con normalidad:

–¿Y tú? ¿Cómo estás?

–Bien. ¿Qué te parece este pisito? Hace seis meses que me trasladé y me encuentro a gusto aquí, lo decoré yo mismo.

Querría decirle «Se nota», pero lo olvido. No me importa.

–Además es cómodo. No es demasiado grande, tendrá unos ochenta metros cuadrados, pero para mí está bien, casi siempre estoy solo.

Me mira. Cree y espera que ese «casi siempre» lleve a algún sitio. Pero no. Si es por mí... Se queda allí, atascado. Sonríe inútilmente y después toma de nuevo la palabra:

–Encontré esta oportunidad y la aproveché. Además, ¿sabes una cosa? Siempre pensé que no me gustaban los segundos, en cambio, es mejor, es más... recoleto.

Espero que no me pregunte qué significa. Lo habré oído un montón de veces. Es una de esas palabras que odio.

–Además es más cómodo, más tranquilo.

Demasiados adjetivos son casi siempre para justificar una elección equivocada.

Me recuerda una frase de Sacha Guitry: «Hay personas que hablan, hablan..., hasta que encuentran algo que decir.»

–Sí, estoy de acuerdo contigo.

Quizá habría estado de acuerdo sobre la frase, pero no puede: sólo la he pensado, no la diré en voz alta.

Me sonríe.

–¿Y ahora qué?

Lo miro desalentado. ¿Y ahora qué? ¿Qué significa «Y ahora qué»? Recuerdo a un compañero del instituto, Ciro Monini, que se sentaba en el primer banco y siempre decía: «¿Y ahora qué? ¿Y ahora qué?» E Innamorato, el de detrás de él, siempre contestaba: «¿Y ahora qué? ¡Café!» Y se reía. Pero lo peor es que el otro también se reía. Y lo repetían casi a diario. No sé si aún se ven. Me temo que quizá hagan el mismo juego con algún otro... ¿Y bien? Yo quiero a mi padre. Joder, estoy incómodo en esta butaca. Pero me esfuerzo.

–No sabes lo bien que he estado en Nueva York, de maravilla.

–¿Había gente? –Lo miro–. Quiero decir, italianos...

Por un instante me había preocupado.

–Sí, muchos, pero todos distintos de los que estamos acostumbrados a tratar aquí.

–¿En qué sentido?

–Pues no lo sé. Más inteligentes, más atentos... Dicen menos tonterías. Pasean, hablan sin problemas, se cuentan cosas...

–¿Qué quiere decir «se cuentan cosas»?

Si al menos estuviéramos cenando... En la mesa perdonaría a cualquiera, incluso a mis padres. ¿Quién lo dijo? Estaba en el instituto y me hizo reír. Quizá fue Oscar Wilde. No creo que lo consiga, pero lo intento.

–Que no se esconden. Afrontan su vida, y además..., admiten sus dificultades. Claro que no es casual que casi todos tengan psicoanalista.

Me mira preocupado:

–¿Por qué?, ¿tú fuiste a uno?

Mi padre siempre con la pregunta equivocada en el momento adecuado.

Lo tranquilizo.

–No, papá, no fui a ninguno.

Me gustaría añadir «Aunque quizá debería haberlo hecho. Quizá un psicoanalista norteamericano hubiera entendido mis problemas italianos.» O quizá no. Querría decírselo, pero me olvido. No sé cuánto duraremos. Trato de simplificar.

–Yo no soy norteamericano. Y nosotros, los italianos, somos demasiado orgullosos para admitir que necesitamos ayuda.

Permanece en silencio. Se preocupa; lo siento. Entonces intento ayudarlo, no dejarle que piense que él tiene alguna culpa.

–Además, ¿para qué?, ¿para tirar el dinero? Si vas a un psicoanalista y no entiendes lo que te dice porque te habla en inglés... ¡entonces sí que tienes problemas mentales! –Se ríe–. Preferí gastarlo en un curso de lengua. Lo tiré de todos modos, ¡pero no tenía esperanzas de mejorar!

Se ríe otra vez, aunque me parece que se esfuerza. Quién sabe qué querría que le dijera.

–No obstante, a veces no somos siquiera capaces de contarnos nuestros problemas a nosotros mismos.

Se pone serio.

–Eso es cierto.

–Es la misma razón por la que he leído que cada vez son menos los que se confiesan en la iglesia.

–Ya...

No parece convencido.

–¿Dónde lo has leído?

Como sospechaba.

–No me acuerdo.

–Entonces volvamos a nosotros.

¿Por qué? Volvamos a nosotros... Qué manera de hablar. Estoy mal. Estoy incómodo. Mi padre... Me estoy poniendo nervioso.

–¿Te ha dicho algo Paolo?

–¿De qué?

Mentirle a un padre... Yo no tengo nada que ver con eso de la confesión. No voy a la iglesia. Ya no.

–No, no me ha dicho nada.

–Bien... –Me sonríe entusiasmado–. Te he encontrado un trabajo.

Intento fingir lo mejor que puedo:

–Gracias.

Sonrío. Debería ser actor.

–¿Podría saber de qué se trata?

–Claro que sí, qué tonto. Pues he pensado que, como has estado en Nueva York y has hecho un curso de diseño por ordenador y de fotografía..., ¿no?

Vamos bien. Ni siquiera él está seguro de qué ha hecho su hijo en Nueva York. Y pensar que precisamente él pagaba la escuela todos los meses...

–Sí, exacto.

–Eso, lo ideal era que te encontrara algo que tuviera que ver con lo que has estudiado. ¡Y así ha sido! ¡Te han aceptado en un programa de televisión como adjunto en el grafismo por ordenador y en las imágenes!

Lo dice con un tono que parece la traducción italiana del Oscar estadounidense: *And the winner is...* El ganador es..., ¿soy yo?

–Bueno, naturalmente serás el ayudante, es decir, la persona que asiste a quien hace los diseños gráficos y se ocupa de las diversas imágenes, creo.

O sea, que no soy el ganador. Sólo un segundo clasificado.

–Gracias, papá, me parece una buena idea.

–O algo parecido, la verdad, no sé explicarte.

Aproximativo como siempre. Impreciso. Cerca de la verdad o algo parecido. Mi padre. ¿Entendió realmente alguna vez lo que sucedió con mamá? Creo que no. A veces me pregunto qué hay de él en mí. Imagino el polvo que me engendró. Lo miro, él encima de mamá. Me da la risa. Si supiera qué estoy pensando... Suena el interfono.

–Ah, debe de ser para mí. –Se levanta apresurado, ligeramente apurado. Pues claro, ¿para quién iba a ser? Yo ya no vivo aquí, como Alicia. Papá regresa pero no se sienta. Permanece de pie y mueve las manos de una manera nerviosa–. ¿Sabes?, no sé cómo decírtelo, pero hay una persona que me gustaría que conocieras. Es extraño contarle esto a un hijo, pero digamos que estamos entre hombres, ¿no? Es una mujer.

Se ríe para desdramatizar. No quiero ponérselo difícil.

–Claro, papá, no hay ningún problema..., estamos entre hombres.

Guardo silencio. Él se queda allí de pie, mirándome. No sé qué decir. Veo que evita mi mirada. Llaman a la puerta y va a abrir.

–Mira, ésta es Monica.

Es guapa. No demasiado alta, maquillada en exceso. Lleva un perfume fuerte, un vestido más o menos elegante, el pelo demasiado crepado y demasiado carmín en los labios. Sonríe y sus dientes no son gran cosa. No resulta tan guapa. Me levanto como me ha enseñado mi madre y nos damos la mano.

–Encantado.

–Tu padre me ha hablado mucho de ti. Has vuelto hace poco, ¿verdad?

–Ayer.

–¿Qué tal te ha ido fuera?

–Bien, muy bien.

Se sienta tranquila y cruza las piernas. Piernas largas, muy bonitas, zapatos un poco gastados, un poco demasiado. Por los zapatos, he leído, se conoce la verdadera elegancia de una persona. Leo un montón de cosas pero nunca recuerdo dónde. Ah, sí, era en *Class*, en el avión, en una entrevista a un portero de discoteca. Decía que por los zapatos decide siempre si deja entrar a una persona en su local o no. Ella se habría quedado fuera.

–¿Cuánto tiempo has estado en Nueva York?

–Dos años.

–Mucho –sonríe mirando a mi padre.

–Pero han pasado muy rápido, sin problemas.

Espero que no haga más preguntas. Quizá lo entiende. Y se detiene. Saca del bolso un paquete de cigarrillos. Diana azul. El portero hubiera dudado al respecto. Después enciende uno con un Bic de colores y, tras haber dado la primera calada, mira a su alrededor. Sólo finge hacerlo, pues en realidad no busca nada.

–Toma, Monica –mi padre se precipita junto a ella con un cenicero cogido al vuelo de un velador situado detrás.

–Gracias. –Intenta que la ceniza caiga en el cenicero, pero aún es demasiado pronto. En el cigarrillo está grabada media boca suya con pintalabios rojo, con todas sus granulaciones. Odio el carmín en un cigarrillo.

–Bueno, yo ya me marcho, adiós.

–Adiós, Stefano, me ha gustado conocerte –sonríe un poco demasiado, y me sigue con la mirada mientras me alejo.

–Espera, te acompaño.

Voy con mi padre hacia la puerta.

–Hace algunos meses que nos conocemos. ¿Sabes?, en realidad hacía cuatro años que no salía con una mujer.

Se ríe. Cada vez que debe decir algo que le parece difícil, se ríe. Pero ¿por qué coño se reirá? Además, se justifica demasiado. Parece que siempre esté intentando convencerse a sí mismo de las elecciones que hace. De todos modos, no me importa nada. No veo la hora de marcharme.

–¿Sabes?, es simpática...

Me cuenta algo de ella, pero no lo escucho. Veo que habla, habla y habla, pero yo pienso en otra cosa. Me acuerdo de que era pequeño y que mi madre bromeaba con él en el comedor. Después empezó a correr y él detrás por el pasillo, persiguiéndola hasta la puerta del dormitorio. Yo corría detrás de papá y gritaba: «¡Sí, cojámosla, atrapémosla!» Después lucharon un poco en la puerta. Mamá se reía y quería encerrarse dentro y él, en cambio, intentaba entrar. Al final mamá soltó la puerta y corrió hacia el baño. Pero él la alcanzó y la arrojó sobre la cama. Papá se reía porque ella había empezado a hacerle cosquillas. Ese día yo también me reía. Después llegó Paolo, y mamá y papá nos hicieron salir de la habitación. Dijeron que tenían que hablar, pero se reían mientras lo decían. Entonces Paolo y yo nos fuimos a nuestra habitación a jugar. Después, algo más tarde, los dos vinieron a vernos. Pero hablaban despacio, lentamente, tenían las caras como suavizadas. Los recuerdo con una luz distinta, como si fueran luminosos. Incluso en el pelo, en los ojos, en la sonrisa. Y se pusieron a jugar con nosotros y mamá me abrazaba y se reía y me peinaba siempre el pelo. Me lo echaba hacia atrás con fuerza, para despejarme la cara. Me molestaba, pero yo la dejaba hacer. Porque le gustaba. Y porque era mi madre.

–Perdona, papá, pero tengo que marcharme...

Interrumpo quién sabe qué conversación.

–Pero ¿me has oído? ¿Lo has entendido? A las dos en Vanni. Te espera el señor Romani para el programa.

Estaba hablando de eso.

–Sí, claro, lo he entendido. El señor Romani a las dos en Vanni. –Resoplo–. Perdóname, ¿eh?

Después bajo veloz por la escalera, sin pararme a mirar atrás. Poco después estoy en la moto. Tengo prisa por alejarme de allí. Tengo ganas de marcharme lejos. Cambio de marcha y aumento la velocidad, y no sé por qué, me gusta más que de costumbre.

Catorce

Babi, ¿dónde te has metido? Una bonita canción decía que es fácil encontrarse incluso en una gran ciudad. Hace días que doy vueltas. Sin querer, la busco. Esa canción se ha burlado de mí. No hay ni rastro de ella. Sin darme cuenta, me encuentro debajo de su casa. Fiore, el portero, no está. La barrera está bajada. Hay una nueva tienda de ropa allí cerca, donde antes había una garaje. Incluso Lazzareschi ya no está. Hay un nuevo restaurante, Jacini. Elegante, completamente blanco. Es como si alguien quisiera obligarnos a mejorar. Pero yo me quedo así, tal como soy, con mi cazadora Levi's algo rota y la moto con los tubos de escape flojos.

–Oye, pero ¿tú no eres Step?

Me vuelvo y no puedo creerlo. ¿Ésta quién es? Estoy sentado en la moto delante del quiosco cuando se me acerca una cría con el pelo castaño claro, aire divertido, de impunidad, y los brazos en jarras, como si no la hubiera entendido.

–¿Entonces, eres o no eres?

–¿Y quién eres tú?

–Me llamo Martina. Vivo aquí, en los Stellari. ¿Y bien?

–¿Por qué me lo preguntas?

–¿Qué pasa, tienes miedo de contestar?

Casi me hace reír, es valiente. Tendrá unos once años.

–Sí, soy Step.

–¿De verdad eres Step? No me lo creo, no me lo creo. No me lo puedo creer... No me lo creo...

La miro divertido. Soy yo quien no puede creerlo.

–¿Entonces?

–Tú quizá no te acuerdes de mí... Debió de ser hace dos años, yo estaba en la escalera del bloque con dos amigas mías y estaba comiendo pizza con tomate y tú subías corriendo y dijiste «Hum, esa pizza tiene buena pinta», y yo no te contesté pero pensé un montón de cosas, ¡y te hubiera dado un poco!

–A lo mejor tenía hambre...

–No, pero eso no tiene nada que ver.

–No estoy entendiendo nada...

–Quería decirte que para mí, mejor dicho, para nosotras, hiciste algo genial. Mis amigas y yo, te lo juro, siempre hablamos de esa inscripción en el puente de corso Francia... «Tú y yo... A tres metros sobre el cielo.» Madre mía, siempre lo decimos... ¿Cómo se te ocurrió? Quiero decir, ¿de verdad la hiciste tú?

No sé qué contestar, pero no importa, porque no me da tiempo.

–Quiero decir que, para mí, es la frase más bonita del mundo. Cuando mamá me acompañaba al colegio la miraba. ¿Pero sabes que luego alguien hizo esa misma inscripción en otro lado? ¡O sea, que te han copiado! La frase está también en otros sitios de Roma. Te lo juro, es una pasada, ¡está en un montón de sitios! ¡Y una amiga mía, este verano en la playa, me dijo que la había visto también en su ciudad!

–La verdad es que no pretendía empezar una moda.

Imagino por un instante que si ahora pasaran mis amigos, los de antaño, y me vieran aquí entretenido con esta cría... Pero, sin embargo, me gusta.

–Bueno, de todos modos es una pasada. Todas soñamos con un chico que escriba una frase así para nosotras. ¡Pero no es fácil encontrar a un tipo así!

Me mira y sonríe. En su opinión, me ha hecho un cumplido.

–¿Ves a ese de allí...?

Me señala, disimulando, a un chico cerca de la salida del bloque. Está sentado en la cadena que va de un pilar al otro. Se balancea empujándose con sus gruesas zapatillas de deporte. Lleva el pelo largo, recogido en una especie de cola con una goma de color en la punta, y es un poco gordito.

–Se llama Thomas, me gusta un montón y él lo sabe.

El tipo la ve y sonríe de lejos. Levanta la barbilla como para saludarla. Parece intrigado porque Martina esté hablando con un chico mayor.

–Sí, yo creo que lo sabe. Hace a propósito el imbécil con mis amigas, ¡y me da una rabia! Si pillo a quien se lo dijo... Pero como no estoy segura... ¿Cuándo se le ocurrirá una inscripción tan bonita como la tuya a ese de ahí, eh?

Miro a Martina y pienso en todo lo que le queda por vivir. En lo bonito que será su primer amor, en lo que será, en lo que no esperas nunca que pueda acabar siendo.

–Como mucho hace *grafitti* estúpidos para el equipo de fútbol... ¿Sabes una cosa? Esto te lo tengo que contar. Una vez, mi padre y mi madre, que hace un montón de tiempo que están juntos, al menos, desde poco antes de que naciera yo, bueno, pues un día estaban peleándose como locos en casa. Yo estaba en mi habitación y los oía, y en un determinado momento, mi madre le dijo a mi padre: «Lo tuyo no es amor. Sopesaste un par de cosas y viste que yo era una buena chica y que podía servirte... Pero el amor no es eso, ¿entiendes? El amor no es como hacer las cuentas en el colmado. El amor es cuando haces una locura, como esa inscripción del puente. "Tú y yo... A tres metros sobre el cielo." Eso, eso es amor.» Le dijo eso, ¿lo entiendes? Bonito, ¿no? ¿Eh? ¿Qué piensas, Step? Tiene razón mi madre, ¿verdad?

–Esa inscripción era para una chica.

–Claro, ya lo sé, ¿cómo no?, era para Babi. Vive aquí, en los Stellari, en la puerta D, la conozco y la veo de vez en cuando. Ya sé que era para ella, ¿qué te crees?, lo sé todo.

Empieza a incordiarme. ¿Qué puede saber? ¿Qué sabe? No quiero saberlo.

–Bueno, gracias, Martina, ahora tengo que marcharme.

–Mis amigas y yo decíamos siempre que era muy afortunada. Además, una inscripción así... Yo a un chico que me dedica una frase como ésa no lo dejaría nunca. ¿Te puedo hacer una pregunta?

No me da tiempo a contestar.

–¿Por qué lo dejasteis?

Me quedo un momento en silencio. Después arranco la moto. Es lo único que puedo hacer.

–No lo sé. Si tuviera la respuesta, te juro que te la daría.

Parece desilusionada de verdad. Después, es presa en seguida de su alegría.

–Bueno, de todos modos, si pasas otra vez por aquí quizá podamos comer juntos un trozo de pizza con tomate, ¿eh?

La miro y le sonrío. Yo y Martina, once años, comiendo pizza. Mis amigos se volverían locos. Pero no se lo digo. Al menos ella, a su edad, que se mantenga aferrada a sus sueños.

–Claro, Martina, si paso por aquí...

Quince

Paolo no ha regresado. Tal vez no vuelva para comer. La casa está perfectamente en orden. Preparo el saco: calcetines, calzoncillos, camiseta, una sudadera y pantaloncitos cortos. Pantaloncitos... Pollo me tomaba siempre el pelo porque usaba diminutivos para cualquier cosa. «Damos una vueltecita. ¿Te apetece un cafecito? Me irían bien dos deditos...» Debe de habérmelo pegado mi madre. Se lo dije una vez a Pollo y él se echó a reír. «Eres como una mujer –me decía–. Llevas una mujer dentro.» Y mi madre se rió cuando se lo conté. Cierro la cremallera de la bolsa. Te echo de menos, Pollo. Echo de menos a mi mejor amigo. Y no puedo hacer nada para que vuelva. No puedo verlo. Cojo la bolsa y salgo. A tomar por el culo, no quiero pensar en eso. Me miro al espejo mientras el ascensor baja. Sí, no quiero pensar más. Comienzo a cantar una canción en inglés. No me acuerdo de la letra. Era la única que oía siempre en Nueva York. Una vieja canción de Bruce. Ostras, cantar sienta bien. Y yo quiero estar bien. Salgo del ascensor con la bolsa al hombro. Canturreo: «*Needs a local hero, somebody with the right style...* –Sí, era algo parecido. Pero no importa. Pollo ya no está. Pequeño héroe–. *Lookin' for a local hero, someone with the right smile...* –Me gustaría tanto hablar un poco con él, pero no puede ser. En cambio, mi madre vive en algún sitio pero no tengo ganas de hablar con ella. Lo intento otra vez...–. *Lookin' for a local hero.*» Joder, no he aprendido nada de esa canción.

Flex Appeal, mi gimnasio, nuestro gimnasio. Nuestro, de nuestros amigos. Bajo de la moto. Estoy emocionado. ¿Qué habrá cambiado? ¿Habrá más máquinas? ¿Y a quién me encontraré? Me paro un momento en la plazoleta que hay antes de la entrada y miro el ventanal empañado por el cansancio y el sudor.

Unas chicas bailan al ritmo de una canción en inglés en la sala grande. Entre ellas hay sólo dos hombres que intentan desesperadamente seguir el ritmo del *bodywork* de Jim. Eso leo en la hoja que hay colgada en la entrada, que indica la clase especial o lo que debería ser. Llevan zapatillas, bodies, monos y tops, casi todo de marca. Parece un pase de modelos. Arabesque, Capezio, Gamba, Freddy, Magnum, Paul, Sansha, So Danca, Venice Beach o Dimension Danza. Como si ocultas detrás de un nombre pudieran bailar mejor. ¿Cómo coño se las arreglan dos hombres para no avergonzarse de esa miserable tentativa de gimnasia? Además, en medio de todas esas mujeres... Bodies de colores, maquillajes perfectos, mallas negras, pantalones cortos o ajustados..., y después, dos hombres en calzoncillos, uno calvo, el otro casi. Llevan una camiseta larga que les disimula la barriga. Saltan sin coordinación, jadeantes, persiguiendo desesperadamente el ritmo. Pero no lo encuentran. Es más, alguien debe de habérselo escondido con cuidado desde la infancia. En resumen, dan pena. Avanzo y entro. En la secretaría hay un chico medio teñido, con el pelo largo y la cara bronceada. Habla en voz baja por el móvil con una hipotética chica. Me ve y sigue hablando, después levanta la mirada y se disculpa con una tal «Fede» que está al teléfono.

–¿Sí?

–Querría hacerme la tarjeta. Para todo el mes.

–¿Ya has estado aquí alguna vez?

Miro a mi alrededor y después lo miro a él.

–¿No está Marco Tullio?

–No, ha salido. Lo encontrarás mañana por la mañana.

–Bien, entonces me apuntaré mañana; soy amigo suyo.

–Como quieras...

No le importa demasiado; por otro lado, el dinero no es suyo. Me dirijo al vestuario. Dos chicos se están cambiando para entrenarse. Se ríen y bromean. Hablan de esto y de lo otro y de cierta chica.

–Nada, fuimos a cenar a la pizzería Montecarlo. Oh, no sabes... Cada dos minutos le sonaba el móvil. Era el tipo que está haciendo la mili. Y ella allí, hablándole de tonterías.

–¡No puede ser!

–Te lo juro.

Escucho mientras me cambio, pero ya imagino cómo acabará:

–Y ella que le decía: «No, no, estoy cenando con Dora. Sí, ¿te acuerdas de ella?, la que tiene el negocio, la peluquera...»

–No me lo puedo creer, ¿y él?

–¿Y él qué podía hacer? La creía. Al final fuimos a su casa, y mientras me hacía una mamada, sonó otra vez su móvil.

–¡No! ¿Y tú qué hiciste?

–¿Yo? Contesté, ¿qué iba a hacer?

–¿Y qué le dijiste?

–«Lo siento, pero en este momento no puede ponerse, ¡está discutiendo con Dora!»

–¡No puede ser! Es demasiado fuerte.

Y venga carcajadas.

–Así que he decidido llamar *Dora* a mi polla a partir de ahora. Aquí está... –Se la saca y se la enseña al amigo–. ¡Hola, *Dora*, saluda a Mario!

Se ríen como locos mientras el tipo con *Dora* en la mano salta con los pies descalzos sobre el suelo mojado. Al final resbala y se cae. El otro se ríe aún más mientras yo voy a entrenarme.

–Guárdame las llaves, las pongo aquí.

Meto las llaves con las que he cerrado la taquilla en un bote de lápices del mostrador. El tipo de la secretaría asiente con la cabeza y sigue hablando por el móvil. Después cambia de idea. Pone la mano encima del móvil y decide decirme algo.

–Oye, jefe, por hoy puedes entrenarte, pero mañana tienes que hacerte el carnet. –Me mira satisfecho intentando poner cara de duro, pero en verdad pone cara de gilipollas. Después, con una sonrisa idiota, sigue hablando por teléfono. Se vuelve y me da la espalda.

Presume. Se ríe. Oigo sus últimas palabras–: ¿Lo ves, Fede? Acaba de llegar y se cree que está en su casa.

No le da tiempo a acabar. Lo agarro del pelo y casi lo levanto del asiento. Se pone rígido, con la cabeza ligeramente ladeada hacia mí. Que te tiren del pelo hace un daño horrible. Lo sé. Me acuerdo. Pero ahora es el suyo.

–Cuelga el móvil, gilipollas.

–Te llamo luego, ¿eh?, perdona –tartamudea, y cuelga.

–Para empezar, ésta es mi casa. Y en segundo lugar... –Le tiro del pelo con más fuerza.

–Ah, ah, me haces daño.

–Pues escúchame bien: no vuelvas a llamarme «jefe» en tu vida. ¿Lo has entendido?

Intenta decir que sí con la cabeza, pero sólo logra articular un pequeño movimiento. Tiro más fuerte para asegurarme.

–No te he oído... ¿Lo has entendido?

–Ah, ah... Sí.

–No te he oído.

–¡Sí! –grita de dolor. Tiene lágrimas en los ojos. Hasta me da un poco de pena.

Lo suelto con un pequeño empujón. Se afloja sobre la silla y se frota en seguida la cabeza.

–¿Cómo te llamas?

–Alessio.

–Eso, sonríe. –Le doy un par de cachetes en la mejilla–. Ahora puedes volver a llamarla si te apetece. Dile, si quieres, que te has enfrentado a mí, que me has sacado del gimnasio, que me has pegado, dile lo que te parezca, pero... no lo olvides: no vuelvas a llamarme «jefe».

Después oigo una voz a mi espalda:

–Entre otras cosas, porque deberías saber que se llama Step.

Me vuelvo sorprendido, un poco a la defensiva. No esperaba oír mi nombre. No he visto a ninguno de mis amigos, a nadie que pueda saber mi nombre. Y en cambio hay alguien. Él. Es delgado, mejor dicho, delgadísimo. Alto, brazos largos, el pelo con un corte normal, cejas algo espesas, unidas en el centro encima de una nariz larga que sobresale encima de unos labios finos que forman una boca grande. Quizá sea tan grande porque sonríe. Parece francés. Seguro de sí mismo, tranquilo, tiene las manos en el bolsillo y la mirada divertida. Lleva unos pantalones largos de chándal y una sudadera de color rojo desteñido. Encima lleva una cazadora Levi's de color claro. No sé clasificarlo.

–No te acuerdas de mí, ¿verdad? –No, no me acuerdo–. Mírame bien, quizá he crecido. –Lo miro mejor. Tiene un corte encima de la frente, escondido por el pelo, pero nada grave. Se da cuenta de qué estoy mirando–. Fue el accidente de coche. Venga, si hasta viniste a visitarme al hospital...

Joder, ¿cómo no iba a acordarme?

–¡Guido Balestri! Hace siglos... Íbamos juntos al colegio.

–Sí, e hicimos los dos años de instituto. Después lo dejé.

–¿Te suspendieron? No me acuerdo exactamente.

–No, me marché con mi padre.

Ah, es verdad. ¡Cómo no! Balestri. Su padre es un gran no sé qué, uno que está siempre en medio de todas esas cosas, sociedades por acciones o algo parecido. Siempre estaba viajando por el mundo.

–¿Cómo estás?

–Bien, ¿y tú?

–Yo también. Qué bien, volver a verte. He oído hablar tanto de ti, Step. Aquí, en Vigna Clara, ahora eres un mito.

–Bueno, yo no diría eso.

Dirijo la mirada a Alessio. Está ordenando unos papeles y finge que no está escuchando. No consigue no tocarse el pelo. Guido se ríe divertido.

–Qué importa, eres un mito para quien conoce nuestras historias. Aún se habla de esas peleas míticas... Me acuerdo de cuando acabaste a hostias con el Toscano detrás de Villa Flaminia, en el bosquecillo.

–Éramos unos críos...

Guido parece desilusionado.

–Sé que has estado en Nueva York.

–Sí, he estado fuera dos años.

—Esta noche he quedado con unos amigos; iremos a comer una pizza. ¿Por qué no vienes tú también?

—¿Quiénes sois?

—Unos de Villa Flaminia. Debes de acordarte de ellos: Pardini, Blasco, Manetta, Zurli, Bardato..., todos ésos. Es decir, con chica o sin ella. Venga, joder, les gustará volver a verte. Vamos a Bracciano, al Acqua delle Donne.

—No he estado nunca allí.

—Es un sitio muy bonito; es más, si tienes novia, llévala. Un sitio encantador. Después de comer, es un paseo..., y en bajada. El postre te espera seguro..., pero en su casa.

Consigue que me ría.

—¿A qué hora vais?

—Hacia las nueve.

—Iré a cenar pero me ahorraré el paseo...

—O sea, sin chica.

Se ríe de manera extraña. Lo recordaba más despierto. Tiene un diente de delante roto y nunca daba demasiada confianza. Ahora me acuerdo mejor. Lo llamaban Scorza. Era todo un número. Corría que daba pena. Cuando nos entrenábamos en el colegio, en la pista de carreras del Villa Flaminia, competía en el último grupo. «Los cerditos», los llamaba Cerrone, nuestro profesor de educación física. El profesor también era bien raro. Mientras hacíamos gimnasia se ponía a leer el periódico deportivo y para controlarnos hacía dos agujeros en el centro, como si no nos diéramos cuenta. Pero con los tres cerditos era implacable. Llegaban a la meta los tres, él, Biello e Innamorato, blancos como cadáveres, con la lengua fuera.

—¡Cerditos mamones! —gritaba el profesor—. Tendremos que hacer que os asen y que os achicharren.

Y se reía como un loco. Pero esto a Balestri no se lo recuerdo. Quizá sea mejor así. En el fondo, me ha invitado a cenar. Es más, se ocupa de recordármelo.

—Pues entonces, a las nueve en el Acqua delle Donne, ¿eh?, con novia o sin ella.

—De acuerdo.

Se despide de mí y se marcha. ¿Qué vendrá a hacer al gimnasio? No tiene ni un kilo de más, no sube de peso, es delgado como mi recuerdo más descolorido. Cosas suyas. Pero es simpático.

¡Claro, lo sabía! Sabía que Step iría a entrenarse al gimnasio, estaba segura. ¡Y estaba segura de que vendría precisamente a este gimnasio! Soy demasiado buena. Y él es demasiado conservador. Demasiado. ¡Espero que al menos haya cambiado en algo! Bueno, me marcho. No me ha visto. Yo, en cambio, he oído lo que tenía que oír.

Empiezo con las primeras máquinas, me caliento en seguida, series de repeticiones para ablandar los músculos. Cargo poco, lo mínimo indispensable. Veo salir a una chica de prisa con un gorrito naranja medio calado en la cabeza. Mira que hay gente rara en el mundo. Allí cerca, otras dos chicas hablan entre sí y se ríen de algo. Historias de la noche anterior o de lo que está aún por venir. Una va ligeramente maquillada, lleva el pelo corto con mechas y se lo toca todo el rato. Tiene un buen físico y está despatarrada porque sabe que lo tiene. La otra está más rellenita y no es tan alta, melena hasta el hombro, más oscura que de costumbre quizá porque está sucia. Tiene las manos en la cintura y lleva un chándal gris algo manchado del que asoma un poco de barriga.

–¡Trabajad! Al gimnasio se viene a trabajar...

Sonrío mientras paso junto a ellas. La más baja me contesta con una especie de mueca.

La otra está más tranquila:

–Estamos en fase de recuperación.

–¿De qué?

–Estrés de pesas.

–Pensaba en algo mejor.

–Eso, más tarde.

–No lo dudo.

Ahora se ríen las dos. En realidad, sobre la otra tengo algunas dudas. Pero una mujer siempre consigue lo que quiere. No hay nada que hacer, nosotros tendríamos que ser más cerrados, al menos en ciertos casos. La miro mejor. Le dice algo a su amiga señalándome con la cabeza. La otra me mira. La veo reflejada en el espejo, sonriendo. Es guapa, con el pelo corto, y tiene un pecho perfectamente diseñado debajo del body. Se le entrevén los pezones. Lo sabe pero no se tapa. Sonrío y pienso en mis abdominales. Hago en seguida una primera serie de cien. Cuando acabo, las chicas ya no están, habrán ido a ducharse. Quién sabe si las reconoceré cuando me las encuentre por ahí. Es increíble cómo una mujer que sale del vestuario puede ser distinta de la que has visto algo antes bajo las pesas. Pero no hay manera, todas mejoran. Como mucho te la podrías imaginar elegante, pero luego la ves salir con botas con tachuelas doradas o cosas parecidas. Sea como sea, distintas. Milagros del maquillaje. Por eso lo consiguen todo. Segunda serie de cien. Miro el techo sin parar, uno tras otro, con las manos detrás de la cabeza, con los codos alineados, tensos, abiertos. Uno tras otro. Aún con más fuerza. No puedo más, el dolor empieza a notarse; pienso en mi padre y en su nueva novia. Sigo sin parar: 88, 89, 90. Pienso en mi madre: 91, 92. En lo mucho que hace que no la veo: 94, 95. Tengo que llamarla, tendría que llamarla: 98, 99, 100. Se acabó.

—¡Step, no me lo puedo creer!

Me vuelvo y casi no puedo hablar del dolor en los abdominales. Por un instante, me acuerdo de la película de Troisi, quien para ver a la mujer que ama, corre alrededor de un edificio y, cuando la encuentra, no tiene aliento para hablar. Qué pasada, Troisi.

—¿Qué haces aquí? O sea, que has vuelto... ¡Me habían dicho que estabas fuera, en Nueva York!

¿Otra vez? Oh, no hay nada que hacer. No he conseguido precisamente pasar inadvertido.

Al fin me recupero y a él lo reconozco fácilmente.

—Hola, Velista, ¿cómo estás?

—Otra vez con ese apodo. ¿Sabes que ya nadie me llama así?

—¿Eso quiere decir que has cambiado?

—Pero ¿en qué? Nunca entendí por qué todos me llamabais Velista; ni siquiera me gustan las barcas, me he subido muy pocas veces.

—¿De verdad no sabes el significado de tu apodo?

—No, te lo juro.

Lo miro. Los dientes un poco largos, como entonces, una sudadera descosida, un par de pantalones cortos verde claro, los calcetines caídos, raídos, perfectamente a juego con un par de Adidas Stan Smith ahora decrépitas. El Velista.

—¿Y bien?

Miento.

—Te llamaban Velista porque te gustaba mucho el mar.

—¡Ah, eso! Ahora lo entiendo, eso es verdad. Me gusta muchísimo.

Ahora está satisfecho, orgulloso de su nombre. Casi parece mirarse al espejo de tanto que lo ha revalorizado. En realidad, no tenía nunca una lira y venía con nosotros sólo para comer pizza y gorronear. Por eso todos decían que «estaba a dos velas». Pobre Velista. Una vez se llevó un montón de hostias a manos de una puta allí en la bolera, cerca del Aniene, porque después de no sé qué trabajito quería descuento. Llevaba sólo diez euros en el bolsillo y había disfrutado al menos por veinte.

—Oye, me alegro mucho de volver a verte.

Me mira contento, lo parece de verdad.

—¿Has visto ya a alguien?

—No, llegué ayer. Aquí en el gimnasio no he visto a nadie.

—¿Sabes?, ahora entrenan un poco en todas partes. Además, alguno se ha puesto a trabajar, otros se han ido al extranjero... Oye, mira quién llega.

Por fuera de la ventana se ve pasar una bolsa azul oscuro al hombro de un tipo de pelo corto.

—No lo reconozco.

Lo miro mejor. Nada. El Velista intenta echarme un cable.

—Pero vamos, si es el Negro. ¿No te acuerdas de él?

—Ah, sí, ya sé quién es, pero sólo lo conocía de vista.

El tipo entra y saluda al Velista:

—Hola, Andre. ¿Qué haces, te entrenas?

Incrédulo, el Velista me señala orgulloso.

—Pero ¿no has visto con quién estoy? Es Step.

El Negro me mira un momento y después sonríe. Tiene una cara simpática, con un pómulo algo magullado, y viene hacia mí.

–Pero claro, Step... Claro, cómo no. Hace siglos que no te vemos.

Ahora lo reconozco. Lleva el pelo corto. Antes lo llevaba siempre un poco largo, engominado, y estaba fijo con una chaqueta azul en el Euclide de Vigna Stelluti.

–No sabía que tuvieras ese apodo: el Negro. Recuerdo que te llamas Antonio.

–Sí, después de la historia de Tyson, dicen que me parezco.

Tiene el cuello como un toro, la piel porosa, una nariz algo machacada y el pelo corto al estilo Tyson. Tiene los ojos un poco salidos y el labio superior más grueso de lo normal.

–Pues tampoco te pareces tanto.

–¡No físicamente! –Se ríe a mandíbula batiente y empieza a toser–. ¡Es por la historia de la pelea! Fui a un concurso de misses en Terracina y después lo intenté con una que participaba, ¿lo entiendes? Por eso dicen que soy Tyson. Esa imbécil me hizo subir a su habitación; yo quería follar y ella pensaba que quería contarle chistes. Se ofendió y no quiso. Pero yo entendí que el suyo era sólo un problema de tozudez. Y desde entonces me llaman el Negro.

Él y el Velista se ríen como locos.

–¿Sabes que la historia salió en todos los periódicos de Borgo Latino, antes de Latina? El Tyson de Pontina, una leyenda. Y además, al final tenía razón yo, y a ésa hasta le gustó.

El Velista carga las tintas:

–Mejor que Tyson.

Y siguen riendo y tosiendo.

–A propósito, sé que has estado en Estados Unidos, en Nueva York, si no me equivoco.

Volvemos a empezar.

–Sí. He pasado dos años allí, hice un curso y volví ayer. Y ahora tengo ganas de entrenarme.

Intento cortar.

–Oye, ¿te apetece dar unos golpes? Todos me decían que eras bueno boxeando. –Ante su propuesta, el Negro sonríe. Está seguro de sí mismo, y continúa–: Bueno, quizá hace un montón de tiempo que no te entrenas, o sea que si no te apetece, no te preocupes. Es que todos hablábamos de ese mito, ese mito, y ahora que lo tengo delante...

El Negro se ríe divertido, demasiado seguro de sí mismo. Debe de ser uno de esos que entrenan todos los días al menos durante una hora y media.

–Claro, faltaría más. Me apetece.

–Entonces voy en seguida a cambiarme.

Veo una luz distinta en sus ojos, más despiertos, penetrantes, ligeramente entornados.

El Velista, en cambio, permanece idiotizado como antes:

–Vaya, qué fuerte este encuentro. Tengo una sed terrible, Negro. Oye, ¿te puedo apuntar un Gatorade, que hoy no llevo una lira encima?

El Negro asiente con la cabeza y va directo al vestuario. El Velista se dirige entonces alegre hacia el bar, confirmando así su apodo. Yo, en cambio, me quedo solo. En la secretaría, Alessio me mira. Está comiendo un Chupa-Chups y me mira de un modo distinto al de antes. Baja los ojos y se dispone a leer un *Parioli Pocket* que ha apoyado en la mesa. Hojea un par de páginas, después me mira otra vez y sonríe.

–Step, perdona por lo de antes. No te conocía, no sabía quién eras.

–¿Por qué?, ¿quién coño soy?

Se queda un momento perplejo, buscando alguna respuesta en el aire. Pero no encuentra nada. Después vuelve a pensarlo y se arma de valor.

–Bueno, pues eres un tipo conocido.

–Un tipo conocido... –Lo pienso un momento–. Sí, es un tema interesante. Muy bien. ¿Ves?, a veces... No lo había pensado.

Sonríe feliz, para nada consciente de que le estoy tomando el pelo.

–Oye...

–Dime, Step.

–¿Sabes si hay algo para boxear?

–Por supuesto.

Sale de detrás del mostrador y se mueve veloz hacia un banco de la entrada. Levanta el asiento.

–Aquí debajo están las cosas de Marco Tullio. Él no quiere que nadie las use.

–Gracias.

Me mira con entusiasmo. Me siento en el banco y empiezo a ponerme los guantes. No lo miro, pero siento sus ojos sobre mí.

–¿Quieres que te los ate?

Lo miro por un instante.

–Vale.

Viene de prisa hacia mí. Coge los cordones con cuidado, los envuelve alrededor de los guantes y los ata con precisión. Ahora no se ríe, está serio. Se muerde ligeramente los labios mientras el pelo claro le tapa de vez en cuando los ojos. Con la otra mano se lo echa hacia atrás mientras sigue haciendo su trabajo. Lentamente, con cuidado, apretando con precisión.

–¡Ya está!

Sonríe. Me pongo en pie y golpeo los guantes uno contra el otro.

–¡Perfecto!

Del vestuario femenino salen las dos chicas de antes. La alta lleva un par de pantalones negros de pitillo, un maquillaje suave y un carmín que vuelve sus labios sosegados y acogedores. Un bolso en bandolera sobre una camisa blanca con pequeños botones de perlas, el conjunto a tono con su paso elegante. La baja, en cambio, lleva una falda escocesa de cuadros azules y marrones demasiado corta para sus piernas y dos mocasines negros que no pegan nada con su camisa azul cielo. Con el maquillaje ha intentado de alguna manera hacer un milagro en su cara. Hoy, en Lourdes debían de estar de vacaciones. Se paran en la secretaría. Alessio da media vuelta y les devuelve sus tarjetas.

La alta se me acerca.

–Hola, me llamo Alice.

–Stefano.

Tiro del guante como para darle la mano. Ella lo aprieta riendo.

–Y ella es mi amiga Antonella.

–Hola.

–¿Qué haces, peleas?

–Sí, lo intento.

–¿Te molesta si nos quedamos a ver un poco el encuentro?

–¿Por qué iba a molestarme? Si me animáis, seguro que no me molesta.

Se ríen.

–De acuerdo, apostamos por ti. ¿Qué se gana?

En ese momento sale el Negro. Lleva unos culotes azules, suaves y largos, los de auténtico púgil. Ya se ha puesto los guantes. Tiene alguna que otra cicatriz en los brazos y dos o tres tatuajes de más. Está bien formado. No lo recordaba así.

Alice se me acerca:

–¿Vas a pelear con el Negro?

Eso significa que él también es conocido.

–Sí, ¿por qué?

–Me parece que nos hemos equivocado apostando por ti...

Me miran y parecen realmente preocupadas.

Intento tranquilizarlas.

–Venga, ánimo, chicas, como máximo durará poco.

El Negro nos interrumpe:

–Entonces..., ¿entramos?

Tiene prisa.

–Cómo no. Pasa tú primero.

Entra en la sala de aeróbic. Dos chicas están haciendo unos abdominales sobre dos colchonetas de goma azul. Al vernos entrar, resoplan.

–Oh, no me digáis que nos tenemos que ir.

Intento bromear:

–Bueno, a menos que queráis pelear también vosotras dos...

El Negro no tiene sentido del humor:

–Venga, salid. –Al cabo de un momento están fuera–. ¿Te parece que hagamos tres *rounds* cerrados? –Me lo dice en un tono excesivamente duro.

–Sí, de acuerdo. Hagamos un buen entrenamiento.

–Hagamos un buen encuentro.

Sonríe de modo antipático.

–Está bien, como quieras. –Alice está cerca de la ventana–. ¿Cuentas el tiempo?

Sonríe y asiente.

–Sí, pero ¿cómo se hace?

–Es fácil. Cada minuto y medio gritas «¡Stop!».

–Entiendo.

Mira el reloj esperando dar la salida. Mientras tanto, doy saltos sobre el mismo sitio al tiempo que caliento los brazos. Se me ocurre una cosa. Antonella, la baja, al final de cada minuto y medio podría entrar con un cartel con el número de *round* escrito y contonearse alrededor de la sala como en las mejores películas americanas. Pero aquí no estamos en Estados Unidos, y tampoco en una película. Estamos en el gimnasio. También el Negro empieza a saltar y da continuamente golpecitos con sus guantes, mirándome. Alice levanta los ojos del reloj. Cruza su mirada con la mía. Está un poco preocupada. De algún modo, se siente responsable. Pero después decide que no puede esperar más. Y casi grita:

–¡Venga!

El Negro sale en seguida a mi encuentro. Sonrío para mis adentros. Lo único que no he dejado de hacer en Estados Unidos en estos dos años ha sido precisamente ir al gimnasio. Para ser exactos, practicar boxeo. Sólo que allí están los auténticos hombres de color y son todos veloces y potentes. Fue duro enfrentarse a ellos. Durísimo. Pero me lo tomé a pecho, y no salió demasiado mal. Pero ¿qué estoy haciendo? Me estoy distrayendo... Apenas a tiempo. El Negro me suelta dos puñetazos potentes en la cara. Esquivo a la derecha y a la izquierda y me agacho ante su intento de gancho. Después respiro y me alejo dando saltos. Esquivo otros dos golpes y empiezo a brincar a su alrededor. El Negro hace una finta con el cuerpo y me golpea bajo en pleno estómago. Me sobresalto y me doblo en dos. Joder, me falta el aire. Me sale una especie de estertor y veo que la habitación gira a mi alrededor. Sí, me ha dado de pleno. Apenas me da tiempo a levantarme cuando veo caer desde la derecha su guante. Lo esquivo instintivamente, pero me golpea de lado abriéndome el labio inferior. Hostia. Hostia. No hacía falta. Menudo hijo de la gran puta. Lo miro. Me sonríe.

–¿Cómo va eso, mítico Step?

El muy gilipollas lo dice en serio. Empiezo a brincar.

–Ahora mejor, gracias.

Estoy recuperándome. Todo vuelve a ser lúcido. Giro a su alrededor. En la ventana de la sala se ha agolpado alguna gente. Reconozco a Alice y a su amiga Antonella, a Alessio, al Velista y a algunos otros. Dejo de mirar y vuelvo a concentrarme en él. Ahora me toca a mí. Me paro. El Negro brinca y viene hacia mí, penetra con la izquierda y carga con la derecha. Lo dejo pasar esquivando a la derecha y después le golpeo fuerte con la izquierda precisamente encima de la ceja. Vuelvo a entrar y con todas mis fuerzas lo golpeo con la derecha en plena cara. Noto la nariz crujir bajo el guante. No le da tiempo a retroceder cuando lo golpeo dos veces en el ojo izquierdo; el primero lo para bien, después baja la guardia, y el segundo le llega derecho como un bólido. Retrocede y sacude la cabeza. Vuelve a abrir los ojos justo a tiempo para ver llegar mi gancho. Le abro la ceja derecha. La sangre le resbala en seguida por la mejilla como si llorara lágrimas rojas. Intenta taparse con los guantes. Le propino un *uppercut* en pleno estómago. Se dobla en dos y baja los guantes. Error. ¿Ves?... Error. Lo vi hacer en Estados Unidos una vez y me sale por instinto hacerlo.

–Eh, Negro, ¿y a ti cómo te va ahora?

No espero su respuesta. Ya la conozco. Cargo la derecha y lo hago explotar. De abajo hacia arriba, en la barbilla, desde abajo. El Negro casi salta hacia atrás, cogido de pleno por el golpe. Sale despedido que da gusto. Acaba encima del montón de *steps* rosas y lilas y los tira al suelo. Después se estampa con la cara contra el espejo y resbala lentamente, dejando una pequeña huella. Al final llega al suelo, al linóleo beige, que en seguida se llena de sangre.

Miro a Alice.

–¿Cuánto falta?

Ella mira el reloj. Faltan pocos segundos.

–Stop. Ya se ha acabado.

–¿Has visto?, ¿qué te había dicho? No duraba mucho.

Salgo de la sala de aeróbic. El Velista se precipita al interior para ver cómo está el Negro.

–No te preocupes. Ya lo he comprobado, respira.

El Velista se tranquiliza.

–Hostia, Step, lo has hundido.

–Tenía tantas ganas de un encuentro en serio... y lo ha tenido.

Voy hasta el espejo y me miro el labio. Está abierto y ya hinchado. La ceja, en cambio, está en su sitio. Alice se me acerca.

–Si hubiera sido un auténtico combate de boxeo y hubiera apostado todo mi dinero, habría perdido.

–¿Qué tiene que ver? En ese caso nos hubiéramos puesto de acuerdo y yo me habría tirado al suelo al primer golpe.

Alessio se me acerca.

–Yo, en cambio, habría ganado todo el dinero. No sé por qué, pero intuía que ibas a ganar tú.

–¿Cómo que no sabes por qué?

Lo veo de nuevo en apuros, querría decir algo pero no sabe qué. Lo ayudo.

–Venga, quítame los guantes...

–Toma. He traído un poco de hielo para tu labio.

Es Alice. Se me acerca con un pañuelo de papel con algunos cubitos dentro.

–Gracias, dile a tu amiga que coja un poco de agua fría para ponerla en la cara del Negro; le irá bien.

–Ya lo está haciendo.

Alice me mira con una sonrisa extraña. Me asomo. Antonella está en la sala de aeróbic ayudando al Velista a poner compresas en la cara del Negro. Maquillaje o milagro, si todo va bien, la chica lo conseguirá. El Velista o el Negro. No sé con cuál sería peor. Uno quizá no pague y el otro quizá la viole. Pero no es cosa mía. Entonces me siento en el banco y me pongo el pañuelo en el labio. Veo a Alice mirarme. Ella también querría decir algo. Y tampoco sabe qué. No le doy tiempo. No tengo ganas. Al menos, no ahora.

–Perdona, voy a ducharme.

Y de este modo desaparezco de escena. Los dejo solos. Imagino por un instante una cena entre Alessio y Alice, sus intentos de conversar. Fede se quedará mal. Pero tampoco eso es asunto mío. Después, sin pensar en nada, me meto bajo la ducha.

Dieciséis

Quien no ha visto Vanni no lo puede entender. Y quizá tampoco quien lo ha visto. Paro la moto allí delante y bajo. Es una especie de kasba de personas de distintos colores. Una mujer de labios prominentes, casi como su pecho, charla con un tipo con entradas sobre el finiquito total. La mujer luce una falda corta y dos piernas perfectas que mueren más arriba, entre sus curvas, también éstas restauradas. Naturalmente se ríe del relato del «finiquitado» y después contesta a un móvil en el que seguramente mentirá. El finiquitado finge estar distraído, mete las manos en los bolsillos de una chaqueta de color hueso descolorido, encuentra un cigarrillo y lo enciende. Da una calada fingiéndose satisfecho, pero sus ojos miran acto seguido el pecho de la mujer. Ella le sonríe. Quién sabe, tal vez conseguirá fumársela también a ella. Algo más allá, el caos. Todos hablan, alguien pide un helado y chicos sentados en sus motocicletas preparan la noche. Algún que otro Maserati pasa por allí delante buscando un sitio para aparcar. Un Mercedes opta por la doble fila. Todos se saludan, todos se conocen. Gepy está sentado en un SH-50, el pelo cortísimo, brazalete tatuado, estilo maorí, y la señal desteñida de otro, hecho hace tiempo en los nudillos de la mano derecha. Aún se lee la palabra: «Mal.» Quizá espera que así los puñetazos que suelta sean más eficaces. Como siempre, sonrisa insistente. Mira a su alrededor sin buscar nada concreto. Lleva una sudadera descosida, con las mangas cortadas para resaltar un 48 o, como mucho un 50 de brazo mal entrenado, poco definido. Me mira distraído y no me reconoce. Mejor así. Yo debo encontrar al poder y él no forma parte de ese ambiente. Ni más ni menos que al poder. O, como mínimo, eso me imagino, por la descripción que me ha hecho mi padre. Ha hablado de un hombre cultísimo, alto, elegante, delgado, siempre perfectamente vestido, con el pelo largo, los ojos oscuros, una corbata Regimental y al menos una punta del cuello desabrochada. Mi padre ha insistido en este aspecto: «El cuello desabrochado tiene un significado, Step, pero nunca nadie ha conseguido entenderlo.»

Imagino que nadie se lo ha preguntado siquiera. Miro a mi alrededor. No hay nadie que corresponda a la descripción del «poder». Mirando mejor, ni siquiera hay nadie delgado. Gepy. Bueno, en efecto Gepy es delgado, pero le falta todo lo demás. Sigue allí, sentado en su SH-50. Pasa una gitana gorda de unos cincuenta años. Gepy está distraído, la gitana le agarra la mano y la coge entre las suyas.

–Un euro por tu futuro, te traerá suerte.

–Eh, pero ¿qué quieres? ¿Quién te ha pedido nada? ¿Qué pasa?, ¿eres idiota?

–Confía en mí, déjate leer la mano, señor. –La gitana empieza a tocar la mano de Gepy con el dedo, como para leerla–. Mira, aquí está la parte positiva...

Gepy se asusta y hace ademán de retirarla.

–¡Vete a la mierda! No quiero saber mi futuro.

Pero la gitana insiste y lo retiene.

–Déjamela ver bien, sólo por un euro.

–¡Quieres dejarme de una vez! ¡Me estás tocando los cojones, largo!

Pero la gitana insiste, sigue hablándole de su futuro. No por nada, sino por dinero. Se convierte casi en una pelea ridícula. Después Gepy le escupe en la cara y se echa a reír. La gitana se levanta un poco la falda enseñando sus espinillas marrones y se limpia la cara. Una estría más clara aparece en la mejilla mientras los labios oscuros empiezan a vomitar desgracias.

–¡Maldito! Ya verás como...

–¿Qué? ¿Qué quieres decir, eh? ¿Qué? Oigámoslo, pero te daré una patada...

Gepy baja veloz de la SH-50 para propinarle una patada, pero la gitana se aleja. Algunos miran la escena. Después todos fingen que no ha pasado nada y comienzan de nuevo a hablar unos con otros. Ha sido sólo una anécdota divertida que contar en alguna cena o que usar para quién sabe qué otra cosa. Algo es seguro: Gepy no es el hombre que busco. Después lo veo. Allí está. Parece casi ajeno a lo que sucede a su alrededor. Sentado solo a una mesa, bebe algo claro en lo que flota una aceituna. Tiene el pelo largo, como en la descripción, el traje de lino azul oscuro, una camisa blanca, impecablemente planchada. Una corbata fina de rayas azules y negras resbala suave por su pecho hasta posarse más allá del cinturón, entre las piernas cruzadas. Muy cerca del dobladillo de los pantalones asoman unos Top-Sider, ni demasiado nuevos ni demasiado viejos, gastados lo necesario para ir a conjunto con el cinturón de los pantalones. Y, por si aún me había quedado alguna duda, el cuello de la camisa, sólo desabrochado de un lado, las borra todas.

–Hola.

Se pone en pie. Parece contento de verme.

–Oh, buenos días, ¿es usted Stefano?

Nos damos la mano.

–Su padre me ha hablado muy bien de usted.

–Qué otra cosa podía hacer...

Se ríe.

–Perdone. –Le suena el móvil–. Hola. Claro, no te preocupes. Ya lo he dicho todo. Ya lo he hecho todo. Todo está listo. Ya verás como firman.

Hombre de poder, le gusta la palabra «todo».

–Ahora discúlpame, que estoy reunido. Sí, adiós. Pero claro. Claro que me apetece, ya te lo he dicho...

Cuelga el móvil.

–Un tocapelotas. –Sonríe–. Perdone. Entonces me decía...

Retomo la conversación y le hablo del curso que he hecho en Nueva York.

–O sea que grafismo en 3D.

–Sí.

–Perfecto. –Asiente complacido. Parece conocer perfectamente la materia. Vuelve a sonar el móvil–. Disculpe, pero hoy es un día terrible.

Asiento, fingiendo entenderlo. Imagino que para él siempre es así. Me acuerdo de que yo también tengo un móvil. Estúpidamente, casi me sonrojo. Lo saco del bolsillo de la chaqueta y lo apago. Se da cuenta, o quizá no.

Acaba la llamada.

–Bueno, yo también lo apago; así podremos hablar tranquilos. –Se había dado cuenta–. Entonces, harás de ayudante del diseñador gráfico titular. Se llama Marcantonio Mazzocca. Es muy bueno. Dentro de poco lo conocerás, está viniendo para aquí, era él quien llamaba hace un momento. –Espero que no fuera el de la primera llamada, pues ha colgado el móvil llamándolo «tocapelotas»–. Piensa que es noble, tiene grandes extensiones de viñedos en el norte, en Verona. Es decir, las tiene su padre. Después empezó a pintar cuadros. Vino a Roma y comenzó a circular por locales y a hacer, ya sabes, las tarjetas de invitación para las fiestas y otros trabajitos parecidos. Después, poco a poco se especializó en el diseño gráfico por ordenador y al final lo contraté yo.

Lo escucho. Cierto, para citar una gran película, *La hora de la araña*, «Uno hace lo que es». Pero decido no decirlo; antes quiero conocer a ese Mazzocca. Bebe un sorbo de aperitivo. Saluda a alguien que pasa por allí. Después se seca la boca con una servilleta de papel. Sonríe. Está orgulloso de su poder, de sus decisiones, de haber contratado a un noble simplemente para hacer de diseñador gráfico en sus producciones de televisión.

–O sea, que espero que estés bien con él. Claro que es un poco tocapelotas...

Era el de la primera llamada.

–Pero es muy puntilloso en su trabajo, y además...

No le da tiempo a acabar la frase.

–Step, pero ¿eres tú? –Levanto la mirada. Con esto no contaba. Gepy está frente a mí con cara de imbécil, sonriente y con los brazos abiertos levantados. Parecía un predicador un poco idiota si no fuera por la pelambrera que le sale de la sudadera mal cortada y por el pelo corto–. ¡No me lo puedo creer, eres tú! –Bate palmas con una fuerza excesiva–. Eres tú. Pero ¿dónde coño te habías metido?

–Hola, Gepy, ¿cómo estás?

–Muy bien, y no sabes lo contento que estoy de verte. ¡Pero qué haces aquí tan engalanado! No puedo creerlo. ¡Step está otra vez en la ciudad!

Querría gritárselo a alguien; mira a su alrededor, pero no entiende que su show no está destinado a nadie. Sólo a mí. Y también el señor Romani... No creo que pertenezca precisamente a su público.

–Perdóname, Gepy, pero estamos hablando.

Miro al señor Romani buscando su apoyo, aunque no sé muy bien por qué. Me sonríe divertido y pone una cara como diciendo «no te preocupes, son cosas que pasan, no sabes cuántos imbéciles como éste me toca aguantar a mí». Al menos, eso es lo que me apetece leer.

–Oye, Step, aún me acuerdo de cuando tumbaste a Mancino. Estábamos donde Giovanni, el heladero, ¿te acuerdas? Él estaba allí haciendo de jefe y después llegaste tú. No te dio tiempo a bajar de la moto cuando, oh, ni lo viste, el tipo te zurró. Madre mía, la tunda que recibiste. Mancino creía que estabas acabado, en cambio... –Gepy se ríe a mandíbula batiente–. Bum, le soltaste una patada en el estómago y no le diste tiempo. Bum, bum, bum, qué serie impresionante en la cara. –Gepy brinca allí delante, lanzando patadas al aire–. Bum, bum, bum, me acuerdo como si fuera ayer. Una carnicería, lo tumbaste. Y aquella vez en la gasolinera de corso Francia, en Beppe. Cuando llegaron aquellos dos horteras con el Renault 4, que después me dijeron que eran amigos de Mancino, que te rodearon...

–Gepy, perdona, te lo repito, pero estaba hablando con el señor.

–No pasa nada, no te preocupes. –Romani sorbe su aperitivo y parece sinceramente interesado–. Déjalo hablar.

Gepy me mira interrogativo y después, sin esperar ni siquiera un mínimo gesto, continúa tranquilo:

–Hasta tenían una cadena. Oh, nada, ¿eh?... Qué mal acabaron... ¡Parece que ni siquiera siguieron siendo amigos de Mancino! ¡Ah!

Vuelve a reírse aún más a mandíbula batiente que antes.

–¡Qué leyenda! Esos tiempos se acabaron, ya pasaron. Ahora todos tranquilos, todos a pacer como ovejas, sin nombre, sin reglas, sin honor... Piensa que ahora si lo intentas con la novia de alguno, éste ni siquiera se cabrea. Ya no hay respeto.

Esta última especie de discurso entre nostálgico y amargo me convence para cortarlo.

–Oye, tal vez nos veamos una de estas noches, ¿eh?

–Cómo no. Toma, te dejo mi número. –Saca una tarjera del bolsillo trasero de los vaqueros. Me resisto a guardarla. Está el número de su móvil y detrás la foto de Gepy perfectamente impresa en blanco y negro con él con el torso desnudo, en falsa pose de culturista o algo parecido–. Fuerte, ¿no? He mandado hacer dos mil. –Y después añade serio–: ¡También me sirven para trabajar, eh! –Luego se aleja andando hacia atrás, poniéndose en pose clásica. Pulgar, meñique, oreja y boca–. Llámame, Step, iremos a comer una pizza. ¡Cuento con ello!

Asiento esbozando una sonrisa.

Gepy sacude la cabeza y se aleja dando brincos.

–Me parece un tipo simpático.

Romani me mira inseguro. No está del todo convencido de su afirmación.

–Bueno, a su manera... Hacía tanto que no lo veía. En aquella época era muy divertido.

–¿En aquella época? Parece que haya pasado un siglo. Hablarás de hace algunos años.

Su pregunta queda en el aire. En el fondo, ha pasado un siglo.

Romani acaba de beberse su aperitivo.

–Aquí está, ya llega. Es Marcantonio.

Una extraña mezcla entre Jack Nicholson y John Malkovich camina sonriendo hacia nosotros fumando un cigarrillo. Con entradas, el pelo corto por encima de la oreja y las patillas largas que le acarician las mejillas cerrándose en forma de coma. Una bonita sonrisa y una mirada inteligente. Con un gesto lanza lejos el cigarrillo, después hace casi una pirueta sobre sí mismo y se sienta en la silla libre que hay a nuestro lado:

–¿Qué tal? He estado un poco tocapelotas con el teléfono, ¿eh?

No deja que Romani conteste.

–Es mi habilidad principal. Agotar, lentamente pero agotar. Es la gota malaya, tac, tac, hasta corroer incluso el metal más duro. Es cuestión de tiempo, basta con no tener prisa, y yo no la tengo. –Saca un paquete de Chesterfield light y lo apoya en la mesa debajo de un Bic negro–. Marcantonio Mazzocca, noble venido a menos pero en clara recuperación.

Le doy la mano.

–Stefano Mancini, creo que tu ayudante.

–Ayudante, qué término innoble han acuñado para darnos a cada uno nuestro rol.

Romani lo interrumpe:

–Puede ser todo lo innoble que te parezca, pero él será tu ayudante. Bueno, ahora os dejo. Explícaselo todo y bien, porque se empieza el lunes. Salimos en antena dentro de tres semanas. ¡Y todo tiene que estar perfecto!

–¡Y estará perfecto, jefe! He traído un logo para el título, si tienes la amabilidad de revisarlo... –Le alarga una pequeña carpetita que ha aparecido como por arte de magia de un bolsillo interior de su chaqueta ligera. Romani la abre.

Marcantonio lo mira tranquilo, seguro de su trabajo.

Romani está complacido, y después se da cuenta:

–Bueno, el logo es demasiado claro, y además... Fuera todos estos arabescos, estas flechas de aquí... ¡Todo más ligero!

Romani se aleja con la carpetita debajo del brazo.

–Siempre tiene algo que decir; lo hace sentirse más seguro. Y nosotros le seguimos el juego.

Enciende otro cigarrillo. Después se relaja, se arrellana en la silla y se saca del bolsillo otra carpetita. La abre.

–*Et voilà*.

Es el mismo dibujo con el logo más claro y sin las flechas, precisamente como ha pedido Romani.

–¿Has visto? ¡Ya está hecho! –Después se despereza mirando a su alrededor–. Este sitio es fantástico, ¿no te parece, ayudante? Mira los colores, las mujeres..., ¡mira ésa!

Señala a una rubia con el pelo corto, cuerpo musculoso y seguro.

Trasero alto que se pierde bajo una falda ajustada, la nariz un poco demasiado grande en comparación con unos labios que cuentan lo peor si se les presupone un placentero uso.

–La he conocido en profundidad. Forma parte del ambiente, ¿sabes?

–¿Cómo?

–El ambiente..., nuestro ambiente de trabajo, mujeres de bandera. –Suelta una bocanada de humo, riéndose–. ¿Has visto los labios? ¡Me ha dejado seco!

Confirma el placentero uso.

–¿Cómo?, ¿quieres decir que son todas así?

–No son todas así. Son más, son guapísimas. Ya las verás, ya las verás. Son de verdad. Son mujeres fantásticas, ocultas en vestidos de colores, bailarinas, azafatas, figurantes. Se ríen, se encienden como si nada, como pequeñas bombas de mecha corta. Y detrás de esos pechos, apretados por corpiños imposibles, esos traseros duros, estrangulados por bragas minúsculas, están sus historias: tristes, alegres, absurdas... Son chicas que aún estudian, que ya tienen un hijo y no un marido, que nunca han estudiado, que están a punto de casarse o de separarse, que no se casarán nunca o que aún sueñan con hacerlo. Todas allí reunidas con una sola cosa en común: aparecer en la caja mágica. Aparecer...

–Bueno, por cómo hablas, ya veo que te gustan mucho. Pareces un poeta.

–Yo soy Marcantonio y vengo del norte, más allá de Milán, del Veneto más rico. Y no tengo un duro. Lo que me queda es la sangre noble y las ganas de amarlas a todas, en eso siempre seré rico. Tienes que verlas... Y las verás, ¿verdad?

–Creo que sí.

–Seguro que sí. ¿Eres mi ayudante o no? ¡Pues entonces te divertirás un montón! –Me da un manotazo en el hombro y se levanta–. Bueno, me voy.

Coge los cigarrillos y el encendedor y se los mete en el bolsillo. Después sonríe y levanta las cejas. Va hacia la chica del pelo corto rubio y da una vuelta a su alrededor. Me quedo un momento mirándolo.

Da otra vuelta alrededor de la chica, después se para y se planta frente a ella con las manos en los bolsillos de la chaqueta. Empieza a hablar, tranquilo, seguro, sonriente. Ella lo escucha con curiosidad y después se echa a reír. La chica sacude la cabeza. Él le hace un gesto, ella lo piensa un momento, después parece optar por el sí y se encamina hacia Vanni para entrar. Marcantonio me mira, sonríe y me guiña un ojo. Después la alcanza. Apoya una mano en su espalda para «ayudarla» a entrar en el bar. Ella se deja guiar y desaparecen de mi vista.

Diecisiete

Volumen al máximo. «*What if there was no light, nothing wrong, nothing right, what if there was no time...*» La voz de Chris Martin, de Coldplay, llena la habitación. Acaso para tapar otro sonido. El ronco y continuo que ahora está sintiendo en su interior como un aguijón, una llamada que no deja de atormentarla a medida que pasan las horas.

–Daniela, ¿estás sorda? ¿Quieres bajarla, por favor? ¿O lo haces para que Fiore se aprenda la canción desde la calle?

Por un momento, la imagen del portero cantando en inglés romanesco mientras poda las plantas la distrae y la hace sonreír. Por un momento. Porque después esa duda, su duda, vuelve a hablar, a llamarla. Sí, mamá, si fuera sorda tal vez no oiría más esa voz que sigue diciéndome la única verdad que no quiero oír. Es más, es mejor subir el volumen, es mejor cantar con Chris esas palabras que ahora parecen tan verdaderas, tan adecuadas... Daniela empieza a traducirlas mentalmente: «Qué sucedería si no hubiera luz, nada equivocado, nada justo, qué sucedería si no hubiera tiempo...» Sí, si no hubiera tiempo. Si no hubiera más. Basta. Hay que hacer algo, hay que aclararlo de una vez por todas.

–Hola, Giuli. ¿Te molesto? ¿Qué haces?

–¡Hola! No, tranquila, si precisamente estaba pensando en ti.

–¿Pensabas en mí? ¡Creía que tenías cosas mejores que hacer!

–Veo que la simpatía se contagia... ¿Quieres saber por qué?

–Dime.

–Estaba descargando del móvil al ordenador las fotos que saqué en la fiesta. ¡Son una pasada! Aunque no había demasiada luz, han salido bien. ¡También estás tú mientras bailas y haces el tonto!

–¿De verdad? No me di cuenta de que me hacías fotos.

–¡Te creo: estabas completamente fuera de órbita! Estás tú con Brandelli, después tú con dos locos de atar que saltaban a tu alrededor, y otra vez tú que le gritas no sé qué a no sé quién... ¡Y ya está, porque en un momento dado desapareciste! ¡No te volví a ver! ¿Dónde demonios estabas, eh? ¡Tienes que contarme todo lo que no pude fotografiar...!

–¡Ya! Fue una fiesta guay, ¿verdad? ¡Me divertí muchísimo! ¡Y finalmente lo conseguí! ¿Has visto? Chicco fue muy dulce, y tú que siempre hablas mal de él... ¿A qué hora desaparecí de allí con él? –Giuli no le hace caso. ¿Por qué debería hacérselo? La voz de Daniela tiembla un poco mientras lo pregunta, en un intento por parecer lo más segura y natural posible–. Quiero decir, ¿cuánto rato estuve con él? Tú estabas lúcida, prestarías atención, ¿no? ¿Al cabo de cuánto tiempo volví contigo y nos marchamos?

–¡Joder, pero ¿de verdad no te acuerdas de nada?! ¡A ti el éxtasis te hace un efecto muy raro! Con él no lo sé, porque, sinceramente, a Brandelli lo vi sentado en un sofá hablando con unas tipas, y tú ya no estabas. Quizá desaparecisteis juntos antes. Conmigo volviste como mucho al cabo de un par de horas. ¡O sea, que imagino que os divertisteis! ¡Venga, cuéntame! ¿Cómo fue? ¿Te gustó?

–Fue distinto de como creía, pero en realidad ¿cómo puedes imaginar algo que nunca has probado? Hasta que te ves allí... Bueno, ya te lo contaré todo la próxima vez que nos veamos. Todo..., ¡es decir, lo poco que recuerdo! ¿Cómo quieres que te lo cuente por teléfono? Ya sabes que aquí me oyen. Si pasa mamá, estoy perdida. Aunque tenga la música alta, ésa tiene el oído más agudo que un indio. Iré a verte pronto. Ahora tengo que dejarte.

–De acuerdo, pero siempre te escabulles en lo mejor. ¡Te esperaré, chica afortunada! Mándame un sms antes y así estaré en casa. ¿Quién va a perderse el relato de la primera vez de la pequeña Gervasi?

Ojalá, Giuli, ojalá me hubiera escabullido en lo mejor. Al menos ahora sólo tendría dentro a los Coldplay, y no esta duda que no me deja en paz.

–Está bien, adiós.

Nada. La duda aún sigue ahí. Ligera como un velo que esconde la verdad. Pesada como un peñasco que aplasta la serenidad.

«*You don't have to be alone, you don't have to be on your own...*» Las trazas se deslizan. «*A message...*» «No tienes que estar sola, no debes ir por tu cuenta...» Ya, Chris, ¿por qué no vienes tú aquí a darme el mensaje que espero, la noticia que no sé? El volumen sigue alto. Raffaella se ha rendido. Y Fiore quizá esté aprendiendo inglés. Las palabras que salen del aparato de música siguen golpeando en esa amenaza. Pero no hay que asombrarse: el alma siempre sabe elegir la mejor banda sonora. Y las canciones no llegan nunca por casualidad. Como la verdad, por otra parte.

–Hola, Chicco. ¿Molesto?

–Hola, pequeña, ¿cómo estás? ¡Qué pasada la otra noche, ¿eh?! ¡Menuda fiesta! ¿Y esta noche? ¿Quieres que vaya a buscarte y vamos a tomar un café?

–De acuerdo, quedemos. Sí, realmente fue una buena noche, me divertí como una loca, ¡no me lo podía creer! Y tú estuviste encantador, realmente muy dulce...

–¡Creo que te equivocas! ¿Dulce y encantador, dices? ¡Pero si no hice nada! Es más, podría haberlo sido si no hubieras desaparecido como lo hiciste. Te perdí la pista casi en seguida y no volví a verte. ¿Dónde te metiste? Pusieron una bonita canción lenta, *E...*, de Vasco. La quería bailar contigo. ¿Dónde estabas? Y después quería acompañarte a casa, pero entonces Giuli y tú ya no estabais. ¿Por qué?

No es por la canción lenta frustrada, ni por el viaje perdido a casa que su estómago se cierra y el corazón empieza a latirle más rápidamente de lo normal. Es porque Daniela busca respuestas y, en cambio, sólo obtiene preguntas.

–Sí, es verdad, perdona, quería decírtelo, Giuli llamó a su hermano para que nos acompañara porque no te encontrábamos y no contestabas al móvil. Quizá tenías la batería descargada. Perdona si desaparecí... Di mil vueltas, bailé, me reí y por eso perdí la noción del tiempo. Bueno, nos llamamos después, así decidimos si vamos a tomar ese café.

–¡De acuerdo, pequeña, entonces hasta luego!

Pequeña. Ojalá... Ser aún como entonces, cuando jugaba en la habitación con Babi. Cuando no tenía que preocuparme casi por nada. Cuando encontraba todas las respuestas porque las preguntas eran más sencillas. No como ésta. Ésta es difícil. Y también absurda. Tanto que ni siquiera Giuli y Chicco han resuelto la duda. Y ellos estaban allí. Sí, pero no conmigo, no en aquella habitación. Ahora sólo el tiempo puede ayudarme. Únicamente tendré que esperar algunos días, sólo..., parece fácil.

Daniela abre el armario y se mira al espejo. Intenta advertir en su cara una señal, un cambio, algo que la ayude a entender, que le dé al menos alguna pequeña certeza a la que agarrarse. Nada. Sólo un pequeño grano oculto por el flequillo, aparecido quién sabe cuándo, acaso por la noche. Demasiado poco para ser la señal de una verdad profunda que sale a la luz. Será el chocolate que tomé ayer. Y después una sensación difusa, que no sabe definir, algo que la envuelve desde abajo.

Última pista del CD. «*How do you see the world?*» Otra pregunta. Y tampoco ésta es fácil de responder.

Dieciocho

–¿Cómo fue la cita?

Nada más entrar por la puerta, Paolo me asalta con su curiosidad.

–Creo que bien.

–¿Qué quiere decir «creo que bien»?

–Pues que creo que fue bien, que tal vez causé una buena impresión.

–O sea...

–¡Empiezo la próxima semana!

–¡Perfecto, qué bien! Tenemos que celebrarlo. Te prepararé una cena estupenda. Ahora soy un maestro en la cocina. ¿Sabes que mientras estabas fuera hice un curso en Constantini...?

–Esta noche no puedo.

–¿Y eso?

–Salgo con unos amigos.

–¿O sales con Eva?

Me mira malicioso, como si pudiera tener alguna razón para mentirle. Me hace reír.

–He dicho con unos amigos. Haces lo mismo que mamá.

–A propósito, ha venido, quería saludarte. –Estoy en mi habitación y no tengo ganas de escucharlo. Al menos, no si me habla de eso. Pero a Paolo, naturalmente, no le interesa y me grita desde lejos–: ¿Me has oído? Estoy hablando contigo.

–Pues claro, ¿con quién si no? En esta casa sólo estamos nosotros dos.

Menudo tipo. Aparece en la puerta.

–Mira esto. –Lleva una bolsa transparente en la mano. Me mira sorprendido–: Pero ¿cómo puede ser que no los reconozcas? ¡Son *morselletti*! ¿No te acuerdas? Son los bizcochos que hacía mamá con miel y avellanas. Venga, ¿cómo puedes haberlo olvidado? Los ponía siempre sobre el radiador para ablandarlos y nosotros venga a comer como locos cuando nos daba permiso para ver la película del lunes por la noche. –Saca uno–. No puedo creer que no te acuerdes.

Paso por delante de él rozándolo.

–Sí, los recuerdo, pero ahora no me apetecen. Me voy a cenar.

Paolo está disgustado. Se queda allí con el *morselletto* en la mano mirándome mientras me pongo la chaqueta y cojo las llaves.

–Bueno comeré alguno mañana para desayunar, ¿te parece bien?

–Está bien, como quieras. –Paolo me observa salir, después traslada su atención al *morselletto* e intenta morderlo–: Ay, está duro...

–Mételo un poco en el horno.

Estoy en el ascensor y me abrocho la chaqueta. Qué pesadez. Me paso la mano por el pelo corto y lo agito un poco, lo poco que se puede. Los *morselletti* son los bizcochos más ricos del mundo, no demasiado dulces, difíciles de masticar al principio, pero después... Parecen como goma, ligeramente más duros, tienen cada vez más sabor y de vez en cuando encuentras alguna avellana.

Mamá. La recuerdo en la cocina. «Mezclar la miel dentro de la olla, remover, remover más y de vez en cuando probar...» Se llevaba apenas la punta de una larga cuchara de madera a la boca y después levantaba los ojos entornándolos para concentrarse mejor en el sabor. «Falta un poco más de azúcar. ¿Tú qué dices?» Y me invitaba así a formar parte del juego, a probar con la cuchara de madera. Yo asentía. Siempre de acuerdo con ella, con mamá. Mi madre. Entonces, ella canturreaba: «Y la píldora baja, la píldora baja.» Abría la tapa roja del bote del azúcar y, jugando con la muñeca, dejaba resbalar un poco en la olla. Lo necesario, al menos en su opinión. Después volvía a cerrar la tapa del bote, lo dejaba en su sitio, se limpiaba las manos en el delantal de flores y venía a mi lado a ver cómo estaba: «Si acabas pronto de estudiar, te doy un *morselletto* más que a Paolo..., al fin y al cabo, él no se va a enterar.» Y nos reíamos juntos y ella me besaba en la nuca mientras yo me encogía de hombros, agarrotándolos por el escalofrío...

¡Qué pesadez! Qué difícil es olvidar las cosas bonitas.

Voy de prisa con la moto. El viento es agradable y cálido en esta noche de septiembre. Hay pocos coches. Cojo corso Francia desde Vigna Stelluti y llego hasta el semáforo, después giro y cojo la Flaminia. Acelero dando gas. Al fondo, el semáforo está verde, acelero aún más antes de que cambie a rojo. Aquí hace más fresco y siento un escalofrío. Es el verde de los bordes de la calle. Entre las colinas más altas, con alguna que otra gruta escondida y altos árboles que ocultan de vez en cuando la luna. La moto reduce la velocidad sola. Estoy entrando en reserva. Qué raro. Había llenado el depósito. El carburador estará sucio y por eso consume más que de costumbre. Doy más gas y, sin cambiar de marcha, bajo la mano hacia la izquierda del depósito hasta encontrar la palanca. La muevo hacia abajo, en reserva. Tengo que echar gasolina. Dejo atrás el gran Centro Euclide a la derecha y algo más allá se me aparecen las luces de un *self-service*. Me detengo junto al surtidor. Está en funcionamiento. Paro la moto y meto la llave en el tapón del depósito. Después me levanto y saco la cartera del bolsillo de los vaqueros. Con la motocicleta entre las piernas, cojo dos billetes de diez euros y los introduzco en la maquinita. Los segundos diez euros son rechazados. Los vuelvo a meter y mientras entran le propino un puñetazo al surtidor. Pasan algunos segundos y un ruido mecánico me avisa de que también los ha aceptado. Retrocedo un poco con la moto e intento sacar la manguera. Hostia, no se puede. No se puede. Hay un candado en el surtidor de súper. Está bloqueado. No es el candado típico de los surtidores, es más grande, y también ha bloqueado el pulsador para coger el recibo. ¡Es un timo! Un timo de algún agarrado del carajo que quiere llenar el depósito a mi costa. Y ese agarrado me ha timado veinte euros... Hostia, hostia, hostia. No tengo tiempo. Tengo que llegar a la cita. Esto no estaba previsto. Cierro el depósito, vuelvo a meter la llave en el contacto y arranco cabreado a todo gas. El surtidor de gasolina se queda solo en el silencio de la noche. Algunos coches pasan como flechas veloces hacia quién sabe qué mágico fin de semana o, sencillamente, a una cena cercana a la zona de Prima Porta. Un gato cruza la plaza de la gasolinera. De repente, se para como si hubiera oído algún extraño ruido. Permanece así, inmóvil en la penumbra con la cabeza vuelta, el cuello algo girado y los ojos entornados. Es como si buscara algo, pero no hay nada. El gato se relaja y empieza de nuevo a caminar por su calle, directo hacia quién sabe dónde. Algunas nubes pasan veloces. Un viento suave descubre de vez en cuando la luna. Desde detrás de la caseta del gasolinero, un coche se pone en movimiento. Un Micra azul oscuro asoma con sólo las luces de posición encendidas. Avanza lentamente hacia el surtidor de gasolina. Aparca, apaga el motor y de él baja un tipo no demasiado alto, con un gorro negro en la cabeza algo afeminado y una cazadora Levi's oscura. Mira a su alrededor. Después, al no ver a nadie, se saca del bolsillo la llave del candado y lo abre. No le da tiempo a coger con la mano la manguera cuando me abalanzo encima de él, lo estampo sobre el capó del coche y me subo encima.

–¡O sea, que pones gasolina con mi dinero!

Lo agarro del cuello pero se resiste. En la pelea, se le cae el gorro. Una mata de pelo negro y largo se derrama sobre el capó azul. Cargo la derecha para golpearlo en plena cara, pero una luna pálida ilumina de repente su rostro.

–Hostia... ¡Si eres una chica! –Intenta salir de debajo. La mantengo quieta aún un rato mientras bajo el brazo derecho–: Una mujer, una jodida mujer.

La suelto. Se levanta del capó y se arregla la chaqueta.

–Pues sí, soy una chica, ¿qué pasa? ¿Por qué coño tienes que reírte? ¿Quieres darme de hostias? No me das miedo.

Esta tipa es demasiado. La miro mejor: tiene las piernas abiertas y lleva un par de vaqueros con la cintura baja y unas Sneakers Hi-tech. Viste un camiseta negra debajo de la cazadora tejana oscura. La tipa tiene estilo. Recoge el gorro y se lo mete en el bolsillo de los pantalones:

–¿Y bien?

–¿Y bien qué? Eres tú la que se estaba quedando con mi dinero.

–¿Y qué?

–¿Qué? ¿Cómo que qué? –Me meto en el Micra y saco la llave del contacto–. Así no se te ocurrirá perseguirme. –Me la meto en el bolsillo y me alejo caminando. Aparezco un instante después con la moto. Había vuelto hasta el cercado de la gasolinera con el motor apagado. Arranco y en un momento estoy frente a ella. Paro y abro el depósito–. Pásame la manguera.

–No tengo la menor intención de hacer eso.

Sacudo la cabeza, la cojo yo mismo y echo la gasolina. Después se me ocurre una cosa, pongo sólo diez euros en mi depósito y me detengo. Rodeo su Micra con la manguera en la mano, abro el tapón y echo los otros diez euros en su coche. Ella me mira con curiosidad. Es guapa, con un aspecto un poco de dura. Quizá simplemente está fastidiada porque la han pillado. Lleva el pelo escalado hacia delante, parece muy desfilado, tiene los ojos grandes y oscuros y una bonita sonrisa, por lo poco que he podido intuir. Esboza una extraña mueca de curiosidad.

–¿Y ahora qué haces?

–Echo gasolina en tu coche.

–¿Y por qué?

–Porque vamos a ir a cenar juntos.

Muevo la moto y la dejo detrás de la caseta del gasolinero.

–Ni hablar. ¿Yo, a cenar contigo? Tengo otras cosas que hacer... Hay una fiesta, una *rave*, y he quedado con mis amigos.

Me hago el duro pero me dan ganas de reírme:

–Entonces, míralo así: tú querías pasar la noche con mis veinte euros, pero como eres muy afortunada, la pasarás conmigo.

–Lo que hay que oír...

–Si eso no es suficiente para tu fantástico orgullo..., digamos que o pasas la noche conmigo o te denuncio. ¿Te parece mejor así?

La tipa me sonríe maliciosamente.

–Sí, claro, me subo en el coche, en *mi* propio coche, para ser exactos, con un desconocido y...

–Yo no soy un desconocido. Soy un tipo al que estabas a punto de estafar.

Resopla otra vez.

–Bien, entonces veámoslo desde este punto de vista: yo subo en mi coche con un posible tío estafado, ¿de acuerdo? Vale, pero ¿por qué no tendría que pensar que me llevarás quién sabe dónde y te aprovecharás de mí? Dame un buen motivo.

Me quedo en silencio. Me cago en todos esos tíos que hacen que las mujeres se preocupen. Pedazos de mierda que nos habéis estropeado el patio, cobardes incapaces de conquistar, seres inútiles en este espléndido mundo.

–Está bien..., está bien...

Me echo a reír, pero sé que tiene razón.

–Entonces, planteémoslo así. ¿Ves este móvil?

Me lo saco del bolsillo.

–¿Sabes cuántos «aprovechamientos» mejores que tú podría tener con una sola llamada? Así que cierra el pico y sube.

¡He aquí para qué sirve un móvil!

Me lanza una mirada de odio y después viene hacia mí. Se planta delante y me alarga el brazo con la mano abierta. Levanto al vuelo el brazo. Pienso que quiere darme un bofetón. Me equivoco.

–Por ahora no te pegaré. Dame las llaves, conduzco yo.

Sonrío, subiendo al coche:

–Ni hablar.

–Pero ¿cómo puedes pensar que voy a fiarme de ti?

–No, ¿cómo puedes pensar tú que yo me voy a fiar de ti? ¡Tú, que me has estafado la pasta!

Voy hacia el otro lado y le abro la portezuela. Le sonrío.

–¿Tengo razón o no? Venga, sube.

Se queda un poco perpleja, después resopla y sube al coche con los brazos cruzados y la mirada fija al frente. Conduzco un rato en silencio.

–Oye, va bien tu coche, ¿eh?

–¿Está incluido en el precio que tengamos que hablar?

Acabamos de pasar Saxa Rubra.

–No, pero ahora puedes hacer otro negocio. ¿Sabes?, podría dejarte aquí y llevarme tu coche, naturalmente, sin «aprovecharme», como tú dices... Simplemente con tu coche..., pero con mi gasolina. O sea que intenta ser amable, diviértete, sonríe...; tienes una sonrisa muy bonita.

–Pero si aún no la has visto.

–Precisamente por eso... ¿A qué esperas?

Sonríe adrede, rechinando los dientes:

–Aquí está, ¿estás contento?

–Mucho.

Alargo la mano abierta hacia ella. Se aparta veloz.

–Eh, ¿qué haces?

–¡Madre mía, qué desconfiada! Iba a presentarme como las personas educadas, las que no roban. Yo soy Stefano, Step para los amigos.

Tengo la mano abierta en el aire, en la penumbra del coche.

–Bien... Hola, Stefano, yo soy Ginevra, Gin para las amigas. Para ti, en cambio, siempre Ginevra.

–Ginevra, vaya... ¿Cómo sabían tus padres que traerían al mundo a una princesa como tú?

La miro levantando las cejas, después no puedo más y me echo a reír.

–Perdóname, me dan ganas de reír y no sé por qué. Princesa...

Sigo así. La miro y me río. Me divierte, me cae simpática. Quizá porque no es guapa. El coche avanza veloz. La luz de los faros abandona y recupera su cara. La pinta de claro, y después de oscuro. Y de vez en cuando la luna la besa. Tiene los pómulos altos y la barbilla pequeña. Las cejas finas, como un punto de fuga, fluyen hacia el pelo. Tiene los ojos de color avellana, intensos, vivos y alegres, a pesar de estar muy molesta. Sí, me he equivocado. No es guapa, es guapísima.

–Fueron valientes tus padres. Una excelente elección de nombre: princesa Ginevra...

Me mira en silencio.

–Stefano, mis padres ya no existen. Murieron.

Se me hiela la sangre. El peor puñetazo posible, en plena cara, en el estómago, en los dientes. Cambio de expresión.

–Perdona.

Nos quedamos un rato en silencio. El coche corre veloz. Miro hacia la calzada intentando que mi estúpido error se pierda entre las líneas blancas. La oigo suspirar; quizá esté llorando. No puedo volverme, pero debo. Debo... La veo en una esquina mirándome. Completamente encogida contra la ventanilla. Está sentada de lado. Después, de repente, estalla en una carcajada, como una loca:

–¡Dios, no puedo más, te he dicho una gilipollez! ¿Estamos empatados? Tregua.

E inmediatamente mete un CD en el estéreo.

–Has querido guerra y yo te la he dado. ¿Cómo te has quedado, eh? Te haces el duro pero en el fondo, en el fondo... eres un sentimental. Pobrecito...

Ginevra se ríe y se mueve al ritmo de los Red Hot Chilli Peppers.

–¿Adónde vamos a cenar? –Ahora está mucho más tranquila, dueña de la situación. Me quedo en silencio. Hostia, me ha jodido. Buen golpe, pero propio de un imbécil. ¿Cómo se puede bromear sobre una cosa así? Sigo conduciendo mirando hacia delante. Por el rabillo del ojo la veo bailar. Lleva el ritmo perfectamente y baila divertida su *Scar Tissue*. Se agita moviendo el pelo. Se ríe de vez en cuando mordiéndose el labio inferior–. Venga, no te habrá sentado mal... –Me mira–. Perdona, pero estás conduciendo mi coche; cierto, con tu gasolina, lo digo yo antes de que me lo repitas tú. Llevas a una chica a cenar con tus amigos, ¿no?, o algo parecido... Así que no tienes ningún motivo para enfadarte. Lo has dicho tú... Diviértete... ¡Sonríe! Yo lo he hecho. ¿Por qué no lo haces tú ahora? –Sigo sin hablar–. Mira, te has pasado, te has enfadado. ¿Preferirías que estuvieran muertos de verdad? Está bien, entonces intentemos conversar un poco... ¿Cómo están tus padres?

–Estupendamente, están separados.

–¡Claro, claro! Madre mía, qué poco original eres. ¿No puedes inventarte algo mejor?

–¿Qué puedo hacer si es así? Mira que eres tozuda. ¿Ves?, es culpa tuya, tú has suprimido la credibilidad de nuestros diálogos.

–No estarás hablando en serio...

–Ya te he dicho que sí.

Se queda ella también un momento en silencio. Me mira con perplejidad y me estudia casi de soslayo.

–No es verdad.

–Te he dicho que sí.

Aún no está del todo convencida de mis palabras. Mientras conduzco, me vuelvo para mirarla. Nos quedamos un momento así, mirándonos a los ojos. Es una especie de competición. Después ella es la primera en bajar la mirada. Parece sonrojarse, pero hay demasiada penumbra para decidir si es verdad o no.

–Eh, mira hacia delante, mira la calle. La gasolina es tuya, pero el coche es mío, ¿no? Así que no me lo destroces.

Sonrío sin que lo note.

–Me has mentido, ¿verdad? No están separados.

–¿Cómo que no?, y desde hace varios años.

–Bueno, pues si es verdad, lo siento. De todos modos, he leído en algún sitio que los matrimonios separados con hijos mayores son más del sesenta por ciento. O sea que...

–¿O sea?

–Es un dato que no puedes usar para hacerte la víctima.

–Pero ¿quién quiere hacerse la víctima? Qué tontería...

Querría contarle toda la historia, quizá porque no sabe nada de mí o porque me inspira confianza, o bien por cualquier otro motivo que no sé. Pero no lo hago, algo me frena.

–¿En qué estás pensando? ¿En tus padres?

–No, pensaba en ti.

–¿Y en qué pensabas, si ni siquiera me conoces?

–Pensaba en lo bonito que es cuando no conoces a alguien pero lo tienes al lado, en los problemas que no tienes, en cómo te lo imaginas, en los juegos de la fantasía, en que vas donde quieres.

–¿Y adónde has llegado?

Hago adrede una pausa.

–Lejos. –Aunque no es verdad, me divierte decírselo–. Es más, he vuelto a pensarlo y me parece que tienes razón tú.

–¿En qué?

–En lo del «aprovechamiento».

–Idiota, qué tonto eres. Quieres que me preocupe, ¿verdad? Pero no lo lograrías, lo siento. Soy tercer dan. ¿Sabes qué quiere decir «tercer dan» o no tienes ni idea? Bueno, pues te lo explico en un momento. –Habla con ímpetu y yo la escucho divertido–. Quiere decir que no te da tiempo a ponerme la mano encima cuando yo ya te he tumbado, ¿lo has entendido? Tercer dan de kárate. Y he hecho también *kick boxing*. Prueba a alargar la mano y estás acabado. Acabado.

–Menos mal. Entonces estoy seguro contigo.

No me da tiempo a acabar la frase cuando el volante se me escapa de la mano. El Micra se ladea pavorosamente. Rectifico en seguida y levanto el pie del acelerador. Ginevra acaba encima de mí. Llevo el coche dulcemente hacia la derecha mientras ella se incorpora. Me propina un fuerte un puñetazo en el hombro, siempre en el mismo punto.

–¡Gilipollas, me has asustado! ¡Imbécil!

Me río.

–Ah, para ya, sé buena. Yo no tengo nada que ver: me parece que hemos pinchado.

–¡Pero qué dices! ¡Lo has hecho adrede!

–Te digo que no.

Bajo del coche y me agacho junto al capó para mirar las ruedas.

–¿Ves?, ¿has visto?

Ella también baja y ve la rueda pinchada.

–¿Y ahora?

–Y ahora espero que lleves la rueda de repuesto.

–Pues claro que la llevo.

–¡Muy bien!

Nos quedamos un momento mirándonos.

–¿Y?

–¿Y qué? Tráela, ¿no?

–Perdona, pero estabas conduciendo tú. O sea que la culpa es tuya.

–Quizá... Pero el coche es tuyo, o sea que la rueda la cambias tú.

Ginevra resopla y se dirige hacia el capó.

–¡Está en el maletero!

–Estaba comprobando que no se hubiera roto nada.

Miente.

–Claro..., claro... Faltaría.

Abre el maletero y levanta el cartón debajo del cual está la rueda.

–¿Cómo se saca?

–¿Ves ese tornillo grande que hay en lo alto? Sácalo y después tira de la rueda hacia ti.

Sigue todas mis instrucciones y libera la rueda. Intenta sacarla del coche, pero a medio camino ésta se le vuelve a caer dentro del maletero, rebotando. No puede con ella.

–Oye, ¿por qué no me ayudas?

–¿Cómo? Tú haz como si yo no estuviera. Eres tú la que ha dicho que no contabas conmigo esta noche, ¿no? Eso por no hablar del tema de la igualdad de sexos... Además, hay una cosa aún más importante.

Se planta frente a mí con los brazos en jarras.

–Oigámosla. ¿Qué?

–Has dicho que eres tercer dan, ¿no? Pero si te gana una rueda... Ah, ah...

Me mira hecha una furia. Casi se zambulle dentro del maletero, abraza la rueda y enarca la espalda hacia atrás. Hace un gran esfuerzo; voy de prisa hacia ella para ayudarla, pero lo consigue antes de darme tiempo a llegar.

–He podido, ¿qué creías?

Después, pasando por mi lado, me da un empujón con el hombro.

–¡Sal! No te quedes ahí en medio incordiando.

Hace rodar la rueda manteniéndola recta y casi arrojándomela encima.

–¿Te vas a apartar o no?

–¿Cómo no?, es más, voy a sentarme debajo de ese árbol a fumarme un cigarrillo. ¡No tardes demasiado, ¿eh?!

–Eso, vete, vete.

Diecinueve

Me siento al borde de la calle, sobre un muro bajo, y enciendo un cigarrillo. Me quedo así, mirándola oculto en la oscuridad. Después le grito desde lejos:

–Muy bien, muy bien, lo estás haciendo de maravilla.

Se mete debajo del coche para colocar el gato. Está arrodillada, las manos apoyadas en el suelo con los dedos crispados, mientras mira dónde tiene que poner el gato. El trasero apretado por los vaqueros sobresale como una pequeña colina en el asfalto, destacándose contra la carrocería del vehículo, como si éste fuera el cielo azul. Lo mueve mientras intenta encontrar el punto adecuado donde poner la palanca del gato. Es todo un espectáculo.

–Oye, no sabes el panorama que hay desde aquí. Tendrías que verlo. La luna, redonda, perfecta. Hay luna llena, ¿sabes?

Se levanta limpiándose las manos. Se frota una palma con sus finos dedos haciendo volar granos de arenilla pegados en la piel suave.

–Pero ¿qué luna?, si no se ve nada.

–Hace dos minutos estaba ahí, te lo juro, una luna con vaqueros, una maravilla. Asomaba desde debajo de tu coche.

–No pienso contestarte, que lo sepas.

Empieza a subir el gato bombeando arriba y abajo mientras el coche se mueve ligeramente.

–Avísame cuando hayas acabado, que a lo mejor me duermo.

Me dejo resbalar hacia atrás sobre el borde del murito. Miro las nubes que pasan en el cielo oscuro. Ahora se mezclan con el humo que dejo escapar de la boca. Nítidas, transparentes, bañadas de luz oculta, esa luna más alta, que no se ve pero que está ahí, más arriba, no con vaqueros. Respiro hondamente. Sonrío y me vuelvo para mirarla. Está aflojando los pernos. Intenta con fuerza girar la llave de cruz. No lo consigue y salta encima dándole golpes con el pie. La llave enganchada al perno se cae al suelo. Resopla, y con el canto de la mano, para no ensuciarse, se aparta el pelo de la cara. Guapa y acalorada. Vuelve a meter la llave de cruz en el perno y lo intenta otra vez. Se acerca un coche. Es oscuro, pasa a media velocidad, hace luces y toca la bocina. Después oigo un frenazo algo más adelante y el ruido de una marcha atrás acelerada, de hortera. Es un Toyota Corolla. Retrocede a toda velocidad, ladeándose ligeramente. Da media curva marcha atrás. Después se para delante del Micra de Ginevra. De él bajan varias personas. Me siento en el murito. Son tres chicos. Tiro el cigarrillo al suelo y me quedo allí siguiendo la escena.

–Hola, ¿qué haces aquí sola de noche?

–Has pinchado, ¿no? Qué mala suerte.

–Qué mala suerte la nuestra: por un momento hemos pensado que eras una puta.

Se echan a reír.

Uno tose. Tendrán unos veinte años y llevan el pelo corto; deben de ser soldados.

Ginevra no mira hacia mí.

–Escuchad, ¿podríais ayudarme a cambiar la rueda?

–Cómo no... Será un placer.

El más bajo se agacha y con la llave de cruz empieza a aflojar los pernos.

–Pues sí que están oxidados.

–Es que no he cambiado nunca una rueda de este coche... Es la primera vez que pincho.

–Bueno, siempre hay una primera vez.

Uno de los tres se ríe a mandíbula batiente y los otros lo secundan.

–Pues menos mal que ha sido esta noche, que pasábamos nosotros.

–Claro, menos mal que estáis vosotros. –Esta vez Ginevra me lanza una mirada y, sin que la vean, hace un gesto como diciendo: «Mira, ¿ves? Éstos me están ayudando.»

El pequeñajo cambia la rueda en un periquete: quita en seguida todos los pernos y aparta la rueda pinchada. La deja caer al suelo haciendo que rebote y pone de inmediato la nueva. Centra los agujeros en un instante y coloca de nuevo los pernos. Les da un apretón general, uno tras otro, sin hacer demasiada fuerza, y después los repasa todos para el apretón decisivo. Debe de ser mecánico. Da un último empujón a la llave de cruz con el pie y luego se incorpora.

–*Et voilà*, ya está. ¡Todo en su sitio, señorita!

Se limpia las manos frotándoselas en los vaqueros por encima de las rodillas. Están tan sucios que no deja ni rastro.

–Gracias, sin vosotros no hubiera sabido qué hacer.

«No tiene remedio», pienso. Es una princesa. La frase adecuada en el momento adecuado. O equivocada, tal vez... Un intento como otro cualquiera para sacárselos de encima de manera simpática. Pero no tenía dudas: no cuela.

–¿Qué haces? ¿Nos largas así?

El tipo más alto, y también algo más gordo que los demás, toma las riendas de la situación.

–Bueno, ya os he dado las gracias. Yo habría tardado más, ¡pero la hubiera cambiado también sola!

El tipo mira a los demás y sonríe. Lleva una camiseta larga de color granate, con el cuello estrecho y una raya negra sobre el pecho.

–Está bien, pero danos al menos un beso.

–Pero ¿qué dices?

–Oye, que no te he pedido que nos la chupes...

Se ríe divertido, mostrando una sonrisa que me entristece hasta a mí. Tiene los dientes tan estropeados que hacen de su cara una máscara grotesca.

–Te sale barato con un beso...

Coge a Ginevra al vuelo y la atrae hacia sí. Ella está horrorizada. Él la estrecha por la cintura e intenta besarla. Ginevra aleja la cara instintivamente. El tipo le da un lametón en la mejilla y sigue intentando meterle la lengua en la boca. Ginevra se suelta. El tipo es fuerte y la agarra decidido. Ella trata de propinarle un rodillazo entre las piernas, pero él está demasiado cerca y no lo consigue. El pequeñajo, el que ha cambiado la rueda, está callado y mira la escena en silencio. Es más, parece ligeramente fastidiado. El otro, el gordito, se ríe en una esquina, interesado, casi excitado, y anima al amigo.

–Muy bien, Pie, métele la lengua en la boca.

Pero Pie –imagino que Pietro–, no lo consigue. Es más, Ginevra se mueve tanto que al final le da incluso un cabezazo.

–Ah, me cago en diez.

Pietro se lleva las manos a la frente.

–¡Así aprenderás, cabrón!

Ginevra se arregla el pelo, inmóvil en medio de la calle, no muy lejos de él, sin escapar, sin llamarme.

–¿Cabrón yo? Ahora verás...

El tipo va decidido a su encuentro. Ginevra baja la cabeza y se protege con las manos. Pietro la agarra por la chaqueta.

Es el momento de intervenir:

–Oíd, ya os habéis divertido bastante, ahora basta.

Pietro la suelta y los otros dos se quedan sorprendidos al verme salir de la sombra. Voy hacia ellos.

–¿Y tú quién coño eres?

–Por causalidad, pasaba por aquí. ¿Y tú quién coño te crees que eres?

He llegado hasta ellos. Pietro me mira. Está sopesando si vale la pena contestarme. Es decir, si puede conmigo o no. Opta por el sí.

–Largo de aquí, vamos.

Se equivoca. Le lanzo un puñetazo certero, perfecto. Ni siquiera lo ve. Lo pillo de lado, pero no demasiado, lo que basta para romperle la nariz. Lo veo tambalearse sobre las piernas y hacer un amago de reaccionar. Lo golpeo de nuevo, con la izquierda, encima de la ceja derecha: un impacto fuerte, preciso, sordo, con malicia. Cae al suelo con un ruido seco y ni siquiera le da tiempo a moverse cuando le salgo al encuentro con una patada en toda la cara. Pum. En cuanto retiro la pierna, se forma un charco de sangre. De la nariz baja mucha, blanda y caliente, calle abajo, lenta, en penumbra, y se mezcla con el asfalto. Pietro, o como coño se llame, tiene la boca abierta y respira formando extrañas burbujas con el reguero de sangre que tropieza en sus labios. Escupe de vez en cuando alguna gota mezclada con saliva. Ahora ya no se ríe.

–Bueno –miro a Ginevra–. Vámonos, que llegaremos tarde.

Cojo la rueda pinchada, la lanzo al interior del maletero y vuelvo a cerrarlo. Paso cerca del pequeñajo y lo adelanto. El gordito, en cambio, está cerca del coche. Tarda en reaccionar. Lo cojo al vuelo con la derecha. Me encuentro con su oreja entre el pulgar y el índice, la aprieto fuertemente y se la retuerzo con rabia. Me gustaría arrancársela.

–Ay, joder, ay.

–Sal de en medio, cabrón. Y adelgaza un poco.

Le doy un último tirón mortífero y lo suelto. Se dobla sobre sí mismo con las manos pegadas a la oreja mientras subo al coche. Espero que Ginevra cierre la portezuela y arranco de prisa. Por el espejo retrovisor, los miro a los tres. Ahora ya están lejos, envueltos en la noche que nos separa.

–¿Cómo estás?

Ella permanece en silencio. Intento hacerla reír.

–Hay que ver lo afortunados que han sido esos tres. Si se desataba el tercer dan, estaban apañados, ¿eh?

Pero no lo consigo. Nada, no parece que vaya a hablar. La miro. El pelo le cae sobre la cara, como vencido, tapándole una parte del rostro. Los labios cerrados asoman de su escondite, vacilantes e indecisos; tiemblan un poco.

–Venga, Ginevra, no ha pasado nada.

–¡Y una mierda! Imagínate si llego a pinchar y voy sola.

–Pero no ha pasado.

–Pero podría pasar. Esos tres se habrían parado e imagina cómo habría acabado todo.

–Pero podría ser que hubiera pasado yo con la moto y te hubiera ayudado simplemente a cambiar la rueda.

Intento tranquilizarla.

–No puedo creer que seáis tan gilipollas... ¡Tres contra uno, qué machotes!

Veo que sigue en sus trece. Intento desdramatizar.

–Entonces digamos que has salvado el culo.

–¿Gracias a ti?

–¡Qué tengo que ver yo! Tienen que ver tus padres. Tienes un bonito culo, ya te digo. Se veía mientras cambiabas la rueda. Digamos que, en parte, es culpa tuya... Al agacharte de esa manera... Bueno, has calentado demasiado los ánimos de esos desgraciados.

–Ah, o sea que mi culo, enfundado en unos vaqueros normales y corrientes, es un atentado contra la tranquilidad...

–Exacto.

–Pero ¿en qué mundo vives? ¡Y si pinchara Jennifer López, ¿entonces qué? ¿Qué pasaría? ¿Una guerra mundial?

–Pero qué tiene que ver. Ella tiene asegurado el trasero por varios millones de dólares...

–¿Y?

–Se lo puede jugar tranquilamente.

–Vete a la porra. Qué tonto.

–Sólo intentaba que te rieras.

–Pues no lo has conseguido. –Se queda en silencio y sigo conduciendo. Gin sube el volumen de la radio, no quiere pensar más–. Me gusta mucho esta canción. ¿Sabes qué dice?

Intento escucharla. Pero no puedo mentirme a mí mismo. He aprendido a usar perfectamente el ordenador, el programa de diseño, el de 3D y todo lo demás; pero con el inglés ha sido una pelea continua.

–Algo entiendo.

–Dice: «No sé nada de historia, de matemáticas...» –Gin sigue traduciendo, salvándome. Escucho sus palabras. Habla lentamente, sonriendo, y parece que no se le escapa nada–. Estas palabras me gustan.

–Es muy bonita.

No sé por qué, pero parece fruto del azar, perfecta para el momento.

–Sí, es bonita.

E inmediatamente después, en la radio suena otra canción. Pero esta vez no tengo problemas: «Tú, vestida de flores o de faros en la ciudad, con la niebla o los colores, coger las rosas con los pies descalzos y después...» Me abandono. Miro afuera, a la oscuridad de la noche. Una de esas extrañas coincidencias, la música en el momento adecuado, un coche que no es tuyo, una calle sin luces, sin tráfico, el infinito delante y una chica a tu lado. Guapísima, por cierto. Se arregla la chaqueta.

–¿Falta mucho para llegar?

Pasamos justo en ese momento la salida que hay antes del túnel de Prima Porta. Están todos allí: Bardato, Manetta, Zurli, Blasco y más gente. También diviso a alguna mujer. Paso frente a ellos sin parar.

–No, dentro de un momento llegamos.

Acelero, pero de todos modos no creo que me reconozcan. Sabían que iría en moto. Y solo. En cambio, estoy en el coche con ella. Sigo conduciendo como si no pasara nada. Gin mira por la ventana.

–¿Has visto? Allí hay un grupo de gente que espera a alguien que se retrasa. Qué sitio tan absurdo para quedar.

Después de decirlo, me mira. Me late el corazón. No puedo creer que lo haya entendido.

–Sí, un sitio absurdo.

Sigue mirándome:

–Esta situación es extraña, ¿verdad?

–¿Qué situación?

Espero que no quiera hablar otra vez del grupo.

–Bueno, pues que estemos aquí en el coche, tú y yo, dos perfectos desconocidos. Y ya ha pasado de todo. Cuando nos hemos encontrado estábamos a punto de darnos de hostias..., y sólo por veinte euros.

–Que tú me querías robar...

–Sí, pero no te aferres siempre a los detalles. Después pinchamos y yo tengo que cambiar la rueda.

–Avanza. No te aferres tú tampoco a los detalles.

Gin sonríe.

–Se paran tres tipos, uno intenta abusar de mí, tú le pegas y ahora, como broche final, vamos a cenar con unos amigos tuyos. Ya parecemos una de esas típicas parejas... La clásica noche con algunos imprevistos de más.

–Ya, sólo que tú y yo no salimos juntos.

–Ah, claro.

Sigo conduciendo, pero su respuesta me suena extraña.

–¿Qué quiere decir «Ah, claro»?

–Quiere decir «Ah, claro», nada más.

Se echa a reír.

–Bueno, ese «Ah, claro» no quiere decir sólo eso. Detrás escondes mucho más, ¿me equivoco?

La miro esperando una respuesta.

–Estás un poco pesado con mi «detrás», ¿eh? Dices que es un atentado contra la tranquilidad, pero tú eres un obseso que siempre piensa en lo mismo. Perdona, pero ¿acaso salimos juntos tú y yo?

–Por ahora, no.

–No, la respuesta en este caso, en vista de que estamos discutiendo, tiene que ser sólo «no», no «por ahora, no». ¿Está claro?

La pequeñaja se solivianta.

–Ah, claro.

–Entonces no salimos juntos.

–No.

–Bien.

Espero algunos segundos:

–Por ahora...

Gin me mira molesta:

–Siempre quieres ganar, ¿eh?

–Siempre.

–Pues entonces dejémoslo así. Nosotros no salimos juntos por ahora y seguro que tampoco por el resto de la noche. Y si sigues discutiendo, añado otras fechas más lejanas; puedo llegar incluso hasta meses más allá, ¿está claro?

–Clarísimo.

Sonrío.

–Pero he aprendido que la seguridad, cuando salta demasiado a la vista, es sinónimo de inseguridad. ¿Quieres que sea más claro?

–Sí.

–Era mejor si decías sólo «por ahora».

Sonrío y Gin sacude la cabeza.

–Por ahora lo dejo estar porque ya me he hartado. Además, ¿te parece normal que tengamos que discutir sobre si salimos o no juntos?

–La verdad es que por lo general la gente sólo discute cuando tiene un relación. Eso quiere decir que hemos empezado al revés.

–No hemos empezado nada.

Freno lentamente y me arrimo a la acera.

Gin me mira preocupada.

–¿Y ahora qué haces? ¿Vas a meterme mano?

–No, por ahora no. La cita era aquí pero no veo a nadie. Ya deben de haberse marchado; hemos llegado tarde.

–Has llegado tarde.

–Está bien, he llegado tarde.

–¿Cómo es que me das la razón?

–Si empezamos a discutir por todo de esta manera, cortamos antes de empezar a salir juntos.

Esta vez Gin estalla en una carcajada. Yo también me río. Nos miramos riéndonos a la sombra de una cita que jamás ha existido. La música suena a todo volumen. La radio emite una secuencia mixta de éxitos nuevos y antiguos.

–¡Qué bonita! ¡Ésta es una pasada!

Es cierto: están poniendo la mítica *Love me two times*, de los Doors.

–«*Love me two times, girl, one for tomorrow, one just for today... Love me two times. I'm goin' away...*» Pero ésta no te la traduzco.

Alrededor, todo está oscuro. Pero «por ahora», quizá tiene razón ella, es mejor que nos marchemos.

–¿Adónde me llevas?

–Vamos a cenar juntos, tú y yo. A mis amigos los puedes conocer en otra ocasión.

–¿Qué otra ocasión?

La miro esperando una réplica. Decido aceptar la tregua.

–Bueno, si se tercia.

–Exacto, si se tercia.

Satisfecha, subo el volumen de la radio y cambio de emisora buscando frenéticamente quién sabe qué otra canción. Después, sin que se dé cuenta, en la penumbra del coche, miro a Step por el rabillo del ojo.

No me lo puedo creer... Yo, Gin, en el coche con él. Si lo supieran mis padres. No sé por qué, pero ése es siempre el primer pensamiento que me viene a la cabeza. Es decir, si mis padres supieran que ahora estoy en el coche con un desconocido, o sea, con un tipo que ellos creen que es un desconocido, ¿qué dirían? Ya me imagino a mi madre: «Pero ¿es que estás loca? Ginevra, no tienes que darles confianza a los extraños. Te lo he dicho mil veces...» No hay nada que hacer. Cualquier cosa, no sé por qué, mi madre siempre dice que me la ha dicho mil veces. Bah. De una cosa estoy segura: esto no se lo esperaría nunca. Además, ¿qué iba a decirle? «¿Sabes?, estaba a punto de poner gasolina...» ¿Cómo podría explicarle cómo son realmente las cosas? No, no quiero ni pensarlo. Ni siquiera yo lo puedo creer.

–¿Sabes a quién me has recordado antes?

–¿Cuándo?

–Cuando estaba cambiando la rueda y llegaron esos tres gilipollas.

–¿A quién te he recordado?

–A Richard Gere.

–¿A Richard Gere?

–Sí, en *Oficial y caballero*, cuando él y su amigo quedan con esas dos chicas y van a un bar. Después, a la salida, está aquel tipo que quiere molestar a las chicas con unos amigos y Richard Gere intenta no pelearse con él, pero al final no puede más y le rompe la cara.

–¿Richard Gere también era tercer dan?

–No, tonto. Ésos eran golpes de *full contact*.

–Pues sí que sabes.

–Ya te lo he dicho. También he hecho *kick boxing* y algunas clases de *full contact*. ¿No me crees? Antes o después podré demostrártelo.

–Estoy seguro... De todos modos, más que *Oficial y caballero*, me parece más adecuada otra cita: Ezequiel 25, 17. «Y os aseguro que vendré a castigar con gran venganza y furiosa cólera a aquellos que pretendan envenenar y destruir a mis hermanos, y tú sabrás que mi nombre es Yahvé cuando caiga mi venganza sobre ti.»

–Modesto, ¿eh? Te gusta *Pulp Fiction*, ¿no?

–Sí.

–¡Parece que mucho, a juzgar por cómo los has dejado!

Step sonríe y sigue conduciendo. Quién sabe qué habrá querido decir con esa cita bíblica. Bueno, mejor no investigar. Lo observo mientras conduce. Tiene el brazo derecho estirado y coge el volante decidido, pero al mismo tiempo con mucha tranquilidad. El codo izquierdo, apoyado en el borde de la ventanilla, y se sostiene la barbilla con la mano izquierda. La mano derecha está arriba, en el centro del volante; lo agarra con fuerza y acompaña las curvas dulcemente. Tiene un tatuaje en la muñeca, cerca de una pulsera rígida de oro. El tatuaje me parece... Me acerco sin que se dé cuenta y lo miro mejor.

–Es una gaviota.

–¿Qué?

–El tatuaje que llevo en la muñeca es una gaviota.

Me sonríe perdiendo por un momento de vista la calle.

Me sonrojo, pero estoy segura de que no se nota.

–Mira la calle.

–Y tú mira tus tatuajes.

–No llevo tatuajes.

–¿No te han dejado hacerte ni uno solo?

Step sonríe de manera antipática y se burla de mí.

–Mis padres no tienen nada que ver, es una elección mía.

–Ah, claro, entiendo... –Me mira comprensivo y levanta las cejas, riéndose de mí–. Una elección tuya, ¿eh?...

–Sí, mía.

Nos quedamos en silencio. Después, al cabo de poco, me harto.

–Además, te he mentido. Llevo un tatuaje precioso, pero dudo que puedas verlo nunca.

–¿Está bien escondido?

–Depende del punto de vista.

–¿O sea?

–Oh, lo has entendido muy bien.

–Sí, pero no sé cómo de «bien» lo he entendido o, mejor dicho, «dónde» he entendido.

–Es una pequeña rosa que tengo al final de la espalda, ¿de acuerdo?

–Más que de acuerdo. ¡Me encanta coger flores!

–Es el único tatuaje en relieve.

–¿O sea?

–Lleno de espinas.

–Siempre tienes la respuesta preparada, ¿eh? Pero mis manos están llenas de callos.

Él también sonríe. Tiene una bonita sonrisa, eso no puedo negarlo. Pero tampoco puedo decírselo. Tiene un extraño hoyuelo en la mejilla izquierda. Mierda, me gusta un montón. Además, es completamente distinto de Francesco. No sé por qué me acuerdo de él precisamente en este momento. Quizá porque me duele aún toda esa historia. Francesco es el último novio que he tenido. Es decir, prácticamente el único. Y para ser exactos, el más cabrón.

Veinte

Francesco. Pensar que me parecía tan encantador. Aunque hay que reconocer que la verdad sobre el amor se demuestra con el tiempo. Al principio todo te parece agradable. Después, cuando la historia arranca, lo que parecía agradable puede volverse bonito, incluso eternamente bonito... Pero la mayoría de las veces degenera y acaba siendo un espanto. Pues bien. Francesco fue la excepción. Consiguió que fuese aún peor. Un imperdonable error de ruta lo había estropeado todo. Jamás olvidaré esa noche.

–Entonces, ¿que dices? Vamos al Gilda, ¿te apetece?

–No, gracias, France, mañana tengo el examen de historia y ni siquiera he acabado el capítulo.

–Está bien, como quieras... Te llevo a casa.

Esa noche ha conducido más de prisa que de costumbre, pero yo no he prestado atención. Bajo del coche.

–Adiós, buenas noches... ¿Tú qué haces?, ¿vas al Gilda?

–No, no, si tú no vienes, no vale la pena. Además, yo también estoy cansado.

No me acompaña al portal, pero, por otro lado, nunca antes lo ha hecho. Qué raro, y sin embargo esta noche me molesta. No es que yo sea una de esas mujeres que tienen miedo o a las que les gusta hacerse acompañar a todas partes. Sin embargo, esa pérdida de tiempo, esos pocos pasos hasta el portal son algo que siempre me ha gustado y que nunca he experimentado. Quizá porque te hace sentir más importante que el tiempo y la prisa, quizá porque se puede escapar un último beso. En cambio, Francesco apenas ha esperado a que girara la llave en el portal y mi saludo desde lejos para marcharse como una exhalación con su último Mercedes 200 SLK. De prisa, demasiado de prisa. Son sensaciones, sensaciones absurdas. Pero a veces sensaciones sabias.

Más tarde. He estudiado y repasado el capítulo hasta lograr que algo me entre en la cabeza. Miro el reloj: las dos y media. Llamaré a Fra. Me apetece oír sus palabras, distraerme un poco con su voz. No puedo acostarme con el capítulo de historia todavía en la mente. No responde al teléfono. Qué raro. Vive en el apartamentito que hay debajo de casa de sus padres, el que le dejó su abuela, que se trasladó a Rieti. El teléfono no deja de sonar. No lo oye, o duerme profundamente o... No puede ser que no lo oiga. Joder, si está en casa, tiene que oírlo a la fuerza. Son dos habitaciones más una cocina y un baño. Conozco bien esa casa, he pasado allí varios fines de semana. Al pensar en el tiempo que he compartido con él me pongo aún más nerviosa. Han sido unos fines de semana muy íntimos y ahora él no contesta. No pasa nada, al fin y al cabo, no tengo sueño. ¿Sabes qué haré? Saldré e iré a llamarlo por el interfono. Camuflo lo mejor que puedo la cama, con un cojín debajo de las sábanas donde debería estar mi cuerpo y la ropa para ir mañana al colegio ya preparada en la silla. Después, poco a poco, paso junto a la habitación de mis padres de puntillas, cojo la llave del Polo (entonces aún no tenía mi espléndido Micra) y me marcho en mitad de la noche. Pero ¿y si ese idiota ha ido al Gilda? Las tres y diez. Mejor pasar antes por allí. Aparco de prisa en doble fila en la via Mario dei Fiori y voy hasta la puerta. Está Massimo, el portero, que me saluda.

–Hola, Gin, ¿qué haces aquí a esta hora?

–¿Tú qué crees?

–Te apetece bailar...

Imbécil.

–En realidad, quería hacer de portera por una noche.

Se ríe a gusto.

–Cómo eres, ¿eh?

–Oye, no veo el Mercedes de Francesco.

–Bonito coche, ¿eh?

–Sí, muy bonito. ¿Sabes si está dentro?

–No, esta noche no ha venido. Lo sé porque no me he movido de la puerta. Además, también lo buscaba Antonello, que ha entrado hará una media hora. Lo ha buscado dentro y se ha marchado. No estaba, le ha dado plantón porque me ha dicho que habían quedado. Adelante. –Deja entrar a un hombre gordo con una señora vestida más de oro que de tela, con un maquillaje tan pesado que asusta incluso a sus primeras arrugas.

–Está bien, pues si lo ves, dile que lo estoy buscando.

–De acuerdo. Adiós, Gin, buenas noches.

¡Sí, buenas noches... ojalá! Esta historia de no encontrarlo me está poniendo nerviosa. Paso por debajo de casa de Francesco. Nada, el Mercedes no está. Por lo general, aparca fuera porque cerca está la furgoneta de los *carabinieri,* que vigilan a algún político aún sin investigar o a un arrepentido. Bah, nunca lo he sabido... Hay un *carabiniere* junto a la furgoneta. Lo saludo al pasar por su lado con el Polo. Trato de alguna manera de animar su noche. Me mira mientras me alejo. Por el retrovisor veo que sigue mirando mi Polo que se aleja, preguntándose sinceramente el porqué de ese saludo. Cuando menos, he despertado su curiosidad. Dejo al *carabiniere* y vuelvo a pensar en Francesco. Pero ¿dónde coño se habrá metido? Qué demonios, si son las tres y media. Mañana tengo el examen. Me quedan apenas cuatro horas de sueño, siempre que consiga encontrarlo a tiempo. Ocupo el sitio del *carabiniere* con mi historia de amor y decido ir hasta el fondo. Lástima que Eleanora no esté. Ele, como la llamamos nosotros, es mi mejor amiga. Ha tenido que marcharse, se ha ido a la Toscana a ver a unos parientes. Ele nació en Florencia y después se trasladó a Roma. La Toscanaccia, la llamamos nosotros.

«Oh, inocente; oh, Ele... Oh, hada turquesa.» Todo ello aspirado. «Te van a preguntar en clase.»

Nos divertimos tomándole el pelo cada vez que le puede tocar a ella. Ostras, si estuviera, me haría compañía. Cualquier excusa es buena para Ele para estar fuera de casa hasta que amanezca. Lástima. Bueno, como vive aquí cerca pasaré por casa de Simona. Simona es muy romana, pelo rubio, un buen cuerpo, un poco rara, pero me cae simpática. Hace un año que vamos juntas y hemos establecido una buena relación, naturalmente, mal vista por Ele. Ella dice que en el fondo es una imbécil.

«Confía en mí, confía en la Toscanaccia, esta vez la inocente eres tú.» Yo me río. Ele es celosa. Es normal, no soporta que de vez en cuando Simona y yo nos veamos. Ya está, he llegado debajo de su casa y aquí sucede lo inverosímil... O mejor dicho, lo verosímil, en vista de que, mientras llamo al interfono de Simona, se abre el portal y sale Francesco. Cuatro menos cuarto. Y como si no bastara la hora, va sin corbata, lleva la camisa desabrochada y, lo peor de todo, tiene esa cara que he visto tantas veces. Demasiadas. Ahora las lamento todas. Después de hacer el amor, todos nos dulcificamos. Nuestros rasgos se suavizan, los ojos se humedecen ligeramente, los labios se vuelven un poco más carnosos y se llega a la sonrisa con mayor facilidad, pero más lentamente. A Francesco no le da tiempo a decir nada.

–Gin, yo...

Lo intenta, pero le escupo a la cara. Un gargajo perfecto. Le acierto de pleno y ni siquiera lo miro. Mientras me marcho, sólo pienso en que se limpiará.

–Gin, para, te lo explicaré todo.

–¿Todo el qué? ¿Qué hay que explicar?

Subo al Polo que he dejado en doble fila y él me alcanza, intenta bloquearme la portezuela, pero no le da tiempo. Subo y echo el seguro.

–Gin, no es lo que piensas. Es la primera vez que lo hago. Venga, no te marches, Gin. –Espera un momento y después dice algo que no hubiera querido que me dijera nunca, al menos no en ese momento–: Gin, yo te quiero.

Abro un poco la ventanilla:

–¿Ah, sí? Por eso te follas a una tipa como Simona. ¡Pues piensa que lo único que yo quiero de ti es tu coche!

Me marcho dando gas y avanzo algunos metros, buscándolo. Allí está. Lo ha aparcado cerca del portal, sin preocuparse ni siquiera de esconderlo. Allí está su espléndido Mercedes 200 SLK gris metalizado. Permanezco inmóvil en el Polo. Me siento como un toro antes de enfrentarse a un torero, resoplo mientras con el pie juego con el acelerador. Doy gas y lo aprieto dos o tres veces. Pienso en mi madre y en su Polo. Bueno, ya inventaré algo; sólo pensarlo me da demasiado placer. Por el retrovisor veo que Francesco llega corriendo. Es demasiado tarde, es demasiado bonito... ¡Qué gusto! ¡Qué pasada! Me pongo el cinturón. En la vida hay cosas a las que no se puede renunciar. Y éste es uno de esos momentos. Suelto el embrague y piso el acelerador a fondo. Allí está. Lo veo acercarse a una velocidad increíble: su Mercedes, su bonito, nuevo y flamante Mercedes. Freno sólo en el último momento pero por instinto, para no matarme. ¡Pum! Un golpe fantástico y reboto en el asiento. He acertado de pleno, en el lateral, en la portezuela. Meto la marcha atrás. El Polo se desengancha con esfuerzo pero vuelve a rodar que es una delicia. El Mercedes está frente a mí, completamente tumefacto, y hasta se ha roto una ventanilla. No oso imaginar mis daños, pero sí la cara de Francesco. Ésa la veo bien y es todo un poema. Qué bonito... Mira su coche destruido. Está estupefacto, no puede creerlo, no quiere creerlo, pero tiene que creerlo. Y tanto que tiene que creérselo... ¿Y sabes qué? Lo hago otra vez. Sí, es demasiado placentero, es demasiado bonito. Arranco a toda velocidad y apunto algo más adelante. ¡Pum! Le acierto de pleno aún con mayor fuerza, esta vez sin miedo, sin frenar siquiera. Ahora le he cogido el tranquillo. Tengo unas ganas locas de destruirlo entero. El parachoques delantero está roto y se ha abarquillado hasta el capó. Francesco está allí, frente a mí, sin palabras. Lo miro, estallo en una carcajada y me alejo saludándolo. Idos a la mierda, tú y tu Mercedes. Gilipollas. Cuando hay que hacer algo, hay que hacerlo. Y ahora tengo que pensar en Simona. Ah, a esa imbécil la dejaré para más adelante. Pero tiene que ser una venganza inteligente, fría, calculada, hiriente. Genial. Me gustaría encontrar aún más adjetivos si fuera posible.

Aparco debajo de casa y bajo del coche. Pobre Polito. He destrozado toda la parte delantera. Tiene el capó chafado como si fuera una mano con un calambre, dos faros rotos y también el parachoques. Me cago en diez, ¿y ahora que le cuento a mi madre? Sigo pensándolo en el ascensor. Ya pensaré algo para el pobre Polito y para la imbécil de Simona. Sí, algo se me ocurrirá, estoy segura. Me desnudo y me meto en la cama. Sigo pensando en mis dos problemas y en su posible solución. Sigo así, acordándome del choque, del Mercedes abollado. Poco a poco, estoy a punto de dormirme. Un último pensamiento en la duermevela. Sonrío. ¡Pum! ¡Menudo golpe, qué bonito! A todo esto, no he vuelto a pensar en Francesco. Bah. Desaparecido. Y, sonriendo, soy raptada por Morfeo.

A la mañana siguiente me despierto más lúcida que nunca. En un instante tengo las dos soluciones. Empiezo en seguida con el primero, el problema del Polo. Llamo a Ale, un amigo mío que siempre está metido en problemas pero que esta vez puede sacarme del mío.

–¿Ale? Soy Gin.

–¿Gin, qué puñetas pasa? ¿Qué hora es?

–Las siete.

–¿Las siete? Pero ¿es que te has vuelto loca?

–Ale, tienes que ayudarme, te lo ruego. Dime que tienes escondido algún coche robado.

–Gin, por teléfono, no... ¡Me cago en la puta!

–Perdona, Ale.

Se tranquiliza.

–¿Qué coche necesitas?

–Uno cualquiera pero que sea robado. Sólo necesito la matrícula.

–¿Sólo la matrícula? Bah, tú eres tonta.

–Por favor, Ale, es importante.

–Lo tuyo siempre es importante, espera un momento.

Unos diez segundos después vuelve a ponerse al teléfono:

–Venga, anota: Roma R27031. Es un Clio azul.

–Perfecto, gracias, Ale.

–¿Ya está, todo en su sitio?

–Sí, todo en su sitio.

–Perfecto. Entonces apago el teléfono y me vuelvo a dormir.

–Bien, te llamo por la tarde y te lo explico todo.

–Me importa un carajo.

Y cuelga.

Justo a tiempo. Llega mamá en camisón, recién levantada:

–Ginevra, pero ¿qué haces? ¿Ya estás despierta?

–Mamá, no sabes qué ha pasado. Anoche se me echó encima un loco con un coche.

–¡Oh, hija mía! ¿Te hiciste daño?

–No, estoy bien. Pero destrozó el Polo y huyó... ¡Pero mira, apunté la matrícula! –Le paso el papel recién escrito–. Era un Clio oscuro, tenemos que denunciarlo.

Mamá coge el papel.

–Dame, se lo diré en seguida a tu padre. Menos mal que no te hiciste nada. Pero ¿estás segura? No te habrás dado un golpe en la cabeza...

–No, mamá, en serio que estoy bien.

–Menos mal.

Y me da un beso en la frente.

–Ve a desayunar o llegarás tarde.

–Sí, mamá.

Me alejo como una niña buena bajo la mirada afectuosa de una madre aprensiva. Me siento culpable. Perdona, mamá, pero tenía que hacerlo. Quién sabe, tal vez algún día te cuente toda esta historia. Algún día. Mientras tanto, pensemos en hoy. También he encontrado ya la segunda solución, para ajustar cuentas con Simona.

Poco después estoy entre los pupitres del colegio. Ya ha pasado una hora, la primera: religión. La imbécil ha cruzado dos veces su mirada con la mía y se ha vuelto hacia otro lado. No tiene ni siquiera la valentía de afrontar las consecuencias de sus acciones. Lo máximo es que incluso ha sido preguntada por don Peppino –así llamamos al curilla de religión–, y Simona ha tenido el valor de contestar... Me cago en Dios. Bueno, no quiero invocar a Dios para gilipolleces como ésta. Pero la segunda hora será toda mía, y también la tercera. Nos reiremos, me quiero divertir, serán dos horas de ensueño. Hoy tenemos examen en clase de italiano. Ha sido recién despertada, cuando preparaba la bolsa, que se me ha ocurrido la idea. Sublime... Eso es, he encontrado el adjetivo acuñado adrede para la venganza. Y mi bolígrafo resbala veloz sobre la hoja en blanco, llenándola de palabras, de líneas, de hechos, de recuerdos, de desilusiones, de adjetivos, de parloteo, de insultos... Mi bolígrafo parece encantado, vuela que da gusto. Y pensar que en italiano siempre he sido un poco torpe... Me estoy yendo por las ramas, no cabe duda, pero qué placer, qué divertimento dedicarle mi examen a mi amiga, mejor dicho, a mi ex amiga. Bueno, para ser exactos, a esa gilipollas. Le he dedicado incluso el título: «Mísero fin de una amistad.» Estoy segura de que mi profesora de italiano me aprobará; a lo mejor incluso me pone un bonito siete, o quizá no, eso no, no se ciñe al tema. Quizá me ponga un cuatro, ¡pero qué bonito cuatro! Aunque seguro que no me mandará al director, y tal vez incluso me lo haga leer en clase. Estoy segura de que la profesora estará de mi parte. No tanto porque tenemos una buena relación, sino porque hace poco que se ha separado.

A la semana siguiente, recojo la redacción. Vaya, es increíble... Por encima de las expectativas. ¡Siete y medio! Nunca había sacado una nota así en italiano. Y no se acaba aquí. La profe debe de sentir una gran simpatía por mí o, lo más probable, debe de haber sufrido mucho a raíz de su separación. Lo cierto es que ha golpeado con la mano sobre la mesa.

–Silencio, chicas. Ahora querría invitar a leer su redacción a una chica en concreto. Una compañera vuestra de clase que ha entendido que la cultura, la educación y la urbanidad son la mayor arma de nuestra sociedad: Ginevra Biro.

Me levanto y por un instante me sonrojo. Delante de todos. Delante de los demás. Después dejo de lado ese rubor. ¡Ostras, no! Es mi día, no lo dudo, me corresponde. Qué pudor ni qué nada. En algunas ocasiones, los demás no existen. Y ésta es una de esas ocasiones. Me pongo al lado de la profe y empiezo a leer. Me deslizo veloz, con énfasis y diversión, con rabia y entusiasmo. Hago las pausas justas, el tono. Después, la historia me seduce. ¿Esta redacción la he escrito yo realmente? ¡Caray, me parece perfecta! Y sigo leyendo así, divertida, casi canturreando. Una tras otra, las palabras se suceden, se persiguen entre las líneas, arriba y abajo, sin pausa, como olas en un mar azul. Corren unas junto a otras, sin interrumpirse nunca. Llego casi al final en un momento. Me faltan dos líneas. Me paro y cuando levanto los ojos del folio, Simona está allí mirándome. Tiene la boca abierta y está pálida, atónita. He contado toda nuestra historia, nuestra amistad, mi confianza, su traición. Hago una última pausa. Respiro profundamente y adelante con el final:

–Eso es, señores. Ahora todos saben quién es Simona Costati. Si su madre hubiera tenido un poco de valentía, la hubiera llamado por su verdadero nombre: ¡Gilipollas!

Doblo el folio y miro complacida a la clase. Es un estruendo. Todas gritan, contentas:

–¡Muy bien, has hecho muy bien, eres genial Biro! ¡Así se hace, eres mítica!

Y de repente, saliendo de no se sabe dónde, pero no de mí ni de la profe, y mucho menos de Simona, se levanta un coro perfecto, inspirado seguramente en mi redacción llena de cultura:

–¡Gilipollas, gilipollas, gilipollas!

Simona se levanta del banco. Cruza el aula arrastrando los pies, con la cabeza baja, sin tener la valentía de mirar a la cara a nadie. Después se echa a llorar y sale de clase.

–Muy bien, es una redacción preciosa.

Es la voz de la profesora. Increíble. Pensaba que me expulsaría, qué sé yo, por difamar a una alumna. Y en cambio, no. ¡Se ve que ha apreciado la forma! O el contenido... Sea como sea, me sonríe. Quién sabe, quizá por un momento se ha arrepentido. Tal vez ella también hubiera querido escribirle algo así a su marido.

Veintiuno

–¿En qué estás pensando?

–En el colegio.

–No me lo puedo creer. Vas en coche conmigo, uno de los tíos más atractivos de Roma, ¿y qué haces? ¡Piensas en el colegio!

–Bueno, el colegio también puede tener su lado interesante.

–Sí, di mejor su lado estresante.

–Yo creo que en el fondo a ti también te gustaba estudiar.

–Claro, cómo no: anatomía. ¡Pero directamente sobre las compañeras!

–Madre mía... Estás obsesionado, ¿eh?

–Bueno, es un tema que me fascina.

–Sí, ya lo veo. De pequeño debías de jugar siempre a los médicos.

–¿De pequeño? ¡Ayer mismo! ¿Quieres que te visite?

–Qué raro. ¡A mí me pareces más una persona divertida que un tipo hambriento!

–Bueno, ya es algo.

–Sí, a mí las personas presuntuosas me divierten un montón. Además, alguien que cree que es uno de los tíos más atractivos de Roma resulta bastante patético. –Me mira y estalla en una carcajada, sinceramente divertida. El pelo oscuro le cae sobre los ojos, que se ríen en perfecta armonía con su sonrisa–. Dios mío, es peor que yo, menudo bufón. ¡Eres demasiado!

Una curva llega muy oportuna. En el ángulo perfecto, y además de mi lado. Cojo el volante por debajo y lo giro con fuerza a la izquierda.

Gin se cae encima de mí. Freno de golpe y clavo el coche con ella entre los brazos. La cojo del pelo con la mano derecha y lo mantengo agarrado con fuerza.

–Nadie me ha llamado nunca bufón.

Y la beso en la boca. Tiene los labios cerrados e intenta soltarse. La tengo cogida por el pelo, pero se separa y forcejea para liberarse. La agarro aún más fuerte. Al final, se deja ir y entreabre los labios.

–Al fin –susurro entre dientes, y después me aventuro entre los suyos–. ¡Ah! –Me ha mordido. Me llevo la mano a la boca y la suelto.

Gin vuelve a su sitio.

–¿Y todo por esto? Pensaba mejor de ti.

Me paso los dedos por los labios en busca de sangre. No hay. Gin está en posición con las manos levantadas, lista para defenderse.

–¡O sea que, Stefano o Step, o como te dé la gana, tienes ganas de pelea!

La miro sonriendo:

–Tienes buenos reflejos, ¿eh?

Me pega fuerte en el hombro, un golpe tras otro, una serie de puñetazos de abajo arriba golpeando siempre en el mismo punto.

–Ay, me haces daño.

Le agarro el brazo en el aire y después el otro. La mantengo quieta, inmóvil en su asiento. Después le sonrío divertido por todos esos golpes.

–Perdóname, Gin. No quería hacerlo, pero luego he pensado que te apetecía...

Intenta golpearme otra vez, pero la tengo bien sujeta.

–Hemos llegado, ¿de acuerdo?

Bajo en seguida del coche antes de que vuelva a intentar pegarme.

–Si quieres, enciérrate, o haz lo que te apetezca. Al fin y al cabo, el coche es tuyo, ¿no? Además, ¿a mí qué más me da este cacharro de Micra?... Hasta coge mal las curvas.

Gin cierra el coche de prisa y se reúne conmigo.

–Ten cuidado. No te hagas el duro conmigo o acabarás mal.

Después mira el cartel.

–Il Colonnello. ¿De verdad se llama así este sitio?

–Sí, se llama así. ¿Qué pensabas, que era un apodo?

–¿Realmente esperas ligarte a una chica en la primera cita con esas bromas tan divertidas?

–No, contigo estoy relajado. ¡Voy sobre seguro!

–Ah, claro, precisamente sobre seguro... Lo has visto, ¿no?

–Está bien, haya paz. Venga, vayamos a comer un buen bistec.

–De acuerdo. Lo de la paz está bien, pero lo de la cena... Pagas tú, ¿verdad?

–Depende...

–¿De qué?

–Del postre.

–¿Otra vez? El «postre» consiste en que yo te acompaño hasta tu moto y punto. ¿Está claro? Y dímelo ya, o no me como ni una *bruschetta*. ¿A ti te parece que me tienes que chantajear? ¡Qué asco!

Gin entra en el restaurante altiva y divertida. La sigo. No hay demasiada gente. Nos sentamos a una mesa bastante alejada del horno, que da mucho calor. Me quito la chaqueta. Me ha entrado hambre.

En seguida llega un camarero para tomar nota.

–Entonces, chicos, ¿qué os traigo?

–Pues para la señorita sólo una *bruschetta*. Para mí, un buen primero de *tagliatelle* con alcachofas y un bistec a la florentina con ensalada de acompañamiento. –La miro divertido–: ¿O quizá la señorita lo ha pensado mejor y quiere otra cosa?

Gin mira al camarero sonriendo:

–Lo mismo que ha pedido él, gracias. Y además, tráigame una buena cerveza.

–Una cerveza para mí también.

El camarero lo anota todo velozmente y se aleja contento de ese pedido tan fácil.

–Si quieres que paguemos a medias, me dices dónde vives y mañana te hago llegar el dinero, ¿de acuerdo? Esto para que entiendas que no va a haber postre.

–¿Ah, no? Te equivocas. Aquí sirven unos helados de trufa que están de vicio tomados dentro del café.

–Hola, Step. Oye, estabas desaparecido. Te has aburguesado

como los demás, ¿eh? –Se acerca Vittorio, el Coronel, amable como siempre–. Ahora está de moda el Celestina, hace moderno, se liga. Y van todos allí. Sois como ovejitas. –Apoya las manos sobre la mesa–. Has adelgazado, ¿lo sabes?

–He estado dos años en Nueva York.

–Vaya, o sea que por eso no te habíamos vuelto a ver. ¿Tan mal se come allí?

Se ríe divertido de su broma.

–Vitto, sigues siendo el mejor. Pide que nos traigan una *bruschettina*, ¿vale?

Dejo las llaves del coche de Gin sobre la mesa mientras Vittorio se aleja. Con la panza por delante, contoneándose como siempre, como entonces. Envejecido pero siempre alegre. Tiene cara de niño grande con las mejillas rojas, el pelo alborotado sobre las orejas, pequeños reflejos de blanco plateado en su calva siempre colorada por las chuletas y los bistecs. Miro a mi alrededor. Hay gente distinta, no demasiada, no ruidosa, no demasiado elegante. Comen con placer, sin pedir cosas demasiado difíciles, sin ser demasiado exigentes, sin preocupaciones, acaso con una jornada fatigosa a las espaldas y un buen plato delante. Cerca, una pareja come sin hablar. Él está mondando el hueso de una chuleta. Ella acaba de meterse en la boca una patata frita y se chupa los dedos. Se encuentra con mi mirada y sonríe. Yo también sonrío. Después se zambulle de nuevo en las patatas sin miedo a engordar.

Gin pasa al ataque.

–Bueno, recapitulemos: has cogido mis llaves, has cogido mi coche y, sobre todo, me has jodido bien.

–Bueno, eso último no me importaría en absoluto.

Gin está delante de mí con las manos en la cintura y resopla.

–Imbécil, quiero decir que me has jodido la noche. Digámoslo así; de lo contrario se te ocurren ideas extrañas. Como antes en el coche...

–Por tan poco... ¡Cómo te aprovechas!

–Entonces pasemos a la cuestión práctica. Aclarémoslo de una vez. ¿Quién despluma a quién?

–¿Qué quieres decir?

–¿Ahora te haces el tonto?

–Veamos, si sacas temas de conversación divertidos, pago yo. Si no...

–¿Si no?

–También pago yo.

–Ah, en ese caso me quedo.

–¡Pero me lo darás!

Me da una bofetada al instante. Hostia, qué rápida es. Me da en plena cara.

–Ay.

La de las patatas deja de comer y nos mira. Y también dos o tres personas de las mesas más cercanas.

–Perdonadla. –Sonrío masajeándome la mejilla–. Se ha enamorado.

Gin ni siquiera presta atención a la gente que la mira.

–Hagamos un trato: tú pagas la cena sin pretender nada y yo, a cambio, te doy algunas clases de educación. Asunto zanjado. Si hasta sales ganando.

Vittorio deja la *bruschetta* en la mesa:

–¿La señorita quiere también una?

Gin me roba al vuelo la *bruschetta* del plato y le da un mordisco enorme, llevándose la mitad de los tomates, esos frescos que Vittorio corta con amor, no como esos tomates cortados a trocitos por la tarde y dejados dentro de un bol enfriándose en la nevera.

–Tráeme otra, Vit.

–Hum, qué rica.

Gin se mete un trozo de tomate en la boca y se chupa los dedos.

–¡Buena elección, Step! Aquí se come de fábula. ¿Cómo va la mejilla?

–¡Estupendamente! Dime la verdad: te has quedado mal porque me he interrumpido en mitad del beso, ¿no? Hay tiempo, vamos, no te enfades. Las chicas sois todas iguales. Lo queréis todo en seguida.

–¿Y tú quieres otra torta?

–Tienes el ritmo perfecto, muy bien. Hoy en día es difícil encontrar una chica pasable de broma tan rápida como sus manos.

–Hum.

Gin esboza una sonrisa forzada echando la cabeza hacia adelante, como diciendo: «Qué gracioso»...

–¿Qué ocurre?

–Es lo de pasable, que no lo digiero fácilmente.

–En cambio con mi *bruschetta* eres una fiera. Prácticamente te la has zampado entera.

De repente, oigo unas voces.

–¡No puede ser, Step! Lo sabía. Os había dicho que era él.

No puedo creerlo. Están todos allí, a mis espaldas. El Velista, Balestri, Bardato, Zurli, Blasco, Lucone, Bunny... Están todos, no puedo creerlo. Falta uno, el mejor: Pollo. Se me encoge el corazón, no quiero pensar en eso, ahora no. Siento un escalofrío y, por un instante, cierro los ojos; ahora no, por favor... Por suerte, Schello me salta al cuello:

–Eh, bandido, ¿qué pasa?, ¿haces de separatista búlgaro?

–En todo caso, estadounidense.

–Ah, ya, porque has estado en Norteamérica, en los States... ¿Cómo es que no has venido a la cita? Estábamos todos allí, esperando al mito. Pero el mito se ha derrumbado... Se ha ido a cenar, *tête-à-tête* con su novia.

–¡En todo caso hace el teta a teta!

–Cuidado que cobrarás...

–En primer lugar, yo no soy su novia...

–Y segundo, cuidado, chicos, que es tercer dan.

–¿Has acabado ya con esa historia del tercer dan? Eres repetitivo.

–¿Yo? Pero si eres tú la que lo ha subrayado tres veces desde que nos conocemos. ¡Y mira si eres tercer dan que he tenido que tumbar a un tipo para defenderte!

–Está bien, santo Tomás... de los horteras. Tú lo has querido.

Gin se levanta de la mesa, da una vuelta alrededor de mis amigos y los mira un momento. Después, sin pensarlo, se vuelve de golpe, coge a Schello con las dos manos por la chaqueta, se lo carga en la cadera y lo dobla veloz hacia delante. Perfecta, sin dudar ni un instante. Schello pone los ojos en blanco, Gin dobla la pierna derecha y empuja hacia arriba ayudándose de los hombros. Schello vuela como una pluma y aterriza de espaldas sobre la mesa de la pareja silenciosa. Ahora sabrán de qué hablar. El tipo se aparta de un brinco.

–¡Pero qué coño...!

Qué finos, tanto ella como él. Lo pronuncian al unísono.

Ella:

–Mis patatas.

Él:

–Hostia, mi chaqueta de piel de camello.

Pero para esa pareja apática, el golpe de Schello se convertirá en algo que contar, al borde de lo legendario.

Schello se levanta dolorido.

–Ay, pero ¿quién coño ha sido?

–Un tercer dan o algo más –contesta Gin sin demora.

Todos se ríen:

–Divertido. Qué pasada. Sí, tu novia es una pasada.

–Otra vez... ¡Que no soy su novia!

–Por ahora.

–Bueno, ¿entonces qué haces cenando con Step?

Carlona, creo que la llaman así, es desde siempre la novia de Lucone. Levanta las cejas divertida, como diciendo: «Sé cómo actuamos las mujeres.» Gin sonríe:

–Tienes razón. Bueno, querrá decir que gorroneo y después me largo.

–Step paga la cena y después te largas.... En comparación, *Misión: imposible* es un juego de niños...

–¿Y esto quién me lo paga?

Schello mira al tipo, asustado. Se ha quitado la chaqueta de falso camello aderezada con aceite y se la pone delante de los ojos.

–Te lo digo a ti..., ¿quién me va a pagar esto?

–Pero ¿qué pasa?, ¿es esto «Inocente, inocente»? ¿Me estáis tomando todos el pelo? ¿Dónde está la cámara oculta?

Schello empieza a dar saltos a derecha e izquierda por el local.

–Eh, ¿dónde está? ¿Dónde?

Busca una hipotética cámara de televisión por todas partes: debajo de los cuadros, detrás de las puertas, en el bolso de alguna señora que cuelga del respaldo de la silla... Levanta las cosas y lo toquetea todo, como de costumbre sin respeto, ingenioso e irreverente, al límite de lo demencial. Busca una cámara debajo de una servilleta de un hombre que está comiendo... El tipo, naturalmente, lo reconviene:

–¿Has acabado, imbécil? ¡Pero qué coño tocas, eh! ¿Quieres volar otra vez por los aires? –Se levanta decidido con las manos en la cintura, duras, con los nudillos marcados por horas de trabajo, arañadas de heridas, marcadas por el tiempo, forjadas de polvo y pintura, de yeso y estuco, de escombros, agrietadas por el cansancio sufrido–. ¿No lo has entendido, cabeza de chorlito?

–Eh... *Fly down*.

Schello apuesta por que el tipo no entiende ni una palabra de inglés. Naturalmente, gana la apuesta.

–Pero ¿qué haces?, ¿me insultas? Te voy a partir la cara.

El albañil le echa las manos al cuello; es su manera de quedar bien delante de su novia.

–La verdad es que era una forma de disculparme, pero en inglés, ¿lo entiendes?, es más elegante.

El albañil carga el puño y nosotros nos reímos, divertidos. Afortunadamente, Vit interviene:

–Ya basta, venga, volved a vuestro sitio. ¿Soy vuestro coronel o no? Basta. –Ayuda al tipo a salir airoso–. Te voy a traer un *limoncello*, invita la casa. –Después coge a Schello por los hombros y lo devuelve con el grupo–. No habéis cambiado, ¿eh? Me gusta volver a veros, en serio. No sé qué pasa, Step, pero cuando tú estás, las noches nunca son aburridas. Vamos, sentaos. Os preparo en seguida una mesa para doce.

–Tal vez Step quiera seguir con su cena romántica...

Miro a Gin. Ella abre los brazos.

–Otra vez será, querido.

Como simpática es simpática, pero... Es ese pero el que me deja perplejo.

–Pues claro, cariño, otra vez será. Cuando vuelvas a quedarte sin gasolina y sin dinero...

Gin sonríe y después me propina un manotazo en el hombro. A Lucone no se le escapa nunca nada:

—Joder, está fuerte la muñeca, no tiene un *jeb* nada malo, ¿eh?

Todos asienten con la cabeza. Luego toman asiento armando un gran jaleo, apartando las sillas, riéndose, peleándose por un lugar en concreto... Sólo las chicas se miran desaprobando a Gin con fingida frialdad. Una aprobación sobre otra chica siempre molesta, aunque sea tu mejor amiga. Después, la cena pasa de prisa. Conversaciones para ponerme al corriente de las pequeñas grandes novedades. «Oh, no lo sabes... Giovanni lo ha dejado con Francesca. No sabes qué putada le ha hecho ella: se ha liado con Andrea, su amigo. Y él ni siquiera le ha partido la cara. ¡Qué tiempos! Oh, noticia bomba: Alessandra Fellini finalmente lo ha hecho. Con Davide. Ahora lo llama el *Gota*. ¿Y sabes por qué, Step? Hacía cuatro años que estaba allí como la gota malaya. Primavera, verano, en la montaña, en la playa..., él siempre presente. Regalitos, notitas... ¿Ganaría el premio gordo o no? ¡Y ella finalmente le premió! Se lo dio. Pero ahora que ha cogido carrerilla, la tía se cree que está en las Olimpiadas, ¡y el premio se lo han llevado ya unos cuantos!»

—Me lo creo. Intenta recuperar el tiempo perdido...

—Qué malos sois.

Carlona intenta defenderla por solidaridad de categoría.

—Pero si es verdad... De todos modos, el mérito es del Gota.

—Sí, el primero siempre es el primero. Gran mérito.

Guido Balestri toma las riendas del relato.

—Bonito regalo que le ha hecho al Gota, seguro que tenía telarañas en esa gruta pluvial suya. —Y venga risas—. Luego Davide vino a la plaza y tuvo una especie de comicios púbicos...

—No me lo creo.

—Te lo juro. Contó a todo el mundo que ella disfrutó como una loca.

—No...

—¡Sí!

—Bueno, si llevaba cuatro años de abstinencia... ¡Además, cuando una cede, es justo que ceda a lo grande!

—Dicen que la oyeron aullar a la luna, como *Lassie*, ¿te acuerdas?

—¡Cómo no! Gran película.

—Davide en esto es grande.

–Sí, y no sólo grande: ¡es *glande*! En todos los sentidos. ¡Davide en otros tiempos habría humillado a Goliat!

De esto nadie se ríe. Gin, sí. Y es una gran satisfacción. Y siguen así, riéndose y armando jaleo.

Los miro mientras comen. Nada, no han cambiado. Son todo un espectáculo. Se bombardean como de costumbre con la comida que acaba de llegar, se abalanzan con los tenedores sobre el lomo, sobre el jamón, sobre el salchichón. Devoran las rodajas charlando, dejándolas colgar adrede de los dientes hasta la barbilla. Llegan las brochetas. Todos se lanzan en seguida para cogerlas. Están aún calientes y humeantes: salchichas y pimientos, recién asados, se convierten en espadas perfumadas para una desesperada escaramuza entre Schello y Lucone. A estos dos se une también Hook y empieza el combate. Se oye el ruido del metal atenuado a veces por la carne recién asada. Un ataque de Schello, parado por Lucone. Sale rodando una salchicha. Gin la coge al vuelo con la mano derecha, excelentes reflejos, y además, aún caliente, se come un trozo.

–¿Has visto qué velocidad? Apuesto a que te he recordado una película; venga, exprímete el cerebro...

–Es verdad, me ha recordado la escena de una película, sí, pero no sé cuál.

–Vamos, te ayudo. Es la historia de una prostituta; más que una historia, es la fábula de una prostituta.

Interviene Lucone, exagerado como siempre:

–Ya lo tengo: *Blancanieves y las siete pollas*.

Gin lo mira asqueada haciendo una mueca y tragando el último trozo de salchicha.

–Qué descarado eres... Es *Pretty Woman*. Ahora di que no la has visto y esta vez te doy un buen repaso.

Me mira levantando las cejas. *Pretty Woman*, cómo no, con Julia Roberts.

–¿Te acuerdas o no?

Repentinamente retrocedo en el tiempo. Babi y yo, Hook y el Siciliano que acabamos, quién sabe cómo, juntos en el cine. Hook y el Siciliano que al final de la primera parte salen.

–Menuda estupidez de película. ¿Estáis tontos o qué?

–Sí, nosotros nos largamos.

Finalmente pude coger de la mano a Babi y tenerla así toda la película, mientras ella me metía palomitas en la boca.

–Sí, me acuerdo.

Pero no le cuento toda mi película.

–Es la escena en la que el camarero coge al vuelo el caracol que Vivien, el personaje que interpreta Julia Roberts, ha lanzado fuera del plato al intentar comérselo.

–Sí, cómo no. A pesar de las enseñanzas del director del hotel...

–¿Ves como te acuerdas? ¡Step se hace el duro, pero en el fondo es un romántico!

–Muy en el fondo.

–Ya, pero a mí me gusta excavar. No hay que tener prisa. De pequeña quería ser arqueóloga, y después... Después entendí que tengo claustrofobia y que nunca podría entrar en una pirámide.

–O sea, que te gusta más estar encima que debajo.

–¿No puedes pensar nunca en otra cosa?

–Bueno, a ver, quizá si me esfuerzo...

Me pongo las manos sobre la cabeza como para concentrarme. Después las bajo hasta la mesa y le sonrío.

–No, lo siento, no sale nada mejor.

Pero precisamente en ese momento, ¡pum!, a Gin le alcanza una rebanada de pan mojado en la cara. Le explota en la mejilla y el pelo se le llena de migas. No puedo no reírme. Lucone se excusa desde lejos:

–Hostia, perdona, iba dirigido a Step.

–¡Pues entonces tienes una puntería terrible!

Gin se frota la mejilla, enrojecida y aún mojada.

–Me has hecho daño... ¡Ahora verás!

Es como la señal que inicia la batalla. Todos empiezan a lanzarse cosas. Schello, por si no bastara, saca la radio y pulsa el *play*.

–La batalla necesita una buena banda sonora.

No le da tiempo a decirlo cuando una chuleta acierta de pleno en su Aiwa mientras suena a toda castaña *Hair*. Todos empiezan a bailar sentados, levantando los brazos, intentando esquivar a tiempo toda clase de comida. Esta vez, una patata le da en la frente a Gin, que se levanta como enloquecida. «Ya estamos –pienso–, ahora viene cuando pierde los estribos.» Pero lo hace aún mejor. Lo más bonito que pueda imaginar. Se sube a la silla e... imita estupendamente al mítico Treat Williams en *Hair*. Sube con el otro pie a la mesa y venga, un paso tras otro. Gin avanza bailando, dejando caer el pelo hacia adelante y después descubriendo otra vez la cara. Sonriendo, después sensual, después de nuevo dura, sea como sea, guapísima. Nada mal, en serio. Y todos le siguen el juego. Apartan los platos ya vacíos, los tenedores y los vasos a cada paso que da. Hook, Lucone, Schello... Incluso las novias le siguen el juego. Todos apartan lo que tienen delante. Fingen estar turbados por esa extravagante Gin, precisamente como los invitados de esa larga mesa en *Hair*. Gin baila que da gusto. Schello, en cambio, lo estropea todo como de costumbre. Sube a la mesa y empieza a bailar detrás de ella sin gracia, destruyéndolo todo con su falta de ritmo. Una patada a la derecha, otra a la izquierda. Y venga. A la novia de Hook no le da tiempo a quitar un plato de debajo. Una Clarks hundida por Schello acierta de pleno un plato que resbala preciso, como chutado por Di Canio. ¡Y hala! Le da en la frente a la mujer del albañil. La tipa se cae de la silla, se lleva las manos a la cara y lanza un grito espantado que nos deja a todos atónitos, incluso a la radio de Schello. Vit se acerca corriendo como un loco.

–¡Me cago en la puta! ¿Acaso os habéis vuelto locos? Vamos, bajad de ahí. Señora, ¿cómo está?

Vittorio la ayuda a levantarse. Por suerte, no tiene nada, o casi... Quiero decir, que no se ha abierto la cabeza. Sólo tiene un chichón enorme allí, a la derecha. Un repentino cuerno injustificado, o quizá no.

–¿Quién ha sido?

–Qué importa quién ha sido.

Schello es rápido en ciertas cosas, sobre todo si está él en medio.

–Ha sido una casualidad, un accidente.

–Sí, el que vas a sufrir tú.

Vit se mete en medio y detiene al albañil.

–Vamos, tranquilo. Es mejor.

–¿Ah, sí? ¿Y qué vas a hacer?, ¿me vas a dar otro *limoncello*? ¿Sabes qué hago yo con tu *limoncello*? Me limpio la polla.

–Bueno, si va a ponerse así, le ruego que se marche, por favor.

El albañil coge carrerilla e intenta atrapar a Schello, que retrocede en la mesa, se cae hacia atrás y acaba con la pierna metida en la anea de una silla y después en el suelo.

El albañil no ceja en su empeño y rodea la mesa a la carrera. Schello está en el suelo, con la pierna metida en la silla y sin poder levantarse. El otro, pensando en su mujer, coge carrerilla para alcanzarlo en plena cara. Quizá espera empatar. Pero no es así. El albañil es levantado al vuelo desde atrás y de pronto se encuentra pateando en el vacío. Lucone le hace dar media vuelta y lo suelta un poco más allá:

–Venga, basta, de verdad que ha sido... un accidente.

–Sí...

Interviene Hook.

–Perdona, pero creo que lo mejor es que vayas a ponerle un poco de hielo a tu mujer.

–¿Sabes dónde te voy a poner yo el hielo? ¡Por el culo te lo voy a meter!

–Bueno, si te pones así... Después me dicen que me he cagado de miedo.

Hook se ríe, el albañil no entiende nada e intenta decir algo, pero es alcanzado por Hook. Un puñetazo en plena cara, rapidísimo, ¡bum! Ha mejorado; debe de haber entrenado mientras yo estaba fuera. El albañil vuela hacia atrás y aterriza algo más allá, sobre una silla que se cae y acaba en el suelo, rompiéndose bajo su peso. Tumbado. Todos empiezan a gritar. En el local, algunos clientes se inquietan. Unos señores del fondo se levantan de las mesas. Una mujer coge un móvil y empieza a llamar. Es la señal. No necesitamos mirarnos. Lucone, Hook, el Velista, Balestri, Zurli y Bardato se llevan a sus chicas.

–Ostras, yo no he comido nada.

–Yo tampoco.

–Sé buena y ven conmigo, venga que luego te invito a un helado en Giovanni.

–Ya me imagino qué te dará: un Calippo de crema.

Se ríen y Schello se levanta, librándose de la silla, que desafortunadamente le cae también encima al albañil, que quizá acababa de darse cuenta de dónde se encontraba. Bajo de la mesa a Gin por un brazo. Está a punto de caerse, pero la cojo al vuelo.

–¿Qué ocurre?, ¿qué pasa?

–Por ahora nada, pero es mejor que nos larguemos.

–Espera..., la chaqueta. –Vuelve atrás y coge al vuelo la cazadora oscura Levi's; después viene conmigo.

–Adiós, Vit, perdónanos pero tenemos una fiesta.

–Sí, una fiesta... Vosotros siempre igual, ¿eh? ¡Ya os daré yo fiesta!

Parece enfadado, pero en realidad está divertido como siempre. Permanece inmóvil junto a la puerta. Nos mira a todos salir corriendo, armando un gran jaleo. Schello da un salto, choca los pies lateralmente uno contra el otro al estilo John Belushi y los demás se ríen. Lucone y Bunny roban algo de comer de las demás mesas: una *bruschetta*, un trozo de salchicha... Balestri camina lento. Tiene la mirada cansada; está un poco achispado, o quién sabe. De todos modos, sonríe y estira los brazos como diciendo: «Ellos son así», cuando el que «es» así es precisamente él. Schello roba un trozo de bizcocho arrancándolo literalmente de la boca de una señora, que da el mordisco en el aire. Casi se muerde la lengua y golpea enfadada con el puño sobre la mesa.

–¡No puede ser! El mejor bocado. Me lo había dejado para el final.

Vit, que se estaba tomando un vaso de vino, se echa a reír y se le derrama por encima. Yo paso en ese momento con Gin y, para no ser menos, le robo a la señora una patata. Doy un mordisco:

–Perfecta, aún caliente, patatas caseras de las que hace Vit, cortadas a mano, no congeladas, toma.

Le paso a Gin la otra mitad de la patata.

–Después no digas que no te he invitado a cenar.

Y corremos así, siguiendo a los demás, cogidos de la mano. Ella se ríe, sacudiendo la cabeza con la media patata en la boca.

–¡Quema!...

Finge que se queja y se ríe mientras corre como una loca con los pies hacia afuera, el pelo al viento y la cazadora oscura. Y en ese instante, de noche, sólo tengo un pensamiento. Me alegro de que me haya robado veinte euros de gasolina.

Veintidós

Algo más tarde, en el coche.

–Un poco bestias pero muy simpáticos, tus amigos. A veces las chicas tenemos que salir con unos muermos...

–Las chicas... ¿Qué chicas?

–De acuerdo, entonces digamos que a veces *yo* he salido con algunos muermos... ¿Así está bien?

–Mejor.

–Muy bien. Entonces ¿qué debería decir? «¡Tus amigos son grandes, míticos!» ¿Mejor así?

–«Míticos», qué palabra tan fea. Míticos... Parece el título de una película de Vanzina. ¡En todo caso, épicos!

Gin se echa a reír.

–Está bien, *touché*.

Después me mira y frunce el ceño.

–Oh, perdona. No entiendes el francés, ¿verdad?

–Cómo no, *touché*, *touché* significa...

De repente tomo una curva muy cerrada y Gina acaba entre mis brazos. No sé cómo pero sus tetas están ahora entre mis manos.

–Eso, esto es *touché*, ¿verdad?

Intenta darme una bofetada, pero esta vez soy más rápido que ella y le agarro la mano al vuelo.

–Perdona... ¡Mejor dicho, *pardon*! No quería *toucharte*, ¡pero *tu es très jolie*! ¿Qué te parece mi francés? De todos modos, «ya hemos llegado». Pero esto no lo sé decir.

Bajo del coche. Gin está furiosa.

–Despéjame una curiosidad: si tus amigos son tan «épicos» como dices, ¿por qué cuando has pasado por delante de donde habíais quedado has fingido que no los veías? –Hostia, es una pasada. No se le escapa nada. Camino y le doy la espalda. Pero me ha dado en pleno estómago–. Esto, por si no lo sabes, se dice *tombé*, ¡o sea, tocado y hundido, imbécil!

Gin entra en su coche, lo pone en marcha en un segundo y sale derrapando. Corro hacia la moto. Un metro más y llego.

–A tomar por el culo el tío este. Menudo engreído. ¿Quién se cree que es? Sí, se llama Step, ¿y qué? ¿Quién coño lo conoce?... Sí, es un mito o ha sido un mito, pero para sus amigos, «los épicos», como los llama él. ¿Y qué?

–Pues que te gusta un poco.

Desde pequeña me divertía jugando *Gin 1, la Venganza* y *Gin 2, la Sabia*. Al menos, yo las llamaba así. La primera, *Gin 1, la Venganza*, es Salvaje. Entre otras cosas, de pequeña tenía una amiga que se llamaba así, y me hubiera gustado un montón robarle el apellido. La segunda, *Gin 2, la Sabia*, es Serena, la romántica y equilibrada. Y Salvaje y Serena discuten todo el rato sobre todo.

–Sí, me gusta, ¿y qué?

–Pues que la has cagado.

–Aclara mejor el concepto.

–¡Está bien, me gusta mucho! Me gusta su pelo corto, sus labios carnosos, sus ojos alegres y buenos, sus manos y..., ah, sí, me encanta su precioso culo.

–Qué descarada eres.

–Y a ti mira que te gusta tocar las narices.

–¿Ah, sí?

–¡Sí!

–Pero si te gustan todas esas cosas, entonces, dime... ¿por qué le has robado las llaves de la moto?

–Porque nadie puede tocar mis tetas si no está autorizado, ¿está claro? Y Step, el mito, mejor dicho «el épico», no estaba autorizado. Y estas bonitas llaves me las guardo de recuerdo.

–Estoy seguro de que estabas pensando en mí...

Ostras, es Step, y en moto, pero ¿cómo ha podido arrancarla?

–Para y aparca o destrozo a patadas esta carraca tuya.

Habrá hecho un puente, mierda. Gin reduce y al final se para. Si ha quitado la pinza tan rápidamente y ha arrancado, quizá no es un mito pero sí es muy listo.

–Qué bien, ¿no? Muy divertido.

–¿Qué?

–Ah, así que encima te haces la lista. Las llaves.

–Ah, sí, perdóname. Acabo de darme cuenta. Se ve que... Sí, igual te has equivocado de cazadora y las has metido en la mía...

La cojo por las solapas.

–No, Step, te juro que no me he dado cuenta.

–¡No jures..., mentirosa!

–Bueno, tal vez las he cogido por error.

–Ah, sí, seguro que ha sido un error, porque me has cogido las llaves de casa...

–¡No!...

–Puedes estar segura.

–No me lo puedo creer.

–Créetelo. –La suelto–. Qué falsa eres.

–No me llames falsa. –Se saca las llaves de la chaqueta y me las tira con fuerza. Me aparto y las cojo al vuelo–. Falsa, que ni siquiera eres capaz de darme. Vamos, sube al coche, que te acompaño a casa.

–No, no te preocupes.

–Pues claro que me preocupo. Eres una de esas chicas peligrosas.

–¿Qué quieres decir?

–Que pinchas otra vez, alguien te ayuda a cambiar la rueda, tú te fías, acabas mal y luego yo soy la última persona con quien te han visto.

–Ah, ¿sólo por esto?

–Me gusta la vida tranquila, cuando es posible. O sea que no me toques las narices, sube al coche y basta.

Gin resopla y sube al Micra. Arranca el motor, pero antes baja la ventanilla:

–Ya he entendido por qué quieres hacerlo.

Me acerco con la moto.

–¡Ah, sí! ¿Por qué?

–Así averiguas dónde vivo.

–La matrícula de esta carraca es Roma R24079. Sólo necesito diez minutos y un amigo del Ayuntamiento me dice tu dirección. Además, así me ahorraría un buen trecho. ¡Vamos, en marcha, falsa presuntuosa!

Arranco derrapando. Ostras, Step sabe mi matrícula de memoria. Yo aún no he sido capaz de aprendérmela. En un instante lo tengo detrás. Menudo tipo. Me sigue, pero no se acerca demasiado. Qué raro, es prudente. Nunca lo hubiera dicho. Bueno, en el fondo no lo conozco tanto... ¡Bah!

Cambio de marcha y me mantengo lejos. No quisiera que Gin hiciera ninguna tontería frenando de golpe. Es el mejor método para dejar fuera de circulación a un motociclista. Si lo hacen bien, no te da tiempo a frenar. Te juegas horquilla y moto. Te das un buen batacazo y luego no puedes seguirlos. Corso Francia, piazza Euclide, via Antonelli... Caray con la presuntuosa. No se para en ningún semáforo. Pasa delante del Embassy a toda velocidad. Adelanta a los coches que están parados en el semáforo, después sigue recto, gira a la derecha y después a la izquierda, siempre sin intermitente. Un tipo medio acojonado le toca la bocina con retraso. Via Panama. Gin se detiene poco antes del piazzale delle Muse. Aparca metiéndose en un momento entre dos coches sin tocarlos, con una sola maniobra, práctica y precisa. ¿O quizá sólo haya sido suerte?

–¡Oye, eres buena aparcando!

–Porque no has visto lo demás.

–¿Cómo puede ser que nunca pueda decir nada sin que tú añadas la última bromita?

–De acuerdo... Entonces, gracias por la cena, me lo he pasado muy bien y has estado encantador, tus amigos son míticos, perdona, épicos. Disculpa el error de las llaves y gracias por haberme acompañado. ¿Está bien así? ¿Me olvido de algo?

–Sí, ¿no me invitas a subir contigo?

–¿Quéee? Ni hablar. A mi casa nunca ha subido ninguno de mis novios, imagínate si te dejara subir a ti, un desconocido. ¡Imagínatelo!

–¿Ha habido muchos?

–¿Novios?

–Sí, ¿qué si no?

–Un montón.

–¿Y cómo te soportaban?

–Eran buenos en matemáticas. Hacían la suma y al final había muchas más cosas positivas que de las otras. Lamentablemente, me parece que tú no llevas demasiado bien las matemáticas.

–La verdad es que era la única materia en que me las apañaba más o menos bien.

–Pues eso, más o menos. Es que aquí te faltan números... Buenas noches, señor Valiani...

Me vuelvo para mirar a quién saluda pero no hay nadie detrás de mí. Oigo el ruido de la verja a mis espaldas.

–¡Tercer dan!

Me vuelvo otra vez. Gin está al otro lado de la verja, que aún vibra. La ha cerrado a sus espaldas, ha sido muy rápida.

–Te lo he dicho, eres épico. Pero fallas en lo trivial.

Gin corre hacia el portal y hurga en el bolsillo para encontrar la llave. Tardo sólo un segundo: derecha, izquierda, salto la verja y corro hacia ella, que busca desesperadamente la llave.

Pum. Ya estoy encima y la abrazo por detrás. Grita. La sujeto.

–¡Tercer dan! ¿De pequeña jugabas al escondite inglés? No te ha dado tiempo a volverte y te he atrapado. Ahora eres mía. –Su pelo huele bien, pero no es un olor dulce. Odio los perfumes dulces. Sabe a fresco, a picante, a alegre, a vida. Se debate intentando liberarse pero la mantengo agarrada–. Si no quieres dejarme subir a tu casa, podemos conocernos aquí.

Intenta golpearme con el tacón hacia atrás, pero aparto en seguida las piernas.

–Para... Eh, que no estoy haciendo nada malo. No te he puesto las manos encima, sólo te he abrazado.

–Pero yo no te lo he pedido.

–¿Y te parece que uno dice «Vamos, por favor, abrázame»? Ay, Gin, Gin... Creo que muchos de esos chicos dejaban mucho que desear.

Mi mejilla está junto a la suya. Es lisa, suave y fresca como un melocotón, dulcemente dorado y con vello claro, transparente, sin maquillaje. Abro los labios y los apoyo sin besarla, sin morderla. Mueve la cabeza a derecha e izquierda para intentar alejarme, pero estoy pegado a ella como una sombra. Hay un viento suave nocturno que nos trae el perfume de los jazmines del jardín.

–Bueno, entonces, ¿lo has pensado mejor?

–Ni en sueños.

Contesta de manera extraña, en voz baja, de un modo casi bronco.

–Sí, pero te está gustando...

–Pero ¿qué dices?

–Lo noto en tu voz.

Se aclara la garganta.

–Oye, ¿te apartas o no?

–No.

–¿Cómo que no?

–Me lo has preguntado, ¿verdad? Y mi respuesta es no.

Vuelvo a intentarlo. En silencio, en voz baja. Arrastrado por el viento nocturno.

–Toc, toc, Gin, ¿puedo entrar?

–No sabes lo que vas a encontrar.

–No entro nunca en ningún sitio si no sé cómo salir.

–Qué frase tan bonita.

–¿Te gusta? La he cogido prestada de la película *Ronin*.

–Idiota.

Le está gustando. Mientras la abrazo la mantengo apretada contra mí y me balanceo suavemente con ella de derecha a izquierda, con los brazos a lo largo de su cuerpo inmovilizando los suyos. Canturreo algo. Es Bruce, pero no se le reconoce. Mis notas suaves y lentas se transforman en una respiración cálida que se mezcla con su pelo y después, más abajo, con su cuello. Gin relaja los brazos. Parece que se ha soltado un poco. Sigo cantando lentamente, meciéndome. Ella me sigue, ahora cómplice. Veo su boca, preciosa. Está entreabierta, soñadora, suspira y está ligeramente fruncida. Acaso un escalofrío. Sonrío. La suelto un poco, aunque no demasiado. Alejo el brazo derecho y lo bajo por su cadera. Despacio, despacio. Ella me sigue paso a paso, con los ojos en la penumbra de la noche, con la imaginación en la oscuridad de las emociones. Preocupada porque yo pueda tocar algo, como un niño que descubre el truco de quién sabe qué maravillosa magia. Pero ése no es mi deseo. Lento, con dulzura, extraviado entre sus cabellos, le acaricio el cuello y apoyo la palma en su mejilla. La empujo un poco, jugando... Le hago volver la cara hacia la izquierda. Así, lentamente, Gin se deja ir hacia el cristal, el pelo hacia adelante y, de repente, medio escondida por esa perfumada mata negra, aparece su boca. Como una rosa de amor recién abierta, suave, y mojada. Suspira, abandonada, y dibuja pequeñas nubes de vapor en el cristal del portal. Entonces, la beso. Y ella sonríe, me deja hacer, mordisquea un poco, está por la labor, y es precioso. Es dramático, es comedia, es paraíso, no... Es mejor. Es infierno, porque me estoy excitando.

–Gin, ¿eres tú?

Oigo una voz de hombre a mis espaldas. Precisamente ahora... ¡No! No me lo puedo creer. La verja, los pasos... No hemos oído nada, aturdidos por el deseo. Me vuelvo inmediatamente dispuesto a parar más que a golpear. Por otro lado, su novio tendría motivos. Lo miro. Es un tipo no demasiado alto y algo delgado.

–Ostras, no me lo puedo creer.

Parece divertido, más que cabreado. Gin se arregla el pelo. Está molesta, pero tampoco tanto.

–Bueno, pues créetelo, ¿o quieres que nos besemos otra vez?

Joder, la tipa es dura.

–Ah, por mí...

Estoy aún con las manos levantadas.

–Stefano, éste es Gianluca, mi hermano.

Bajo la guardia y doy un ligero suspiro, aunque no por la preocupación del combate. Ésa menos que nunca. Tengo otros pensamientos, lo que quizá es más preocupante.

–Hola.

Le doy la mano y sonrío. La verdad es que no es la mejor manera de conocerse. Un tipo que lo intenta con su hermana...

–Bueno, ahora que estás en buenas manos, me marcho.

–Sí, no creo que me viole.

Sonríe, tomándome el pelo.

–Puedes marcharte, épico Step.

Me alejo hacia la verja y los dejo así, hermano y hermana, frente al portal. Arranco la moto y dejo en ese perfume nocturno de jazmines un beso dado sólo a medias.

Gianluca mira a Gin asombrado.

–¡En serio, no me lo puedo creer!

–Créelo, tu hermana es como todas, y si te consuela, como has visto, no es lesbiana.

–No, no me has entendido, ¡no puedo creer que estuvieras besándote con Step!

Gin finalmente ha encontrado la llave y abre el portal.

–¿Por qué, lo conoces?

–¿Que si lo conozco? Y quién no lo conoce en Roma.

–Pues yo. El ejemplo está frente a tus narices: yo no lo conocía.

Después, Gin piensa para sus adentros: Al fin y al cabo, es mi hermano, será por mentiras...

–No me lo creo. No es posible que no hayas oído hablar nunca de él. Venga, si todo el mundo lo conoce. El tipo las ha hecho de todos los colores; hasta salió en el periódico, en la moto, mientras hacía el caballito con su novia y la policía detrás. ¡No me lo puedo creer! Mi hermana besando a Step.

Gianluca sacude la cabeza.

–Bueno, pero ¿esto qué es? ¿El titular de *La Gaceta del Gafe*?

Entran en el ascensor.

– De todos modos, no sé si se te caerá un mito, pero el famoso Step, el golpeador, el duro, el que hace el caballito con la novia detrás...

–Sí, te he entendido, ¿qué?

–Besa exactamente como todos los demás.

En ese mismo instante, Gin aprieta el 4. Después se mira al espejo. Se sonroja. Consigo misma no puede. Ha dicho otra mentira. Más grande. Y lo sabe muy bien.

Veintitrés

Noche. Corro con la moto a toda velocidad. Piazza Ungheria, recto hacia el zoo. No encuentro una palabra para definir a Gin, pero lo intento igualmente. Simpática, no; muy mona, ¡pero qué digo! Guapa, divertida, distinta. Pero además, ¿por qué definirla? Quizá es todo eso a la vez, quizá es otra cosa. No lo quiero pensar. Me viene una cosa a la mente y me hace sonreír. Con ella he pasado por piazza Euclide siguiendo su coche. No he echado ni siquiera un vistazo a la Falconieri, no he pensado en las salidas del colegio de Babi, en mí esperándola, en el tiempo que pasó. Estoy pensando ahora, de repente, como un rayo en un cielo sereno. Un recuerdo. Ese día. Esa mañana. Como si fuera ahora. Estoy delante de su colegio. La observo desde lejos, la veo bajar, reír con sus amigas, charlar de quién sabe qué. Sonrío presuntuoso. Tal vez estén hablando de mí... La espero.

–Hola...

–Qué bonita sorpresa, has venido a buscarme al colegio.

–Sí, escápate conmigo.

–Bueno, mamá se lo merece, siempre llega tarde.

Babi sube a la parte trasera de mi moto. Me abraza con fuerza.

–Ah, así que no te escapas para estar conmigo, sino para castigar a tu madre, que es una tardona. Mira que eres bruta...

–Bueno, ¿y no es mejor si puedo tener las dos cosas?

Pasamos por delante de su hermana, que está esperándola.

–Dani, dile a mamá que iré a casa más tarde. Y tú no corras, ¿eh?

Poco después, en la via Cola di Rienzo. Asador Franchi. Salimos con una bolsa llena de esas bolas de arroz que sólo hacen allí y que le gustan tanto, fritas de maravilla, aún calientes, con un montón de servilletitas, una botella de agua para dos y un hambre increíble. Nos las comemos así, ella sentada en la moto y yo delante, de pie, sin hablar, mirándonos a los ojos. Después, de repente, empieza a granizar. Con fuerza, de una manera increíble. Y entonces corremos, corremos como locos y nos refugiamos frente a un portal, casi resbalándonos para protegernos del granizo. Nos quedamos así, al frío, bajo un balcón. Después, la granizada poco a poco se transforma en nieve. Nieva en Roma. Pero la nieve se deshace antes de tocar el suelo. Nosotros nos sonreímos aún un momento, ella da otro mordisco a su bola de arroz y yo intento besarla... Y después, pluf, precisamente como la nieve, también este recuerdo se deshace. No hay nunca un porqué para un recuerdo; llega de repente así, sin pedir permiso. Y nunca sabes cuándo se marchará. Lo único que sabes es que lamentablemente volverá. Aunque por lo general son instantes. Y ahora sé como hacerlo. Basta con no detenerse demasiado. En cuanto llega el recuerdo, hay que alejarse rápidamente, hacerlo en seguida, sin miramientos, sin concesiones, sin enfocarlo, sin jugar con él. Sin hacerse daño. Así, mucho mejor... Ahora ya ha pasado. La nieve se ha deshecho del todo.

Apago la moto y entro. El portero siempre es el mismo:

–Buenas noches, encantado de volver a verlo.

Me reconoce.

–Igualmente.

En todos los sentidos, pero no se lo digo.

–¿Quiere que lo anuncie?

–Si es necesario.

Me mira y sonríe.

–No, con usted no hace falta.

–Bien, entonces subo y le doy una sorpresa.

Entro en el ascensor y el portero se asoma.

–¿Esta noche no lleva sandía?

Casi no me da tiempo a contestarle.

–No, esta noche no.

Es increíble. No hay nada que hacer, a los porteros no se les escapa nada. 202. Estoy delante de la puerta y llamo. Oigo sus pasos veloces. Me abre sin saber quién es.

–¡Hola! ¡Qué sorpresa! –Eva se alegra de verme–: He intentado llamarte al móvil, pero lo tenías apagado. ¿Estabas en dulce compañía?

–Sólo con unos amigos.

Miento y me siento un poco culpable, pero no sé ni siquiera por qué. No tiene sentido.

–Yo no te he buscado.

–Bueno, has venido directamente. Has hecho bien, porque mañana me voy otra vez.

–¿Adónde?

–A Sudamérica, ¿quieres venir conmigo?

–Ojalá. Pero tengo que quedarme en Roma, tengo cosas que hacer.

–Ah, entiendo.

Menos mal que no me pregunta cuáles. En realidad, ni siquiera yo sé qué cosas tengo que hacer. Empezar a trabajar, empezar una historia... Acabar finalmente otra... No. No ahora, no es el momento. Su recuerdo está volviendo, pero lo borro con facilidad. Quizá porque Eva lleva puesto otro conjunto. Es bonito y elegante como el otro. Más transparente. Le veo el pecho.

–¿Sabes, Eva?, no sabía si venir; pensaba que quizá estuvieras con alguien.

–Después de anoche... ¿Por quién me has tomado?

Eva se echa a reír, pone una cara divertida y sacude la cabeza. Luego se arrodilla, me desabrocha los vaqueros y se humedece los labios. No me deja dudas. Claro, ¿por quién la he tomado?

Veinticuatro

Por la mañana. Vanni bulle de gente. Todos atareados, bien vestidos, muy bien, mal, fatal. Heterogéneos, hasta la locura. Los útiles y los inútiles del grande y deslumbrante mundo de la televisión. Sea como sea, presentes. Siempre.

–Hola, director.

–Buenos días, licenciado.

–¿Abogado, se acuerda de mí? No quería molestarlo, pero ¿qué ha pasado con ese proyecto?

–¿Es cierto que han paralizado esa emisión?

–O sea que, ¿empieza o no empieza ese bendito programa?

–De todos modos, tenemos que meter a esa chica como sea.

–Pero ¿cómo es?, ¿guapa?

–¿Y qué importa? Sea como sea, tiene que estar.

Y venga: crear, manipular, ganar, adular, tratar, imponer, construir, entusiasmar, producir y matar horas y horas de televisión. Sea como sea, con ideas nuevas, viejos formatos, copias aquí y allá, pero sea como sea transmitir. De mil maneras mediante ese pequeño aparato que todos conocimos nada más nacer. Ella, la televisión, nuestro hermano mayor, nuestra segunda mamá. O quizá la primera y la única.

Nos ha hecho compañía, nos ha querido, nos ha amamantado generación tras generación, con la misma leche catódica, fresca, de larga conservación, agria...

–¿Entiendes?

–O sea, que eso es lo que piensas. Y has venido desde Verona para hacer televisión.

–Para crear imágenes y logos y... venga.

–Basta ya de «venga». Es aproximativo, demasiado aproximativo.

Marcantonio me mira y sonríe.

–Muy bien, estás mejorando. Agresivo y cabrón, así me gustas.

–Lo reconozco: *Platoon*.

–Empiezas a asombrarme en serio... Ven, vayamos a ver en qué punto está el TdV.

–¿Qué es el TdV?

–Pero ¿cómo?, ¿no lo sabes? El Teatro delle Vittorie, el que fue el templo histórico de la televisión.

–Si es «histórico», entonces vamos.

Cruzamos la calle. Un puesto de libros ocupa el espacio de los jardines. Chicos y chicas con aspecto más o menos intelectual hojean libros a buen precio. Una chica gordita tiene en la mano un libro de recetas. A Marcantonio no se le escapa.

–Compra sexo y deporte, es más gratificante.

Se ríe solo mientras ella lo mira medio humillada. Marcantonio se enciende en seguida un Chesterfield y lo fuma con avidez imitando quién sabe qué acto sexual, según él.

–Buenos días, Tony.

–Salud, conde, ¿cómo va?

–Desde que cayó la monarquía, mal.

Tony se echa a reír. Él, un simple vigilante del Teatro delle Vittorie, se divierte estando allí. En su pequeño universo ha encontrado el poder. Se ocupa de la puerta. Deja entrar a gente importante, directores, figurantes, actores..., y para a otra gente sólo porque no tiene pase. En resumen, un portero de variedades.

–Cuánta razón tienes, conde. Al menos podrías enviarme un equipo de plebeyos para abrir esta puerta de seguridad. Hace una semana que llamé a los técnicos y todavía no ha venido nadie. –«De todos modos, es un repelente», pienso. Después se acerca y le confiesa en voz baja–: No por nada, pero es que pasaba por esa puerta para ir a mear al baño de abajo. Ahora, en cambio, tengo que dar toda la vuelta..., menudo coñazo.

Y estalla en una carcajada, simple improvisador, oportunista comodón.

–Perfecto, Tony, ya tenemos quien resuelva tu problema.

–¿Quién?

–¡Él, Step!

–¿Y quién es, uno de tu corte?

–¿Bromeas? Es un héroe de real importancia... Extranjero en la tierra que entonces dominaba el tirano... Además, Tony, ¿quieres ir a mear de prisa o no?

–Ojalá... Step, si lo consigues te deberé un favor.

–Tony... Héroe de real importancia sólo impulsa nobleza de ánimo. Un héroe no regatea. En todo caso, el favor me lo deberás a mí.

–De acuerdo, qué importa, la puerta la arreglará él... Sólo quería ser amable.

Podrían estar así durante horas. Al fin y al cabo, un héroe es un héroe; así que decido interrumpirlos:

–Bueno, cuando hayáis acabado y me indiquéis cuál es la puerta...

–Tienes razón, perdona...

Tony nos hace de guía:

–Venid por aquí. –Dentro del teatro todos dan golpes, hay mucho ruido: sierras mecánicas, soldadores...–. Casi está acabado. Están montando las luces –se excusa Tony–. Aquí, ésta es la puerta, lo he intentado de mil maneras, pero nada. No hay nada que hacer.

La miro atentamente. Es una de esas puertas a presión; debe de haberse bloqueado la cerradura lateral. Alguien habrá puesto el bloqueo interno, quizá el propio Tony y no se acuerda o no quiere admitir que ha metido la pata. Haría falta la llave. O bien:

–¿Tienes una barra de hierro no demasiado larga?

–¿Como ésta? –Coge una de una caja que hay allí en el suelo–. Lo he intentado de todas las maneras, ¿eh?, que quede claro.

–Ya.

Fijo la barra en la cerradura y doy una patada con fuerza, pero tampoco demasiada.

–Ábrete, sésamo. –Y la puerta se abre como por arte de magia–. *Et voilà*, ya está.

Tony está felicísimo, parece un niño.

–Step, no sé cómo agradecértelo, eres un mago.

Le devuelvo la barra.

–Bueno, no exageremos.

Marcantonio toma el mando de la situación:

–Exacto, no exageremos. Acuérdate sólo de que nos debes un favor a cada uno, ¿eh?

–Hecho, hecho... –Tony sonríe y, animado, inaugura la puerta yendo a mear. Marcantonio me guiña el ojo y pasa delante.

–Ven, te enseñaré el teatro.

Bajamos a la platea. Más allá de las sillas de platea, bajo el gran arco de la galería. Allí están, al ritmo de una música envolvente, las bailarinas. Todas de colores, con los calentadores bajados, pelo largo o corto o en parte rasurado y bien perfilado. Las bailarinas. Rubias, morenas, con el pelo rojo o teñido de azul. Con el cuerpo esculpido, enjuto, delgado, con los abdominales definidos... Con las piernas musculosas y un final de la espalda redondeado pero apretado, dispuesto a explotar en un estallido sobre una nota aguda. Perfectas, dueñas de movimientos ágiles e impetuosos, cansadas pero de todos modos sonrientes. La música, a un volumen alto, llena todo el escenario. Y ellas se dejan llevar, se ensamblan, se cruzan, se unen a tiempo, se abandonan hacia atrás, se sueltan y la viven sometidas a ella. Grandes proyectores las ensalzan vistiéndolas de haces de luz. Acariciando sus piernas desnudas, sus senos pequeños, esas ropas diminutas.

–¡Stop! ¡Bien, bien, ya es suficiente!

La música se para. El coreógrafo, un hombre pequeño de unos cuarenta años, sonríe satisfecho.

–Bien, hagamos una pausa. Más tarde, repetimos.

–Éste es el ballet.

–Sí, lo he entendido.

Desfilan por nuestro lado sonriendo todas con un poco de prisa para no enfriarse, aún acaloradas pero perfumadas y ligeras. Dos o tres besan a Marcantonio:

–Hola, chicas.

Parece conocerlas bien. A una incluso le da una palmada suave en el trasero. Ella sonríe para nada molesta, es más:

–No me has vuelto a llamar.

–No he podido.

–Pues inténtalo.

Y se marcha así, con una sonrisa llena de promesas.

Me mira levantando la ceja derecha:

–Bailarinas... ¡Cómo me gusta la televisión!

Sonrío mirando a la última. Es un poco más bajita que las demás, sale corriendo, se ha quedado rezagada para recoger su sudadera. Redonda y resbaladiza, con un poco más de ropa encima pero todo en su sitio. Me sonríe.

–Adiós.

No me da tiempo a contestar cuando ya se ha marchado.

–Empiezo a quererlas yo también.

–Muy bien, así me gusta. Entonces, éste es el escenario y ése es nuestro logo. ¿Ves?, allí, en el proscenio: «Los grandes genios.» Modestamente, es obra mía...

–No tenía dudas, lo he reconocido por la letra...

Miento impúdicamente.

–Pero ¿qué pasa?, ¿me estás tomando el pelo?

–¿Bromeas? –Sonrío.

–Bueno, el mismo logo está ya en 3D. El programa consiste en una serie de personas normales, verdaderos inventores, que vienen aquí y muestran cómo han resuelto un pequeño o un gran problema de nuestra sociedad con ayuda del ingenio.

–Qué buena idea.

–Nosotros los presentamos, ponemos el ballet alrededor, construimos el espectáculo y ellos muestran la idea que se les ha ocurrido con un prototipo. Como programa es sencillo, pero creo que interesará a la gente. No sólo eso, porque a los que presenten sus inventos con nosotros el programa les servirá como plataforma de lanzamiento que les puede llevar quién sabe dónde. Pueden hacer dinero de verdad con sus inventos.

—Pues claro, si son interesantes y sirven realmente para algo...

—Sí. El programa es una idea de Romani... En mi opinión, será un gran éxito, como todo lo que hace. Yo lo llamo el rey Midas de la tele.

—¿Por lo que gana?

—Por los éxitos que tiene. Todo lo que toca da grandes resultados.

—Bien, entonces supongo que tengo que estar contento de trabajar con él.

—Has empezado en la cumbre. Aquí está.

Los veo entrar casi en procesión. Romani va a la cabeza del grupo. Lo siguen dos chicos de unos treinta y cinco años, uno robusto, completamente calvo y con gafas oscuras en la cabeza, el otro delgado y con entradas. Detrás de ellos va un tipo con el pelo largo pero bien peinado. Tiene aspecto de ser inteligente y mira continuamente a su alrededor. Tiene una nariz aguileña, una mirada neurótica y huidiza. Lleva un traje de terciopelo verde oscuro sin solapas. El dobladillo de los pantalones ha sido arreglado hace poco; se ve un pliegue más oscuro. Seguramente le ha dado a sus piernas algún centímetro de más y a su elegancia algo menos. Si es que eso era posible.

—Bueno, ¿en qué punto estamos? —Romani mira a su alrededor—. Pero ¿no hay nadie? —Llega a la carrera un hombre bajo de pelo rubio y ojos azules—. Buenos días, maestro. Estoy acabando de montar las luces; todo está listo para esta noche.

—Muy bien, Terrazzi, como siempre digo, eres el mejor.

Terrazzi sonríe complacido.

—Vuelvo a las consolas para poner los puntos de luz.

—Vete, vete.

El tipo con el pelo largo se acerca a Romani:

—Siempre hay que animarlos, ¿eh? Así rinden más.

Romani entorna los ojos y lo mira con dureza.

—Terrazzi es bueno de verdad, el mejor. Trabaja con la iluminación desde antes de que tú nacieras.

El tipo con el pelo largo regresa en silencio a su sitio.

Se pone en fila, el último. Vuelve a mirar a su alrededor y finge interesarse por una esquina cualquiera de la escenografía. Al final, para desfogarse con alguien, la toma con su mano derecha y empieza a comerse las uñas.

–Ésos son los autores. Romani es también el director, te acuerdas de él, ¿no? –Me lo dice de manera irónica.

–¿Cómo no?, es el que nos da trabajo.

–Los otros dos, el robusto y el delgado, son Sesto y Toscani, el medio calvo y el calvo. Los llamaban «el Gato y el Zorro» y desde siempre son los esclavos de Romani. Intentaron hacer un programa por su cuenta, se lo quitaron tras un par de patadas y desde entonces los hemos rebautizado como «el Gato & el Gato». En ese grupito el único zorro de verdad es Romani, y de raza. Después, además del Gato & el Gato, está Renzo Micheli, *el Serpiente.* Ese bajito y un poco gordito con el pelo largo y la nariz aguileña es de Salerno; tiene las manos en todas las masas y un aliento que incluso tumbaría a una rata. Romani lo lleva detrás desde hace más de un año. Creo que es fruto de un favor que le ha salido muy caro. Lo llaman Serpiente porque habla mal de todos, incluso de Romani, mejor dicho, sobre todo de él, que es su único pase de entrada aquí. Y lo más absurdo es que Romani lo sabe muy bien.

–Serpiente, qué apodo tan fuerte, ¿no?

–Cuidado con él Step, tiene casi cuarenta años, muchos amigos en el poder y lo intenta con todas, sobre todo con las jovencitas.

–Entonces te equivocas, Mazzocca. Si es así, es él quien tiene que tener cuidado conmigo. Y ahora enséñame cuál es nuestro sitio.

Veinticinco

–Gin, no sé por qué te obstinas en llevarme contigo a las pruebas, ¿no ves que soy la eterna eliminada?

Miro a Eleonora y sonrío. Ella, en cambio, sacude la cabeza.

–O sea, que disfrutas viendo cómo me eliminan. Debo de haberte hecho algo en otra vida, o tal vez en ésta.

–Ele, no digas eso. Es que me traes suerte.

–Entiendo, ¿pero no podrías ser como todas? Que sé yo, llevar un amuleto en el bolsillo, un animalito, una rana, un cerdito..., un elefante con la trompa levantada...

–No, *I want you*.

–Pareces el tío Sam con los pobres soldados americanos. Sólo falta que decidas hacer una prueba en Vietnam.

–Y tú, naturalmente, me seguirías.

–Claro, cómo no... ¡Te traigo suerte!

Después, un encuentro imprevisto.

–Mierda, mi helado.

Marcantonio tiene todo el helado en la chaqueta. Gin se echa a reír:

–Traes suerte, pero no a él.

–Eh, chicas, ¿por qué no miráis hacia adelante cuando camináis?

–¿Y tú qué mirabas?, ¿tu helado?

–Sí, sólo que ahora vivo de recuerdos.

–¿Entonces por qué nos echas la culpa a nosotras?

Salgo al poco con mi helado aún intacto y veo a Gin. No me lo puedo creer. Ella también está aquí. Me dan ganas de reírme y me acerco.

–Pero mira quién está aquí. Espera, entiendo... Quieres que también te invite a comer.

–¿Yo? ¿Bromeas? Con una cena basta y sobra. Mejor dicho, ¿qué haces tú aquí, en Vanni? Espera, entiendo, me has seguido.

–Calma... ¿Por qué piensas siempre que todo gira sólo a tu alrededor?

–Porque es raro. Hace siglos que vengo aquí y nunca te he visto.

–No creo que haga siglos. Quizá has venido en estos dos años mientras yo estaba fuera.

Marcantonio interviene:

–Perdonad, pero ¿os importa que mientras vosotros hacéis una cronología de vuestras vidas yo entre a limpiarme?... Y date prisa, Step, que tenemos una cita importante.

Marcantonio entra otra vez en Vanni sacudiendo la cabeza. Eleonora se encoge de hombros:

–Qué grosero, tu amigo, ni siquiera se ha presentado.

–No lo entiendo, le arrojas el helado encima y esperas que te haga una reverencia. Me parece que eres una digna amiga de Gin...

Después me dirijo a ella:

–¿Y bien? Aparte de hacer daño, ¿qué hacéis por aquí?

Eleonora responde descarada:

–Hemos venido a hacer una prueba. –Gin le da un codazo–. Ay.

–No te pases; no lo conoces y lo pones al corriente de nuestras cosas.

Le doy un lametón a mi helado. No está mal.

–¿Y quiénes sois, un nuevo grupo? ¿Las *Spy* Girls?

–Ja, ja... ¿Sabes, Ele? Sus bromas son estupendas. Sólo hay que saber distinguir cuándo son bromas y cuándo no.

–Ah, eso.

–Bueno, no, eso no era una broma, es una realidad. Muchas chicas son contratadas para colaborar en agencias de detectives. Y las tipas como vosotras llaman poco la atención.

–Sí, un puñetazo en el ojo tendría que darte. Anoche, cuando lo intentabas como un desesperado...

Ele nos mira, sorprendida:

–¡Eso no me lo habías contado!

Gin sonríe mirándome.

–Fue tan poco importante que lo había olvidado por completo.

Me saco la cucharilla de la boca e intento coger el helado que queda al fondo del vasito.

–¿Le has dicho que jadeabas?

–¡Vete a la mierda!

–Anoche no me pareció que dijeras eso.

–Te lo digo hoy, y dos veces: ¡vete a la mierda!

Sonrío.

–Me encanta tu elegancia.

–Lástima que no puedas apreciarla del todo. Bueno, tenemos que irnos. Sólo hay una cosa que lamento.... Ele, podrías haberle tirado a él el helado, total, ácido con ácido...

Se alejan. Las miro marcharse. Gin la dura y su amiga, un poco más baja. Ele, tal como la llama ella, Elena, Eleonora o quién sabe qué. Dan risa.

–¡Eh!, saludad de mi parte a Tom Ponzi, el detective.

Gin, sin volverse siquiera, levanta la mano izquierda y, en concreto, señala el cielo con el dedo corazón levantado. Marcantonio llega justo a tiempo para ver su saludo.

–Te adora, ¿eh?

–Sí, está loca por mí.

–Pero ¿qué les haces tú a las mujeres? Tendría que tenerte miedo, coño, tendría que tenerte miedo.

Gin y Ele siguen andando. Ele parece enfadada de verdad.

–¿Se puede saber por qué demonios no me has contado nada?

–Pero Ele, te juro que se me pasó, de verdad.

–Sí, seguro... ¡O sea, que te besas con ese tío bueno de la hostia y al día siguiente se te olvida!

–¿En serio te gusta tanto?

–Bueno, está muy bueno, pero no es mi tipo. Yo prefiero al otro.

Se parece a Jack Nicholson de joven. Creo que tiene un montón de ideas estimulantes. Aunque parece un cerdo.

–¿Y te gustan los cerdos?

–Bueno, el sexo debe tener su parte de fantasía y yo lo hubiera asombrado. Le habría lamido la ropa manchada de helado y luego se la habría arrancado con los dientes.

–Sí, y te habrían arrestado en la puerta de Vanni.

–Dime mejor quién es ese tío bueno que está para chuparse los dedos.

–Habías dicho de la hostia.

–Está bien, de lo que sea. ¿Qué hace, dónde vive, cómo lo has conocido, os habéis besado de verdad, cómo se llama?

–Comparada con Tom Ponzi, tú eres mucho peor. Pero ¿qué pasa? ¿Tengo que contestar de verdad a ese interrogatorio?

–Pues claro, ¿a qué esperas?

–Pues entonces te contesto a todas, ¿vale? No lo sé. No lo sé, lo conocí anoche. Hubo un beso, se llama Stefano.

–¿Stefano?

–Step.

–¿Step? ¿Step Mancini?

Eleonora abre mucho los ojos y me mira.

–Sí, se llama Step, ¿qué pasa?

Me coge por la chaqueta y me sacude.

–¡No lo puedo creer! Pasaremos a la historia. Como mínimo, cuando cuente la noticia saldremos en *Parioli Pocket*. Step, el castigador, el duro. Tiene una Honda 750 Custom azul oscuro, corre como Valentino Rossi, se ha dado de hostias con media Roma, estaba fijo en piazza Euclide, es amigo de Hook, de Schello, y por su novia se peleó incluso con el Siciliano. ¡Step y Gin, increíble!

–Parece ser que a ese tal Step lo conocéis todos; la única que no lo conocía era yo...

–¿Y con quién se ha liado él? Contigo.

–En primer lugar, no nos hemos liado. Y segundo, ¿quién es esa novia suya?

–Ah, entonces te interesa. ¡Estás colgada de él!

–¡Pero qué dices! Sólo es curiosidad.

–Salía con una chica un poco mayor que nosotras, creo, una chica guapa que iba a la Falconieri. Es la hermana de Daniela, la gordita que salía con Palombi, ese que salía...

–Entiendo: que salía con Giovanna, que salía con Piero, que salía con Alessandra, etcétera, etcétera. Tu red infinita. De acuerdo, no conozco a ninguna de esas personas y, sobre todo, no me importan nada. Y ahora vamos a hacer la prueba, que necesito dinero. Quiero comprar la motocicleta para mí y para mi hermano.

–¿Y no puedes pedirles el dinero a tus padres?

–Ni hablar. Venga, saca tu carnet.

Gin y Ele sacan el carnet de identidad y se lo enseñan al tipo de la puerta.

–Ginevra Biro y Eleonora Fiori, venimos a hacer la prueba para el puesto de azafatas.

El tipo echa un vistazo a los carnets y después saca una hoja de una carpeta. Hace una marca con un bolígrafo en el borde del folio.

–Pues menos mal. Entrad, que están a punto de empezar. Sólo faltabais vosotras.

Veintiséis

Chicas en fila en medio del escenario. Altas, rubias, morenas, ligeramente pelirrojas, apenas teñidas con henna... Más o menos elegantes, vestidas de manera informal o pseudokitsch en un intento desesperado por combinar dos cosas falsamente conjuntadas. Zapatillas de deporte bajo perfectos trajes de chaqueta grises, la moda del momento, viejas cuñas demasiado altas para una moda ya suavizada. Narices rectas o mal operadas, o aún no retocadas por falta de dinero. Algunas tranquilas, otras nerviosas, otras obstinadas por ese *piercing* descarado, otras aún más tímidas que han quedado agujereadas por un *piercing* quitado recientemente. Tatuajes más o menos a la vista, y quién sabe cuántos otros escondidos. Las chicas de las pruebas. Gin y Ele se mezclan disimuladamente con las últimas.

–Adelante...

Romani, el Gato & el Gato, el Serpiente y alguno que otro ayudante están todos sentados en primera fila, dispuestos a asistir al pequeño gran espectáculo, un poco de diversión antes del trabajo de verdad.

Me siento en la fila del fondo, con mi helado, al que le quedan aún dos cucharadas, y disfruto desde lejos de la escena. Gin no me ve. Parece segura de sí misma, tranquila, con las manos en los bolsillos. No sé decir a qué grupo pertenece, me parece única. Tampoco su amiga se queda corta. Mueve de vez en cuando la cabeza en un intento por echarse el pelo hacia atrás. El coreógrafo tiene un micrófono en la mano.

–Bien, ahora dad un paso adelante y presentaos: nombre y apellido, edad, y decid qué trabajos habéis hecho. Mirad a la cámara central, la dos, la que tiene la luz roja, donde está ese señor que ahora os saluda. ¡Saluda, Pino!

El tipo sentado en la cámara central, sin apartar la cara de su monitor, levanta por un instante la mano y saluda en su dirección.

–Está bien. ¿Lo habéis entendido? –Alguna chica asiente de manera incierta, con la cabeza. Naturalmente, Gin, como podía imaginar, no se mueve. Desilusionado, el coreógrafo baja los brazos y después dice al micrófono–: Eh, chicas, dejadme oír vuestra bonita voz, decidme algo... Dejadme pensar que existo.

De las chicas se levanta un medio coro sin coordinación de sí, muy bien, de acuerdo, e incluso alguna sonrisa.

El coreógrafo parece ahora más satisfecho.

–Muy bien, entonces empecemos.

Marcantonio se me acerca.

–Eh, Step, ¿qué haces aquí? Vayamos adelante y sentémonos en las primeras filas, que se ve mejor.

–No, prefiero disfrutar del espectáculo desde aquí.

–Como quieras.

Se sienta a mi lado.

–Ya verás como Romani nos llamará. Sobre cualquier cosa quiere nuestra opinión.

–Pues cuando nos llame, vamos.

Por turnos, las chicas se pasan el micrófono y se presentan.

–Hola, soy Anna Marelli y tengo diecinueve años. He participado en varios programas como azafata y estoy estudiando Derecho. He hecho también un pequeño papel en una película de Ceccherini...

Renzo Michele, *el Serpiente,* parece realmente interesado.

–¿Qué papel interpretabas?

–El de una prostituta, pero era sólo un papel sin texto.

–¿Y te gustó?

Todos se ríen pero sin dejarse ver demasiado.

Sólo Romani permanece impasible. Anna Marelli contesta:

–Sí, me gusta el cine. Pero, en mi opinión, tengo más futuro en la televisión.

–Bien, la siguiente.

–Buenos días, soy Francesca Rotondi, tengo veintiún años y estoy a punto de licenciarme en Economía. He hecho...

Romani se vuelve a derecha e izquierda mirando a su alrededor y después nos ve.

–Mazzocca, Mancini, venid más cerca.

Marcantonio me mira levantándose:

–¿Qué te había dicho?

–Pues vayamos; es como estar en el colegio, pero si forma parte del juego...

Las chicas de las pruebas tienen la luz en la cara y no pueden ver. Se presenta otra chica y después otra. Después habla la que está al lado de Gin. Acabo por sentarme en la primera fila, a la derecha. Ella aún no me ha visto. En cambio, Ele, su amiga, sí.

Ele, naturalmente, no deja escapar la ocasión.

–Eh, Gin. –En voz baja–. Mira a quién tenemos en primera fila.

Gin, cubriéndose los ojos cegados por la luz con la mano, se aparta un poco y me ve. Llevo la mano derecha cerca de la cara y, sin que se note, la saludo. No quiero tomarle el pelo, entiendo que está allí por trabajo. Pero ella nada, vuelve a tomárselo mal, como de costumbre, y con la mano izquierda estirada junto a la cadera, me enseña su dedo corazón mandándome a la mierda.

–Te toca a ti, morena.

Es su momento, pero como está distraída, la pillan por sorpresa.

–¿Qué? Oh, sí, claro. –Coge el micrófono que la chica de su derecha le tiende–. Soy Ginevra Biro, tengo diecinueve años y estudio Letras, especialidad Espectáculo. He participado en varios programas como azafata. También soy tercer dan. –Gin lleva las manos hacia adelante y después hacia arriba dando un paso y haciendo una reverencia–. Si hubiera tenido el sobre de costumbre, se me habría caído.

Después vuelve a su puesto. Todos se ríen divertidos.

–Valiente, ésta.

–Sí, simpática y también mona.

–Sí, muy espabilada.

Me quedo mirándola también yo, divertido. Ella me mira, descarada y segura, para nada intimidada por encontrarse delante de todos, bajo los focos. Es más, hasta me hace una mueca. Me acerco a Romani:

–Perdone, doctor Romani... –Él se vuelve hacia mí.

–¿Puedo hacerle una pregunta a esa chica? Para conocerla mejor.

Me mira con curiosidad.

–¿Es una pregunta profesional o quieres su número de teléfono?

–De trabajo, faltaría.

–Entonces, claro, estamos aquí para eso.

Vuelvo a sentarme, la miro y me concedo un instante. Después me lanzo.

–¿Cuáles son sus perspectivas para el futuro?

–Un marido y muchos niños. Tú, si quieres, puedes hacer de niño.

Joder, me ha noqueado. Todos se ríen como locos. Se desternillan más de lo debido. Incluso Romani se ríe y me mira estirando los brazos como diciendo: «Te ha ganado.» Y ha ganado de verdad. Si hubiera peleado con Tyson, me habría hecho menos daño. De acuerdo, como quieras, Gin. Paso de los demás y vuelvo a la carga.

–Y entonces, ¿por qué está aquí haciendo pruebas en lugar de dedicarse a la sana y correcta búsqueda de ese hombre?

Gin me mira y sonríe. Finge ser buena e ingenua y contesta como la más santa de las mujeres.

–¿Y por qué no podría estar precisamente aquí mi hombre ideal? Lo veo preocupado pero no debería, porque usted, naturalmente, está excluido de mi búsqueda.

Algunos aún se ríen.

–De acuerdo, ahora basta –dice Romani–. ¿Ya hemos acabado?

–No, en realidad, aún falto yo.

La amiga de Gin, Ele, da un paso adelante exhibiéndose.

–Muy bien, preséntese.

–Soy Eleonora Fiori, veinte años. He intentado participar en varios programas, con escasos resultados, pero estudio diseño, donde, en cambio, obtengo óptimos resultados.

Alguno suelta una estúpida broma en voz baja.

–Y entonces ¿por qué no continúas?

Debe de haber sido Sesto, el del Gato & el Gato, pero nadie se ríe.

Entonces Micheli, *el Serpiente,* mira a su alrededor. Romani finge no haberlo oído y, naturalmente, hace lo mismo él también. Toscani, el otro Gato, se ríe un momento. Después, cuando entiende que no le conviene, se apaga en una especie de tos suave, una falsa carraspera improvisada.

–Muy bien, gracias, señoritas.

Romani se acerca al coreógrafo, mira la hoja que tiene en la mano y señala con el dedo algunos nombres. Después nos mira y viene hacia nosotros.

–¿Tenéis alguna preferencia?

Miro la hoja. Hay algunas crucecitas al lado de las chicas. Han sido elegidas cinco o seis. Miro abajo, al final de la lista. Ahí está. Ginevra Biro ya tiene su crucecita. Increíble, Romani y yo tenemos los mismos gustos; sonrío. La verdad es que no es muy difícil. Sesto y Toscani señalan uno cada uno. Romani los satisface. El Serpiente señala dos, pero Romani sólo le pasa una. Después llega Mazzocca y da su opinión.

–Romani, te puede parecer absurdo, pero tenemos que coger a una más. Puede no gustarte la elección, pero si lo piensas bien, es genial.

–Bien, ¿quién es?

–La última.

El Gato & el Gato, seguidos del Serpiente, dicen casi a la vez:

–Buuu.

La suya es una indignación general. Romani no dice nada y los tres, al no oírlo, se interrumpen. El Serpiente, por ahora, ya se ha pronunciado demasiado.

–Pero es absurdo. ¿Qué hacemos?, ¿una miss Italia al revés? Enviáis los subtítulos con la explicación a casa...

Decide seguir en sus trece. Mazzocca sacude la cabeza

–Es una muy buena idea. Ya lo estabas pensando, ¿verdad, Romani?

Romani se queda un momento en silencio. Después, de repente sonríe.

–No, no lo había pensado, pero tengo que reconocer que es buena, muy buena. Está bien, señala también a ésta, Carlo.

El coreógrafo no entiende nada pero pone la última y anhelada crucecita.

–Muy bien, chicas...

El coreógrafo abandona las primeras filas y se dirige hacia el centro del escenario.

–En primer lugar quiero dar las gracias a las que han participado pero no han sido seleccionadas...

Ele se encoge de hombros.

–Gracias.

Gin le da un codazo.

–No seas siempre tan pesimista; sé constructiva, positiva. Eres tú quien atrae la mala suerte.

El coreógrafo empieza a leer:

–Bien: Calendi, Giasmini, Fedri... –Algunas de las chicas repentinamente se sonrojan, sonríen, dan un paso adelante. Otras, cuyo nombre ha sido pasado por alto en la lista, empalidecen viendo de nuevo alejarse su sueño de triunfar en televisión aunque sólo sea por un instante–. Bertarello, Solesi, Biro y Fiori.

Gin y Ele son las últimas en dar un paso adelante. Ele mira a su amiga.

–No me lo puedo creer. Ahora harán como en *A Chorus Line*: las que dan un paso adelante son enviadas a casa y las demás se quedan.

–Las que he mencionado empiezan el próximo lunes. Os lo ruego, al mediodía en las oficinas para firmar el contrato y a las dos aquí, en el teatro, para empezar los ensayos. Los ensayos serán del lunes por la tarde al sábado. El sábado por la noche es la grabación, ¿está todo claro?

Una de las chicas elegidas, una de las más monas, con unos ojos enormes y una expresión un poco boba, levanta la mano.

–¿Qué pasa?

–Realmente no he entendido nada.

–¿Qué?

–De lo que ha dicho...

–Empezamos bien. Tú pégate a la pelirroja que está a tu lado y haz siempre todo lo que ella haga. ¿Esto lo has entendido?

–Más o menos –dice la chica fastidiada, mirando a la pelirroja, que sonríe intentando darle más o menos seguridad. Quizá ella tampoco lo ha entendido demasiado bien.

Ele se lleva la mano a la cabeza.

–¡No me lo puedo creer, me han cogido!

–Pues ya puedes creértelo. Se ha acabado esa historia de la eliminada.

Ginevra y Ele van hacia la salida.

–¡Seré una estrella! ¡Bien! ¡No me lo puedo creer!

–Bueno, yo sería prudente al respecto...

Tony las ve y las saluda divertido.

–¿Cómo ha ido, chicas?

–Estupendamente.

–¿A las dos?

Ele lo mira haciendo una mueca.

–Pues sí, nos han cogido a las dos y por primera vez. –Y salen riéndose divertidas y dándose empujones–. De vez en cuando hay que saber venderse bien, ¿no?

–Mierda..., ¡el coche!

–¿Dónde está?

–Ya no está. –Ginevra mira a su alrededor preocupada–. Lo había aparcado aquí delante *Mío*... Me lo han robado. ¡Ladrones de mierda!

–Eh, no la tomes con los ladrones –le digo asomando a sus espaldas con Marcantonio–. ¿Quién iba a querer agenciarse esa carraca?

–No se te ocurra meterte con mi coche. Tengo que ir a poner la denuncia.

–Pero ¿le has puesto nombre? ¿Te parece normal llamar al coche *Mío*?

–¡Pues es *Mío*!

–Era tuyo y ahora es suyo. O sea, basta con que le cambies el nombre y todo arreglado.

–Yo creo que sólo tendrás que pagar la multa, que se lo ha llevado la policía. Así que si quieres tomarla con alguien, tómala con ellos. Y si quieres ser justa, tómala luego contigo misma.

–¡Oye, estoy cabreadísima y me estás agobiando más aún con ese torrente de palabras! ¿Qué estás diciendo?

–Pues que has aparcado delante de la salida de emergencia del teatro, nada más.

–El señor tiene razón.

Una guardia pasa por nuestro lado. Ha oído nuestra conversación y decide participar divertida.

–Hemos tenido que llevárnoslo.

–Bueno, creo que decir «tenido» es excesivo. Podrían haber esperado dos minutos. Estaba dentro del teatro por trabajo.

La guardia deja de sonreír.

–¿Acaso está cuestionando mi trabajo?

–Sólo le estoy contando cómo son las cosas. –La guardia se aleja sin contestar. Ginevra no pierde la oportunidad, saca la lengua y dice en voz baja–: Poli de mierda. Folla más por la noche, que así por la mañana estarás menos amarga.

Me río levantando un silbido hacia el cielo.

–Vaya... ¡Finalmente una chica que respeta nuestras instituciones! Muy bien, sana y sobre todo respetuosa. Me gustas.

–¡Pues tú a mí, no!

–¿Ése es un consejo que sigues tú también?

–¿Cuál?

–El de follar más para ser menos amarga... Te lo digo porque, si quieres, yo te ayudo, ¿eh?

–Claro, cómo no.

–Mira que lo haría sólo por tu humor.

–Ya estoy a tope, gracias.

Marcantonio decide interrumpir:

–Bueno, ya está bien. Tenemos la tarde libre, y como habéis pasado las dos la selección, podríamos ir a tomar algo y brindar todos juntos, ¿qué os parece? Además... –Marcantonio sonríe a Ele y después sacude la cabeza–, os hemos votado nosotros, ¿no?

–Tienes razón. Pues entonces vayamos a tomar algo.

Miro a Ele y estiro el brazo.

–Si lo dices en ese tono parece que estés diciendo: «Me ha tocado.»

Gin se para delante de mí con determinación.

–Eh, mítico Step de las narices, no riñas a mi amiga, ¿está claro?

Por un momento, la tomo en serio.

–De acuerdo, entonces veamos cómo respondes tú a nuestra invitación.

–¿Y qué es esto?, ¿otra prueba? ¿También pagáis?

La miro sonriendo:

–Si quieres...

–No me cabe duda de que lo harías. Pero lo siento, ni lo sueñes.

Marcantonio se mete entre nosotros.

–¿Es posible que, hablemos de lo que hablemos, siempre acabéis discutiendo? Sólo he dicho que vayamos a tomar algo. ¡Un poco de entusiasmo, demonios!

Ele grita como una loca.

–¡Bien! ¡Sí, genial! Vayamos a beber, divirtámonos como locos... –Se levanta el pelo hacia arriba y agita los brazos en dirección al cielo; después comienza a bailar y gira sobre sí misma. A continuación se para y me mira–. ¿Así está mejor?

Sonrío.

–Puede servir.

Pero ¿qué podía esperar? Después de todo, son amigas.

Marcantonio sacude la cabeza y luego coge a Ele por un brazo:

–Anda, vamos, o nos darán las tantas..., y hay maneras mejores de disfrutar la noche.

Y se la lleva, casi arrastrándola. Ginevra se queda allí, mirándola.

–¡Oh, oh! Se han llevado a tu amiguita.

–Es mayor y está vacunada, el problema era si se iba contigo.

–¿Por qué? ¿Te habrías puesto celosa?

–¡Menudo creído! Estaba preocupada por ella... Está bien, ¿dónde tienes la moto?

–¿Por qué?

–Me acompañas a casa, y con las manos quietas; si no, te llevas otro bofetón, como en el restaurante.

–Increíble. O sea, que tengo que acompañarte a casa y encima no puedo ni tocar... Pues vaya, esto sí que es nuevo. ¡De locos!

Veintisiete

Alcanzamos la moto, subo y arranco. Ella hace ademán de subir, pero yo avanzo.

–Nada que hacer: soy un taxista innovador.

–¿Lo que significa...?

–Que se paga antes de la carrera.

–¿Y eso qué quiere decir?

–Que debes darme un beso.

Me inclino hacia adelante con los labios y los ojos cerrados, aunque en realidad el derecho lo tengo entreabierto. No quisiera que me pegara como de costumbre. Gin se me acerca y me da un lametón tremendo de abajo arriba en los labios, tipo frenada de caída de cucurucho de helado que se derrite.

–Eh, ¿qué pasa?

–¡Yo beso así! También yo soy una chica innovadora. –Y sube detrás en un instante–. Vamos, con lo que he pagado, como mínimo tendrías que llevarme a Ostia.

Me echo a reír y salgo en primera levantando la rueda delantera. Pero Gin es muy rápida. Se agarra con fuerza a mi cintura y apoya la cabeza en mi hombro.

–Vamos, mítico Step, me encanta ir en moto.

No me hago de rogar. Acelero y ella junta las piernas, agarrándome fuerte. En la moto, parecemos un único cuerpo. Derecha, izquierda, inclinaciones suaves y ágiles, dando gas. Giramos delante de Vanni y luego seguimos recto hacia la calle que corre junto al Tíber. Una curva en el fondo, a la derecha. Reduzco por un instante en el semáforo rojo que, como por ensalmo, al verme se pone verde. Adelanto a dos coches parados. Derecha, inclinación, izquierda, inclinación, y ya estamos junto al Tíber y avanzamos veloces, con el viento en la cara. Veo en el retrovisor parte de su cara. Sus ojos entornados, el nacimiento del pelo, el suave contorno de su cara blanca. El pelo largo y oscuro se confunde acariciando el sol que se pone a nuestras espaldas, se tiñe suavemente de rojo, rebelde lucha con el viento, pero cuando acelero, acaba por rendirse y, vencido, se deja llevar por la velocidad. Aún tiene los ojos cerrados.

–Ya estamos, señorita, hemos llegado.

Paro delante de su casa, pongo el caballete y me quedo sentado en la moto.

–Chachi piruli, hemos llegado en un periquete.

La miro divertido:

–¿Chachi piruli? ¿Qué significa eso?

–Es una mezcla entre chachi y piruleta, todo acabado en «i».

No lo había oído nunca.

–Chachi piruli..., lo usaré.

–No puedes. Es mío: tengo los derechos en Italia.

–¿Sí?

–Claro. Bueno, gracias por traerme; te usaré alguna otra vez. Debo decirte que como taxista no estás nada mal.

–Bueno, entonces tendrías que invitarme a subir.

–¿Por qué?

–Así hacemos un bono y te ahorras algo en cada carrera.

–No te preocupes, me gusta pagar.

Esta vez Gin cree que es más rápida que yo y se encierra en seguida en el portal, pensando que va a engañarme.

–¡Eh, no!

Me saco del bolsillo de los vaqueros sus llaves y las balanceo delante de sus ojos.

–Me lo enseñaste tú, ¿no?

–¡De acuerdo, mítico Step, devuélvemelas!

La miro divertido.

–Épico... Pues no sé. Me parece que iré a dar una vuelta y volveré más tarde, quizá para una carrera nocturna.

–No te esfuerces. En media hora habré cambiado todas la cerraduras.

–Gastarás más dinero que con diez carreras de las de verdad...

–Está bien, ¿quieres negociar?

–Cómo no.

–Entonces, ¿qué quieres a cambio de mis llaves? –Levanto la cabeza y le lanzo una mirada divertida–. No me lo digas, venga, subamos. Es mejor acabar con un «te invito a tomar algo», como en las películas. Pero antes devuélveme las llaves.

Abro el portal y las mantengo apretadas en la mano derecha.

–Te las devuelvo arriba; déjame hacer de *chaperon*.

Gin sonríe divertida.

–Caray, nunca dejarás de asombrarme.

–¿Por mi francés?

–No, has dejado la moto sin candado.

Y entra andando altiva. Pongo el candado en un momento y al cabo de un segundo estoy con ella. La adelanto y entro en el ascensor.

–¿La señorita quiere subir en el ascensor o tiene miedo y prefiere ir a pie?

Entra segura y se pone delante de mí. Cerca, muy cerca. Demasiado cerca. Qué tía. Después se aleja.

–Bien, veo que se fía de su *chaperon*. ¿Qué piso, señorita?

Ahora está apoyada en la pared y me mira. Tiene unos ojos grandes, tremendamente inocentes.

–Cuarto, gracias.

Sonríe divertida por ese juego. Me inclino hacia ella fingiendo que no encuentro el pulsador.

–Oh, al fin. Cuarto, ya está.

Pero se queda así, aplastada contra la pared de madera antigua, gastada por el continuo arriba y abajo en el corazón de ese hueco de la escalera. Subimos en silencio. Estoy allí, apoyado contra ella, sin empujar demasiado y respirando su perfume. Después me aparto y nos miramos. Nuestros rostros están muy cerca, ella levanta los ojos por un instante y después sigue con la mirada fija en mí. Segura, descarada, para nada atemorizada. Sonrío, me mira y mueve las mejillas; hace un amago de sonrisa. Después se acerca y me susurra al oído, cálida, sensual.

–Eh, *chaperon*...

Un escalofrío.

–¿Sí?

La miro a los ojos y ella levanta las cejas.

–Ya hemos llegado. –Se escurre de entre mis brazos ágil y veloz. En un instante, está fuera del ascensor. Se para delante de la puerta. La alcanzo y saco las llaves.

–Oye, son peores que las de san Pedro.

–Dame.

Menuda frase tan sobada, la de las llaves de san Pedro. Me siento como un idiota por haberlo dicho allí, en ese momento. Bah..., no importa. Quién sabe por qué decimos eso. San Pedro debe de tener una sola llave y quizá no necesita ni siquiera ésa. ¿O acaso lo van a dejar fuera? Gin da una última vuelta. Yo estoy listo para meter el pie y bloquear la puerta con el pie cuando intente que me quede fuera. En cambio, ella se me adelanta; sonríe alegre y abre amablemente la puerta.

–Vamos, entra, y no armes jaleo. –Me deja pasar y cierra detrás de mí; después me adelanta y empieza a llamar–: ¡Hola, estoy aquí! ¿Hay alguien?

La casa es bonita, modesta, no demasiado recargada, tranquila. Hay algunas fotos de parientes encima de un baúl, otras sobre un pequeño mueble medio redondo apoyado contra una pared. Una casa serena, sin excesos, sin cuadros raros, sin demasiados tapetitos. Pero sobre todo ahora, a las siete de la tarde, a media puesta de sol, sin nadie allí.

–Tienes mucha suerte, mítico Step.

–¿Quieres dejar ya esa historia del mítico? Además, ¿por qué tengo suerte? Si hay alguien que tiene suerte aquí, ésa eres tú. Porque, ¿quién si no tiene un culo tan respingón, lozano y perfecto?

Sonriendo, alargo la mano hacia el final de su espalda.

–Oye, ¿has acabado? Pareces un preso recién salido de la cárcel después de seis años sin ver a una mujer.

–Cuatro.

Me mira frunciendo las cejas.

–¿Cuatro qué?

–Salí ayer después de cuatro años en la cárcel.

–¿Ah, sí? –No sabe si tomarme en serio o no. Me mira con curiosidad y, de todos modos, decide jugar–. Aparte de que seguramente serás inocente..., ¿qué hiciste?

–Maté a una chica que me había invitado a su casa precisamente a las... –finjo que miro el reloj–, bueno, más o menos a esta hora, y que había decidido no dejarse.

–Rápido, rápido... He oído un ruido, son mis padres. ¡Mierda!

Me empuja hacia el armario.

–Entra aquí.

–Eh, que aún no soy tu amante y ni siquiera estás casada. ¿Dónde está el problema?

–Sh.

Gin me encierra y después sale corriendo. Me quedo así, en silencio, sin saber muy bien qué hacer. Oigo un ruido lejano de una puerta que se abre y se cierra. Después nada más, silencio. Y más silencio aún. Cinco minutos, nada. Todavía nada. Ocho minutos. Nada. Todavía nada. Miro el reloj. Ostras, han pasado casi diez minutos. ¿Qué hago? Bueno, ya me he hartado. Por otro lado, no ha pasado nada malo. Yo salgo. Abro despacio la puerta del armario y miro a través de la ranura. Nada. Algunos muebles y un extraño silencio, al menos para mí. Después, de repente, un trozo de sofá. Abro un poco más la puerta. Una alfombra, un jarrón y después su pierna, así, cruzada. Gin está tumbada en el sofá, tiene la cabeza hacia atrás y fuma un cigarrillo. Se ríe divertida.

–Eh, mítico Step, has caído. ¿Qué has hecho todo este rato encerrado en el armario? Has hecho cosas tú solo, ¿eh? *Egoïste!*

¡Joder, me ha tomado el pelo! Salgo de un salto e intento agarrarla. Pero Gin es más rápida que yo. Acaba de apagar el cigarrillo y se da a la fuga. Choca contra la esquina de una puerta, casi resbala sobre una alfombra que se arruga a su paso pero se recupera en la curva.

Dos pasos y está en su habitación, se vuelve de golpe e intenta cerrar la puerta. Pero no lo consigue. Estoy empujando con los dos hombros. Gin intenta resistir un instante y después ceja en el intento. Deja la puerta y se abalanza sobre la cama con los pies levantados hacia mí. Patalea riendo como enloquecida.

–Oh, perdona, mítico Step, perdón, épico Step, mejor dicho, Step a secas, Step el perfecto. O Step como tú quieras. Vamos, era una broma. Al menos, mis bromas son más divertidas que las tuyas.

–¿Por qué?

–¡Las tuyas son macabras! Tú matando a una chica en su casa. ¡Vamos!

Rodeo la cama intentando entrar en su defensa, pero sigue dando patadas hacia arriba. Veloz y atenta, sigue mis movimientos tumbada en la cama y rodando sin perderme de vista. Después me desvío a la derecha, hago una finta y me arrojo sobre ella. Entro en su guardia y ella en seguida retira los brazos y se los lleva frente a la cara.

–De acuerdo, de acuerdo... Me rindo, firmemos la paz. –Se ríe y apoya su mejilla sobre el hombro izquierdo–. Está bien... –Esboza una leve sonrisa y se me acerca. Luego se deja besar suave, tierna y caliente, aún cansada pero tranquila. Se deja besar, sí, y besa ella también, entra y sale entre mis labios con atención, con esmero, con pasión, con su pequeño ser. Abro los ojos por un instante y la veo navegar así, tan cerca de mi cara, tan entregada, tan partícipe, tan empeñada. No, esta vez no hay bromas escondidas en sus bolsillos. Vuelvo a cerrar los ojos y me dejo ir con ella. Viajamos juntos, pequeños surfistas de nuestra propia ola, blandas lenguas, mano sobre mano que, riendo, se empujan para cogerse otra vez. Labios que juegan a los autos de choque intentando hacerse un poco de sitio, de encajarse lo mejor posible, en ese estrecho y blando coche llamado beso. Después Gin empieza a agitarse un poco. Sigo besándola. Se agita otra vez. ¿Qué es, pasión? Se separa de mí–. Dios mío, perdóname. –Estalla en una carcajada–. No puedo más... Once minutos y treinta y dos segundos encerrado en el armario del salón... ¡Ostras, es para contarlo! Perdóname, por favor, perdóname. –Y salta de la cama antes de que pueda agarrarla–. Pero si te consuela, besas bien.

Me quedo tumbado en la cama, me apoyo en el hombro y me quedo mirándola. Es difícil encontrar una chica tan mona y además divertida e ingeniosa. No, me he equivocado. Tan divertida, ingeniosa y tan guapa. No, me he vuelto a equivocar. Pues sí... guapísima. Pero no se lo digo.

–¿Sabes qué es lo más divertido? Que trabajaremos juntos todos los días durante quién sabe cuánto tiempo, y como todo vuelve, tú estarás allí y yo te castigaré.

–Ah, muy bonito, ahora me amenazas... ¿Qué querías?, ¿que te enseñara la casa, que te ofreciera algo de beber...? ¿Puro formalismo? ¡Eso es fácil! –Pone voz de falsete–. ¿Qué te apetece, Stefano? ¿Un aperitivo? Quizá unas patatitas... –Y finge a la perfección una carcajada–. Ja... ¡Ja!

–Mira que, como patata, tú sirves estupendamente.

Sigue con la voz de falsete:

–Oh, no me lo puedo creer. ¡Qué broma tan estupenda! Ni Woody Allen en sus mejores días...

–¡Sí, quizá después de un polvo con la falsa hija coreana!

–¿Por qué eres tan plasta? ¿No puedes pensar que simplemente están enamorados? A veces sucede, ¿sabes?

–Claro, en los cuentos de hadas, me parece que en casi todos, ¿no?

–¡En todos!

–Veo que los conoces bien...

–Claro, y he decidido vivir mi vida como un cuento de hadas. Sólo que éste aún no está escrito. Soy yo la que elijo, paso a paso, momento a momento, soy yo la que escribo mi cuento.

Decido no contestar. Miro la habitación a mi alrededor. Algunos peluches, la foto de Ele..., al menos me lo parece, alguna otra chica y después dos o tres tipos estupendos. Se da cuenta.

–Son modelos de publicidad. Hemos trabajado juntos y nada más.

Sigue muy Gin.

–¿Quién te ha preguntado nada?

–Te veía preocupado.

–Por supuesto que no, no conozco esa palabra.

–Oh, claro, lo había olvidado, tú eres un tipo duro. ¡Uh, qué miedo!

Me levanto y doy una vuelta por la habitación.

–¿Sabes que se puede saber todo de una mujer mirando en su armario? ¡Déjame ver!

–¡No!

–¿De qué tienes miedo?, ¿del fantasma? ¡Caramba, cuánta ropa tienes! ¡Y toda nueva! Aún están las etiquetas colgando. ¡Además, la señorita lo tiene todo de marca! Dotada y no sólo de curvas, ¿eh?

–¿Ves como eres tonto? Y para nada informado. Toda esa ropa no la pago.

–Sí, claro, eres la imagen de alguna marca, ¿no?

–No, uso Yoox. Lo pido todo por Internet a esa web: es un *outlet*. Están las marcas más importantes. Escojo lo que quiero y me lo envían a casa. Me lo pongo algunos días con cuidado de no estropearlo y de no quitar la etiqueta y después lo devuelvo antes del décimo día diciendo que no estoy satisfecha, que quizá la talla es un poco grande.

Sigo mirando la ropa. Hay de todo: tops de Cavalli y Costume National, una falda por la rodilla Jil Sander, faldas Haute, dos bolsos D&G, un jersey claro de cachemir de Alexander McQueen, un abrigo Moschino vaquero, una divertida chaqueta de cuadros de Vivienne Westwood, una blusa Miu Miu, vaqueros Miss Sixty Luxury...

–Una colección de marcas infernal...

–Ya.

Es una pasada. Guapa, divertida, sin prejuicios. Sabe cómo arreglárselas para vivir a lo grande. Y la historia que se ha montado: una tía que navega por Internet con inteligencia. Yoox para vestir siempre distinta, siempre a la moda, sin gastar un euro. Me gusta.

–¡Eh, tienes una expresión absurda! ¿En qué piensas? –Coge algo de la mesa y apunta contra mí–. ¡Sonríe, tipo duro! –Una Polaroid. Levanto la ceja precisamente mientras toma la foto–. En el fondo quedarás estupendamente entre esos modelos. ¡No tienen tus historias a la espalda, pero estarán contentos de vivir junto a la «leyenda»!

–Sí, como los dos ladrones en la cruz junto a Jesús.

–La comparación me parece un poco atrevida, la verdad...

–Sí, pero también ellos se hicieron famosos.

–¡Pues no estaban muy contentos! Ellos no estaban allí por amor.

Le robo la Polaroid y le saco una foto.

–¡Yo tampoco!

–¡Vamos, quieto! ¡Que salgo mal en las fotos!

Disparo y saco la Polaroid en seguida.

–Imbécil, devuélvemela.

Intenta arrebatármela de todas formas. Demasiado tarde. Me la meto en el bolsillo de la chaqueta.

–Si no te portas bien e intentas contar la historia del armario..., encontrarás carteles con tu cara por toda Roma.

–¡De acuerdo, era una broma!

–¿Y ese cartel qué significa?

Señalo un folio perfectamente dividido en días, semanas y meses colgado encima de la mesa, con varios nombres de gimnasios escritos.

–¿Esto? Son los gimnasios de Roma, ¿ves?, uno cada día. Están divididos por profesores, clases y zonas. ¿Entiendes?

–Sí y no.

–Ostras, Step, pero qué tonto eres. Vamos, es muy fácil. Una clase de prueba por cada gimnasio, cada día un sitio distinto; hay más de cincuenta en Roma, incluso no demasiado lejos. ¿Tienes ganas de entrenarte gratis?

–Es decir, mañana, por ejemplo... –Miro el cartel, hago una cruz con el dedo en el día como si estuviera jugando a los barcos–. Acudes a clase en Urbani y no pagas ni un euro.

–Muy bien, hundido. ¡Y así todo el tiempo! Es un sistema que he inventado, una pasada, ¿eh?

–Ya, como el de poner gasolina con el candado.

–Sí, forman parte de mi manual de ahorradora. Nada mal, ¿verdad? Oye, mira qué bien has salido. –Ahora la Polaroid es más nítida–. Vamos, la pongo entre estos dos. Tampoco desentonas tanto... Veo que miras mucho mi cartel. ¿Qué pasa, «leyenda», quieres entrenarte tú también? Vale, lo he entendido. Haré un cartel también para ti, lo corro un día y vas de un lado a otro tranquilo sin que nos encontremos nunca.

–No hace falta.

–¿Eres rico?

–¡Pero qué dices! ¡Es que ahora los gimnasios me usan como imagen!

–¡Sí, claro! Y yo me lo creo. Bueno, la visita guiada se ha acabado. Te acompaño porque dentro de poco volverán mis padres, ¿o quieres esconderte otra vez en el armario? Ahora ya estás acostumbrado. –Me adelanta y me mira levantando las cejas–. Tranquilo. Ya te lo he dicho: no se lo diré a nadie.

Me acompaña hasta la puerta y nos quedamos así en silencio un momento. Después habla ella:

–Bueno, no hagamos una pesadez de la despedida. Adiós, taxista, al fin y al cabo, vamos a volver a vernos, ¿no?

–Cómo no.

Querría decir algo, pero ni siquiera sé qué. Algo bonito. A veces, si no se encuentran las palabras, es mejor hacer esto: la atraigo hacia mí y la beso. Gin se resiste un instante y después se suelta. Suave como antes. Mejor dicho, aún más. Alguien a nuestra espalda...

–¡Perdonad, pero es que os estáis despidiendo justo en la puerta...!

Es su hermano, Gianluca, recién salido del ascensor. Gin está más que cortada. Está molesta.

–Tú siempre tan oportuno.

–¡Oh, ahora es culpa mía! Qué plomo de hermana. Oye, Step, hazme un favor: ¡entre beso y beso, dale una cachetito a ésta!

Y pasa entre nosotros entrando en la casa. Gin aprovecha y me da un puñetazo en el pecho.

–Sabía que contigo siempre había líos.

–¡Ay!, ahora es culpa mía.

–¿Y de quién, si no? Un beso, otro beso y otro beso... ¿Qué pasa, no puedes contenerte? ¿Ya estás tan colgado de mí?...

Y me cierra la puerta en las narices. Divertido, cojo el ascensor. Y en un instante estoy en el vestíbulo.

Gianluca entra en la habitación de Gin.

–Caray con Step... Veo que ya salís juntos, ¿eh?

–Pero ¿qué dices? Y además, ¿caray por qué?

–Bueno, siempre os estáis besando.

–Ya ves tú, por un beso...

–Dos, por los que he podido contar.

–¿Oye, pero qué pasa, haces de escrutador también aquí? Vale que para redondear tu economía vayas a contar las papeletas...

–Eso es política.

–¡Y lo mío! Con Step tengo una buena papeleta...

–¿Qué quieres decir?

–Que no me fío de alguien como él: es simpático y divertido, pero quién sabe qué esconde.

–Si tú lo dices...

–Pues sí, Luke. En un beso se ve todo. Y él es..., es raro.

–¿O sea?

–Que no se entrega, no confía, y cuando uno no confía, quiere decir que es el primero que no merece confianza.

–Será.

–Pues eso.

Gianluca sale y finalmente me deja sola. De acuerdo, basta. Ahora quiero reordenar mis ideas. Sacudo la cabeza y agito el pelo. Gin, te lo ruego, reacciona. No puede ser que te hayas dejado seducir por el mito, por la leyenda. Step no es para ti. Problemas, líos... Y quién sabe cuál es su verdadero pasado. Además, cada vez que lo besas, en el mejor momento, en el más maravilloso, en el más fantástico, en lo más superfabuloso, llega Luke, tu hermano. ¿Qué querrá decir eso? ¿Tal vez sea una señal del destino, un santo enviado desde el paraíso para evitar el infierno, una ancla de salvación? ¿O simple mala suerte? Mierda, podríamos seguir besándonos durante horas. Cómo besa. Cómo besa... Cómo decirlo..., ¡no sé cómo decirlo! Un beso lo es todo. Un beso es la verdad. Sin demasiados ejercicios de estilo, sin retorcimientos extremos, sin enroscamientos funambulísticos. Natural, lo más bonito. Besa como a mí me gusta. Sin tener que representarse, sin tener que reafirmarse, sencillo. Seguro, suave, tranquilo, sin prisa, con diversión, sin técnica, con sabor. ¿Puedo? ¡Con amor! ¡Dios mío! No, eso no. ¡Vete a la mierda, Step!

Veintiocho

–Hola, Pa.

–Stefano, pero ¿dónde has estado? Has desaparecido.

–Oye –lo adelanto de camino a mi habitación–, ¿sabes cuál es la primera ley que te enseñan en Estados Unidos?

–Sí: si quieres estar tranquilo métete en tus asuntos.

–Muy bien. ¿Y la segunda?

–Ésa no la sé.

–*Fuck you!*

Entro en mi habitación y cierro la puerta detrás de mí.

–Veo que algo de inglés sí que has aprendido, muy bien. Espero que sepas también alguna otra palabra.

No le contesto y me arrojo sobre la cama. Precisamente en ese momento oigo sonar el interfono. Salgo de prisa del cuarto. Paolo está ya en el salón para cogerlo.

–Yo contesto.

Casi se lo arranco de la mano y se queda alucinado.

–No entiendo nada, Step: es mi casa, dejo que te quedes aquí y tú te adueñas de todo.

Lo miro mal y después sonrío.

–Vamos, si te hago de mayordomo.

Otro timbrazo.

–¡Soy Pallina!

–Hola, soy yo, ¿qué haces aquí?

–Vengo a ver tu nueva casa y luego te arrastro a un *local-tour*.

–Eso último ya lo veremos. Vale, sube. Quinto piso.

Pulso el botón para que se abra el portal. Paolo me mira y sonríe.

–¿Mujer?

Asiento.

–¿Quieres que os deje la casa? Me encierro en mi habitación y finjo que no estoy...

Mi hermano. ¿Qué puede entender él? ¿Qué sabe realmente de mí?

–Es Pallina, la novia de Pollo.

Se queda en silencio y después parece ponerse triste.

–Perdona.

Se va a su habitación, en silencio. Mi hermano. Qué tipo, el hombre inoportuno. En eso es perfectamente oportuno. Timbre. Voy a abrir la puerta.

–¡Eh!

–Ostras, Step.

Me rodea el cuello con los brazos y me aprieta fuerte.

–Aún no puedo creer que hayas vuelto.

–Si dices eso me vuelvo a marchar, ¿eh?

–Perdona.

Pallina se serena.

–Enséñame la casa.

–Claro, ven.

Cierro la puerta y le hago de guía.

–Éste es el salón, telas claras, cortinas, etcétera, etcétera.

Hablo describiéndoselo todo. La observo moverse detrás de mí, mirar las cosas con atención, de vez en cuando tocar para valorar mejor, para sopesar algún objeto. Pallina, cómo has crecido, cómo has adelgazado, qué distinto es tu corte de pelo. También el maquillaje parece un poco más intenso, ¿o son mis recuerdos los que se han desteñido?

–Y ésta es la cocina... ¿Te apetece tomar algo?

–No, gracias, ahora no.

–Puedes ahorrarte los cumplidos, ¿eh?

Se echa a reír.

–No, en serio.

Su risa no ha cambiado. Parece sana, reposada, tranquila. Si Pollo pudiera verte ahora. Estaría orgulloso de sí mismo. Según él, fue tu primer hombre, Pallina. Y a mí Pollo no me mentía, no tenía necesidad de hacerlo, no tenía que exagerar para quedar bien, para hacerse el chulo conmigo, su amigo, su gran amigo. Pollo modeló ese agujero de cera, él, más que un aliento, un suspiro de amor para esa joven mariposa en su primer vuelo... Aquí está, frente a mí. Camina segura, Pallina... Después, de repente, cambia de expresión.

–¿Y no me dejas ver el dormitorio?

Repentinamente distinta. Sensual y maliciosa. Un vuelco del corazón. ¿Tiene otro novio? ¿Después de él ha habido otros? ¿Qué sucedió después de Pollo? Step, han pasado casi dos años. Sí, pero no quiero escuchar. Step, es una chica, es joven, es atractiva... Sí, lo sé. Pero no me interesa. ¿No la quieres justificar? No, no quiero pensar.

–Mira, éste es uno.

Abro una puerta llamando con suavidad.

–¿Se puede?

Paolo, que se estaba poniendo la camisa, se arregla en seguida y acude hacia la puerta.

–¡Cómo no, hola, Pallina!

–Él es el decorador de todo lo que has visto.

–Hola.

Se dan la mano. Pallina sonríe un poco apurada.

–Felicidades, es una casa muy bonita, excelente gusto. Pensaba que lo había elegido todo una mujer.

Paolo se dispone a contestar, pero no le doy tiempo:

–Bueno, él es muy parecido a una mujer.

Y cierro despacio la puerta dejándolo fuera de nuestro recorrido.

–Oye, yo me refería a tu dormitorio.

Me propina un manotazo en el hombro empujándome hacia adelante.

–No te he entendido. Aquí está.

Abro la puerta de mi habitación.

–Oye, no está mal.

Pallina entra y mira a su alrededor.

–Aunque un poco desnudo, le falta color.

Me doy cuenta de que la Polaroid de Gin está sobre mi mesilla de noche. Sin que se dé cuenta, la tapo.

–Bueno, pero así también tiene su encanto. Además, siempre hay tiempo para darle color.

Me mira con curiosidad buscando una explicación a esa frase, pero precisamente en ese momento suena el teléfono. Pallina se lo saca del bolsillo, lo mira y después se lo lleva a la oreja.

–No es el mío.

Cojo mi móvil, que está sobre la mesa que está allí al lado.

–¡Es verdad, es el mío!

No conozco el número.

–¿Sí?

–Bienvenido.

Me sonrojo. Escucho su voz.

–Imagino que nos veremos ahora que estás otra vez en Roma.

–Sí.

–¿Te gusta tu nueva casa?

–Sí.

–¿Has estado bien fuera?

–Sí.

Asiento, después escucho otras palabras suyas, siempre dulces, corteses, llenas de un amor delicado, preocupado por romper ese fino cristal, nuestro pasado, nuestro secreto. Sigo contestando. Consigo decir incluso algo más, aparte de mis simples síes.

–¿Y tú cómo estás?

Y sigue hablando. Pallina me mira pero no dice nada. Esboza un quién es moviendo la cabeza. Pero no le doy tiempo. Me vuelvo hacia la ventana. Miro hacia la lejanía persiguiendo su voz.

–Sí, prometido, te llamo yo y te voy a ver, sí...

Después, un difícil silencio buscando algo que decir para despedirnos.

–Adiós.

Y cuelgo.

–Oye, ¿quién era? ¿Otra de tus novias?

–Sí y no.

Sonrío falsamente divertido, intentando deshacerme de esa difícil llamada. Pero no le doy tiempo a insistir.

–Era mi madre. ¿Y bien? ¿Vamos a hacer ese *local-tour*?

Veintinueve

El sol está totalmente vestido por la luz de la puesta. Pero no depende de sus rayos esa luz que ahora le ilumina la cara. Babi sale de casa. Se mueve ligera, rápida. Como cuando se va al encuentro de algo que se espera desde hace mucho tiempo, quizá desde siempre. Lleva su traje nuevo, de color azul eléctrico. Se ha recogido el pelo, descubriendo dos mejillas ligeramente sonrosadas. Y no ciertamente por la velocidad con que ha bajado la escalera. No ha cogido el ascensor porque hoy le ha parecido demasiado lento. Las cosas a veces no van al ritmo de nuestra felicidad. Es por eso por lo que ahora está a punto de ir al garaje a coger la Vespa. A esa hora, con el tráfico que hay, sería de locos usar el coche. La Vespa es más rápida o, al menos, va al paso de su corazón. Ya lo decía Cremonini cuando cantaba con los Lunapop: «Y qué fantástico dar vueltas con los pies sobre sus alas, en tu Vespa Special que te quita los problemas...» Pero Babi no tiene problemas. Es más, lo único que necesita y le apetece es correr, no llegar tarde a su cita. Quién sabe cómo irá, si será como se lo espera.

Un extraño murmullo interrumpe sus pensamientos. No parece un gato, ni el viento. Y mucho menos Fiore.

–Hola.

Cuántas veces ha oído esa voz, sólo que hoy parece distinta, más ronca. Es como si llegara de lejos, de un lugar que tal vez ella nunca ha visitado. Donde se llega sólo cuando nos sentimos solos, demasiado solos. Y allí la voz ya no sirve, porque no hay nadie que nos escuche.

–Alfredo..., ¿qué tal? ¿Qué haces detrás del matorral?

–Hola, te esperaba.

–Ah, ¿y te escondes?

–No estaba escondido, sólo estaba ahí detrás; bastaba con mirar y me habrías visto en seguida. ¿Adónde vas? Estás muy guapa.

–Gracias... Tengo una cita. ¿Cómo estás tú?

–¿Por qué no contestaste a mi sms de ayer? Tuve el móvil encendido toda la noche pero no recibí nada.

–Ya, perdona, pero es que se me acabó el saldo; ahora que me lo recuerdas, tendría que cargarlo luego... Sí, vi el mensaje ayer. Oye, ahora no tengo mucho tiempo para hablar, ¿podemos dejarlo para otro momento? Quizá un día de éstos podríamos subir y hablamos con calma...

–Un carajo con calma.

–Alfredo, ¿qué te pasa? ¿Qué es ese tono?

–«Alfredo, ¿qué te pasa? ¿Qué es ese tono?»... Mírala. ¿Se puede saber adónde vas? ¿Has quedado con algún tío en Vigna Stelluti? ¿O en corso Francia? ¿O mejor delante de la Falconieri para recordar viejos tiempos?

–Alfredo, no te entiendo... y, de todos modos, no me gusta el tono que usas. ¿Me puedes decir qué te ha pasado? ¿Qué ocurre? Estás raro.

–Realmente, qué ha pasado me lo tendrías que decir tú, ¿no te parece?

–Mira, no es cuestión de convertirlo en una tragedia...

–¡Ah, no importa! Al fin y al cabo, a ti qué más te da, ¿eh? Ella está contenta, ella está bien. Ella sale de casa bien guapa, con prisas, y se va a ver a quién sabe quién. ¿O quizá yo sé quién es ese quién?

–¿Se puede saber qué quieres? ¿Qué son todas estas preguntas?

–¿Qué pasa?, ¿acaso no puedo preguntarte nada? ¿Está prohibido? Te acuerdas de quién soy, ¿verdad? Soy Alfredo, el que...

–¿El que qué? ¿El que se esconde detrás de los matorrales y hace un tercer grado? ¿El que está intentando hacerme sentir culpable y no sé por qué? ¿Ese Alfredo?

La ráfaga de preguntas termina casi en un grito. Las mejillas de Babi, ahora, están rojas de verdad. Y no de entusiasmo.

–Sí, precisamente ese Alfredo. Al que le has dado por el culo a placer. ¡Estupendo, Babi!

–Si sigues así será peor, ¿entiendes? Será peor también para ti. A veces, simplemente las cosas no salen como querríamos, eso es todo, no es culpa de nadie, no debes ponerte así... No lo estropees más.

Cuando las palabras no bastan. Porque dentro quema algo que no se puede decir. Que no se consigue decir. Cuando quien tienes delante, en lugar de darte la respuesta que querrías, dice otra cosa. Dice más, dice demasiado. Ese demasiado que es nada, que no sirve para nada. Y que hace el doble de daño. Y el único deseo es devolver ese dolor. Hacer daño. Esperando así sentirse un poco mejor. Alfredo le da una bofetada en plena cara, fuerte, rotunda, precisa, rabiosa, maleducada.

–Alfredo, ¿estás loco?

No lo está. Está allí mirándose la mano como si no fuera suya, pero sí lo es. Y ha acabado en el sitio equivocado. Y ahora no está seguro de estar mejor. Babi está alterada. Tiene los ojos llenos de lágrimas y una de sus mejillas está más roja que antes. Y no por culpa de la rabia.

–Tú estás loco, eres un tipo violento. Tú sí que lo eres. ¡Step nunca se hubiera atrevido, él nunca hubiera ni siquiera pensado en hacerme una cosa parecida! Eres un imbécil, lo contrario a un buen chico, eres un animal. ¡Una bestia! Me marcho, es lo único que te digo. Y sí, si lo quieres saber, voy a hacer algo importante, muy importante. Que tiene que ver con mi vida futura. Y con el amor. Y no te perdonaré nunca haberme hecho llegar tarde.

Se marcha con la mano en la mejilla, veloz pero menos ligera que cuando salió de su casa. Intenta tranquilizarse, calmarse. Levanta la persiana del garaje y se mira en el retrovisor de la Vespa. Quién sabe –piensa–, tal vez el viento consiga refrescarme la mejilla. Quizá la rojez se marchará. De lo contrario, ¿qué pinta tendré cuando llegue? Lo siento por él, pero está loco de verdad. He tardado siglos en arreglarme y, mírame ahora, tengo la cara desfigurada y los ojos brillantes.

No le ha contestado. No se la ha devuelto. La mano le tiembla aún, pero ni punto de comparación con el terremoto que la sacude por dentro. No sabe qué decir. Y no dirá nada. Ese silencio en el que vive desde hace días la está abrazando otra vez, le está robando esa última gota de esperanza que lo había llevado otra vez allí, a esconderse detrás de un matorral para esperarla. Para saber una verdad que ya tendría que conocer. Porque los hechos hablan más claramente que las personas. Pero él no los ha escuchado. Ni antes ni ahora. Y mientras sube la escalera, siente a sus espaldas el ruido de la Vespa que se marcha a toda velocidad, tan nerviosa como su conductora.

Perdona, Babi, no quería hacerlo. De verdad, no quería. La próxima vez saldrá mejor. La próxima vez hablaremos con calma, quizá iré a tu casa y tomaremos un té. Y me contarás adónde has ido hoy.

Treinta

Vamos en moto, de noche, Pallina y yo. Dejo que la 750 vaya sola. Una velocidad tranquila, pensamientos al viento. Ella se abraza a mí, pero sin exagerar. Dos equívocos humanos, conjunciones astrales de un extraño destino. Yo, el mejor amigo de su novio; ella, la mejor amiga de mi novia. Pero todo eso pertenece al pasado. Cambio de marcha y corro veloz, el viento refresca. Se lleva mis pensamientos. Ay, suspiro. Qué bonito es a veces no pensar. No pensar. No pensar... Viento, velocidad y ruidos lejanos. No pensar. Una serie de locales. Akab como primera etapa.

–Vamos, que aquí conozco a todo el mundo. Se alegrarán de verte.

Me dejo guiar. Entramos, saludo. Reconozco a alguno que otro.

–Un ron, gracias.

–¿Blanco o negro?

–Negro.

Otro local. Café Charro. Me dejo llevar.

–Otro ron, con hielo y limón.

Después, a Alpheus. Y otro ron. Hielo y limón. Aquí ponen de todo: música de los años setenta y ochenta, hip-hop, rock, dance... Después al bar Ketum. Me olvido de dónde he aparcado la moto. Qué importa.

–Otro ron. Hielo y limón.

Nos reímos. Saludo a alguien. Uno me salta encima.

–¡Joder, Step, has regresado! Vuelven a empezar los líos, ¿eh?

Sí, vuelven a empezar. Pero ¿quién coño era ése? Otro local y otro ron y después otro y aún otro. Y otros dos rones más. Pero ¿quién era el que me ha saltado encima? Ah, sí, Manetta. Se durmió una vez en la montaña. Sí, estábamos en Pescasseroli, debajo del plumón, con los pies fuera. Le pusimos cerillas entre los dedos de los pies con la cabeza hacia afuera y las encendimos. Joder, qué salto dio cuando se despertó notando que se quemaba. Y nosotros por el suelo riéndonos como locos. Pollo y yo. Y él saltando por la habitación con los pies chamuscados, gritando: «¡Joder, qué pesadilla! ¡Qué pesadilla!» Y nosotros venga a reír, hasta que nos dolía. Pollo y yo. Qué carcajadas. Una locura. Pollo y yo. Pero Pollo ahora ya no está. Me sobreviene la tristeza. Otro ron, de un sorbo, adentro. Mientras bailo con Pallina, su dama, la novia de mi amigo, el amigo que ya no está. Pero bailo, tan sólo bailo y me río, me río con ella. Yo me río y pienso en ti. Otro ron y no sé cómo, estoy debajo de casa.

–Eh, ya hemos llegado.

Bajo de la moto algo tambaleante. Ese último ron de más.

–¿Dónde has metido la SH?

–He venido en coche, ahora tengo un Cinquecento modelo nuevo.

–Ah, bonito.

En realidad, es uno de los coches que menos me gusta. Pero ¿decirlo sirve para algo? No, o sea que me quedo callado, es más, aumento la dosis:

–Van muy bien, no gastan nada y las piezas de recambio no son caras.

–Sí, efectivamente.

–Una noche divertida, ¿eh?

–Una pasada. –Sobre esto soy sincero–. Han cambiado los locales del Testaccio.

–¿Qué quieres decir?

–A mejor. Buena música, la gente parece divertirse de verdad. Canciones potentes, se baila un montón. Sí, una noche bonita.

Pallina se hurga en el bolsillo y en la chaqueta.

–Oye, me parece que he olvidado las llaves en tu casa.

–No pasa nada, subamos.

En el ascensor, un extraño silencio. Nuestras miradas se cruzan.

No hablamos. Pallina sonríe. Lo hace con ternura. Yo tamborileo en el metal de la pared, en el espejo. Joder, a veces el ascensor parece no llegar nunca. ¿O son los muchos rones los que ralentizan el viaje? ¿U otra cosa? Ya hemos llegado. Abro la puerta de casa y Pallina se mete dentro. Mira a su alrededor y después va hacia la mesa.

–¡Aquí están!

Me tapa el ángulo de visión, o sea, que no veo nada. ¿Estaban realmente las llaves sobre la mesa, se las había olvidado o era una excusa para subir? Pero ¿en qué piensas, Step? Estás mal. ¿Por qué piensas esas cosas? Demasiados rones. Las llaves estaban sobre la mesa, tenían que estar allí.

–Oye, pero si hasta tienes terraza.

–Sí, ¿sabes que ni me había fijado?

–¡Anda ya! Sigues tan distraído como siempre.

Abro la ventana y salgo fuera. Hay una luna preciosa. Alta, redonda, allí, entre los edificios lejanos, todos ellos bañados por su palidez. Siluetas de viejas antenas, modernas parabólicas y después, casi un contrasentido, ropa tendida el día anterior. Respiro hondo, perfume de jazmines estivales, aire nocturno de septiembre, grillos lejanos, silencio alrededor. Llega Pallina a mis espaldas.

–Toma, te he traído otro.

Me pasa un vaso.

–Para acabar bien la noche.

Lo cojo y me lo llevo a los labios, olfateándolo.

–Otro ron, y parece bueno.

Paolo me asombra cada vez más. Ron en casa... Está mejorando. Tomo un sorbo. Debe de ser Pampero. No, Havana Club, como mínimo siete años.

–Muy bueno.

Vuelvo a mirar a lo lejos. Después, el ruido de un coche desaparece por algún lado.

–¿Sabes, Step?, tengo que decirte algo.

Me quedo en silencio. Sigo mirando a la lejanía. Doy otro sorbo sin volverme. Pallina sigue hablando. La noto detrás de mí, cerca de mi espalda.

–No te lo creerás, pero desde que Pollo murió, no he vuelto a estar con ningún chico. ¿Te lo puedes creer?

–¿Por qué no tendría que creerlo?

Permanezco de espaldas.

–Ni siquiera un beso, te lo juro.

–No jures. No creo que me estés mintiendo.

–Te he dicho una mentira...

Me vuelvo y la miro a los ojos. Ella sonríe.

–Tenía las llaves en la chaqueta.

Una ráfaga de viento caliente de la noche agita con suavidad su pelo oscuro. Pallina, toda una pequeña mujer. Tiene la carne de gallina y cierra los ojos, regalándose una respiración profunda. Después se acerca y me abraza. Apoya su cabeza en mi pecho. Dulce amiga perfumada. La dejo hacer.

–¿Sabes, Step?, estoy muy contenta de que estés aquí.

Tengo los brazos inertes sin saber qué hacer. Después apoyo el vaso en el alféizar y la abrazo despacio. La noto sonreír.

–Bienvenido. Por favor, abrázame fuerte.

Me quedo así, sin encontrar la fuerza para abrazarla aún más fuerte. Intento disculparme.

–Oye...

Pero es un instante. Ella levanta la cabeza de mi pecho y me da un beso. Apoya sus labios sobre los míos y entreabre la boca. Después intenta moverse, se agita lenta, con los ojos cerrados, buscando el encaje adecuado, la posición, el desarrollo natural. Pero es imposible. Yo permanezco quieto, inmóvil. No sé qué hacer, no quisiera herirla. Me quedo así, con los labios cerrados, seguramente fríos, quizá de piedra. Pallina lentamente afloja su desesperado movimiento. Después inclina otra vez la cabeza sobre mi pecho y rompe a llorar. En silencio. Pequeñas sacudidas de su cabeza, después sollozos más breves, desesperados. Me abraza para no separarse de mí, vergonzosa de mi mirada. Yo, muy despacio, le acaricio el pelo y después le susurro al oído.

–Pallina... Pallina, no llores.

–No, no debería haberlo hecho.

–Pero ¿qué has hecho? No ha pasado nada. Nada de nada. Todo está en orden.

–No, he intentado besarte.

–¿En serio? Ni me he dado cuenta. Venga, que nuestro amigo seguramente nos estará mirando y se estará riendo de nosotros.

–De mí, quizá.

–Está enfadado conmigo porque no he querido besarte.

Pallina se echa a reír. Pero es una carcajada nerviosa, sorbe por la nariz y se seca con la manga de la chaqueta. Se ríe y llora al mismo tiempo.

–Perdóname, Step.

–Otra vez... ¿Qué es lo que tengo que perdonarte? Mira que si sigues con esa historia, te llevo a la cama.

–Ojalá.

Se ríe otra vez pero ahora más tranquila. Le muevo delante de la cara el índice amenazador.

–A dormir, ¿qué creías, eh?

Sonríe de nuevo.

–Eso lo voy a hacer, en serio. –Y sin decir nada más, aún apurada, se dirige hacia la puerta y se detiene un instante–. Por favor, Step, olvídate de esto y llámame.

Le sonrío y asiento con la cabeza. Después cierro los ojos y un segundo después Pallina ya no está. Me quedo así, en silencio, de pie en el salón. Después miro a mi alrededor y veo la botella de ron. Tenía razón. Es Havana Club. Pero sólo tres años. Qué tacaño es Paolo. Salgo a la terraza. Miro hacia abajo y apenas me da tiempo a ver el Cinquecento de Pallina, que gira al final de la calle. Me bebo el último sorbo de la botella sin pasar por el vaso y me quedo allí. Con los brazos cruzados, apoyado en el alféizar, con la botella al lado ahora vacía.

–¡Me cago en la puta!

Estoy furioso y no sé con quién tomarla. Mierda, a tomar por el culo. ¿Por qué? ¿Por qué? ¿Por qué? Mierda. No puedo hacer nada. ¿Ni siquiera blasfemar? No, no serviría de nada. Pero no lo quiero pensar. Estoy mal, joder. Miro hacia abajo. Ahí está. Gracias. Ahora estoy más contento. Cojo la botella por el cuello, hago acopio de todas mis fuerzas y la lanzo como un bumerán, perfecto, veloz..., sólo esperemos que no vuelva. La botella da vueltas a toda velocidad y, pum, acierta de pleno en el parabrisas del Twingo, desintegrándolo. Era un Twingo nuevo, perfecto. Creo que negro o, en todo caso, oscuro. El conjunto de todo lo que odio. Un solo golpe. Como *El cazador*.

Treinta y uno

Un viento suave se escabulle entre pequeñas casas ordenadas, entre mármoles blancos y grises, entre flores recién marchitas y otras recién plantadas. La foto y las fechas recuerdan a alguien. Amores pasados, vidas rotas o naturalmente amputadas. Sea como sea, pasadas, arrebatadas. Como la de mi amigo. A veces, todo esto sucede sin un porqué, y el dolor es aún mayor. Camino entre las tumbas. Llevo un ramo de flores en la mano, los girasoles más bonitos que he podido encontrar. En la amistad, como en el amor, no hay que reparar en gastos. Ya está, he llegado.

–Hola, Pollo.

Miro esa foto, esa sonrisa que tantas veces me ha hecho compañía. Esa imagen pequeña. Esa imagen pequeña, así como grande y generoso era su corazón.

–Te he traído esto.

Como si no me viera, como si no lo supiera. Me agacho y quito las flores marchitas de un pequeño jarrón. Me pregunto quién se las ha traído y cuándo. Quizá haya sido Pallina. Pero después abandono esa idea, la alejo de mí con las flores recién quitadas. Acomodo lo mejor que puedo los girasoles. Parecen aún fuertes de esos campos, sanos de esos soles. Los coloco con cuidado, dejando espacio entre unos y otros. Parecen casi acomodarse naturalmente. Y en seguida se orientan hacia el sol, como un suspiro largo, de satisfacción, como si hubieran buscado siempre ese jarrón.

–Eso, ya está.

Me quedo un momento en silencio, casi preocupado por poder haber sido malinterpretado, por haber tenido algún pensamiento equivocado, no puro como, en cambio, es nuestra amistad.

–Pero no es así, Pollo, y tú lo sabes. Ni siquiera ha sido así por un instante.

Y después, casi me erijo en defensa de Pallina.

–Tienes que entenderla, es una chiquilla y te echa de menos. Y tú sabes, o quizá no lo sabes, qué diantre le dabas, qué eras para ella, cuánto la hacías reír, qué feliz la hacías. Nosotros podemos decirlo. Cuánto la querías...

Miro a mi alrededor, casi preocupado por si alguien oye esa confidencia.

Lejos, muy lejos, hay una mujer mayor vestida de negro. Reza. Un poco más allá, un jardinero y su rastrillo intentan recoger algunas hojas ya amarilleadas. Vuelvo con mi amigo. Y con ella.

–Debes entenderla, Pollo. Es una chica guapa. Se ha convertido en una mujer. Es increíble cómo se transforman... Las ves, te reencuentras con ellas, y ha bastado un poco de tiempo, un instante, para hallar en su sitio a otra distinta. Ayer no tuve dudas, no sé, no podría, nunca. Ya sé que mil veces nos hemos reído y hemos bromeado sobre «nunca digas nunca», pero es bonito poder tener algo en la vida que represente una certeza, ¿no? Joder, la verdad es que sólo nosotros podemos ser una certeza nuestra. Y me gusta mucho decir «no», ¿entiendes? Me gusta mucho decir «no». ¡Y me gusta mucho decir «nunca»! Joder, me gusta decirlo por ti, por la que ha sido y es nuestra amistad. Porque es una certeza, es mi certeza. Ya me lo imagino, te estarás riendo. Me tomas por imbécil, ¿eh? Es más, lo soy. Si te hubiera soltado este discurso mientras estábamos en cualquier sitio juntos, te hubieras burlado de mí. Pero como no puedes contestarme..., bueno, pues tienes que tomarte toda esta historia tal como es, ¿de acuerdo? Y de todos modos, ya sé qué me habrías preguntado. No, no la he visto y no tengo intención de hacerlo, ¿vale? Al menos por ahora; no estoy preparado. ¿Sabes?, a veces pienso cómo sería si las cosas hubieran ido de otra manera. Si se hubiera marchado ella en tu lugar. Tú y yo, como amigos, nunca nos hubiéramos dejado, mientras que a ella, quizá nunca podría haberla olvidado. Pero quería contarte algo de esa Gin: es una bocanada de aire fresco. Te lo juro; es alegre, simpática, inteligente, es una pasada. No te puedo decir más porque, porque..., aún no me he acostado con ella...

En ese momento, la anciana pasa por mi lado. Ha acabado sus oraciones. Me mira con curiosidad y esboza una extraña sonrisa. No se entiende bien si es una sonrisa de solidaridad o de simple curiosidad. Lo cierto es que sonríe y se aleja.

–Bueno, Pollo, yo también me marcho ya. Espero poder contarte pronto alguna novedad sobre Gin, algo bueno.

No demasiado lejos acaba de llegar un nuevo inquilino. Algunas personas bajan del coche en silencio. Ojos brillantes, flores frescas, últimos recuerdos. Palabras dichas a media voz intentando saber qué hacer. Todo es confuso a causa del dolor. Después, me agacho por última vez. Coloco mejor ese gran girasol; le concedo algo más de espacio y la ocasión de hacerle compañía a mi amigo del alma. Me viene a la cabeza una frase de Winchell: «El amigo es aquel que entra cuando todo el mundo ha salido.» Y tú, Pollo, aún estás dentro de mí.

Treinta y dos

–¿Qué?, ¿saliste ayer?

Lo miro sonriendo.

–Salí con una vieja amiga.

–Y mojaste el churro en el pasado...

Lo miro. Marcantonio tiene una cara estilo Jack Nicholson e intenta entender con simpatía mis secretos. Pero no conoce la historia. No sabe quién es Pallina. No sabe nada de mí y de Pollo. ¿Le habría caído bien?

–Pues yo quedé con Fiori.

–¿Y?

–Oh, yo no entiendo a las mujeres. Un beso, otro beso, un roce, la empiezas a tocar como Dios manda... y al final, ¿no es mejor follar directamente? Pues no, es demasiado pronto, demasiado pronto. ¡Pero para qué, joder!

Un poco más allá. Misma ciudad, misma historia. Mejor dicho, en femenino.

–¿Vas a contarme qué hiciste?

Silencio. Cojo a Ele por detrás del cuello y le pongo mi pinza del pelo en la garganta.

–Si no hablas, te degüello.

Ele casi tose.

–Vale, vale... ¿Estás loca? Casi me estrangulas. Además, ¿quién sino yo te cuenta *prudités*?

–¿Qué?

–*Prudités*: pequeñas cosas... Estás totalmente fuera de órbita.

Ele sacude la cabeza mirándome.

–Oye, Ele, aparte de que en este caso es *pruderies*, ¿cómo puede ser que no consigas poner juntas tres palabras en italiano sin introducir un extranjerismo?

–*Yes, I do.*

Levanto los ojos al cielo. Incorregible.

–De acuerdo, ¿me lo cuentas o no?

–¿Sabes qué hizo? Me invitó a cenar a su casa.

–¿Quién?

–Marcantonio, el diseñador gráfico.

–¡El amigo de Step!

–Marcantonio es Marcantonio y punto. Y no sabes qué encantador, cómo se esforzó: me preparó una cena espléndida.

Marcantonio sonríe. Como uno que se las sabe todas. O mejor, se las sabe de memoria, tantas deben de ser las veces que las pone en práctica.

–Para empezar, fui a Paolo, el japonés de via Cavour, y compré algunas cosas. Tempura, sushi, sashimi, fruta de la pasión... Cosas que animan, de alto contenido erótico. Las subí, calenté el tempura, *et voilà*, hecho. Puse la mesa con los clásicos palillos japoneses más un tenedor por si estaba poco familiarizada con la comida oriental...

–¿Le habías comprado al marroquí de la esquina las clásicas flores de cinco euros?

–Bueno, sí, ésas son las ideales: ¡mínimo gasto para un efímero centro de mesa!

Ele parece entusiasmada con la velada.

–Vamos, sigue. Y además, seguro que había puesto la mesa con esmero, todas las cosas elegidas con gusto...

–Con mucho gusto.

Una pregunta fundamental: ¿había flores?

–¡Claro! Rosas pequeñas, preciosas; hasta había hecho un juego con mi apellido...

Estallamos en una carcajada y después vuelvo a ponerme seria.

–Ele, ahora dime la verdad...

Ella levanta los ojos al cielo.

–Lo sabía... Hubo tema y adiós a la próxima cita. –Le salto otra vez al cuello–. Esta vez te degüello de verdad.

–No, de acuerdo, de acuerdo, ya hablo.

La libero del apretón. Ele me mira con ojos preocupados, enarcando incluso las cejas.

–Imagino que después no me degollarás de verdad.

La miro preocupada.

–¿Qué hiciste?

–De acuerdo... ¡Le hice una mamada!

–¡No, Ele, no es posible! ¡En la primera cita! En la vida había oído eso.

–Pero ¿qué dices? Benedetta, la que tú creías que era una santa, Paoletti, ¿te acuerdas? La pillaron en el baño del Piper arrodillada en santa adoración oral con un tal Max que había conocido en la pista de baile. Tiempo para conocerse: medio disco de Will Young... La carátula de los Doors, «Light my fire». Después de haber sido presa de un extraño fuego, cantó al micrófono e incluso se dejó pillar. ¿Y Paola Mazzocchi? ¿Sabes que la sorprendieron en el baño del colegio con el profe de educación física, Mariotti? ¿Lo sabes o no?, fue al cabo de una semana de empezar las clases. ¡La adoradora de los canutos sicilianos de crema! Ese apodo circuló por todo el colegio. ¿Y sabes por qué la llamaban así? Porque Mariotti lleva el pelo teñido de rubio y es de Catania.

–Sí, pero eso son leyendas urbanas. Mariotti siguió dando clases, ¿te parece normal que lo pillaran y no lo echaran?

–Ah, y yo qué sé. Sólo sé que Mazzocchi sacaba de todos modos un cuatro en Educación física...

–¿Y qué tiene que ver?

–Qué tiene que ver, qué tiene que ver... Pues que ni siquiera sabía hacer una mamada.

–¡Estás loca, Ele! Encima vas presumiendo de tu habilidad... Yo te degüello de verdad.

A Marcantonio le gusta contarlo.

–Le hice *body art*.

–¿Qué quieres decir?

–¿Tú vienes de Nueva York y no lo sabes? Bueno, yo tendría una disculpa: he pasado mis vacaciones en Castiglioncello... Pero tú, ¿has estado en la Gran Manzana y no sabes de qué te estoy hablando?

Resoplo y sonrío mirándolo.

–Sé qué es. Pero qué quiere decir es otra pregunta.

–Ah, eso, así me gusta. Le pinté el cuerpo; la desnudé totalmente y después empecé a pintarla. Pinceles con témpera caliente, suaves, sobre su cuerpo, arriba y abajo, sumergiéndolos de vez en cuando en el agua caliente de un frasquito. Resbalaba arriba y abajo dándole placer, mirándola. Hasta sus mejillas adquirían color sin que yo interviniera. Le pinté encima las braguitas que acababa de quitarle y después, poco a poco, el claroscuro sobre sus pezones que, cada vez más turgentes, parecían enloquecer ante las pinceladas calientes de placer.

–¿Y luego?

–Presa de un orgasmo cromático, ella quiso darle color a mi pincel.

–¿Que traducido quiere decir?

–Que me hizo una mamada.

–Vaya, pues si es así...

–¿Tienes esperanzas puestas en la amiga? ¿Es en eso en lo que estás pensando?

–Pensaba en voz alta, equivocadamente... ¿Y después?

–Después nada, nos quedamos charlando de esto y de lo otro, picamos un poco de la comida japonesa que había sobrado y la acompañé a casa.

–Anda ya, ¿y después de la mamada no te la follaste?

–No, no quiso.

–Pues explícamelo. La mamada sí y el polvo no, ¿qué sentido tiene eso?

–Tiene una filosofía propia. Al menos, eso me dijo.

–¿Y no te dijo nada más?

–Sí, me dijo: «Hay que saber contentarse.» Mejor dicho, no: dijo que quien se contenta disfruta. Y después se echó a reír.

–Perdona, Ele, pero para eso podrías haberte acostado con él. Puestos a practicar sexo...

–¿Y qué tiene que ver? Follar es otra cosa, es la unión perfecta, la implicación total. Él dentro de ti, la hipótesis de un hijo... ¿No lo ves? Una mamada es otra cosa.

–¡Claro, cómo no!

–Para mí es como un saludo más afectuoso... Exacto, como un apretón de manos.

–¿Un apretón de manos? Ve a contárselo a tus padres, a ver qué opinan.

–Pues claro, si saliera en la conversación... Además ¿acaso ellos no lo han hecho? Somos nosotras las que no logramos ver la normalidad del sexo; se tendría que hablar de sexo como de cualquier otra cosa. Estamos aburguesados... Por ejemplo, imagínate a tu madre haciendo...

–¡¡¡Ele!!!

–¿Qué pasa? ¿Tu madre también se hace la estrecha?

–Te odio.

–Bueno, Step, yo me voy. ¿Cuándo hemos quedado con Romani, el Serpiente y el resto del grupo?

–Mañana a las once. Oye, esto es lo último... ¿Ahora tengo que recordarte las citas?

–Claro. En esto consiste tu trabajo como ayudante... Entonces nos vemos mañana a esa hora menos algunos minutos.

Lo veo alejarse así, un poco bamboleante, con un cigarrillo ya en la boca.

–Oye... Hazme saber si tienes novedades tú también con Biro. No te hagas el hermético, ¿eh? Espero tu relato y no te inventes nada. ¡Al fin y al cabo, una mamada se puede superar fácilmente!

Treinta y tres

Una tarde como tantas otras. Pero no para ella. Raffaella Gervasi da vueltas inquieta por la casa. Algo no le cuadra. Un extraño malestar. Una molestia de fondo. Algo que ha olvidado... o algo que no puede recordar. Raffaella intenta calmarse. Qué tonta, a lo mejor estoy así por Babi. Ha cambiado tanto, y para bien. Por fin sabe qué quiere. Ha hecho su elección y ahora ya no tiene dudas. Pero ¿yo? ¿Qué quiero yo? Y de repente, se encuentra frente al espejo del salón. Se acerca preocupada a su imagen, se mira, intenta alisarse la piel con las manos, ayudarse, se tira hacia atrás de las mejillas para borrar de su rostro el tiempo pasado, los años que yacen allí, depositados ahora alrededor de sus ojos. Eso es, querría menos arrugas, pero eso es fácil. Basta con ponerse un poco de bótox. Ahora está de moda. Hacen una especie de fiestas donde se corrigen esas «imperfecciones estéticas». Pasan con una bandeja de plata, una serie de jeringas..., las cogen y las ponen que parece champán. Suaves, indoloras, cuestan incluso menos que un Moët. ¿Pero es ése realmente su problema? Raffaella se mira a los ojos e intenta ser sincera al menos consigo misma. No, tiene cuarenta y ocho años y por primera vez en su vida tiene una duda respecto a su marido. ¿Qué le está pasando? Cada vez más a menudo vuelve tarde del trabajo. He revisado incluso la cuenta que tenemos en común en el banco. Hay muchos pagos, demasiados. Y por si eso fuera poco, ha comprado CD. ¿CD, él? He mirado en el coche y escucha *Maggese,* de un tal Cesare Cremonini, un crío; después, un recopilatorio de Montecarlo Nights, esa música nocturna, extraña y sensual, y el colmo de los colmos..., ¡Buddha Bar VII, aún peor! Para alguien que ha escuchado siempre solamente música clásica y que, como mucho, se ha aventurado en un jazz delicado, todo esto es una especie de revolución. Y detrás de cada revolución no puede haber más que una mujer. Pero ¿cómo es posible? ¡Claudio... con otra! No me lo puedo creer. ¿Por qué no te lo puedes creer? ¿Cuántas parejas de vuestro grupo se han separado? ¿Y por qué razón? ¿Disputas sobre las elecciones de trabajo? ¿Discusiones sobre adónde ir en las vacaciones de verano, si al mar o a la montaña? ¿Diferencias sobre la educación de los hijos? ¿O de qué manera cambiar la decoración de la casa? No. Detrás hay siempre y sólo otra persona: una mujer. Y casi siempre más joven. Y mientras se lo confiesa a sí misma, Raffaella pasa en rápida sucesión las fichas, las hipótesis, las caras de todas esas mujeres, esas amigas, ya sean verdaderas o falsas. Nada, no sale nada. No se le ocurre nada. Ni siquiera una mínima hipótesis, un nombre, una dirección cualquiera. Entonces, presa de los celos más enloquecidos, se sumerge en el armario de Claudio y hurga en cada americana, en los chaquetones, en los abrigos, en los pantalones, buscando una prueba cualquiera, olfateando las solapas, los interiores, para oler, para intentar encontrar ese perfume culpable, ese pelo de más, ese ticket, una tarjeta de felicitación, una frase de amor, una traza de deseo..., ¡un plan de fuga! Cualquier cosa que pueda dar paz a esa locura histérica suya, a esa inseguridad rabiosa que siente. Claudio con otra. Perder todo lo que parecía para ella y para su vida una certeza casi vulgar. Después, repentinamente, una luz, un relámpago, una idea. Tal vez la solución. Raffaella se desliza hasta el comedor en busca de la bandeja de plata en la que acaba el correo recién llegado. Allí está, entero. Y aún no lo han abierto. Lo coge a manos llenas y empieza a ojearlo veloz. Para Babi, para Daniela, para mí, para Babi otra vez... ¡Aquí está, para Claudio! Pero es de Enel, una promoción de ofertas y descuentos. Pero ¿qué me va a importar ahora? Aquí está: Claudio Gervasi. El extracto de la tarjeta Diners. Raffaella corre a la cocina, coge un cuchillo y abre el sobre delicadamente. Si encuentro alguna prueba, después vuelvo a cerrarlo, lo dejo de nuevo en su sitio y hago ver que no ha pasado nada. Así, después lo pillo in fraganti y lo hundo. Lo hundo. Juro que lo hundo. Saca el extracto y empieza a examinarlo como si estuviera en la mayor partida de póquer jamás jugada en el mundo. Cada línea es un sobresalto. La hipótesis de que el adversario pueda tener en la mano cuatro mujeres. O aunque sea simplemente una, pero de todos modos otra. Raffaella repasa frenética todos los importes. Nada. Todos pagos regulares: cargo mensual de la mutua, pago del gasóleo para el coche... ¡Aquí! Algo raro. Compra en una tienda de CD. ¿Cuántos habrá comprado? Bueno, por el precio que veo deben de ser los tres que lleva en el coche. Nada. Aquí está el traje de Franceschini, el de via Cola di Rienzo. Es el que compró en rebajas y al que después Teresa, la sastra, le hizo el dobladillo a los pantalones. Sí, todo está en orden. Raffaella mira ahora más tranquila las últimas dos líneas, pago del teléfono de casa... Madre mía, esta vez hemos gastado 435 euros... Pero no le da tiempo a enfadarse; a pensar en lo que les dirá a sus hijas, las únicas culpables de esa cifra. Porque repentinamente sus ojos recaen en otro gasto: 180 euros por algo que ella nunca habría esperado.

Treinta y cuatro

En el barrio de Prati, cerca de la sede de la RAI, en la esquina entre via Nicotera y viale Mazzini, está el Residence Prati, el hotel de numerosas pequeñas estrellas de cine, de las series televisivas, de los culebrones, de la farándula y de toda la televisión italiana. Algo más allá, hay también un gimnasio. Bajo, es un semisótano. No lo parece, pero son cuatrocientos metros cuadrados, si no más, bien distribuidos; varios espejos, tragaluces, una ventilación perfecta, un grueso tubo de acero que serpentea desde el techo echando bocanadas de aire, respirando.

–Hola, ¿buscas a alguien?

Una chica con el pelo corto y un peinado divertido me sonríe parapetada tras un extraño escritorio. Esconde un libro de Derecho, cerrado con un lápiz en medio y dos rotuladores fluorescentes al lado, un clásico del primer año de universidad.

–Sí, estoy buscando a una amiga.

–¿Quién es? Quizá la conozca. ¿Hace mucho que está inscrita?

Me dan ganas de reírme y de contestarle: «¡Desde nunca!», pero eso sería como tirar a la basura toda posibilidad con Gin. Hacer que la descubrieran en su red de gimnasios, lo máximo.

–No, me ha dicho que hoy quería hacer una clase de prueba.

–Dime el nombre, que la llamo por megafonía.

–No, gracias. –Sonrío falso, ingenuo–. Quiero darle una sorpresa.

–De acuerdo, como quieras.

La chica regresa tranquila a sus asuntos y se pone otra vez a estudiar. Código penal. Me he equivocado, debe de estar como mínimo en el tercer curso, si no hay de por medio ningún año repetido. Después, me río para mis adentros. Quién sabe, quizá algún día podría ser mi abogado. Es probable.

Ahí está, Ginevra Biro. De locos. Haciendo honor a su apellido, describe en el aire trayectorias perfectas antes de golpear el saco. Salta continuamente. Púgil pseudoprofesional. De repente me recuerda a Hilary Swank cuando va a celebrar al gimnasio sola su cumpleaños. Da vueltas alrededor del saco veloz y Morgan Freeman decide darle algunos consejos sobre cómo pegar. Había oído decir que las mujeres italianas se habían obsesionado con el boxeo. Pensaba que eran habladurías, pero ahora creo que se trata de una realidad.

–Un poco más, muy bien, así, golpea recto.

Alguien la entrena, pero no se parece a Clint Eastwood. Parece incluso satisfecho, quizá sólo se la quiere llevar a la cama. Y sin embargo, la miro. Digo sin embargo porque me parece que la miro de una manera distinta. Qué raro. Cuando miras a una mujer desde lejos, adviertes los mínimos pormenores, detalles, cómo mueve la boca, cómo se enfada, cómo se muerde el labio, cómo resopla, cómo se arregla el pelo, cómo... tantas otras cosas. Cosas que desde cerca pierdes, cosas que a pocos pasos quizá queden eclipsadas por sus ojos.

Gin continúa resoplando, golpeando repetidamente el saco.

–¡Derecha, izquierda, abajo! Muy bien, vuelve atrás; derecha, izquierda, abajo... Un poco más...

Sigue sudando mientras golpea y el pelo negro se le mueve hacia atrás. Después, parece casi un ralentí, se aparta el pelo de la cara con el guante y se lo acomoda detrás de las orejas. Sólo falta que se recomponga el maquillaje. Mujeres y boxeo..., de locos. Me acerco despacio, sin que me vea.

–Ahora prueba a hundir y abajo.

Gin golpea dos veces con la izquierda y después intenta hundir de derecha. Le aparto al vuelo el saco y le bloqueo el brazo derecho.

–Pum. –Veo su cara sorprendida, casi atónita. Veloz, cierro mi mano en un puño y le golpeo con suavidad la barbilla–. Hola, Million Dollar Baby. Pum, pum, estarías muerta.

Se suelta liberándose.

–¿Qué demonios haces aquí?

–Quería probar este gimnasio.

–¿Ah, sí? Precisamente éste...

–Se da el caso de que puede ser que me resulte cómodo, y como mi «trabajo» también cae aquí cerca...

–He sido elegida para prescindir de ti.

–Pero ¿quién te ha dicho nada?

–Ofendes.

–Estás enferma.

–¡Y tú eres imbécil!

–Basta, calma... No discutáis aquí, en el gimnasio.

El entrenador se mete en medio.

–Además, Ginevra... Ésta es tu primera clase de prueba con nosotros, ¿no? No eres socia del Gymnastic. O sea que él no podía saberlo, no podía estar seguro de encontrarte. Habrá sido una casualidad.

La miro y sonrío.

–Ha sido una casualidad. La vida está llena de casualidades. Y me parece absurdo buscar razones para el porqué de esta casualidad, ¿no? Es una casualidad y punto.

Gin resopla con las manos en las caderas, aún prisioneras de los guantes.

–Pero ¿de qué «casualidad» estás hablando?

–Muy bien, Ginevra –el entrenador reacciona–. Hay demasiado rencor entre vosotros. Parece que os odiáis...

–No, no lo parece. ¡Es que es así!

–Entonces debéis tener cuidado. Tú tendrías que tener aún fresco el colegio, tendrías que acordarte: «*Odi et amo. Quare id faciam..., nescio...*»

Gin levanta los ojos al cielo.

–Sí, sí, gracias, lo conozco. Pero aquí los problemas son otros.

–Entonces tenéis que resolverlos fuera del gimnasio.

La miro y sonrío.

–Exacto, es verdad... Buena idea. ¿Sales?

–Debes tener cuidado, no la infravalores. Ginevra es fuerte, ¿sabes?

–Lo sé de sobra. Si hasta es tercer dan.

–Venga... –El entrenador se hace el curioso–. Eso no lo sabía. ¿En serio?

–Sí, extrañamente, está diciendo la verdad.

El entrenador se aleja sacudiendo la cabeza.

–Hay rencor, hay rencor. Así no funciona, así no funciona.

Después vuelve atrás sonriente, como si hubiera encontrado la solución a todos los problemas mundiales. Cuando menos, a los míos y de Gin.

–¿Por qué no hacéis un pequeño combate? Es lo mejor, una sana descarga de tensiones.

Gin levanta la mano con el guante abierto hacia mí, señalándome.

–Pero si éste ni siquiera se habrá traído ropa para cambiarse.

–Y, sin embargo, «éste» la ha traído. –Le sonrío divertido y cojo mi petate de detrás de la columna–. Y ahora, siguiendo los consejos de tu entrenador, voy en seguida a cambiarme. No te preocupes, nos vemos dentro de un instante.

Gin y el entrenador se quedan allí mirándome mientras me alejo.

–Genial. En el fondo ese chico parece simpático, además, así puedes practicar algunos de los golpes que te he enseñado.

–Sí, pero ¿tú sabes quién es ése?

El entrenador me mira perplejo:

–No, ¿quién es?

–Él es Step.

Permanece un instante pensativo con los ojos entornados, buscando en su mente, entre sus recuerdos y lo que ha oído decir de las muchas leyendas urbanas. Nada, no encuentra nada.

–Step, Step, Step... No, nunca he oído ese nombre. –Lo miro preocupada mientras me sonríe complacido–. No, en serio, nunca. ¡Pero estate tranquila, le aventajarás!

Y en ese momento, entiendo dos cosas. Una, que seguramente no es un buen entrenador, y dos, que precisamente por eso tendría que empezar a preocuparme.

Una camiseta fina, pantalones cortos, calcetines y las nuevas Nike compradas en Nike Town de Nueva York.

–Eh, Step, hola. –En el vestuario me encuentro con un chico que conozco pero de quien no recuerdo el nombre–. ¿Te entrenas aquí?

–Sólo por hoy. Quiero hacer una clase de prueba para ver un poco cómo funciona este gimnasio.

–¡Funciona bien, mírame! Además está lleno de tías buenas. ¿Has visto la del saco? Está para comérsela.

–Dentro de poco cruzaré un par de golpes con ella.

–¡Anda ya!

El tipo del cual no recuerdo para nada el nombre me mira sorprendido y después un poco preocupado.

–A lo mejor me he equivocado y no debería haber dicho eso.

–¿El qué?

–Que está para comérsela.

Cierro el armarito con el candado y guardo la llave en el bolsillo.

–¿Y por qué no? ¡Si es verdad!

Le sonrío y salgo.

–Bien, tercer dan, ¿empezamos?

Gin me mira esbozando una falsa sonrisa.

–Eres un poco pesado con eso del tercer dan, ¿no puedes encontrar nada nuevo?

Me río como un loco y estiro los brazos.

–No me lo puedo creer. Estamos a punto de hacer un combate de boxeo, un bonito encuentro de esos rápidos..., y tú ¿qué haces? Das por el culo.

–Muy bonito, dar por el culo, ésa me faltaba.

–¡Tú no lo puedes usar, en este caso tengo yo los derechos!

E inmediatamente después... Pum. Eso no me lo esperaba. Me da en plena cara con un derechazo veloz, precioso, puedo decir que inesperado como justificación. Sea como sea, me ha dado.

–Muy bien, estupendo.

El entrenador salta, divertido.

–Derecha, izquierda, hundes y te cierras.

Me toco la mandíbula y me la muevo a derecha e izquierda, ligeramente dolorida.

–¿Nada roto?

Gin salta sobre sus piernas mirándome y levanta las cejas.

–Si quieres, empezamos de verdad.

Después, brincando, se me acerca aún más.

–Esto era sólo un ensayo, mítico Step. Por cierto, mi entrenador dice que nunca ha oído hablar de ti.

La miro mientras me pongo los guantes.

–Bueno, tampoco ha visto la foto que te saqué con la Polaroid. Claro que si la viera...

–¿Si la viera?

–Bueno, quizá lo pensaría dos veces. ¡En esa foto das tanto miedo que de golpe se le pasarían incluso las ganas de llevarte a la cama!

–Ahora me has hartado de verdad.

Gin me salta encima como una furia y empieza a pegarme. Detengo riendo los puñetazos que vuelan por todas partes, con el guante abierto, después cerrado, ancho, estrecho. Al final, me entra con una patada que me da de lleno.

–Eh...

Tocado y hundido. Bajo vientre. Me da de lleno. Me doblo en dos a causa del dolor. Consigo encontrar un poco de aliento.

–¡Ah! ¡No vale!

–Contigo vale todo.

–Ya ves, Gin, si quisiera demostrarte mi amor, en este momento no estaría a la altura.

–No te preocupes... Me fío de tu palabra.

Me cago en la puta, me ha distraído, me ha hecho reír y después me ha hundido. Permanezco doblado en dos, intentando recuperarme. Se acerca el entrenador.

–¿Problemas?

Me apoya la mano en el hombro.

–No, no, todo en orden... O casi.

Zapateo, me llevo las manos a la cintura y respiro profundamente mientras me incorporo.

–Ya está, ahora podría acabar contigo; si no me dieras lástima...

–Qué caritativo eres. ¿Subimos al ring?

–Claro.

Gin me sonríe tranquila. Pasa segura frente a mí. El entrenador se dirige al extremo del ring y levanta las cuerdas para que pasemos por debajo.

–Eh, por favor... No quiero ningún golpe prohibido, e id con cuidado, ¿vale? A ver si podemos tener un bonito encuentro, venga.

Gin se reúne conmigo en el centro del ring y nos damos un golpecito con los guantes. Los dos a la vez, como en las películas.

–¿Estás lista?

–Estoy lista para todo. ¡Y no le hagas caso: él no es mi entrenador y tú estás acabado! ¡Te aviso de que se admiten todos los golpes, sobre todo los prohibidos, al menos por mi parte!

–Uy, uy... ¡Qué miedo!

Como respuesta, intenta golpearme en la cara, pero esta vez estoy preparado: paro con la izquierda y le doy una buena patada en el culo, aunque sin hacerle demasiado daño.

–Ja, ja... Ahora yo también existo. ¿Empezamos?

Brincamos arriba y abajo, dando vueltas, estudiándonos mientras Nicola, el entrenador, ha empezado a contar el tiempo en un cronómetro Swatch o algo parecido. Gin empieza a golpearme y sonríe mientras lo hace.

–¿Qué, te diviertes, eh? Haces bien, porque dentro de poco...

Después, un golpe de pleno en la barriga me quita por un instante la respiración. Es rápida, la colega.

–Ahorra el aliento, mítico Step, que vas a necesitarlo. ¿Te había dicho que he hecho también *full contact*?

Sigo brincando mientras me recupero.

–Primera regla: siempre debes atacar después de un golpe fuerte, de lo contrario...

Le doy desde cerca pero no demasiado fuerte, no demasiado rápido. Derecha, derecha otra vez, después driblo con la izquierda y luego golpeo de nuevo con la derecha. Los primeros tres los detiene perfectamente, pero el derecho final entra. Después veo a Gin acusar el golpe, se aparta hacia la izquierda y casi resbala. Le he pegado demasiado fuerte. Intento cogerla antes de que se caiga al suelo.

—Perdona, ¿te he hecho daño? —digo sinceramente preocupado—. Es que...

Gin me contesta con un *uppercut* que me roza la barbilla. Me rompe las palabras en la boca; por suerte, sólo éstas.

—No me has hecho nada.

Resopla orgullosa, vuelve veloz la cabeza echándose el pelo hacia atrás y después salta al ataque. Un doble tijeretazo. Derecha, izquierda y otra vez derecha. Izquierda, derecha, gancho; los detengo como puedo, para no golpearla aún, paro sonriendo y, para ser sincero, de vez en cuando también con algunas dificultades. Estamos cada vez más cerca. Me arrincona contra la esquina y ataca de nuevo.

—Eh, demasiado ímpetu.

Me cubro con los guantes y ella sigue pegando; después intenta un golpe de pleno con la derecha y ya está. Estiro la izquierda de prisa, le bloqueo el brazo derecho debajo del mío y lo mantengo bien agarrado.

—¡Prisionera!

Se queda bloqueada así, con la izquierda ligeramente más alejada.

—Llevas demasiado ímpetu, ¿ves qué ocurre? —Gin intenta liberarse de todas las maneras posibles. Se echa hacia atrás, se apoya en las cuerdas, se abalanza contra mí, vuelve a echarse hacia atrás y choca conmigo para soltarse. Le doy un puñetazo suave en la cara con la derecha—. Pum... ¿Ves qué podría hacerte? —Sigo golpeándola—. Pum, pum, pum. Gin *pungiball*... ¡Estás acabada!

Por toda respuesta, como enloquecida, intenta golpearme con la izquierda libre. La detengo con facilidad pero ella no se rinde: pum, pum, pum; se los paro todos, uno tras otro. Gin lo intenta desde abajo y después con un derechazo, un gancho, otra vez desde abajo, sube con un pie a la cuerda y se da impulso para golpearme aún con más fuerza. Nada que hacer, estoy quieto contra la esquina y le tengo la derecha bien agarrada. Gin está fuera de sí.

—¡Ah!

Intenta golpearme con la rodilla, pero levanto al vuelo la mía parándola también. Intenta golpearme otra vez con un gancho izquierdo pero lo hace con menor velocidad, quizá un poco cansada. Ése es el error que estaba esperando. Estiro el brazo derecho y bloqueo también su izquierdo, manteniéndolo bien pegado a mí.

–¿Y ahora? –Se queda mirándome así por un instante, frente a mí, completamente bloqueada–. ¿Qué va a hacer ahora la tigresa Gin? –Intenta liberarse–. Quieta, estate quieta. Tú aquí, entre mis brazos. –Intenta soltarse de nuevo pero no lo consigue. Me acerco y la beso, y parece acceder por un momento. –¡Ah! –Me ha mordido. La suelto en seguida liberándole los brazos–. Me cago en la puta. –Me llevo los guantes a la boca para ver si sangro–. Casi me partes el labio... ¿Quieres romperme también otras cosas? Mira que ésas se defienden con uñas y dientes...

–Ya te lo he dicho: no te tengo miedo.

Y para confirmármelo, prueba con un *waikiki*. Gira sobre sí misma para golpearme con una patada, pero yo soy más rápido, resbalo por el suelo y le hago un barrido haciendo que caiga a mi lado.

–Es inútil, Gin, es como cuando Apollo, en *Rocky 4*, dice: «Yo te lo he enseñado casi todo. ¡Tú combates a lo grande, pero yo soy grande!»

Y en un instante estoy encima de ella, le bloqueo el cuerpo con las piernas enroscadas alrededor de la cintura y con la derecha la mantengo pegada al suelo con la cara hacia abajo, precisamente allí, junto a la mía.

–¿Sabes que así estás preciosa? Y el mío es un sentimiento sincero.

No sé por qué, pero me recuerda mucho a *Arma letal*, cuando Mel Gibson y René Russo comparan sus cicatrices y luego caen al suelo. Pero nosotros somos más guapos, somos reales.

–¿Te apetece hacer el amor conmigo, Gin?

Ella sonríe y sacude la cabeza.

–¿Aquí? ¿Ahora, sobre la tarima del gimnasio, delante de Nicola y de los demás, que nos están mirando?

–El truco es no pensar en ello.

–Pero ¿qué dices, Step?, ¿estás loco? Seguro que incluso nos jalearían dándonos el tiempo.

–Bien, como quieras, pues volvamos al combate. Te he dado una oportunidad, que conste.

Nos levantamos juntos. Pero esta vez, divertido, ataco yo. La acorralo contra la esquina y empiezo a golpearla, pero sin cargar demasiado. Gin es rápida e intenta salir. Con un empujón la vuelvo a meter en la esquina. Ella se agacha, esquiva e intenta escapar, pero yo vuelvo a bloquearla y la meto de nuevo allí. Ella, muy rápida, cierra el brazo bloqueándome el derecho. Inmediatamente después, casi en un segundo, hace lo mismo con el izquierdo.

–¡Ajá! Te he bloqueado yo. ¿Y ahora, qué?

En realidad con un cabezazo me liberaría en seguida, pero mejor no. Gin suspira.

–Como siempre... eres mi prisionero, pero ni se te ocurra morder. Juro que si lo haces te tumbo.

Y entonces me besa. La dejo hacer, divertido, saliva y sudor, besos amables y suaves, ansiosos y huidizos. La dejo hacer, sí. Juguetea con mis labios, la abrazo con los guantes y ella se frota contra mí, pantalones cortos y camiseta, sudada en el punto justo. Su pelo se me pega a la cara protegiéndome de miradas indiscretas.

Pero Nicola, que seguía controlando el tiempo, no puede perderse ese extraño encuentro.

–Antes se querían matar y ahora se dan el lote. Qué juventud tan absurda.

Y se aleja meneando la cabeza. ¿Es el lote lo que nos estamos dando? Esto es arte, hombre. Arte fantástico, súper sutil, místico, salvaje, elegante y primordial. Seguimos besándonos en la esquina del ring, frotándonos, ahora más libres en el abrazo y excitados, al menos yo. Fuera del tiempo... en la gloria. Dejo resbalar el guante, que acaba por casualidad entre sus piernas, pero Gin se aparta. Después, por si no bastara, suben al ring dos tipos de unos cuarenta años con un par de cadenas al cuello, el pelo gris y aspecto cansado.

–Perdonad, chicos, no quisiéramos interrumpir este *match,* pero a nosotros nos gustaría boxear de verdad, o sea, que si no os importa...

–Sí, id con el idilio a otra parte, vamos.

Se ríen. Cojo a Gin por un brazo agarrándola con el pulgar del guante y la ayudo a bajar del ring. El más gordo, que aún huele a tabaco, no pierde la oportunidad:

–Ah, ¿qué gracia le ves a pelear contra una mujer, chico?

Gin se me escapa de las manos y se mete veloz por debajo de la cuerda volviendo a entrar en el ring.

–Pues se la ve, se la ve..., ¿quieres probarlo?

Y se pone en posición, pero yo me meto en medio antes de que todo se vaya al garete.

–De acuerdo, de acuerdo. Os dejamos pelear. Perdonadnos: la chica está nerviosa.

–Yo no estoy nerviosa.

–Vale, pero es mejor que vayamos a tomar un helado.

Entonces le digo en voz baja a Gin, susurrándole al oído:

–Invito yo, pero, por favor, déjalo.

Ella estira el brazo.

–Vale, vale.

–Eso, sed buenos e id a tomar un helado, venga.

–Sí, un helado al beso.

Se ríen los dos, uno de ellos con una tos catarrosa. Sólo nos faltaba la broma. Gin intenta volverse de nuevo pero la empujo fuera con fuerza.

–A cambiarse, ducha y después helado. Rápido y sin discutir.

–Eh, me das más miedo que mi padre. Mira cómo tiemblo.

Y simula una especie de ballet de trasero imitando a las mujeres africanas. Le doy una fuerte palmada en el culo.

–He dicho que rápido. A cambiarse.

Y con un último empujón consigo, a la fuerza, enviarla al vestuario. Uf, qué cansancio. Si es así en todo. Misión imposible. No puedo creerlo. Gin asoma de nuevo por la puerta del vestuario.

–Que sepas que me cambio sólo porque son las once y he acabado mi hora de entrenamiento.

–Sí, por supuesto.

Me mira un instante perpleja, con la ceja levantada, y después afloja y sonríe.

–De acuerdo.

Entiende que la dejo ganar.

–No tardo nada. Quedamos en el bar del gimnasio, al fondo.

Yo también voy a cambiarme. Menudo combate. No sé si es mejor dentro del ring o fuera. Saco las llaves de la taquilla. Pero ¿qué tiene de especial? Me meto bajo la ducha. Sí, de acuerdo, un bonito culo, una bonita sonrisa... Encuentro un champú que ha dejado alguien y me lo echo en el pelo. Sí, es también una tipa divertida, los gimnasios gratis..., la broma siempre a punto. Aunque es agotadora. Sí, pero ¿cuánto tiempo hace que no tengo una historia como Dios manda? Dos años. Pero qué bien se está. Libre y guapo. Me río como un imbécil mientras el champú dulzón se me mete en los ojos. Joder, como escuece. Nada de pesadeces: ¿qué haces esta noche?, ¿qué hacemos mañana?, ¿qué haremos el fin de semana?, te llamo luego, dime que me quieres, tú ya no me quieres, pero ¿cómo que no te quiero?, ¿quién era ésa?, ¿por qué has hablado con ella?, ¿con quién hablabas por teléfono?... No, no existe. Hace poco que me he recuperado, si es que me he recuperado. Quiero «chicas de calendario». El primer día del mes, ésa; el segundo, la otra; el tercero, otra más; el cuarto, quién sabe, tal vez ninguna; el cinco, esa tía extranjera que has conocido por casualidad; el sexto.. El sexto... Estás solo, lo sabes. Sí, claro, pero ¿qué importa? No quiero atarme. Me seco y me pongo los pantalones. No quiero dar explicaciones. Me abrocho la camisa y cojo la bolsa. Voy hacia la salida. Ni siquiera me despido; total, la veré más tarde en el Teatro delle Vittorie. Ah, no. Hoy ellas no están convocadas. De acuerdo, se lo diré mañana cuando la vea. La verdad es que ésa es capaz de aparecer en mi casa y armarme un escándalo. Si no estoy yo, pillaría a Paolo, y con él lo tendría fácil: lo hundiría. La tomaría por una fiera, una tigresa. ¡Qué coñazo! Tengo que esperarla. Quién sabe cuánto tardará en estar lista. ¿Qué tipo de mujer será? ¿Sofisticada, pasota, derrochona, cuidadosa con el dinero, loca, cocainómana, putilla, imposible? Llego al bar y pido un Gatorade no demasiado frío.

–¿De qué lo quieres?

–De naranja.

Luego, las respuestas llegan solas. Gin es natural, salvaje, elegante, pura, apasionada, antidroga, altruista, divertida... Después me río. ¡Vaya rollo! Quizá sea una tardona y tenga que esperarla.

Desembolso dos euros, quito el tapón y me bebo el Gatorade. Miro a mi alrededor. Un tipo vestido de postentrenamiento lee «el Tiempo». Come como por inercia doblado sobre un arroz soso, coloreado aquí y allá por algún grano de maíz y por un pimiento que está ahí por casualidad. En la mesa vecina, otro pseudomusculoso charla con una chica con tono falso. Se muestra excesivamente alegre ante cualquier cosa que ella le conteste. Dos amigas planean quién sabe qué para unas hipotéticas vacaciones. Otra le cuenta a su amiga del alma lo mal que se ha portado con ella un tipo. Un chico en la barra, aún sudado por la serie que acaba de hacer, uno que ya se ha cambiado... Una chica que toma un batido y se marcha, otra que espera quién sabe qué. Busco la cara de esta última en el espejo que hay delante de la barra. Pero la tapa el chico del bar. Después él le sirve algo y se marcha dejándola al descubierto. Como la carta que te llega para un póquer ansiado, como el último rebote de la bola de una ruleta que tal vez se pare en el número por el que has apostado... aparece ella. Allí está. Me mira y sonríe. Tiene el pelo sobre los ojos apenas maquillados, difuminados por un gris suave. Los labios rosas y un poco enojados. Se vuelve hacia mí.

–Eh, ¿no me reconoces?

Póquer. *En plein*. Es Gin. Lleva un traje de chaqueta azul. En una solapa se leen dos pequeñas letras: D&G. Sonrío. Yoox. Y zapatos con tacón del mismo color. Elegantísimos: René Caovilla. Unas correas finas liberan a trechos sus tobillos. En los dedos de los pies, uñas pintadas de un pálido azul claro, como pequeñas sonrisas divertidas, asoman desde un suave bronceado. Gafas Chanel también azules apoyadas en la cabeza. Es como si un velo de miel se hubiera dejado resbalar, perfectamente modelado sobre sus brazos, sobre sus piernas desnudas, sobre su rostro sonriente.

–¿Y entonces?

Entonces... Entonces todos mis propósitos se van al carajo. Busco alguna palabra. Me dan ganas de reír y al mismo tiempo me viene a la cabeza esa escena de *Pretty woman*: Richard Gere buscando a Vivien en el bar del hotel. Luego la encuentra, lista para ir a la ópera. Gin está tan perfecta como ella, más aún. Estoy fatal. Coge la bolsa y viene hacia mí.

–¿Estás pensando en algo?

–Sí. –Miento–. En que el Gatorade estaba demasiado frío.

Gin sonríe y pasa de largo.

–Mentiroso, pensabas en mí.

Decidida y divertida, se aleja, sin contonearse demasiado pero segura por la escalera que lleva fuera del gimnasio. Las piernas descienden desde la falda fina, ligeramente plisada, y se pierden, tonificadas y resbaladizas, quizá algo pringosas de crema, desapareciendo gráciles más abajo para dejar lugar a un tacón decidido y cuadrado.

Se detiene al final de la escalera y se vuelve.

–¿Y ahora qué haces?, ¿me miras las piernas? Venga, no te quedes ahí. Vamos a tomar un aperitivo o lo que te apetezca, que después tengo que ir a comer con mis padres y mi tío. Dos plomos. De lo contrario, no me hubiera arreglado así.

Mujeres. Las ves en el gimnasio. Pequeños bodies, extraños chándales inventados, pantaloncitos estrechos y camisetas brillantes. Aeróbic a más no poder. Sudadas sobre una cara sin maquillaje, el pelo pringoso, pegado a la cara. Y después, pluf..., casi como la lámpara de Aladino. Salen del vestuario transformadas. Ese saldo sin duchar que has visto antes ya no está. El patito feo se ha maquillado. Está escondido en la ropa bien elegida, tiene las pestañas más largas, arqueadas por un rímel caro. Labios perfectamente dibujados, a veces incluso tatuados, hacen que sobresalga aún más esa boca que aún no ha sido picada por la cara avispa del colágeno. Las mujeres, jóvenes cisnes enmascarados. Claro que no estoy hablando de Gin. Ella es...

–Pero ¿en qué piensas?

–¿Yo?

–¿Quién, si no? Aquí estamos sólo tú y yo.

–En nada.

–Sí, ya. Bueno, pues debe de ser un nada muy especial. Parecías atontado. Te he dado muchas hostias, ¿eh?

–Sí, pero me estoy recuperando.

–Yo voy con mi coche.

–De acuerdo, sígueme.

Subo en la moto pero no lo resisto. Muevo el retrovisor para poder verla subir al Micra. La adelanto. La tengo en el centro de mi visión. Allí está, está subiendo. Gin se inclina hacia adelante y se sienta, suave y ligera, levantando del suelo una tras otra sus piernas. Veloces y enérgicas, casi unidas excepto un instante, ese pequeño fotograma de encaje que para mí es como una película. Qué sensual fotoflash. Después vuelvo a la realidad. Meto primera y arranco. Gin me sigue sin problemas. Es una conductora hábil. No tiene problemas con el tráfico: acelera, adelanta y vuelve a su carril. Toca la bocina de vez en cuando para evitar algún que otro error ajeno. Se ladea con el coche en las curvas, moviendo la cabeza, imagino, al ritmo de la música. Gin, salvaje urbana. De vez en cuando me hace luces cuando se da cuenta de que la estoy vigilando por el retrovisor, como diciendo: «Eh, tranquilo, que estoy aquí.» Algunas curvas más y habremos llegado. Me paro, la dejo pasar y se me acerca.

–Vamos, aparca aquí, que por allí no se puede pasar.

No pide más explicaciones. Cierra el coche y sube detrás de mí, tirando de la falda hacia abajo para esa extraña operación de jinete.

–Qué pasada de moto, me gusta. He visto pocas así.

–Ninguna. La hicieron en exclusiva para mí.

–Sí, claro. ¿Sabes cuánto costaría un único modelo para una sola persona?

–Cuatro cientos veinticinco mil euros...

Gin me mira sinceramente asombrada.

–¿Tanto?

–Sí, pero me hicieron un buen descuento.

Me ve sonreír en el retrovisor que he movido hacia ella para cruzarme con su mirada. Intento hacer una pequeña guerra de miradas; después me rindo y sonrío. Ella me golpea con fuerza en el hombro.

–¡Venga, qué puñetas dices, eres un mentiroso!

Desde la época de las míticas peleas en la piazza Euclide, de las carreras en la Cassia hasta llegar a Talenti y volver, no habían vuelto a decirme eso: Step, mentiroso. ¿Y quién se ha permitido decírmelo? Una mujer. Esta mujer, esta que está detrás de mí. Y además, sigue:

–Precio aparte, me gusta realmente esta moto. Un día tienes que dejarme llevarla.

Qué locura, alguien que me pide mi moto, ¿y quién? También una mujer. ¡La misma que me ha llamado mentiroso! Pero lo más increíble de todo es que respondo:

–Claro.

Nos metemos en Villa Borghese, conduzco veloz pero sin demasiada prisa y me paro delante del pequeño bar que hay junto al lago.

–Ya hemos llegado, aquí no viene demasiada gente, es más tranquilo.

–¿Qué pasa? ¿Acaso tienes miedo de que te vean?

–Oye, hoy tienes ganas de discutir, ¿eh? Si llego a saberlo, habría sido más duro en el gimnasio.

–No le tengo miedo.

–Otra vez...

–De acuerdo, de acuerdo, tomemos «la copa de la paz».

Treinta y cinco

Claudio aparca el coche en el garaje. Por suerte no está la Vespa. Aún no ha vuelto ninguna de sus hijas. Mejor. Al menos no corre el riesgo de estropear más el lateral. Aunque es difícil que le ofrezcan menos aún por el Mercedes. Y con este último pensamiento de libertad, dedicado al sueño de su Z4, cierra el garaje y sube a casa.

–¿Hay alguien?

El apartamento parece en silencio. Un suspiro de alivio. Es agradable concederse un instante de tranquilidad. También para planear mejor su salida nocturna. No será fácil. Lo ha estado pensando toda la tarde pero quiere repasar el plan, perfeccionarlo hasta en los últimos detalles. Quiere estar seguro de que no sale ningún imprevisto. Pero precisamente en ese momento aparece a sus espaldas Raffaella.

–Estoy yo, y está también ésta.

Le planta delante de la cara el extracto de su tarjeta de crédito, con la penúltima línea subrayada con rotulador fluorescente. Claudio se lo coge de las manos aterrado. Raffaella se lo acerca aún más.

–¿Se puede saber qué significa esto? ¿Me puedes dar una explicación?

Claudio nota un mareo. Su extracto bancario abierto y arrojado allí, delante de todos. De todos..., de su mujer. Dios mío –piensa–, ¿qué habrá encontrado? Hace un veloz repaso mental. No, no tendría que haber nada. Después la ve. Abajo del extracto, la penúltima línea subrayada entre todas las demás. Prueba irrefutable de su culpa, de haber querido volver al lugar del crimen. Pero ella no puede saberlo, no puede imaginarlo.

–Ah, esto... Pues nada, no es nada.

–¿Ciento ochenta euros por nada? No me parece un buen negocio.

–Es que he comprado un taco de billar.

–¿Ah, sí? Eso lo sé. En el extracto se lee perfectamente: La Tienda del Billar. Lo que no sé es desde cuándo juegas tú al billar. Y sobre todo, quién sabe cuántas otras cosas tampoco sé.

–Raffaella, por favor, te equivocas: no es para mí.

Después, una especie de iluminación, un faro en la oscuridad, la posibilidad de salir ileso de ese mar tormentoso, de ese navegar a todo trapo entre escollos puntiagudos escondidos por el huracán Raffaella.

–No sabía qué regalarle al doctor Farini y, como sé que en la casa de la playa tiene un billar, ¡he pensado que quizá fuera un buen regalo! De hecho, le ha gustado mucho. ¡Esta noche hemos quedado, iremos a cenar y después incluso jugaremos una partida!

No era precisamente ése el plan que había pensado durante toda la tarde, pero a veces la improvisación crea mentiras milagrosas. Raffaella no sabe si creerlo.

–¿Que tú y él vais a jugar al billar?

–Sí, y ¿sabes qué? Dice que con el taco que le he regalado se le ha despertado de nuevo una antigua pasión. Desde que ha vuelto a jugar, hasta la empresa le va mejor, ¿entiendes? El billar lo relaja, ¿no es genial? –Después, tremendamente orgulloso, casi envanecido, añade–: Piensa que me ha confiado la gestión de centenares de millares de euros gracias a un taco de billar que sólo vale ciento ochenta. ¿Qué te parece?

La ve aún dubitativa. Entonces decide jugárselo todo a una carta, imprudente funámbulo de la mentira, equilibrista de la más baja mentira, especialista de la falsedad más absurda.

–Oye, no sé cómo convencerte de que es cierto... Mira, ya está, podemos hacer lo siguiente: ¡vente con nosotros! Cenamos y después nos controlas los puntos en la sala de billar, ¿te apetece?

Raffaella se queda un momento en silencio.

–No, gracias.

Frente a este salto en el vacío, se tranquiliza. Y también Claudio. ¿Y si hubiera dicho que sí? ¿Dónde encontraba a Farini a las siete de la tarde? Hace al menos un año que no sé de él, hubiera sido difícil organizar una cena así, improvisada, y sobre todo una partida de billar, pues Farini no tiene precisamente pinta de jugador. Claudio decide no pensar más en ello. La sola idea lo hace sentirse mal. De modo que le sonríe, intentando ahuyentar completamente cualquier mínima perplejidad. Pero Raffaella tiene una última ocurrencia:

–Pero si era un regalo de trabajo, ¿por qué no usaste la tarjeta de la oficina?

–Tú no sabes cómo es Panella, ése lo escudriña todo, ¿y si después Farini no decidía confiar en nuestro despacho? ¡Lo sé muy bien, me lo habría echado en cara todo el año! ¡Y pensé que por ciento ochenta euros podía arriesgarme!

Precisamente mientras lo dice, Claudio se da cuenta de cuánto ha arriesgado esta vez. Se quita la chaqueta, está sudando, y va hacia el dormitorio para esconder de alguna manera la tensión dramática del momento.

–Raffaella, no te preocupes, ¿eh? Ahora que Farini nos ha contratado, me haré reembolsar esos 180 euros, ¿qué te crees?

Raffaella lo sigue y se reúne con él en la habitación. Está a punto de decir algo pero Claudio no puede más. Se acerca y la coge de los brazos.

–¿Sabes?, me gusta que después de tantos años aún estés celosa. Eso significa que nuestra relación está viva.

Raffaella sonríe. De alguna manera, le parece que vuelve a ser una jovencita, o al menos más joven de lo que realmente es; es como si en un instante esas arrugas vistas en el espejo, hubieran desaparecido. Claudio se acerca y le da un beso. Poco a poco empiezan a desnudarse, como no lo hacían desde hace tiempo, demasiado tiempo. Y Claudio se siente culpablemente excitado. Raffaella lo mira.

–Sí, me parecía absurdo que pudieras hacer algo semejante y ahora me han venido unas ganas locas; noto la rabia convertida en deseo.

Claudio se baja los pantalones y le levanta la falda, deja que se tumbe lentamente en la cama y le quita las bragas, levantándole las piernas con los zapatos aún puestos. En la penumbra de la habitación, con el aire aún incierto, enrarecido de dudas y mentiras, de engaños, de la desesperada búsqueda de la verdad, empiezan a tocarse. Después Claudio se baja los calzoncillos, le separa las piernas y toma a su mujer. Claudio sube y baja. Jadea y suda la camisa. Raffaella se da cuenta.

–Pero desnúdate del todo...

–¿Y si llegan las niñas?

Raffaella sonríe y cierra los ojos, disfrutando, atrayéndolo hacia sí.

–Tienes razón..., así es bonito... Sigue, más, vamos...

Y Claudio empuja con fuerza, intentando satisfacerla, excitado pero a la vez preocupado. ¿Cómo será más tarde su prestación en la mesa de billar-cama con la contrafigura de Farini? Prefiere no pensarlo. Ha leído un artículo sobre el ansia de prestación. Hay que evitar pensar en ello. Una cosa es segura: los arañazos de la semana pasada han quedado bien ocultos por la camisa completamente sudada. De repente, desde el fondo del pasillo se oye la voz de Babi.

–Papá, mamá..., ¿estáis ahí?

Raffaella, desde la habitación, con la voz un poco ronca, intenta ganar tiempo.

–Un momento, ya vamos.

Y precisamente en ese instante Claudio, excitado por lo absurdo de la situación, se corre. Raffaella se queda así, interrumpida en el mejor momento, y se ve obligada a su pesar a sonreír. Luego Claudio le da un beso en los labios.

–Perdóname... –Y se mete en el baño.

Se lava rápidamente. También la cara. Qué negras se las ha visto, fatal. Sin embargo, todo ha salido bien. Ahora sólo espera estar a la altura de la velada, pues finalmente el plan es perfecto. Después se acuerda de que no tiene que pensar en ello. De otro modo, ya lo sabe, te entra el ansia de prestación.

Treinta y seis

Gin sonríe y nos sentamos a una mesita. No muy lejos, un intelectual con gafitas y un libro en la mesa bebe un capuchino y después retoma la lectura de un artículo de *Leggere*. Algo más allá, una mujer de unos cuarenta años con el pelo largo y un chucho bajo la silla fuma desganada un cigarrillo, triste y nostálgica quizá de todos esos porros que ya no fuma.

–Un buen ambiente, ¿no?

Gin se ha dado cuenta de lo que estaba mirando.

–Bueno, lo animamos nosotros. ¿Qué tomamos?

A sus espaldas se ha «personificado» un camarero.

–Buenos días, señores.

Tiene unos sesenta años y nos trata con modales elegantes.

–Para mí, un Ace.

–Para mí una Cola-Cola y una pizzetta blanca de jamón y mozzarella.

El camarero hace una pequeña inclinación con la cabeza y se aleja.

–Oye, después de salir del gimnasio no te cuidas nada mal, ¿eh? ¡Pizzetta blanca y Coca-Cola, la dieta de los atletas!

–Hablando de atletas, tú que eres una atleta gorrona tienes que darme la lista de tus gimnasios para todo el año.

–Sí, claro. Ahora mismo te hago una fotocopia.

–De todos modos, felicidades, es una excelente idea...

–No sólo eso, sino que si estás atento consigues hacer el mismo tipo de clase cada semana, lo único es que debes hacerte amigo de los instructores porque, si no, antes o después te pillan.

–¿Entonces?

–Después de las clases los invitas a un par de Gatorades, les explicas tus dificultades financieras y todo va como una seda. Fácil, ¿no?

–¿Hay alguien más que use ese método?

Vuelve el camarero.

–Aquí está, el Ace para la señorita y para usted pizza blanca y Coca-Cola.

El camarero lo deja todo en el centro de la mesa, pone un ticket debajo del platito de falsa plata y se aleja.

–Que yo sepa, no.

Gin muerde una patata frita grande y se la come. Después, riendo, se tapa la boca con la mano.

–Al menos, eso espero...

Seguimos así charlando, conociéndonos, riendo e intentando adivinar qué tenemos en común.

–Pero ¿qué dices? ¿Nunca has salido de Europa?

–No, Grecia, Inglaterra, Francia y una vez incluso en Alemania, en la Oktober Fest, con dos amigas.

–Yo también estuve.

–¿Cuándo?

–En 2002.

–Yo también.

–Que fuerte, ¿no?

–Lo más absurdo es que una de mis amigas era abstemia. No sabes qué pasó: pidió una cerveza de litro, una de esas jarras llenas hasta arriba que friegan en esos barreños enormes. Se bebió la mitad y antes de media hora estaba encima de una mesa bailando una especie de tarantela; luego empezó a gritar «la fuentecilla, la fuentecilla...», y se hizo pipí encima, un desastre.

La miro mientras bebe el Ace. Recuerdo que había una chica que bailaba en una mesa en la sala donde nosotros estábamos. Pero ¿quién no bailaba aquella noche en la Oktober Fest? Me acuerdo de que cuando le dije a Babi que iba con Pollo, Schello y otro coche de amigos a Múnich, se enfadó mucho.

–Así que os vais a Múnich, ¿y yo qué?

–Tú no... Sólo vamos hombres.

–¿Ah, sí? Me gustaría ver eso.

Y encima, el imbécil de Manetta ¿Qué hace? Va y se lleva a su novia en el otro coche. Y a la vuelta, venga a discutir con Babi porque, como todo, eso también se acabó sabiendo..

–¿En qué estás pensando?

Miento:

–En tu amiga bailando encima de la mesa. Deberías haberla grabado. Habrías visto qué risa después.

–Nosotras ya nos reímos como locas en el momento, qué importa después. Después, después... ¡Ahora!

Bebe otro sorbo de Ace con actitud provocadora. ¿Qué ha querido decir? La cosa se pone mal. En definitiva, se pone. Gin quiere el «ahora». Pero ahora no, ahora aún no. Quizá mañana, sí, o sea, dentro de un poco, después...

–¿En qué estás pensando? ¿Aún en mi amiga bailando encima de la mesa? No te creo, a mí me parece que conociste a alguna tipa en la Oktober Fest y te estás acordando de una de vuestras gamberradas.

–Nos ves mal.

–No, mi vista está perfectamente. No tengo ni una dioptría.

–No, miras mal a nuestro grupo. Nos has tomado por lo que no somos. Somos personas tranquilas, serenas. Es verdad que somos alegres, no como esos tipos que van a los restaurantes y sólo piensan en comportarse bien: «Esto no se hace, esto tampoco...»; un coñazo, vamos.

Me vuelvo y tengo suerte. Una pareja acaba de sentarse. Llevan un setter inglés, ropa de marca y, como el más natural de los contrasentidos, los dos llevan debajo del brazo *Il Manifesto*. Llega el camarero y hacen su pedido.

–Mira esos dos, por ejemplo. No se dirigen la palabra.

De hecho piden separadamente, sin darse la vez, sin preguntarle el uno al otro y viceversa qué le apetece en ese momento. Distraídamente, dándolo todo por hecho, flotando así a la deriva.

–Mira, el camarero se marcha y ellos se ponen a leer los dos *Il Manifesto* y después... No es que tenga nada contra ese periódico, pero...

O, mejor dicho, sí lo tengo, pero como no sé cómo piensa Gin, alguien podría decir: ¿o sea que no te quieres exponer? Soy un rajado, es precisamente eso.

–Si ni siquiera se cuentan que han comprado el mismo diario, ¿qué hay peor? La indiferencia total...

El camarero vuelve en seguida a su mesa. Han pedido los dos un simple café.

–Y ahora el hombre paga sólo porque le toca a él, ésa es la norma.

El tipo se levanta un poco de la silla, desplaza el peso sobre la pierna derecha, la cartera la tiene evidentemente en la izquierda, mete la mano en el bolsillo y paga mientras la mujer, sin siquiera mirarlo, sigue sorbiendo su café.

–Distraídos y aburridos. Bienvenidos sean mis amigos, ¿no? ¡Qué demonios! Arman jaleo, eructan, se dan de hostias, no pagan o lo hacen gritando y pidiendo un euro por cabeza y otras cosas por el estilo, pero al menos no se limitan a sobrevivir, hostia.

Gin sonríe.

–Sí, tienes razón, al menos en eso tienes razón.

Eso me basta, no quiero más. Al menos por ahora.

–De acuerdo, pero ahora relájate, Step; además, tienes otras cosas que hacer.

–¿Qué?

–Tienes que resolver el problema con este señor.

Me vuelvo: detrás de mí está el camarero, que sonríe. No me había dado cuenta.

–¿Me permite?

No me da tiempo a contestar. El tipo se inclina hacia delante y coge el ticket de debajo del platito de falsa plata. No lo había oído llegar a mis espaldas. Extraño, eso no es propio de mí. Eso es, con Gin estoy relajado por primera vez. ¿Eso es bueno?

–Son once euros, señor.

Hago exactamente el mismo movimiento que el tipo escuálido de la pareja abúlica y saco la cartera del bolsillo. Lo abro y sonrío.

–Menos mal.

–¿Qué?

–Que somos distintos de esos muermos.

–¿Sí? –Gin me mira levantando las cejas–. ¿Por qué?

–Tienes que pagar tú: yo no llevo dinero.

–No es necesario ponerse extravagente sólo para ser distintos. Preferiría ser como esos dos y que pagaras tú.

Gin, elegante y sonriente, perfectamente vestida y maquillada, me hace una mueca falsamente irónica. Después sonríe al camarero, disculpándose por la espera. Coge el bolso, saca una cartera, la abre y deja de sonreír repentinamente. Es más, un poco azorada, se sonroja.

–Creo que somos muy distintos de esos dos. Yo tampoco llevo dinero. –Y después, mirando al camarero, añade–: ¿Sabe?, me he arreglado porque tengo una comida con mis padres y, como pagan ellos, no he pensado en coger dinero.

–Mal hecho...

El camarero cambia de tono y de expresión. Su amabilidad parece desaparecer en la nada. Quizá, hombre mayor, casi anciano, cree que esos dos chicos le toman el pelo.

–A mí todo eso no me interesa.

Cojo las riendas de la situación.

–Mire, no se preocupe, acompaño a la señorita al coche, voy a sacar dinero de un cajero y vuelvo aquí a pagar.

–¡Sí, claro..., y yo soy Joe Condor! ¿Acaso te parezco estúpido? Sacad el dinero o llamo a la policía.

Sonrío a Gin.

–Perdóname.

Me levanto y cojo al camarero por un brazo, amablemente al principio, y después, ante su rebeldía («Pero ¿qué haces? Estate quieto»), aprieto un poco más y me lo llevo algo más lejos.

–De acuerdo, jefe. Tiene razón, pero no exagere. No queremos robarle once euros. ¿Está claro?

–Pero yo...

Aprieto más fuerte, esta vez de manera decidida. Veo en su cara una mueca de dolor y en seguida lo suelto.

–Por favor, se lo estoy pidiendo por favor. Es la primera vez que salgo con esa chica...

Tal vez conmovido y convencido más que otra cosa por esta última confesión mía, asiente.

–De acuerdo, entonces lo espero más tarde.

Volvemos a la mesa y le sonrío a Gin.

–Todo arreglado.

Ella se levanta y mira al camarero sinceramente disgustada.

–Lo siento de veras.

–Oh, no se preocupe, son cosas que pasan.

Yo sonrío a mi vez al camarero. Él me mira. Creo que intenta averiguar si volveré o no.

–No tarde demasiado, por favor.

–No se preocupe.

Y nos marchamos así, con una sonrisa amable y una brizna de noble esperanza.

Treinta y siete

Estoy detrás de Step en la moto, en su moto, con las ideas al viento. ¿Dónde te has metido, Gin? Es absurdo. Primera salida o, mejor dicho, segunda. En la primera, él y sus amigos se largaron corriendo de aquel sitio. ¿Cómo se llamaba? Il Colonnello. Y ahora, esta mañana, que tiene la posibilidad, la gran exclusividad de salir contigo, Gin, la única, la irrepetible, la formidable, ¿qué hace? Se presenta sin dinero. Nos ha faltado poco para que nos detuvieran. De locos. Mi tío Ardisio diría: «Cuidado, cuidado, Ginevra, ése no es el príncipe azul.» Ya me imagino su voz, toda ronca, toda impostada, con las «e» cerradas y las «t» que se convierten fácilmente en «d»... «Adenda, adenda, princesa...» Tío Ardisio. «Ése es el príncipe de los cerdos... Ni siquiera una flor para mi princesa, debes cerrar los ojos y obligarte a soñar... Adenda, adenda..., princesa...» Sacudo la cabeza, pero él se da cuenta y finjo mirar hacia otro lado. Me sigue por el retrovisor y se inclina hacia atrás para que lo oiga.

–¿Qué pasa? He quedado fatal, ¿verdad?

–¿Por qué?

–Primera salida, no pago yo y casi te hago pagar a ti. Peor aún: por poco nos detienen. Ya sé qué piensas... –Step sonríe y pone voz de falsete para imitarla–. Lo sabía, este tío es un gamberro. –Y continúa como una perorata. Yo sigo en mis trece–. Mira con quién estoy. Ay, si lo supieran mis padres... –Step sonríe y sigue impertérrito. Oh, ha adivinado todos mis pensamientos. Pero es simpático. Intento no sonreír pero no lo consigo–. La he cagado, ¿verdad? Dime la verdad, vamos.

–No, estaba pensando en lo que diría mi tío Ardisio.

–¿Lo ves? Algo de verdad había en esa sonrisa tuya.

–¡Diría que eres el príncipe de los cerdos!

–¿Yo? –Finjo hacerme el duro–. Mejor que no lo intente.

Me paro. Gin baja delante de su coche. Está serena, divertida, realmente elegante. Permanece así, con las piernas ligeramente separadas y el pelo que le cae sobre los ojos mientras busca las llaves en el bolso. Lleva un bolsito pequeño y, sin embargo, dentro debe de haber un montón de cosas. Gin hurga, revuelve, aparta las cosas de un lado a otro. Mientras tanto la miro, enmarcada por un arco de travertino, en la entrada de via Veneto. Toda su belleza moderna resplandece en ese marco antiguo.

Un viento ligero acaricia las transparencias de su falda. Bajo ese suave azul celeste, de entre esos dibujos de flores, aparece un azul liso y decidido que esconde más arriba, entre sus piernas aún bronceadas, su flor prohibida.

–¡Ahí están! Oh, no sé qué pasa pero siempre acaban al fondo.

Saca del bolsito unas llaves con una oveja negra.

–¡Es un regalo de Ele, la oveja Beee! Bonita, ¿verdad? Pero ten cuidado con la oveja Beee...

–¿Por qué?

–Da patadas a todos los lobos que se le acercan.

–Tranquila, prácticamente ya me la he comido...

–Imbécil... Bueno, gracias por el aperitivo, ha sido, ¿cómo decirlo?..., único. ¿Quieres que te lleve algo de comer cuando acabe con mis tíos?

–La historia interminable..., peor que la película. Oye, todo el mundo puede olvidarse el dinero, ¿no?

–Claro, pero lo raro es que siempre te ocurra todo a ti.

Y con esta bonita frase se aleja y sube al coche.

–Ve a ver al camarero. Te está esperando ¿recuerdas? No está bien eso de engañar a la gente.

Después arranca casi derrapando, conduciendo a su manera. Me dan ganas de gritar: «¡Eh, guapa! Aún me debes veinte euros de gasolina...», pero acabo por arrepentirme incluso de mi pensamiento.

Treinta y ocho

–¡Ahí llega! ¡Gin!

Los saludo desde lejos. Qué extraño grupo todos juntos, qué alturas más descompensadas, qué ropas más distintas. Mi hermano, vaqueros y camiseta Nike; mi madre, un vestido oscuro de flores con un echarpe azul encima; mi padre, impecable con traje y corbata, y mi tío Ardisio, con una chaqueta naranja y una corbata negra con topos blancos. Es increíble dónde consigue encontrar cierta ropa. Los encargados de vestuario de televisión, Fellini incluido, enloquecerían al verlo. Con ese pelo, blanco y caprichoso, que enmarca esa cara divertida subrayada por unas gafitas redondas. Como el signo de exclamación después de la frase: ¡Qué tipo, mi tío!

–Hola.

Nos besamos con afecto, con amor, con ternura, y mamá, como de costumbre, me besa poniéndome la mano en la mejilla como para transmitir aún más amor a ese simple beso suyo, como si quisiera detenerlo por un instante más respecto al resto. Mi tío, en cambio, como de costumbre, exagera y mientras me besa me tira de la barbilla uniendo pulgar e índice, obligándome a sacudir la cabeza a derecha e izquierda.

–Aquí está mi princesita.

Después me suelta dejándome algo dolorida. Por fuerza tengo que pasarme la mano bajo la barbilla para calmarlo y el tío me pilla una mirada de ligero odio. Pero es un instante. Después le devuelvo la sonrisa. Mi tío es así.

–¿Y bien? –Nuestros encuentros siempre empiezan así–. ¿Quién ha elegido este sitio?

Levanto la mano tímidamente.

–Yo, tío...

Y quedo a la espera. Él me mira con una ceja levemente levantada, una expresión algo dubitativa y el labio tembloroso. Pasa algún instante de más y empiezo a preocuparme.

–Muy bien, es bonito, muy bien, hija mía. En serio. Tiempo atrás se comía en medio del arte...

Suspiro, uf... Ha salido bien, y aunque no soy «hija suya», quiero a mi tío. Esperaba que le gustara comer con nosotros en el Caffè dell' Arte que hay cerca de viale Bruno Buozzi.

El tío Ardisio empieza uno de sus relatos.

–Recuerdo cuando volaba sobre el campamento donde estaban mis soldados... –Su voz se vuelve más ronca, casi modulada por la presión de los recuerdos, rota a ratos por la fuerza de la nostalgia–. Y yo les gritaba una y otra vez: «Estudiad, leed.» Pero ellos estaban demasiado preocupados por la muerte. Después daba una vuelta con mi avión bimotor y volvía atrás para dar noticias y aterrizaba allí al lado, sobre la hierba. Pum, pum, llegaba traqueteando con ese avión que era un milagro de la *avación*...

Luke, que naturalmente se hace el puntilloso en los pocos momentos en que no debe serlo, dice:

–Aviación, tío, aviación con i.

–¿Y yo qué he dicho? *Avación*, ¿no?

Luke sacude la cabeza y sonríe. Menos mal que esta vez renuncia.

A la mesa llega un camarero joven y arreglado con el pelo corto aunque no demasiado, con una mirada ingenua pero inteligente. Osaría decir que casi perfecto, si no fuera porque empuja un carrito con unas copas brillantes, como nuevas, y una botella ya metida en una cubitera llena de hielo. Es un Möet, excelente champán, y claro que lo es, faltaría más, vamos a pagarlo nosotros.

–Disculpe. Pero me temo que no es para nosotros. Nadie ha pedido...

Veo a mamá mirándome preocupada. El joven camarero interviene sonriendo.

–No, señora, esta botella la ofr...

–Gracias por lo de señora, pero no insista.

–Si es tan amable de dejarme acabar, la ofrece ese señor de allí.

El camarero, ahora más serio, señala unas mesas más alejadas, casi al fondo del restaurante. Enmarcado por los árboles que hay tras el ventanal a sus espaldas está él, Step. Se levanta de la mesa y, sonriendo, mueve la cabeza esbozando una inclinación. No me lo puedo creer, me ha seguido hasta aquí. Pues claro, quería ver adónde iba, ha querido descubrir si estaba realmente con mi familia. Éste es el pensamiento de Gin la vengativa, de Gin-Salvaje. ¡Gin no es así! Una parte de mí se rebela. Quizá sólo quería disculparse por lo del aperitivo, aunque en el fondo tú también has quedado fatal. Éste es el pensamiento de Gin la Sabia. Y algo, no sé muy bien por qué, hace que me caiga mejor Gin-Serena.

–Esta nota es para usted, señora.

El camarero me tiende una nota y eso me hace pensar aún más que mi elección es justa. La abro algo azorada, con los ojos de todos encima, papá, mamá, Luke y tío Ardisio. Antes de leer, me sonrojo. Qué palo. ¿Por qué ahora? Leo: «Es maravilloso mirarte desde lejos, pero desde cerca es mejor... ¿Quedamos esta noche? P. D.: No te preocupes, he encontrado un cajero automático y ya le he pagado al camarero nuestro aperitivo.»

Cierro la nota y sonrío, y casi me olvido de que tengo todos los ojos encima. Tío Ardisio, papá, mamá, Luke. Todos quieren saber qué hay escrito, a qué se ha debido esa botella y, naturalmente, el más inquieto, el que resiste menos que ninguno, es el propio tío Ardisio.

–¿Y bien, princesa?... ¿A qué debemos esta botella?

–Bueno. A ese chico lo he ayudado..., no era capaz, no sabía..., en resumen, se está preparando para un examen.

–Ardisio, ¿y a ti qué te importa? –Mamá me salva por los pelos–. ¡Tenemos un buen champán, bebamos y en paz! ¿No?

–Pues eso...

Miro a Step y le sonrío, él me ve de lejos; ha vuelto a sentarse. Pero ahora ¿qué hace? ¿Por qué no se marcha? Ha sido bonito, pero ya basta. Vete, Step, ¿a qué esperas?

–Disculpe.

El camarero me mira sonriendo; aún no ha abierto la botella.

–¿Sí?

–Me ha dicho el señor que debería responderme.

–¿Qué?

–No lo sé, creo que a la nota.

Todos me miran otra vez, aún más atentos que antes.

–Dígale que sí. –Después los miro a todos.

–Quería saber si lo he inscrito para el examen.

Todos dan un suspiro de alivio. Naturalmente, excepto mamá, que me mira, pero evito su mirada. Acabo mirando al camarero otra vez, que saca otra nota.

–Entonces tengo que darle esto.

–¿Otra?

Todos se remueven en su silla.

–¿Esta vez nos dirás qué hay escrito?

–Pero ¿qué es esto?, ¿una caza del tesoro?

Naturalmente, me sonrojo de nuevo y la abro: «Entonces, a las ocho en tu casa. Te espero, no llegues tarde, no armes líos... P. D.: Trae dinero, nunca se sabe.»

Sonrío para mis adentros.

El camarero finalmente ha descorchado la botella y acaba de prisa de servir el champán en las copas para marcharse.

–Oiga, perdone...

–¿Sí?

Da una pequeña vuelta sobre sí mismo y me mira.

–Si le contestaba que no, ¿tenía otra nota?

El camarero sonríe y sacude la cabeza.

–No, en ese caso me ha dicho que debía llevarme la botella.

Treinta y nueve

Raffaella se ha reunido con Babi en el salón.

–Hola, Babi, ¿qué ocurre?

–Nada, sólo quería enseñarte esto. Pero mamá, ¿qué tienes? Pareces acalorada... –Babi la mira preocupada–. ¿Os habéis peleado?

–No, todo lo contrario...

Raffaella la mira sonriendo. Pero Babi no se da por satisfecha y le enseña un periódico.

–Bueno, lo que te decía, ¿te gusta esto para la mesa? ¿No te parecen bonitos? ¿O prefieres estos otros que son más naturales? Espiga y grano, ¿bonito, no? Mejor éste, ¿verdad?

–¿Me dejas que lo piense esta noche?

–Vas a salir, ¿no?

–Sí, voy a casa de los Flavi.

–¡Mamá, tenemos que decidirnos, te lo estás tomando demasiado a la ligera!

–Mañana lo decidimos todo, Babi, ahora llego tarde.

Raffaella va al baño y empieza a maquillarse con rapidez. Precisamente en ese momento llega también Daniela.

–Mamá, tengo que hablar contigo.

–Llego tarde...

–¡Pero es importante!

–¡Mañana! ¡No hay nada que no pueda arreglarse mañana!

En ese instante pasa Claudio. Él también tiene prisa. Daniela intenta detenerlo de alguna manera.

–Hola, papá, ¿tienes un segundo? ¡Tengo que contarte una cosa, es muy importante!

–Tengo una cena con Farini. Ya se lo he dicho a tu madre. Perdona, pero es un asunto de negocios importantísimo y después tengo también una partida...

Claudio besa apresuradamente a Daniela. Raffaella lo alcanza en la puerta.

–Claudio, espérame, bajamos juntos.

Daniela se queda así, en medio del pasillo, viendo cómo sus padres se marchan. Después se acerca a la habitación de Babi, pero la puerta está cerrada. Daniela llama.

–Adelante, ¿quién es?

–Hola..., perdona, pero tengo que contarte una cosa. ¿Podemos hablar?

–Mira, voy a salir. Mamá se ha marchado y teníamos que decidir un montón de cosas importantes. Perdóname, pero no es el momento. Voy a casa de Smeralda, al menos ella me dirá algo. Si me necesitas, me encuentras en el móvil.

Y sale así también ella de escena. Daniela, que se ha quedado sola, se acerca al teléfono fijo y marca un número.

–Hola, Giuli..., ¿qué tal?... ¿Qué estás haciendo? Ah, bien..., oye, perdóname, pero ¿puedo pasar por tu casa? Tengo que contarte algo, sí, una cosa importante. Te lo prometo, sólo te robaré dos minutos. Sí, perdona, pero es que no sé qué hacer. Te lo juro, sí, hablamos durante los intermedios. De acuerdo, gracias.

Daniela cuelga, cierra de prisa la puerta de su casa y baja la escalera como una exhalación. Abre el portón y sale.

Precisamente en ese momento, desde detrás de un matorral:

–¡Dani!

Es Alfredo.

–Dios mío, qué susto me has dado... Madre mía, tengo el corazón a dos mil. Pero ¿qué pasa?, ¿por qué te escondes ahí?

–Perdóname, he visto salir a Babi hace un momento.

Daniela se da cuenta de que está pálido, delgado y nervioso.

–Pues... quería hablar un poco contigo, que eres su hermana.

Daniela lo mira. Dios mío, éste me soltará un rollo sobre Babi, seguro.

–No, Alfredo, perdóname, pero yo no sé nada... Tienes que hablar con ella.

–De acuerdo, perdona, tienes razón. ¿Y tú cómo estás?

–Bien, gracias...

Daniela lo mira mejor. Alfredo podría ser la persona adecuada con la que hablar. Es médico, es maduro, y quizá me diera un buen consejo.

–Oye, perdona si te he asustado.

–Oh, no te preocupes, ya pasó.

–En cambio, a mí no se me pasa. Sigo pensando en tu hermana y estoy fatal. Incluso tomo ansiolíticos.

–Lo siento.

Se quedan un momento en silencio. Después Daniela decide acabar con esa conversación imposible.

–Bueno, ahora perdóname, pero tengo que marcharme, me está esperando una amiga...

–De acuerdo, perdóname tú a mí.

Daniela se va corriendo a coger la Vespa del garaje. Espera llegar a casa de Giuli antes de que empiece la película. Después piensa en Alfredo. Pobrecillo, mira cómo está. Está claro que la pasión de Babi lo destruye todo. En este momento es un hombre acabado, inestable, paranoico. Y sobre su decisión, Daniela no tiene dudas: Alfredo es la última persona a la que podría haberle contado que está embarazada.

Cuarenta

Cómodo y tranquilo, elegante como nunca, al menos eso creo. Me miro en el retrovisor y no me reconozco. El pelo aún húmedo de la ducha reciente, americana azul, camisa blanca y pantalones de lino beige con mocasines marrones oscuros, con costuras marcadas que, aunque no resaltan mucho, sí dan una imagen moderna. Cinturón ancho con hebilla gruesa, del mismo marrón que los zapatos. Ah, lo olvidaba, camisa abrochada hasta el penúltimo botón y el móvil en el bolsillo. Yo con el móvil, aún no me lo puedo creer. Siempre localizable, esté donde esté, nunca libre, ya que naturalmente suena siempre por arte de magia o por mala suerte. Joder, precisamente ahora. Lo abro, ¿a que Gin tiene algún problema? Si es así, no me importa, pasaré a recogerla por su casa; es más, subiré y la raptaré. Sigo frenético con mis pensamientos.

–¿Sí?

–Step, menos mal que contestas...

Es Paolo. Pero claro, ¿cómo no me he acordado?

–¿Qué pasa?

–Step, ha ocurrido algo terrible: me han robado el coche.

–Joder... Creía que les pasaba algo a papá y mamá...

–No, ellos están bien. He bajado y mi Audi A4 no estaba. Me cago en diez, pero ¿cómo se las han arreglado? No hay ni un cristal por el suelo, o sea, que no han roto la ventanilla. Además, el garaje estaba abierto y la cerradura sin forzar. ¿Cómo lo habrán hecho?

–Hoy en día los ladrones tienen técnicas perfectas, Pa. Además, las puertas con mando a distancia no las rompe nadie. Tienen un variador de frecuencia. Le dan vueltas hasta que la puerta se abre.

–Ah, ya, no lo había pensado. ¡Mierda!

Me gusta oír a mi hermano tan enfadado, me parece que está más vivo y, finalmente, hostia, se calienta. Aunque siempre por poca cosa, pero, claro, su coche... ¿Qué pasará?

–Y precisamente me lo han robado ahora... Me cago en la leche.

Eso, me cago en la leche. ¿Qué quiere decir «me cago en la leche»?

–La semana pasada pagué la última cuota del crédito. Podrían habérmelo robado antes, al menos me hubiera ahorrado ese dinero.

¡Bah, qué asco! Maldito calculador. Asesor financiero hasta la médula.

–De acuerdo, Pa, ¿y qué quieres hacer?

–No, yo esperaba...

–¿Que te lo hubiera robado yo?

–No, ¿bromeas? Entre otras cosas, porque las llaves y las copias están aquí.

–Ah, pero por un momento lo has pensado, ¿eh?

–No, es decir...

–¿Cómo que no? Si has ido a buscar las copias, eso significa que lo has pensado. Sólo yo podía cogerlas.

Una pausa.

–Bueno, sí, por un momento lo he pensado. Pero me hubiera gustado, es decir, habría sido mejor que tú...

Mi hermano.

–Pa, callado estás más guapo.

–¿Por qué?

Encima me pregunta por qué. Y yo soy un estúpido intentando que lo entienda.

–Nada, Pa, todo en orden.

–Pues eso, Step, yo quería saber... Pero no te ofendas, ¿eh?

–¿Qué? Dime...

–Bueno, como tú, para bien o para mal, conoces a un montón de gente por ahí..., pues eso, que si no te supone mucho problema, si puedes, pregunta si saben quién se lo ha llevado.

–Sí, pero ésos quieren dinero. No pretenderás que me dé de hostias con esa gente por un coche cualquiera.

–Cualquiera... ¡Por un Audi A4!

–Sí, sí, por un Audi A4.

–No, eso no, de ninguna manera... Yo había pensado... Estaría dispuesto a pagar cuatro mil trescientos euros...

–¿Y por qué precisamente esa cifra?

–He pensado que con la garantía y todo lo demás...

Mi hermano, gran asesor financiero, el mejor.

–De acuerdo, Pa, lo intentaré.

–Gracias, Step, sabía que podía contar contigo.

Mi hermano, que puede contar conmigo, esto es lo máximo. Dos curvas más y estoy en su casa. Voy a llamarla por el interfono y mientras estoy a punto de hacerlo me acuerdo de que tiene móvil. Le hago una llamada perdida para avisarla. ¿Lo habrá entendido? Ante la duda, espero un momento. Antes o después, bajará. Antes o después. Las mujeres y sus preparativos. Quizá sea mejor llamarla por el interfono. Espero un minuto. Me concedo otro minuto para esperarla. Enciendo un cigarrillo. Eso, acabaré de fumarme el cigarrillo y después la llamaré. Calle tranquila. Miro a mi alrededor. Algún coche que pasa al fondo. Uno que frena de golpe porque otro se ha hecho el prepotente no dejándolo pasar. Pero después este último vuelve a ponerse en marcha y todo fluye, tranquilo, extraviado en esa gran ciudad. ¡Qué pesadez! Qué reflexiones del carajo. ¿Adónde la llevo esta noche? Qué raro, he pensado en todo menos en esto. ¿Adónde la llevo? Eso era algo en lo que había que pensar. Tengo una idea, pero después me preocupo. Me preocupo por lo que estoy pensando. ¿Yo preocupándome de dónde llevarla a cenar? ¿No me estaré preocupando demasiado? Cuando sales con una chica, si organizas la velada, es ahí donde la cagas.

¡Y la cagas a lo grande, eh! No puede ser. Hace falta desenvoltura, improvisación, que pase lo que tenga que pasar. Después, repentinamente se me ocurre algo. Joder, me gusta la idea. Otra calada y luego la llamo. Pero en ese momento se abre la verja. Un ruido, un ruido de cerraduras. Al fondo, el portón se abre lentamente. La luz se filtra desde el vestíbulo, levemente anaranjada. Ilumina las hojas del jardín, los escalones lejanos, los ciclomotores aparcados. Luego sale una señora mayor. Camina lenta, sonriente, con las piernas ligeramente combadas bajo el peso de los años. Después, justo después, ella. Ella, que la ha dejado pasar, ella, que aún le sostiene la verja, ella, que la ayuda a salir, que le habla sonriendo, que asiente ante alguna pregunta ocasional, ella, amable, ella, guapa, ella, sonriente... Ella. La señora pasa frente a mí y, aunque no la conozco, me suelta un «Buenas noches».

Me sonríe, como si me conociera de siempre.

–Buenas noches. –Y se aleja dejándome solo con Gin.

Lleva el pelo recogido, una chaqueta corta de piel con cremalleras y correas, un divertido cinturón azul 55 DSL, pantalones oscuros con la cintura baja, de cinco bolsillos y costuras marcadas. Un bolso grande de tela Fake London Genius. Tiene estilo. Y para tenerlo no ha gastado nada. Es increíble cómo te fijas en todos los detalles cuando te gusta alguien. Tiene una cara divertida. Pero ¿qué digo? Guapa.

–¿Y la moto? ¿No has venido en moto?

–No.

–Y yo que me he vestido así. –Hace una especie de pirueta–. No me parezco un poco al «Salvaje» Marlon Brando?

Sonrío.

–Más o menos.

–Pero entonces, ¿cómo has venido?

–Con este coche, he pensado que estarías más cómoda.

–¡Un Audi A4! ¿Y a quién se lo has robado?

–Oye, me infravaloras, es mío.

–Sí, y yo soy Julia Roberts.

–Depende de la película. Imagino que *Pretty Woman*.

–Bah...

Gin va hacia la portezuela y me da al vuelo un puñetazo en el hombro.

–Ay.

–Empezamos mal. Esa broma no me ha gustado.

–No, *Pretty Woman* en el sentido de que persigue un sueño.

–¿Y?

–Pues que has encontrado tu sueño...

–¿Un Audi A4?

–No, yo.

Sonrío, entramos en el coche y arranco derrapando.

–Más que un sueño, esto me parece una pesadilla. Vamos, di la verdad, ¿a quién se lo has robado?

–A mi hermano.

–Eso, así me gusta, siempre será una mentira, pero al menos es más creíble.

Acelero ligeramente y nos perdemos en la noche. Y pienso en la copia de las llaves comprada a aquel tipo en el bar de los Sorci Verdi, en corso Francia, el que tiene copias de todas las llaves de todos los coches posibles e imaginables. Pienso en Pollo y en la primera vez que me llevó, pienso en las bromas que hacíamos, pienso en mi hermano preocupado por su coche robado, pienso en la velada, pienso en mi idea y pienso en mi pasado. Un pensamiento cualquiera veloz, más fuerte que los otros. Paso delante de la Assunzione. Quiero distraerme. Me vuelvo hacia Gin. Ha puesto la radio, canturrea una canción y ha encendido un cigarrillo. Después me mira y sonríe.

–Entonces, ¿adónde vamos?

–Es una sorpresa.

–Era lo que esperaba que dijeras.

Me sonríe e inclina hacia un lado la cabeza, se suelta el pelo. Y en ese momento entiendo que la verdadera sorpresa es ella.

Cuarenta y uno

–Bueno. ¿Cuál es la sorpresa? ¿Es una bonita sorpresa?

–Son varias sorpresas.

–Pues dime una.

–No, entonces no sería una sorpresa.

Aparco y bajo del coche. Un marroquí o algo similar me sale al encuentro con la mano abierta. Se la cojo al vuelo y se la estrecho.

–Hola, jefe... –Se ríe divertido y exhibe una especie de dentadura estilo «¡Es que aquí los dentistas son muy caros!».

–Son dos euros.

–Por supuesto. Pero pagaré cuando vuelva. –Le aprieto un poco más fuerte la mano–. Así me aseguro de que encontraré el coche en perfectas condiciones, ¿verdad? Se paga después del servicio. –Me mira preocupado–. O sea, que tenlo vigilado, no quiero arañazos. ¿Está claro?

–Pero yo después de las doce estoy...

–Volveremos antes.

Y me alejo.

–Entonces espero, ¿eh?

No contesto y miro a Gin.

–Tu hermano le tiene mucho cariño a este coche, ¿eh?

–Está obsesionado. En este momento está desesperado porque piensa que se lo han robado.

–¿Y no nos parará la policía y acabaremos en la cárcel?

–Me ha dado una noche para encontrarlo.

–¿Y después?

–Después pone la denuncia. Pero no te preocupes, ya se lo he encontrado, ¿no?

Gin se ríe y sacude la cabeza.

–Pobrecito, tu hermano, imagino la clase de cosas que le has hecho pasar.

Realmente él no lo sabe, pero lo he salvado de muchas situaciones.

Por un instante, pienso en mi madre. Me dan ganas de contarle... Pero ésa es nuestra noche, suya y mía. Y basta.

–¿En qué piensas?

–En que tengo hambre... ¡Ven!

Y me la llevo conmigo, cogiéndola de la mano. En Angel's un aperitivo, un Martini helado para los dos, agitado, hielo y limón al estilo James Bond o algo parecido. Con el estómago vacío sienta de maravilla. Gin se ríe y me cuenta cosas. Historias del pasado, de amigas suyas y de Ele, de cómo se conocieron y las discusiones y los celos de la amiga. Yo la cojo de la mano, saludo a un tipo con pendiente que parece conocerme y después la llevo al baño.

–Oye, pero ¿qué pretendes hacer? No me parece el lugar más apropiado, ¿no?

–No, mira...

Le paso veinte céntimos o quizá cincuenta o tal vez un euro, acaso dos, ni siquiera lo miro. Le pongo la moneda en la mano. Pienso en el tipo del aparcamiento. En cuando vuelva y le diga que no tengo más monedas.

–Éste es el pozo de los deseos, ¿ves cuánto dinero hay en el fondo? –Gin mira dentro de una especie de pozo en ese baño lleno de plantas y alfombras de colores, rojo, violeta, naranja y una luz azul y amarilla, paredes blancas y rojizas–. Vamos... ¿Ya lo has pensado?

Ella sonríe, se vuelve y lanza mi moneda con un deseo que acaba en el fondo con la esperanza de que se cumpla. Acto seguido la imito y hago que la mía vuele sobre su hombro. Y vuela que da gusto y desaparece formando ondas en medio del agua con un extraño zigzag para después posarse en el fondo entre otros mil sueños y algún que otro deseo quizá realizado.

Salimos en silencio al tiempo que un tipo entra de prisa y casi choca con nosotros mientras se desabrocha los pantalones, pero después lo piensa bien y se abalanza sobre el lavamanos vomitando. Nos miramos y estallamos en una carcajada, asqueados y estremecidos... Uf... Cerramos la puerta a nuestras espaldas y nos marchamos.

Dejo quince euros encima de la mesa y en un instante estamos fuera. Me encuentro con Angel, que me saluda.

–Hola, Step, cuánto tiempo...

–Sí, sí. Bueno, si acaso luego vuelvo.

En realidad se llama Pier Angelo, aún me acuerdo, y vendía extraños cuadros en la piazza Navona a los extranjeros, telas dudosas por cifras aún más dudosas. Un alemán, un japonés, un americano, y una extraña explicación en un inglés no precisamente perfecto, macarrónico e inventado, y otro fajo para poder comprarse algún día, como luego hizo, su Angel's.

–Entonces, ¿ya está?

–Estate tranquila... Entiendo que no quieres cansarte.

La cojo en un segundo y me la cargo al hombro.

–Pero ¿qué haces?

Se ríe divertida e intenta pegarme, pero lo hace sin maldad.

–Yo te llevo... Basta con que no hagas más preguntas.

–¡Vamos, déjame en el suelo!

Pasamos por delante de un grupito de chicos y chicas que nos miran más o menos divertidos, avergonzados estos primeros, soñadoras estas últimas. Esto es lo que me parece leer en sus expresiones. Y desaparecemos. Cul de Sac.

–Ahora puedes bajar. Aquí, un aperitivo de quesos y vinos.

Gin se baja la chaqueta, que se le había levantado, y también la camiseta, que le ha dejado al descubierto la barriga, blanda pero compacta, sin extraños *piercings* en el ombligo, natural y redonda.

–¿Qué haces, estás mirando? Mi barriguita no es lo más.

Guapa e insegura.

–¿Quieres decir que hay algo más? –Gin resopla–. Estoy imantado, atraído, inevitablemente absorbido y...

–Sí, sí, de acuerdo. He entendido el concepto.

Nos sentamos a la primera mesa y le pido a un tipo de color vagamente francés con un delantal blanco:

–Un queso de cabra fuerte y seco y dos copas de Traminer.

El tipo asiente y yo, en su incertidumbre, espero que lo haya entendido de verdad.

–¿Dónde has leído eso del Traminer y el queso de cabra? ¿Te lo ha sugerido tu hermano?

–Pérfida...

La señalo con los dedos índice y corazón.

–Viborilla... Hice un curso con un sommelier francés. Una sommelier, para ser exactos. En Epernay, en la Champaña. Medias grises transparentes, finísimas, y siempre rigurosamente con ligas. ¿Quieres más detalles?

Resopla molesta.

–No, gracias, o volverás a empezar diciendo que te sientes naturalmente atraído y otras tonterías por el estilo...

El tipo vagamente francés deja una tabla de madera sobre la mesita y, *voilà*, ha acertado: queso de cabra y Traminer frío. Increíble, y la cosa no acaba ahí.

–Os he traído también miel natural...

–Gracias.

Es fantástico cuando a uno le gusta su trabajo. Pero no hay nada más bonito que una chica que come con gusto. Como ella. Sonríe y unta la miel sobre el pan aún caliente, recién tostado, perfectamente dorado, no quemado. Pone encima un trozo de queso y da un gran mordisco, decidido pero lento, mientras con la otra mano se protege de la caída libre de migas enloquecidas. Después se toca con la punta de los dedos la palma y, como interpretando un extraño tema musical, las deja caer en el pequeño plato, cerca del pan que ha quedado, mientras con la otra mano coge el Traminer y lo acompaña todo con un pequeño sorbo.

Es perfecta, coño, es perfecta, lo sé. Pequeños cosquilleos... No sé qué sentido tienen..., pero en realidad... Sí lo sé. El Traminer baja deprisa, frío con su regusto. Helado. Una copa tras otra. Sí, lo sé, es perfecta. Y por lo que pienso, por cómo me pierdo en el equilibrio, por ese «lo sé, no lo sé», entiendo que ya estoy medio borracho. Espero que se acabe el último bocado, dejo el dinero sobre la mesa y la rapto.

–Anda, vamos.

–Pero ¿adónde?

–Un sitio por cada especialidad.

Y nos marchamos de prisa, así, un poco de vino, algunas risas. Entre miradas indiscretas, personas en las otras mesas, cabezas que asoman para mirar, espiar, observar a esos dos desconocidos... Nosotros dos, meteoros de una noche cualquiera, en un lugar cualquiera, en un momento más que cualquiera, pero solamente nuestro. Como este comida-tour.

–Oye, Step...

–¿Sí?

–¿A cuántos puntos base acudiremos?

–¿Qué quieres decir?

–Como vamos a comer una cosa en cada sitio, para saber cuántos serán, es que tengo miedo de explotar. ¿En cuántos sitios pararemos?

–¡En veintiuno!

Contesto decidido, levemente molesto, joder. Ni siquiera un comentario amable, que sé yo: bonita la idea, original, divertida. Repentinamente, Gin se para. Se detiene en medio de la calle y clava los pies en el suelo.

–¿Qué pasa?

Me coge por la chaqueta y me atrae hacia sí con las dos manos, cogiéndome de las solapas.

–Dime a quién se lo has robado.

–¿El Audi A4? Ya te lo he dicho: a mi hermano...

–No, este periplo, comer una cosa distinta en cada sitio, ¿de quién has cogido la idea?

Me río sacudiendo la cabeza, más borracho que nunca, aunque de diversión etílica.

–Se me ha ocurrido a mí.

–¿Quieres decir que es una idea totalmente tuya, que no la has robado de ningún sitio? ¿De algún libro estúpido, de alguna película romántica, de alguna leyenda urbana?

Estiro los brazos y levanto los hombros.

–Totalmente mía. –Sonrío–. Se me ha ocurrido de repente...

Hago crujir los dedos. Gin aún me tiene cogido por las solapas y me mira con aire dubitativo.

–¿Y no se lo has hecho ya a alguna otra?

–No, es sólo para ti. Si es por eso, ni siquiera en los sitios que he elegido he estado nunca con ninguna otra.

Me suelta de golpe, empujándome hacia atrás.

–¡Anda ya! ¡Ésa sí que es una mentira gorda! ¡Pum! –Hace explotar un falso globo hinchando los carrillos–. Pum. ¡Gilipollez! Ah, ah, Step ha dicho una gilipollez...

Y casi me suelta un discurso. La cojo al vuelo por las solapas y le doy la vuelta sobre sí misma antes de que se aleje demasiado. Da una media vuelta y acaba junto a mi cara. Su boca.

–De acuerdo, he dicho una gilipollez. Pero siempre he venido en grupo. Nunca solo como estoy ahora contigo...

–De acuerdo, mejor así. Así te puedo creer.

–Tienes que creerme.

Bajo la voz y me sorprendo hasta yo al oírla así ahogada, casi susurrada, en sus oídos, en su cuello, entre su pelo. La miro a los ojos y le sonrío sincero. Lo aprecia y me cree. Pero quiero rematarlo:

–Lo juro...

Y esta vez me desafía. Ella también sonríe y se relaja. Beso. Beso suave, beso lento, beso no impetuoso. Beso al Traminer, beso liviano, beso de lenguas en lucha, beso surf, beso en la ola, beso con mordisco, beso «querría seguir pero no podemos». Beso «no puedo más». Beso «hay gente»...

Cuarenta y dos

No me lo puedo creer. Yo, Gin, aquí, en via del Governo Vecchio, besándome en medio de la calle. Gente que pasa, gente que me mira, gente que se para, gente que me observa... Y yo en medio de la calle. Sin pensar, sin mirar, sin preocuparme. Ojos cerrados. Gente alrededor. Eso, pienso que podría haber un tipo mirándonos a cinco centímetros de nuestro beso. Abro un poco el ojo derecho. Nada, todo tranquilo. Vuelvo a cerrarlo. Quién sabe si al otro lado... Pero ¡a mí qué me importa! Step y yo. De eso estoy segura. Lo abrazo más fuerte y seguimos besándonos así, sin problemas, sin pensar. Después nos echamos a reír, quién sabe por qué. Tal vez porque ha movido un poco la mano y me ha tocado la cadera, resbalando hacia quién sabe dónde. Pero soy honesta. Yo ni siquiera lo había pensado. Sólo me han dado ganas de reírme y punto. Y lo mismo a él. ¡Y lo hemos hecho! Hemos estallado en una carcajada. Me he tocado con la mejilla derecha el hombro, sonriendo, apoyándome de lado, dejando pasar un escalofrío... O quizá un deseo.

–Vamos, I Primi della Classe nos espera.

–¿Y quién es, uno amigo tuyo empollón?

–¡Pero qué dices! Es un sitio donde sólo se come pasta.

–Ah, bueno, ¿y tú qué sabes? A lo mejor el cocinero es licenciado en Filosofía.

Intento resolver así esa broma mía. Con Step lo consigo. Quién sabe, quizá incluso esos dos hermanos, a pesar de todos sus éxitos, al oírla se habrían reído.

El propietario se presenta como un tal Alberto. Saluda, es amable, nos acomoda y nos recomienda un «tríptico»: *trofie* al pesto, *tortelloni* de calabacín y arroz con champán y gambas.

Nos miramos y asentimos con la cabeza, de acuerdo, está bien, sí. En resumen: «Oye, Alberto, ¿por qué no te marchas ya?»

–¿Y para beber?

Step pregunta si tienen un vino blanco, al menos eso creo. Pero no lo he entendido bien... Farfallina o algo parecido.

–Estupendo.

En cambio, Alberto, que sí lo ha entendido, se aleja.

Miro el local a mi alrededor. Arcos hechos de ladrillos antiguos, piedras que sobresalen de las paredes, blanco, marrón, rojo, y focos dirigidos al techo. Miro al suelo. Baldosas de barro cocido, perfectas y nuevas. Algo más allá, la cocina. Falsa antigüedad, hierro, trozos más oscuros, hierro colado o algo parecido, y dos puertas batientes tipo *saloon* mientras sale un chico con un plato caliente, humeante, y nadie le dispara. Es más, en una mesa hacen aspavientos, contentos de verlo. Quién sabe cuánto rato hace que estaban esperando.

–Aquí está vuestra Falanghina.

Alberto deja una botella de vino blanco sobre la mesa y la descorcha con facilidad. Falanghina... No *farfallina*. Estoy fatal. Step la coge y sirve un poco en mi copa. Después espero que haga lo mismo con la suya y las levantamos para beber.

–Espera, brindemos.

Lo miro preocupada.

–A ver –sonrío–, ¿por qué brindamos?

–Por lo que tú quieras. Cada uno decide y luego brindamos juntos.

Me concentro un instante. Él me mira a los ojos. Después acerca su copa a la mía y la choca.

–Quizá sea el mismo deseo.

–Quizá un día nos lo contemos.

–Ya veremos. –Miro a Step intentando entender. Él me sonríe–. Se verá, se verá...

Y me lo bebo de un trago con la certeza de que antes o después ese deseo, al menos el mío, sí que se verá. Haremos el amor... ¡Auxilio! Pero ¿qué digo? Dios mío. Me distraigo. Miro a mi alrededor. Qué distintas parecen las parejas que comen en otras mesas. Quién sabe por qué, pero siempre creemos ser los mejores. Al menos, en mi caso. Sí, Gin la presuntuosa. Aunque no podría estar nunca en la mesa con alguien sin dirigirle la palabra. Comer en silencio. ¿Qué sentido tiene eso? Como hacen esos dos... De vez en cuando, entre bocado y bocado, miran hacia afuera, hacia afuera de su vida, de sus pensamientos. En busca de otra cosa. Aburridos de lo que tienen al lado. ¡De esa misma vida que precisamente ellos han elegido! Miran de reojo a las otras mesas, a las otras personas, y siguen masticando en busca de curiosidad. ¿Te das cuenta?

–¡Ah!

–Pero ¿qué haces? ¿Por qué gritas? –Step me mira preocupado, pero yo me río–. ¿Estás loca?

–¡No, soy feliz! –Y grito otra vez mientras la tipa aburrida de la mesa de al lado ha dejado por un momento de masticar y me mira sorprendida, con curiosidad. Y yo, bueno, yo la saludo. Tomo un bocado de los platos recién llegados y me lo meto en la boca–. Hum, qué rico...

Giro el índice en la mejilla siempre mirando a la vecina aburrida, que sacude la cabeza si entender nada. Y pensar que el hombre, el que está delante de ella, ni siquiera se ha dado cuenta de nada. Step se ríe y me mira. Y sacude la cabeza. Y yo le sonrío.

–Oye, ¿no te saldrá muy cara la noche?

–A la cena invita mi hermano. En realidad es un poco tacaño, pero no tiene problemas de dinero.

–Caray, ¿y por qué lo hace?

–Pues a lo mejor para ayudarme a mí, al hermano menor, que tiene problemas con las chicas.

–¡Deja de decir chorradas! Sí, seguro que es por eso.

Y otra vez nos marchamos corriendo, de prisa, riendo. Después subimos al coche. No sé cómo encuentro otros dos euros en el bolsillo. Se los doy al marroquí, que quizá esperaba algo más. Pero luego lo piensa, se considera de todos modos satisfecho y ahora, ya como romano de adopción, me ayuda a hacer la maniobra.

–Venga, venga, doctor, todo en su sitio, se lo he guardado como si fuera una florecita.

No encuentra más respuesta que mi gesto de asentir con la cabeza. Sí, sí, de acuerdo, está bien así.

Música. 107.10. Tmc. Las palabras del disc-jockey dejan espacio a las notas de U2. Y Gin, obviamente, conoce la canción.

–«*And I miss you when you're not around, I'm getting ready to leave the ground...*»

–¡Te las sabes todas!

–No, sólo las que hablan de nosotros dos.

Avanzamos junto al Tíber. Después cruzamos el puente. Derecha, izquierda, piazza Cavour, via Crescenzo. Papillon. Mario, el propietario, nos saluda.

–Salud, ¿sois dos?

–Sí, pero dos especialistas, ¿eh?

Sonrío a Gin estrechándola contra mí. El tipo nos mira. Aprieta un poco los ojos. Estará pensando: «¿Lo conozco? ¿Quién es? ¿Es alguien importante?»

Pero no encuentra respuesta, entre otras cosas porque no la hay.

–Por favor, venid, os pondré aquí y así estaréis más cómodos.

–Gracias.

En la indecisión ha optado por que somos dos personas que hay que tratar bien. En definitiva, pasando de todo. Cruzamos una sala con una mesa grande llena de gente, en su mayor parte chicas, monas incluso. Rubias, morenas, pelirrojas, sonríen, se ríen, todas ellas maquilladas hablan en voz alta, pero comen educadas, picotean trozos de pizza recién hecha de un plato central. Algo más allá, los tenedores famélicos se abalanzan sobre algunas lonchas de jamón recién cortadas, rojas y finas, hijas de quién sabe qué cerdo.

–Cerdo...

–Ay, ¿qué pasa?

Gin acaba de pegarme un golpe certero en el costado.

–Me has pillado desprevenido.

–He visto cómo mirabas a ésa.

–Pero ¿qué dices? Estaba pensando en el jamón.

–Sí, encima. ¿Crees que soy idiota?

Mario finge que no oye nada. Nos acomoda en una mesa esquinera y nos deja en seguida.

–Sí, en el jamón... Ya sé yo en qué pensabas. Ésas deben de ser las bailarinas del Bagaglino. Celebran el estreno o algo parecido. Ese de allí con poco pelo es el director, y esas dos que están a su lado son las primeras bailarinas.

–¿Y tú cómo lo sabes?

–Da la casualidad de que de vez en cuando hago pruebas... El infiltrado en el mundo del espectáculo eres tú.

Una chica del grupo se levanta de la mesa, se dirige hacia el baño, pasa frente a nosotros, sonríe y después se vuelve perdiéndose en el fondo de la sala pero dejando un panorama perfecto, dos piernas musculosas y un trasero redondo aprisionado con algunas dificultades en una falda demasiado estrecha.

–¡Pero, mira cómo babeas! ¡Y tú que pensabas en el jamón, lástima!

–¿Lástima, qué?

–Te has jugado la noche.

–¿Cómo?

–Si tenías una mínima posibilidad conmigo, y mira que había *feeling*, la has perdido.

–¿Y por qué?

–Porque sí. Es más, te voy a dar un consejo: métete en el baño, sigue a ésa y, como mucho, conseguirás un revolcón o dos entradas para el Bagaglino.

–Y después vamos juntos.

–Ni muerta.

–¿No te gusta el Bagaglino?

–No me gustas tú.

–Muy bien.

–¿Qué quiere decir «muy bien»?

–Que tengo una posibilidad...

–¿Es decir?

–Que eres celosa y un poco tocapelotas, pero en definitiva...

–¿En definitiva?

–¡Te gusto!

Gin está a punto de marcharse cuando la detengo con la mano.

–Espera, pidamos al menos.

Mario ha aparecido detrás de ella.

–Bien, ¿qué hago que preparen?

–Hemos venido a probar esos riquísimos filetes, grandes y crudos. Hemos oído hablar de ellos.

–Perfecto.

Mario sonríe contento de ser famoso al menos por los filetes.

–Y tráiganos un buen cabernet.

–¿Va bien un Piccioni?

–A su gusto.

–Estupendo.

Y se siente aún más satisfecho por el hecho de que se pueda contar con él también para la elección del vino.

–Gin, vamos, no nos peleemos, ¿quieres cambiar de sitio? ¿Quieres sentarte aquí?

–¿Por qué?

–Así miras tú a las chicas, a las bailarinas.

–No, no. –Sonríe–. Me divierte que las mires tú; es más: me gusta.

–¿Te gusta?

–Claro, no hay pareja más abierta que ésta. Primero, porque no somos pareja, y segundo, porque después de ese panorama de tetas y culos estarás más sereno al oír un «no» de una simple mortal...

–Tercer dan en todo y para todo, ¿eh?

La chica que había ido al baño pasa otra vez por delante de nosotros para volver a su mesa. Me vuelvo por instinto sin querer. Gin no esperaba otra cosa y la llama.

–Perdona.

–¿Sí?

–¿Puedes venir un instante?

La chica, sorprendida, asiente.

–Vamos, Gin, déjala. Pasemos al menos por una vez una noche tranquila.

–Pero ¿por qué te preocupas? Yo simplemente estoy trabajando para ti.

La chica se acerca a nuestra mesa amable y curiosa.

–Gracias... ¿Ves a este chico?, Stefano, Step, el mito para algunos..., quería tu número de teléfono pero no se atreve a pedírtelo.

La chica se queda sorprendida, con la boca abierta.

–La verdad...

Gin sonríe.

–No, no tienes que preocuparte por mí. Yo soy su prima.

–Ah.

Ahora parece más relajada. La tipa me mira, valora si es cuestión de dármelo o no y yo, quizá por primera vez en mi vida, me sonrojo.

–Pensaba que estabais discutiendo o que quizá era una broma...

–No, de ninguna manera.

Gin permanece firme en su afirmación.

–De acuerdo, has pensado demasiado. No importa. Qué mona, esa falda, ¿es de Ann Demeulemeester?

–¿De quién?

–No, ya me lo parecía. Talla cuarenta, cintura con trabillas, botones escondidos, un bolsillo...

–No, es de Uragan.

–¿Uragan?

–Sí, es una marca nueva de un amigo mío.

–Ah, entiendo, y tú eres una especie de imagen de la marca.

La chica sonríe alisándose la falda e intentando arreglarse un poco.

–Sí, digamos que sí.

Esfuerzo inútil. La falda permanece fija, simplemente pegada a sus caderas, no mostrando, por un pelo, las bragas.

–Bueno...

Intento tomar las riendas de la situación.

–Perdónanos, pero creo que te llaman desde la mesa.

La chica se vuelve. Efectivamente, se están marchando.

–Ah, sí, disculpad.

–Sí, adiós.

La tipa se aleja.

Nos quedamos así mirándola en sus majestuosos andares, y no se sabe por qué, se contonea más que antes.

–Felicidades.

–¿Por qué?

–Bueno, es la primera vez que una mujer consigue hacerme pasar vergüenza, y encima con otra.

–Bueno, me he esforzado. Pero si no ha querido darte su teléfono, imagínate el resto.

–Bueno, en todo caso podré jugar con este sentimiento de culpa...

–¿Por qué?

–No se cae todos los días un mito como el mío... Step no consigue el número de teléfono de una que viste Uragan. Eso no pasa todos los días.

–Por si te consuela, tenía las tetas operadas.

–No me he fijado. Estaba más fascinado por su culo natural. –Sonrío malicioso–. Sobre eso no tienes nada que decir, ¿verdad?

–Realmente tengo algunas dudas también sobre él. Siento que no vayas a tener nunca oportunidad de comprobarlo.

–Nunca digas nunca.

Precisamente en ese momento, Mario coloca los dos platos con los filetes frente a nosotros.

–Aquí están.

–Gracias, Mario.

–Es mi trabajo.

Nos sonríe y Gin empieza en seguida a cortarlo.

–Mientras tanto, Step, tendrás que conformarte con la carne del plato.

–Si ésta no es natural, estamos jodidos.

Ante esas palabras, Mario se queda turbado.

–¿Qué decís?, ¿estáis bromeando? Aquí sólo damos carne con certificado de calidad. No vayáis por ahí contando historias raras, que voy listo.

Nos echamos a reír.

–No, no, no te preocupes. ¡Hablábamos de otra cosa, en serio!

Y seguimos comiendo, sirviéndonos cabernet, comiendo lentamente, riendo, contándonos hechos insignificantes pero que nos parecen muy importantes. Haces de vida, del uno y de la otra, en los cuales no hemos participado nunca. Momentos eufóricos y distintos con amigos del pasado que hoy, bien mirados, no parecen gran cosa. O acaso sea el miedo a no ser lo bastante divertido. Gin me sirve vino. Y sólo el hecho de que sea ella quien lo haga me hace olvidarlo todo.

Cuarenta y tres

Giuli mira a Daniela con la boca abierta.

–¡Cierra la boca, que me haces sentir aún más culpable!

Giuli la cierra. Después traga saliva e intenta recuperarse.

–Sí, entiendo... Pero ¿cómo es posible?

–¿Cómo es posible? Pues tendrías que saberlo, porque tú también lo has hecho, y antes que yo. ¿Quieres que te lo explique?

–No, tonta, eso lo sé; en todo caso eres tú la que no lo sabe. Decía que cómo es posible que te quedaras embarazada.

–Oye, Giuli, te ruego que no digas eso, estoy fatal. Por favor... Y piensa que te lo estoy diciendo a ti..., ¡imagina cuando se lo cuente a mis padres!

–¿Por qué? ¿Se lo vas a decir?

–Pues claro que se lo diré, ¿qué quieres que haga?

–Pero si no es nada. Basta sólo un día en el hospital y el problema, plof, desaparece. ¿Entiendes?

–Pero ¿qué dices, estás loca? Yo quiero tener el bebé.

–¿Quieres tenerlo? ¡Entonces estás completamente loca!

–Giuli, no me esperaba esto de ti. Me obligas a ir todos los domingos a misa contigo y luego... ¡tienes el valor de decir una cosa como ésa!

–¡Oh, perfecto, ahora me sueltas el sermón a mí! Quisiste hacerlo como fuera antes de los dieciocho porque te sentías como una desgraciada y has sido castigada, ¿lo ves? ¿El tuyo te parece un discurso religioso? ¡Pero, por favor! De todos modos, haz lo que te parezca, es tu vida.

–Te equivocas. Es también su vida. ¿Ves?, es en eso en lo que no piensas. Ahora hay otra persona además de mí.

–Y en todo lo demás tú sí piensas, ¿verdad? Por ejemplo, ¿se lo has dicho a él?

–¿A quién?

–¿Cómo que a quién? ¡Al padre!

–No.

–¡Perfecto! ¿Y no has pensado en cómo se lo tomará Chicco Brandelli cuando reciba la noticia, eh? No, no lo has pensado...

–No, no lo he pensado.

–¡Pues claro, a ti no te importa nada! Estoy convencida de que al pobre le dará por suicidarse.

–No creo que él sea el padre.

–¿Qué? ¿Y de quién es? Entiendo... Te lo ruego, dime que no es Andrea Palombi. Pero si se ha convertido en un monstruo, es terrible, un desgraciado; piensa en cómo será ese pobre niño.

–Mi bebé será precioso, se parecerá en todo a mí...

–Eso no lo sabes, no puedes saberlo. Quizá, en cambio, salga idéntico a Palombi. Madre mía, si es así, yo no hago de madrina, ¡te lo digo ahora, yo no voy a ser la madrina!

–Oh, no te preocupes, no saldrá igual que él.

–¿Y por qué?

–Porque él no es el padre.

–¿Él tampoco es el padre? ¿Entonces quién es? Ostras, en un momento dado desapareciste de la fiesta, pero pensaba que te habías marchado con Chicco.

–No, sólo recuerdo que tomé un éxtasis blanco de la camella donde me mandaste tú, y luego...

–¿Un éxtasis blanco? ¡Tú te tomaste un *scoop*!

–¿Un *scoop*? ¿Y eso qué es?

–Pues claro que no recuerdas nada. Menos mal que no acabaste debajo del agua. ¡Eso te disloca, te quita los frenos inhibidores, haces de todo, te conviertes en la guarra más guarra del mundo y después, puf, no te acuerdas ni de cómo te llamas!

–Pues sí, creo que fue precisamente así... Creo...

–No me lo puedo creer, tomaste un *scoop*.

–Fue cosa de Madda, que quiso castigar de alguna manera a mi hermana.

–¡Sí, dejándote disfrutar a ti!

–Pero ella no podía saber que después estaría tan bien.

–Joder, siempre consigues asombrarme.

–Soy la monda, ¿eh?

–Pues la verdad... Pero ¿cómo puede ser que no te acuerdes de nada, ni una pista?

–Nada, te lo juro, oscuridad total. ¡Fue bonito, sí, de eso me acuerdo!

Giuli se queda por un momento en silencio en el sofá. Después bebe un sorbo de agua, mira a Daniela y encuentra las fuerzas para hablar.

–Bueno, hay algo que sí puedo imaginarme...

–¿Qué?

–La cara de tus padres.

–Pues yo no.

–Creo que te dejarán la cara tan hinchada que ni siquiera te parecerás a ellos.

–No, yo creo que se lo tomarán bien. Es en este tipo de situaciones cuando se ve el verdadero amor de una familia, ¿no? Si siempre va todo estupendamente, ¿qué mérito tiene? En ese caso sería incluso demasiado fácil, ¿no?

–Sí, sí, claro. ¡A mí me has convencido, a ver si consigues convencerlos a ellos!

–Bueno... –Daniela se levanta del sofá–. Me marcho. Quiero decírselo esta misma noche; no soporto guardar el secreto por más tiempo. Será una liberación. Adiós, Giuli...

Se dan un beso en la mejilla. Después, Giuli la saluda, y mientras sale, le dice:

–¡Ya me contarás, eh! Y llámame si me necesitas.

–De acuerdo, gracias.

Giuli oye cómo se cierra la puerta de su casa. Sube el volumen de la televisión y se dispone a mirar la película. Al poco, la apaga. Decide irse a la cama. Una cosa es segura: después de la historia de Daniela, cualquier otra película es aburrida.

Cuarenta y cuatro

Mario llega preocupado a nuestra mesa.

–Pero ¿qué hacéis? ¿Os marcháis, ya? Sólo habéis tomado un segundo. Tengo un pastel casero riquísimo, hecho con mis propias manos. Bueno, para ser sincero, con las de mi mujer.

Esta última confesión me coge desprevenido. Querría contárselo todo, explicarle que no es que hayamos comido mal, sino que he tenido la gran idea... Una idea. Un plato especial en cada lugar, en cada sitio famoso por un determinado plato. También el cabernet ha hecho su efecto y participa de la fiesta. De modo que prefiero una simple mentira:

–Es que hemos quedado con unos amigos y, si llegamos tarde, se marcharán.

Mario parece aceptar mi explicación con tranquilidad.

–Entonces, hasta la vista..., pero volved pronto.

–Claro, claro.

También Gin participa.

–El filete estaba buenísimo.

Pero mientras salimos sucede algo imprevisto.

–¡Esperad un momento!

Un chico de aspecto divertido con el pelo crepado a modo de gorro de cocinero sale a nuestro encuentro.

–Step, ¿tú eres Step, verdad?

Asiento.

Sonríe satisfecho de haber acertado.

–Toma, esto es para ti.

Cojo una nota aunque no me da tiempo a leerla porque Gin, más rápida que yo, me la arranca de la mano mientras el chico continúa:

–Me la ha dado una chica rubia, una bailarina. –Sonríe contento–. Es una de las del Bagaglino. Me ha dicho que te lo dé a ti o a tu prima.

Mario lo mira preocupado y después, casi excusándose con nosotros:

–Es mi hijo. Venga, vámonos, aún hay mesas que servir.

–Pero si han acabado todos.

Mario le da un tirón.

–¡Pero ¿es que no entiendes nada?! –Y lo empuja hacia adelante–. ¡Rápido! Muévete.

El chico, mortificado, agacha la cabeza dispuesto a oír la reprimenda del padre preguntándose por qué siempre le riñe sólo a él.

–Toma.

Gin me pasa la nota.

–Mastrocchia Simona... Una que escribe primero el apellido y después el nombre...

Después me mira con un cierto aire de suficiencia.

–Móvil, fijo y e-mail en la nota. Quiere que la encuentres. Y parece que sabe usar también el ordenador. Es tecnológica. Como la falda Uragan. Menos mal que le has dado la vuelta a la velada.

–Realmente aún no le he dado la vuelta. ¡De todos modos, en tiempos de escasez no hay que tirar nada!

Doblo la nota y me la guardo en el bolsillo.

–Ja, ja, muy divertido, en serio.

Nos quedamos un rato en silencio, andando. Viento de principios de octubre, alguna hoja aquí y allá en las aceras. Ese silencio me fastidia.

–Mira que eres, ¿eh? Has montado el numerito, le has preguntado su número, haces de prima mía preocupada, ella sonríe y después finalmente nos lo da, y entonces tú te enfadas. Eres insuperable.

–Insuperable, tú lo has dicho. ¿Y bien? ¿Se ha acabado esta comida-tour o como demonios se llame? ¡Ni siquiera le has puesto un nombre a esta gran idea tuya!

Hace que todo suene con excesivo énfasis y sigue mirándome. Después abre la boca, hace una mueca como si imitara a un bocazas, un estúpido pez, o a un simple tipo cualquiera que, de todos modos, no encuentra palabras para contestar. En resumen, ya sea mamífero o anfibio, está hablando de mí. Hasta se me adelanta en el tiempo. Y decir que había pensado en llamarlo precisamente comida-tour... Bueno, saco la nota con el número de Mastrocchia Simona, el móvil que me ha regalado Paolo y empiezo a marcar. En realidad, lo hago al azar, sin mirar. Con los ojos, pero sin parar, la estoy vigilando. Y la pequeña tigresa salta al ataque.

–¡Mira que eres idiota!

Se me echa encima. Cierro en seguida el móvil y me lo meto en el bolsillo mientras con la derecha paro un golpe suyo, fuerte, directo a la cara, mientras Mastrocchia Simona, con su número escrito de manera incierta, cae al suelo. Le agarro la muñeca y, de prisa, se la giro poniéndole el brazo detrás de la espalda. Una media vuelta y está pegada a mí.

–Ay.

Está casi sorprendida por la velocidad y por el dolor. Aflojo un poco el abrazo. La atraigo hacia mí. Con la mano izquierda, la cojo del pelo y meto los dedos entre los mechones. Y como un peine salvaje, un poco brusco, un poco natural, le tiro del pelo hacia atrás. Le libero la frente. Sus ojos son grandes, intensos, dilatados. Me miran. Cómo me gusta. Después los cierra. Los abre otra vez y se rebela. Intenta soltarse, pero la agarro más fuerte.

–Sé buena... Sh –susurro–. Eres demasiado celosa...

Ante esa palabra parece casi enloquecer, patalea, se agita, intenta golpearme con los pies, con las rodillas.

–¡Yo no soy celosa! Nunca lo he sido y nunca lo seré. ¡Soy famosa precisamente por no serlo!

Me río parando más o menos sus golpes. Se lanza con la boca abierta sobre mi cara e intenta morderme. Empieza una guerra de mejillas, un alternarse de frotamientos, sus dientes se abren y se cierran, buscándome, no encontrándome, me acerco y me alejo, su boca me persigue y yo me muevo hacia abajo, apartando la cabeza, librándome, escondido entre el pelo hasta llegar al cuello. Abro la boca, mucho, todo lo que puedo. Querría tragármela entera y al mismo tiempo respiro capturándole la piel, el cuello, la yugular, y con un suave mordisco gigantesco la bloqueo, la tomo, la poseo.

–Ay, ay. ¡De acuerdo, basta! –Estalla en una carcajada–. Me haces cosquillas, te lo ruego, el cuello no.

Inclina la cabeza hacia mí intentando liberarse. Articula un extraño ballet, pequeños pasos que se apartan hacia la izquierda mientras sigue riéndose. Y escalofríos y sonrisas, dobla la cabeza sobre el hombro, cierra los ojos, débil, derrotada, abandonada, conquistada por esas sensuales cosquillas. Y yo la beso. Blandísima, con unos labios calientes como nunca he saboreado. Como una fiebre. De deseo. O por la lucha que hemos mantenido... Pero todo lo demás me parece fresco, incluso allí, debajo de la chaqueta, debajo de la camiseta que me deja visitar. Después, su pecho... Lo acaricio por un instante con mi mano, suave y amable. Pero es sólo un instante, siento su corazón latir de prisa, más de prisa. Y no sé por qué, os juro que no lo sé, los dejo allí, a los dos. No quiero molestar. Le cojo la mano.

–Ven, nos falta el postre...

Se deja llevar tranquila. Después, de repente, se detiene un instante. Me bloquea teniéndome cogido de la mano y lleva los labios hacia adelante, melindrosa gatita, levemente enfurruñada.

–¿Qué pasa, que como postre yo no sirvo?

Intento decirle algo pero no me da tiempo. Se me escapa de la mano y me adelanta corriendo, con el pecho hacia adelante, ese pecho que era mi prisionero, con las piernas hacia atrás, riéndose, libre. Y yo la persigo mientras algo más allá, ahora presa del viento, quizá de otro destino, quedan un número de teléfono y un nombre; mejor dicho, un apellido y un nombre: Mastrocchia Simona.

Cuarenta y cinco

Claudio está parado en su Mercedes en via Marsala. Mira a su alrededor preocupado. Después se pregunta: pero ¿qué problema hay por estar en el coche? Uno puede estar cansado, quizá ha conducido mucho y corre el riesgo de dormirse al volante. O bien quiere fumarse un cigarrillo. Eso, sí. Me fumaré un buen cigarrillo. No hay nada de malo. Claudio saca del paquete un Marlboro pero vuelve a meterlo en seguida. No, mejor que no. He leído en un periódico que reduce ciertas prestaciones. No, no tengo que pensar en eso. Tengo que alejar este pensamiento porque, de lo contrario, se alimenta la ansiedad. Aquí está. Ya llega. Camina como brincando. Lleva un lector de CD en la mano y los auriculares en las orejas. Sonríe siguiendo el ritmo con la cabeza, el pelo suelto y la piel ligeramente bronceada, como es natural en ella. Un vestido ligero de color verdoso con girasoles amarillos y su pecho pequeño. Guapa, como siempre. Como la vio la primera vez. Joven como siguió deseándola desde esa noche, desde ese beso que se dieron en el coche, tras la partida de billar ganada con Step, el muchacho con quien salía Babi entonces. Simpático ese chico, un poco violento quizá..., ¡pero qué partida la de esa noche! Claudio siguió jugando desde entonces. Por una pasión recuperada. Pero no por el billar, sino por ella, Francesca, la joven brasileña que ahora llega. En el fondo es por ella que se ha inscrito en ese club, es por ella que ha comprado un taco nuevo, un Zenith, es por ella que querría ganar ese torneo en la Casilina. Qué locura. Pero no menos que ésta: ir casi todas las semanas al hotel Marsala con ella. Ya hace más de un año que dura esa historia. Se trata de un pequeño hotel, fuera del círculo de sus amistades, frecuentado sólo por jóvenes turistas, marroquíes o albaneses que tal vez quieran gastar poco. Pero ¿qué se le va a hacer? Él la quiere a ella, y ésa es la única manera de verse. Naturalmente, pagando la habitación al contado.

–¡Francesca!

La llama desde lejos. La chica, con el Sony en las orejas, parece no oír. Entonces Claudio acciona dos veces la palanca de las luces, haciéndolas parpadear. Francesca se da cuenta, sonríe, se quita los auriculares y corre de prisa en su dirección. Se mete en el coche. Se le sube encima, casi una zambullida en sus labios.

–¡Hola! ¡Te deseo!

Y es sincera. Y se ríe. Y se hace la loca. Y lo besa con fuerza, con deseo, con pasión, suave, lamiéndolo, sorprendiéndolo como siempre. Como nunca.

–Francesca, ¿dónde te habías metido? Te he estado buscando.

–Lo sé... He visto tu número, pero no quería contestar.

–¿Cómo que no querías contestar?

–Sí, no debes acostumbrarte. Yo soy la música y la poesía..., libre como el mar, como la luna y sus mareas.

Y diciendo esto, Francesca empieza a quitarle la camisa y lo besa en el pecho. Después le desabrocha el cinturón y sigue besándolo, y el botón, y la cremallera, y después más abajo, aún más abajo, hasta apartarle los calzoncillos y avanzar, sin miedo, sin problemas, como la luna y sus mareas. ¡Esto es una marejada!, piensa Claudio, y mira a su alrededor, deslizándose hacia abajo en el asiento, escondiéndose todo lo que puede. Y es que si lo pillan ahora... No colará lo del cigarrillo y el descanso. Ésos son actos obscenos en un lugar público. Lo que es seguro es que de la falta de prestaciones no hay ni rastro. Sólo espera que Raffaella no llame en ese momento para saber cómo va la partida de billar. No sabría qué contestar. Es una partida maravillosa. Claudio cierra los ojos y se relaja. Sueña con un paño verde y con las bolas que van al agujero, una tras otra, sin golpearlas siquiera, así, como por arte de magia. Y luego, por último, se ve a sí mismo sobre esa tela. Rueda dulcemente, resbala, arriba y abajo, hasta desaparecer dentro del último agujero del fondo... ¡Oh, sí, qué partida!

Francesca sale de debajo del salpicadero.

–Anda, vamos... –Lo coge de la mano y lo saca del coche sin cerrar siquiera la ventanilla. Claudio a duras penas consigue abrocharse los pantalones y poner la alarma al Mercedes desde lejos. ¿Qué importa? Total, por cuatro mil euros... En cambio, con el Z4 sería distinto..., ése sí que es un sueño. Precisamente como ella, como Francesca, que saluda al portero.

–Buenas noches, Pino, la dieciocho, por favor.

–Claro, buenas noches, señores –le da apenas tiempos de responder al portero. Francesca le roba las llaves de la mano y empuja a Claudio dentro del ascensor.

–Debemos tener cuidado.

Francesca se ríe y lo hace callar besándolo, sin querer oírlo.

–¡Sh... silencio!

Pero no puede imaginar qué está pensando Claudio. Pero si ya lo hemos hecho en el coche; podríamos ir a tomar simplemente un helado o una cerveza o incluso un *prosecco*, qué se yo. Pero ¿qué hay de las prestaciones? Claudio nota que está volviendo a excitarse. Intenta alejarla.

–Francesca...

–¿Sí, tesoro?

–Por favor, no hables nunca con nadie, ¿eh? Ni siquiera con las personas que pienses que nunca van a conocerme.

–Pero ¿de qué?

–De nosotros.

–¿Nosotros, quiénes? No sé de qué hablas. –Y se ríe y lo besa otra vez–. Vamos, ya hemos llegado.

Lo arrastra por el pasillo y Claudio casi tropieza. La sigue y al final se deja llevar sacudiendo la cabeza. Pero mientras camina le mira el trasero. Es muy «brasileño»: duro, fuerte, alegre, vivaz, bailarín, loco... ¡Qué van a faltarte prestaciones! Lo que tiene son ganas de marejada, de cabalgar las olas, de hacer surf, perdido en ese mar brasileño... Un último...

–¿Sabes qué pasa?, pues que mi mujer ha descubierto que he comprado un taco de billar.

–¿Y?

–Yo le he dicho que era un regalo para una persona que conozco.

–Muy bien, ¿ves? ¿A ti te parece que se acordará de esa noche que jugaste a billar y nos conocimos? Ha pasado mucho tiempo, ¿qué puede saber? Además, ya han cerrado ese local, por eso ahora estoy en la Casilina.

–No, no me has entendido. ¡No es que ella sepa nada, es que es adivina!

–Pues a ver si adivina qué estoy a punto de hacerte...

Y diciendo esto, abre la puerta, empuja a Claudio al interior y cierra la dieciocho a sus espaldas. Claudio acaba en la cama y ella le salta encima, dueña, salvaje, más allá de la luna y de las mareas. Claudio olvida todas las preocupaciones, incluso olvida dónde está. La deja hacer. Y después tiene una única certeza: no, eso no lo habría adivinado nunca nadie, ni siquiera su mujer.

Cuarenta y seis

–Entonces, ¿entramos?

–Claro, ¿por qué no?

–Me parece que no nos van a dejar pasar. Mira, tienen una lista.

–Yo conozco a la gente del Follia.

–Qué rollo, conoces a todo el mundo.

–De acuerdo, si te apetece, nos ponemos a la cola y pagamos. Al fin y al cabo, la fiesta corre a cuenta de mi hermano.

–Pobrecito. Aunque sea rico, no dilapides su fortuna.

Una chica sale empujada por detrás. A los dos gorilas de la puerta apenas les da tiempo a levantar la cadena. Una especie de energúmeno con el pelo largo sale detrás de ella y le propina otro empujón.

–¡Muévete, que me tienes hasta las pelotas!

La chica intenta decir algo, pero no le da tiempo. Otro empujón rompe al vuelo sus palabras y se encuentra sobre el capó de un coche aparcado. El tipo, sudado y con el pelo engominado, le pone la mano sobre la cara.

–¿Qué pasa? He visto cómo mirabas a ese rubio.

Gin no consigue hablar y observa incrédula lo que sucede.

El toro furioso cierra la mano transformándola en un puño rabioso y hace rechinar los dientes; tiene cara de loco.

–¡Te lo he dicho mil veces, puta asquerosa!

Y sin piedad, la golpea en el pecho.

La chica se dobla en dos y se lleva los brazos a la cara, cubriéndose asustada. Gin no puede contenerse y explota; parece fuera de sí.

–Ya está, ya basta... Para de una vez.

El tipo se vuelve hacia nosotros, entorna los ojos y mira fijamente a Gin, que lo observa con descaro.

–¿Y tú qué coño quieres?

–¡Que la sueltes, cerdo repugnante!

Da un paso hacia ella pero no le doy tiempo, le tiro de un brazo y la llevo detrás de mí.

–Eh, calma. Le molesta tu escena. ¿Está claro?

–¿Y a ti qué coño te pasa?

Me quedo un instante en silencio, intento contar hasta diez; no quiero líos. Es mi primera cita de verdad con Gin... No me parece el momento.

El tipo dice:

–¿Y bien?

Separa las piernas. Está listo para pelear. Qué palo... Los dos gorilas se meten en medio.

–Calma, ya basta.

Parecen preocupados. Qué extraño. No me conocen. Quizá conocen al tipo. Es grandote, bien plantado, duro. Deben de tenerle miedo a él. Está nervioso, rabioso, es malo. No parece lúcido. La rabia a veces ofusca y hace perder la calma, la frialdad. Lo más importante. De todos modos, es muy grande.

–Calma, Giorgio. No te ha dicho nada grave. Estás peleándote con tu novia delante de todo el mundo y puede ser que a alguien...

Los conocen. Esto no va bien.

–¡No es que pueda ser, es que es! Estás masacrando a esa pobre chica.

Gin no puede mantener la boca cerrada. Y esto es aún peor. No sólo eso, sino que sigue:

–¿Qué, te crees muy valiente? Pues a mí me pareces un gilipollas.

Los dos gorilas empalidecen. Me miran como diciendo «¿Cómo coño arreglamos esto ahora?». El toro parece no haber oído. Está atónito, sin palabras; sacude la cabeza aturdido, como si esas palabras hubieran sido un golpe en plena cara, un capote rojo desplegado de repente en la plaza. A sus espaldas la chica se frota el pecho, llora y sorbe por la nariz. Parece que no puede respirar bien, su pecho va arriba y abajo con una extraña asincronía en ese gran silencio que se ha creado.

–Eh, Step, ¿qué coño pasa? Venga, pasad. Habías desaparecido, ¿eh? Cuéntame...

Me vuelvo; es el Bailarín. Él está siempre aquí, en Follia, nunca se ha alejado.

–¿Cuándo has vuelto?

–Pues hará cosa de un mes.

–¡Y ni siquiera has llamado! ¡Qué bobo! Vamos, pasa, que hay una fiesta, estamos cortando un pastel riquísimo, de mimosa. Vamos, coge un buen trozo para ti y para tu chica. Es buena, dulce y además gratis, ¿eh?

–¿Mi chica?

–No, el pastel.

Ríe y empieza a toser. ¿Acaso los mil cigarrillos apagados y adormecidos en sus pulmones se han divertido también con su absurda ocurrencia?

Me dispongo a entrar, seguido de Gin y de los dos gorilas, pero en realidad es como si mirara aún hacia atrás. Es como si mis ojos no lo perdieran nunca de vista. Tengo los oídos aguzados, los sentidos despiertos, en guardia. Efectivamente, no me había equivocado. Tres pasos veloces a mis espaldas, un roce de zapatos extraño y, por instinto, me doblo hacia delante girando sobre mí mismo. Llega como una furia. El toro furioso aparta con los hombros a los dos gorilas y viene hacia mí, pero yo me hago a un lado. Lo golpeo de lado, desde la izquierda, y el tipo acaba contra la pared. Después grita y, veloz, se vuelve hacia mí. Tiene la cara manchada con el polvo de la pared amarilla mezclado con las abrasiones de la rozadura. Un poco de sangre empieza a resbalarle desde el ojo izquierdo, desde encima de la ceja. Está a punto de volver a atacar. Pero esto no se lo espera. Salto hacia delante golpeándolo con la derecha, rapidísimo, entre otras cosas porque es enorme y es lo único que puedo hacer. Le doy en plena cara, nariz y boca. Se lleva las manos al rostro. No pierdo tiempo y le asesto una patada en los huevos, mejor que cualquiera de los chutes que haya hecho nunca en un partido de fútbol. Bum. Se afloja como si no pasara nada y, por instinto, lo golpeo en cuanto toca el suelo. En la cara. Una patada potente, sorda, definitiva. Pero el tipo es duro. Podría recuperarse. Entonces hago ademán de cargar otra vez...

–Basta, Step, ¿a ti qué más te da? –El Bailarín me tira de la chaqueta–. Ven a comer el pastel antes de que se lo acaben.

Me arreglo la chaqueta y respiro profundamente dos veces. Sí, ya basta. Pero ¿qué coño me ha pasado? ¿A mí que me importa ese hortera?

Allí está, un instante después la veo. Está mirándome en silencio, Gin. Tiene una mirada..., no sé cómo definirlo. Quizá no sabe qué pensar. Le sonrío intentando romper el hielo.

–¿Te apetece un poco de pastel? –Asiente sin contestar. Le sonrío. Quisiera que olvidara que hay gente así... Pero Gin cree aún en tantas cosas. Y entiendo que será difícil. Entonces la sacudo, la abrazo, la empujo–. Vamos.

Y finalmente sonríe. Después la hago pasar delante. La llevo de la mano, con elegancia, quizá un poco desconcertada por todo lo que ha pasado, y la ayudo a pasar por encima del tipo que sigue en el suelo.

Cuarenta y siete

Raffaella detiene el coche en el patio del edificio. Su garaje está abierto. Claudio aún no ha vuelto. Mira el reloj: es medianoche. Eso significa que la partida de billar ha sido larga... Bueno, si eso trae trabajo, será para bien. Cierra el coche y mira hacia arriba. La luz de la habitación de Babi está aún encendida. Raffaella se dirige hacia el portal. No sabe por qué, pero últimamente no consigue estar nunca del todo serena. Quizá piensa demasiado. Alfredo está aún escondido en el jardín, detrás de una planta. Al verla, da un paso atrás y se oculta en la vegetación, en la oscuridad del jardín. Raffaella oye el crac de una ramita. Se vuelve de golpe.

–¿Hay alguien?

Alfredo casi deja de respirar. Está como inmóvil, paralizado. Raffaella busca frenética las llaves en el bolso, las encuentra, abre el portal y lo cierra de prisa tras ella. Alfredo se relaja. Suspira aliviado y empieza a respirar de nuevo. No, así no puede seguir. Pero si la noticia es cierta, nada puede seguir.

–¿Babi, estás ahí? –Raffaella ve la puerta entornada y un haz de luz que sale de la habitación–. ¿Puedo?

Babi está en la cama, hojeando unas revistas.

–Hola, mamá. Perdona, no te he oído llegar. Mira, he escogido éstos, ¿te gustan?

Le enseña algunas fotos.

–Mucho... Acabo de llevarme un susto de muerte. He oído un ruido entre la maleza, junto al portal...

–Ah, no te preocupes, es Alfredo.

–¡¿Alfredo?!

–Sí, hace dos días que se esconde por la noche ahí detrás.

–Pero no puede hacer eso, asusta a la gente. Además, la próxima semana doy una cena aquí, en casa. Muchos de los invitados lo conocen, ¿qué pensarán si lo ven ahí?

–Qué más da. –Pero al ver que Raffaella sigue en sus trece, Babi continúa–: Vale, si la semana que viene sigue igual, hablaré con él, ¿de acuerdo, mamá? –Le pone delante otra revista–. Mira, Smeralda me ha ayudado a elegirlos. Cogeremos éstos: espigas y semillas, que traen buena suerte, ¿de acuerdo?

–Sí, pero...

–No, mamá. Has salido y te has ido a jugar, lo sé. Basta, ya hemos decidido, ¿no? Si no, no avanzamos nunca. Te lo pido, estoy preocupada, creo que aún está todo en el aire, por favor...

Raffaella la mira y sonríe.

–De acuerdo, Babi, me parecen perfectos.

La ve relajarse, quedarse más tranquila.

–¿En serio?

–Sí, en serio.

–¿Seguro que no me lo estás diciendo sólo para que esté contenta?

–No, de verdad que son los más bonitos.

Babi está radiante. Raffaella decide hacerse un regalo ella también.

–Oye, Babi, quería preguntarte algo.

–Sí, dime.

–¿Te acuerdas de aquella vez que papá tenía que quedar con Step, que tenía que decirle que dejara de verte?

–Mamá, ¿aún estás pensando en esa historia? Han pasado más de dos años, estamos decidiendo algo muy importante y tú aún piensas en eso...

–Lo sé, lo sé, pero no es que piense, es sólo una curiosidad. ¿No recuerdas si esa noche, por casualidad, jugaron al billar?

–¡Sí, claro que me acuerdo, y ganaron! Me parece que doscientos euros.

—¿Y con quién estaban?

—¿Cómo que con quién estaban?

Babi mira de hito en hito a su madre. La ve extraña, absorta. Sonríe sacudiendo la cabeza.

—Mamá, ¿tú crees que a tu edad tienes que estar celosa?... ¡Vamos, mamá!

—Perdona, tienes razón. Es que compró un taco de billar hace algún tiempo, pero parece ser que fue para regalárselo a alguien.

—En ese caso, ¿qué hay de malo? ¡Además, creo que ese local ya lo cerraron!

Ante la noticia, Raffaella se tranquiliza del todo.

—De acuerdo, tienes razón. Bien, enséñame las demás cosas bonitas que has elegido.

Abre la revista y Babi le señala sus preferidas.

—Mira, éstas me gustan muchísimo, pero me parece que son caras.

Precisamente en ese momento, Daniela aparece en la puerta.

—Mamá, tengo que hablar contigo.

—Dios mío, no te había oído, me has asustado. Esta noche la habéis tomado todas conmigo. De todos modos, ahora no puede ser, Daniela: estamos decidiendo cosas importantes.

—Creo que la mía es mucho más importante. ¡Estoy embarazada!

—¿Qué? —Raffaella se levanta de la cama, seguida de Babi—. ¡¿Es una broma?!

—No, es verdad.

Raffaella se lleva las manos a la cabeza y pasea arriba y abajo por la habitación. Babi se deja caer en la cama.

—Precisamente ahora...

Daniela la mira.

—Precisamente ahora, precisamente ahora..., ¿quieres parar? ¡Perdóname si he elegido un mal momento!

Raffaella se le acerca y la zarandea.

—Pero ¿cómo es posible? ¡Ni siquiera sabía que salías con un chico! —Después entiende que la está tratando con demasiada dureza. Entonces deja caer los brazos y le hace una caricia—. Me has cogido desprevenida. Pero ¿quién es él?

Daniela mira a su madre y después a Babi. Las dos esperan su respuesta. Ellas también tienen la boca abierta en aquella espera espasmódica, exactamente como Giuli. Pero ellas se lo tomarán mejor, estoy segura. Al menos mi madre. Giuli se sorprenderá de su reacción, lo sé.

–Pues, mamá, verás... hay un pequeño problema..., es decir, para mí no es ningún problema, y espero que no lo sea tampoco para vosotras.

Precisamente en ese momento, Claudio acaba de entrar en el piso. Ha visto el coche de Raffaella y el de Babi aparcados, e incluso la Vespa. Están todas en casa. Ya deberían estar durmiendo. Su velada ha sido perfecta..., más aún, muy distinta de *El buscavidas* o del dudoso Nuti. Ha sido la partida de billar más bonita de su vida. Pero no le da tiempo a acabar de pensarlo cuando un grito rompe su velada. Un grito en la noche, una sirena, una alarma. Peor: el chillido de Raffaella. Claudio pasa revista a todas las posibilidades: han llamado del hotel porque hemos hecho demasiado ruido; nos ha visto una amiga suya que la odia y se lo ha contado todo; nos ha puesto un detective de pacotilla que acaba de darle las fotos... Pero no se le ocurre nada más que huir. Demasiado tarde. Raffaella lo ve.

–¡Claudio, ven en seguida, ven aquí! –Raffaella sigue gritando como una posesa–. ¡Ven a oír lo que ha pasado!

Claudio no sabe qué hacer. Obedece, totalmente dominado por ese grito que desmigaja toda posible reacción suya, toda certeza o todo intento de defensa.

–¿Quieres saber qué ha pasado? ¡Daniela está embarazada!

Claudio suspira aliviado. La mira. Daniela está callada. Tiene la mirada baja. Pero Raffaella no se detiene ahí.

–¡Y espera, espera! ¡La cosa no se acaba aquí! ¿Quieres oírlo todo? ¡Está embarazada y no sabe de quién!

Entonces Daniela levanta los ojos y mira a su padre, implorando cualquier clase de perdón, un poco de amor, solidaridad de cualquier tipo. Después está Babi, que mira desdeñosa a su hermana, pensando que ha decidido deliberadamente arruinar su momento. Y al otro lado de la habitación está Raffaella. También ella espera algo de Claudio. Un bofetón, un grito, una reacción cualquiera. Pero Claudio está completamente vacío. No sabe qué decir, qué pensar. En parte se siente aliviado. Por un instante ha temido ser descubierto. Entonces decide salir del paso, aunque está seguro de que lo pagará durante muchos años:

–Yo me voy a dormir. Perdonad, pero también he perdido al billar.

Cuarenta y ocho

[illegible]

[illegible]

[illegible]

[illegible]

Cuarenta y ocho

Música. Primera sala. Gente que entra, gente que sale, gente que bromea, gente que bebe, gente que se ríe. Chicos que intentan hacerse oír, chicas que escuchan y, de vez en cuando, una carcajada. Gente inmóvil, gente que mira, gente que espera, gente que quién sabe qué piensa.

Segunda sala.

Un extraño disc-jockey, demasiado normal para serlo realmente, pone buena música. Todos bailan y es difícil abrirse camino. Algún que otro exhibicionista se ha subido a un balconcito. En otros salientes, abandonados al azar por quién sabe qué arquitecto, bailan unas chicas. Una gogó desnuda. Una mujer marinero. Una vestida sólo con redes. Una chica militar. Guapas. Al menos eso parecen. Pero a veces la música y las luces juegan malas pasadas. El Bailarín se abre camino, empuja, con amabilidad, a otros bailarines menos musculosos que él pero quizá con más ritmo. Poco a poco avanzamos en esa especie de trinchera humana.

Algunos vips suficientemente desconocidos están sentados en un sofá en la sala ubicada en una entreplanta. A la entrada de este pequeño ring, un tipo vigila que nadie se infiltre en ese edén privado. O quizá que esos pocos vips que han entrado no se marchen antes de cierta hora. El Bailarín nos trae dos pedazos de pastel.

–Ahora Walter os dará una mesita y dos copas de champán. Perdona, Step, pero tengo que volver a la entrada.

Me guiña el ojo y sonríe. Hay que decir que ha mejorado. No recordaba que tuviera esa extraña ironía.

Permanecemos, así en medio de la sala, con las dos porciones de pastel en la mano. Gin con el tenedor de plástico, en un extraño equilibrio, intenta comer un poco.

–¿Qué pasa?, ¿estás enfadada?

Me sonríe.

–No, ¿por qué? Ese tío era un gilipollas. Si hubiera podido, yo también lo habría hecho. Aunque quizá con menos violencia.

La miro y me pongo serio. Me inspira ternura. Intento ser amable.

–A veces no se puede elegir. Entonces es mejor contenerse, fingir que no pasa nada. Pero en mi caso, tú eres la que ha elegido...

–¿Y no he hecho bien?

–Claro. Empiezo a conocerte. Sólo sé que si salgo contigo tendré que estar en forma.

–¿Tú crees que le servirá de lección?

–No lo creo, pero no podía hacer otra cosa. A lo mejor iba hasta las cejas de coca. Con los tipos así no se puede hablar. O él o yo. ¿Con quién querías comerte este pastel?

Coge de prisa otro pedazo.

–Está bueno.

Me sonríe, comiéndoselo a gusto. Tiene la boca llena y apenas se la entiende.

–Me lo quiero comer contigo.

Llega Walter, un tipo de unos cuarenta años con una camisa blanca y algún que otro ringorrango. Parece salido del siglo XVIII francés.

–Esto es para vosotros.

Deja sobre la mesa dos copas de champán. Yo dejo el pastel y me bebo la mía. También Gin bebe la suya de un trago. Cogemos otras al vuelo de una chica que pasa con una bandeja. Gin golpea la suya sin querer y está a punto de caer al suelo, pero la atrapo al vuelo. Estoy un poco borracho pero aún lúcido.

–Ven, vamos.

La cojo de la mano y la llevo hacia la salida de emergencia. Al cabo de un instante estamos en la calle. Viento nocturno, viento ligero, viento de octubre. Algunas hojas por el suelo y poco más. Miro a mi alrededor. No muy lejos está la entrada del Follia y el tipo está aún tumbado en el suelo. Ahora está apoyado sobre los codos, mientras su novia está delante de él, mirándolo con los brazos en jarras. Quién sabe qué piensa. Quizá en lo más hondo está satisfecha de que alguien le haya pegado así. Claro que no lo puede dejar traslucir. Quizá las cosas entre los dos cambiarán. Quizá, sí, quizá... Es difícil. Pero no me importa demasiado. Lo ha escogido ella, no yo.

–Oye, ¿se puede saber en qué estás pensando? No me digas que aún te estás deleitando por cómo has reducido al tipo. Sólo ha tenido mala suerte, tú lo has dicho. O él o tú. Cuestión de segundos. Y él ha arrancado después. Lo has cogido desprevenido. En un encuentro normal, no sé cómo hubiera acabado.

–Lo que no sé es cómo acabarás tú si no paras. Sube al coche, venga.

–¿Y ahora adónde me llevas? Hemos tomado ya el postre y, además, de gorra.

–Falta la guinda.

–¿Es decir?

–Es decir, tú. –Subo la música para que Gin no pueda contestar, la pongo a tope y tengo suerte–. Otra como tú no la encuentro ni de coña... Está claro que...

Gin sonríe sacudiendo la cabeza. Consigo cogerle la mano y llevármela a los labios. La beso dulcemente. Es suave, fresca, está perfumada. Vive una vida propia, a pesar de todo lo que ha tocado. Y la beso de nuevo. Sólo con los labios. Entre sus dedos. Hurgando, frotando, escurriéndome, sin frenar, dejándome llevar, cayendo. La veo cerrar los ojos, dejar ir la cabeza hacia atrás en el respaldo. Ahora hasta el cabello está abandonado. Le doy la vuelta a la mano y le beso la palma. Me coge la cara dulcemente mientras respiro entre sus líneas... La vida, el destino, el amor. Respiro despacio sin hacer ruido. De repente ella abre los ojos y me mira. Parecen distintos, como cristalinos, apenas empañados por un velo ligero. ¿Felicidad? No lo sé. Me miran de soslayo en la penumbra. Ellos también parecen sonreír.

–Mira la calle... –me reprende.

Yo obedezco y poco después vuelvo la cabeza, hacia abajo, hacia el río, junto al Tíber, entre los coches, entre los demás, veloz, con la música y su mano en la mía, que de vez en cuando se mueve, bailarina, invitada a quién sabe qué danza. ¿Qué estará pensando? Y si lo ha adivinado, ¿cuál será su respuesta? Sí, no... Es como una partida de póquer. Ella está allí, frente a mí. La miro un momento. Sus ojos, ligeramente entornados, me sonríen desde abajo, dulces y divertidos. No queda más que disponerse a comer para que enseñe las cartas. ¿Será un sí?, ¿será un no?... ¿Es demasiado pronto? Nunca es demasiado pronto. Para estas cosas no existe el tiempo, y además no es una partida de póquer, no hay plato. Pero... ¿quizá esté servido? Qué bonito estar a la expectativa como ella. Una pequeña mujer en el alféizar de la ventana que está allí, mirándome, piensa, razona, se divierte. Se ríe de ese hombre joven que camina bajo su balcón, que no sabe qué hacer, que finge que no pasa nada, que simplemente sonríe o pide la ayuda de una trenza... Para subir... Dichosa tú, que puedes esperar mis movimientos.

–La cabeza me da vueltas.

Me sonríe mientras lo dice. ¿Es una pequeña justificación por si sucediera algo? ¿O acaso es una gran justificación porque ya sabe que pasa algo? Tal vez simplemente le da vueltas la cabeza y quería decírmelo. Simplemente. Pero ¿qué es fácil? Nada que valga la pena... ¿Quién dijo eso? No me acuerdo. Me estoy liando, rodeos complejos y complicados, reflexiones extremas para ver las posibilidades reales. ¿Qué porcentaje de éxito tengo? Basta, coño... No me gusta pensar sobre todo esto.

–A mí también me da vueltas.

Es mi respuesta. Simplemente. Gin me aprieta un poco más fuerte la mano y yo, estúpidamente, veo en ello una señal. O quizá no. Qué palo. He bebido demasiado.

Aventino.

Una curva y tomo la subida. Este coche va de maravilla. Mi hermano estará contento de que lo haya encontrado. Me dan ganas de reír. Ella me mira, me vuelvo y me doy cuenta.

–¿Qué pasa? ¿En qué estás pensando?

Gin, con las cejas algo bajas. Gin, de mirada algo fruncida. Gin, preocupada.

–Nada, cosas de familia.

Gianicolo. Jardín botánico. Me detengo en seguida, pongo el freno de mano y bajo.

–Oye, pero ¿adónde vas?

–Nada..., no te preocupes, vuelvo en seguida.

Agarra la portezuela estirándose hacia mi lado y se cierra por dentro. Gin, serena. Gin, previsora. Miro a mi alrededor. Nada. Perfecto, no hay nadie. Uno, dos... y tres. Salto la verja y ya estoy dentro. Avanzo en silencio. Perfumes suaves, perfumes más fuertes, un poco picantes. Futuras colonias que aún no existen. Destilados en frasquitos, esencias caras. Allí, allí está mi presa. La escojo instintivamente, la cojo con cuidado y la arranco con cuidado, sin maltratarla. Un deseo que siempre he tenido y que ahora... Ahora eres mía. Uno, dos, tres pasos y estoy fuera otra vez. Miro a mi alrededor. Nada. Perfecto, no hay nadie. Regreso al coche. Gin me ve de repente. Se asusta y después me abre.

–Pero ¿dónde te has metido? Me he asustado.

Entonces me abro la chaqueta, descubriéndola. Como una vela que se hincha de repente en mar abierto. Y en un instante, todo su perfume inunda el coche. Una orquídea salvaje. Aparece así, entre mis manos, con un simple gesto, más propio de un prestidigitador que de un ladrón alucinado.

–Para ti. De flor a flor, directamente del jardín botánico.

Gin la huele y se sumerge en el centro de la orquídea salvaje para respirar el perfume más intenso. Ella, mujer joven buceando, aparece de nuevo entre esos grandes pétalos. Me recuerda a un dibujo animado. Bambi, eso es, Bambi. Esos ojos grandes, brillantes, emocionados, que aparecen detrás de los pétalos delicados de una flor. Esos ojos asustados e inciertos sobre un futuro próximo. No uno cualquiera, sino el suyo.

Primera, segunda, tercera y ya estamos de nuevo en marcha. Pequeñas curvas y una subida. Esquivo una valla que nos obligaría a detenernos y aparco un poco más lejos. Capitolio.

–¡Ven!

La hago bajar del coche y ella me sigue como embelesada.

–¡Eh, mira que...!

–¡Sh! Habla en voz baja, que aquí vive gente.

–Sí, está bien. Iba a decirte... que por la noche aquí no celebran bodas. Además, aún no hemos hablado del tema. Pero yo quiero el cuento de hadas, ya te lo he dicho.

–¿Es decir?

–Traje blanco, un poco escotado, un ramo de flores variadas y una bonita iglesia en el campo, no, mejor a orillas del mar.

Se ríe.

–¿Ves como estás aún indecisa?

–¿Por qué?

–¿En el campo o en la playa?

–Ah, pensaba que decías que estaba indecisa sobre si casarme contigo o no.

–No, para eso estás muy decidida. Harías trampa.

La atraigo hacia mí e intento besarla.

–Presuntuoso y poco romántico.

–¿Por qué poco romántico?

–No se hacen preguntas indirectas. ¡Ja, ja!

Finge que se ríe y se escapa de mis brazos, como un pez que salta de mi red y se marcha veloz, doblando la esquina. La persigo. Es un instante. Estamos en la piazza del Campidoglio. Luz más alta. Una estatua central con un cartel. Naturalmente están haciendo obras. Nos paramos cerca pero separados. Parece todo precioso, sobre todo ella. Asoma la cabeza desde detrás de la estatua.

–¿Qué pasa? ¿No eres capaz de pillarme?

Hago ver que arranco a correr y ella desaparece de nuevo tras la estatua. Corro hacia el otro lado y, pum, la atrapo. Ella chilla.

–¡No..., no, vamos!

La levanto del suelo y me la llevo, estilo rapto de las sabinas o algo parecido. Camino de la luz, camino del centro. Acabamos debajo de los soportales, en la penumbra. La devuelvo al suelo y ella se arregla la chaqueta tapándose la barriga, lisa y compacta, apenas descubierta. Le toco el pelo y se lo aparto de la cara, levemente sonrojada por la carrera recién hecha, por alguna turbación secreta o quién sabe qué.

Su pecho sube y baja de prisa y después, poco a poco, reduce la velocidad.

–Te late fuerte el corazón, ¿eh?

Mi mano en su cintura. Debajo de la chaqueta, debajo de la camiseta, ligera, casi como un simple escalofrío en su misma piel. Ella cierra los ojos y yo, poco a poco, subo por los costados, hacia arriba, detrás de la espalda. Abro la mano y la atraigo hacia mí, abrazándola, estrechándola contra mí, besándola. Detrás de nosotros hay una columna más baja que las demás, de diámetro más grande. Y ella se deja ir. Su pelo y su espalda, perdidos en esa base tan antigua, desgastada por el tiempo, de vetas descoloridas, de mármol poroso ya cansado, que quién sabe cuántas cosas habrá visto... Me rodea la cintura con las piernas, apretándome en un mordisco suave, balanceándolas a derecha e izquierda. Y yo me dejo llevar, mientras mis manos naufragan tranquilas por su cintura, sus pantalones, sus botones. Sin prisa, sin... Sin liberar nada. Sin demasiadas ganas. Por ahora. Después, de repente, Gin se vuelve hacia la izquierda y abre unos ojos como platos.

–¡Allí hay algo!

Asustada, resuelta, quizá un poco molesta. Miro mejor en la sombra aún atontado por los suaves efluvios del amor.

–No hay nada. Es un mendigo...

–¿Y eso no es nada? Tú estás loco.

Se levanta decidida. Y yo, que no he oído nada, y sobre todo que no tengo ganas de discutir, la cojo de la mano. La ayudo. Nos marchamos así, dejando esa media columna antigua y esa figura más o menos presente olvidadas en la sombra. Como en un laberinto avanzamos entre la vegetación oculta y las luces más o menos difusas del Foro romano. Debajo de nosotros, en la lejanía, antiguas columnas, vigas y monumentos. Un sendero serpentea desde la piazza del Campidoglio. Balcones asomados con pequeños antepechos, grava por el suelo, vegetación cuidada, matorrales salvajes. A nuestro alrededor todo está más abajo, en una profundidad.

–Tarpea.

Así, suspendidos en el vacío de esas ruinas, bajo un murito, en un cono de sombra perfectamente proyectada, un banco escondido. Gin, ahora más tranquila, mira a su alrededor.

–Aquí no puede vernos nadie.

–Me ves tú.

–Pues si quieres cierro los ojos.

No dice ni que sí ni que no. No dice nada. Pero respira cerca de mi oreja mientras se deja desnudar. Fuera la chaqueta, fuera la camiseta; en desorden, caen desde el banco en una sombra aún más oscura. Fuera los zapatos, fuera los pantalones. Cada uno le quita algo al otro. Después nos detenemos. Está frente a mí y se cubre el pecho rodeándoselo con los brazos y las manos sobre los hombros, ribeteado el pelo por la luz de la luna, cubierta más abajo tan sólo por sus braguitas. No me lo puedo creer. Ella, Gin. La misma Gin que quería robarme veinte euros.

–Oye, ¿qué haces?, ¿me estás mirando?

–No me has dicho que no lo hiciera. Además, te equivocas, tengo los ojos cerrados.

Desde algún sitio, desde un local o desde una ventana abierta, se oyen las notas de un aparato de música en la lejanía. «*Won't you stop me, stop me, stop me...*» No, no quieres, Gin. Lo saben hasta los Planet Funk.

–Qué mentiroso eres.

Y estira los brazos dejándose mirar, sonriendo. Después se me acerca con las piernas medio abiertas. Y se queda así, mirándome.

–Escucha...

–Sh... No digamos nada.

La beso y poco a poco le quito las braguitas.

–No, tengo ganas de hablar. ¿En primer lugar llevas..., sí, eso..., lo necesario?

–Sí, lo tengo –me río–. Lo tengo.

–¿Ves?, lo sabía. ¿Lo llevas en el bolsillo o en la cartera? ¿O lo has comprado antes de pasar a recogerme? ¡Porque quizá tú ya estabas seguro de que la noche acabaría así! Bueno, si quieres no lo usamos...

–Dime la verdad: seguro que te encantaría tener en seguida un bebé precioso, guapo como yo, inteligente y fuerte como yo.

–Perdona, ¿y de mí no tendría nada?

–De acuerdo... Y con algún defecto tuyo.

–Qué tonto eres. Bromas aparte, ¿tienes o no tienes... eso?

–Vale, la verdad es que antes no tenía...

–Sí, ¿y ahora sí tienes? ¿Y quién te lo ha dado? ¿El mendigo?

–No, el Bailarín, mi amigo del Follia. Se ha acercado, me lo ha metido en el bolsillo y me ha dicho...

–¿Qué te ha dicho?

–Suerte... Es realmente guapa, pero no creo que lo consigas.

–Qué mentiroso eres.

–¡Es cierto! Bueno, no ha usado exactamente esas palabras, pero el significado más o menos era ése.

–Bueno y otra cosa...

–No, ahora basta de hablar...

La atraigo hacia mí. Le beso el cuello, se echa el pelo hacia atrás y yo, pequeño vampiro, sigo lamiéndola mientras la saboreo, su perfume, su respiración. Mi mano parece avanzar sola, por sus caderas, por su cintura, entre sus piernas, en su fuente de vida. La noto suspirar despacio, después ligeramente más de prisa, mientras se agita entre mis brazos casi bailando, dulcemente, arriba y abajo, sin pensar, sin falsos pudores, sonriendo, abriendo los ojos, mirándome, con una tranquilidad y una serenidad que me hacen sentir incómodo. Y por si no bastara, mientras muevo la mano para coger nuestra seguridad...

–Deja, quiero hacerlo yo.

–Soy yo quien tiene que ponérselo.

–Lo sé..., imbécil. ¿Quieres saber cuántos he puesto? Espera, déjame pensar...

–No quiero saberlo.

–Éste es el decimosexto que pongo.

–Ah, menos mal.

–¿Por qué?

–Bueno, si fuera el decimoséptimo, me preocuparía, ¡trae mala suerte!

No me convence pero hace que me divierta. Lo abre como si fuera un caramelo, prueba con las uñas pero no puede, se lo lleva a la boca y esta vez lo hace con malicia.

–Estate tranquilo..., no me lo voy a comer.

Un tirón decidido y está allí entre sus manos. Lo gira y lo vuelve a girar sonriendo.

–Es ridículo...

Es todo lo que dice. Después mueve la cabeza hacia mí.

–¿Y ahora?

Desnudo, estiro las piernas y ella me acaricia despacio, arriba y abajo, y después me lo pone tranquila.

–¿Lo he hecho bien?

–¡Demasiado!

Pero no digo nada más. Ahora, astronauta perfecto de este viaje entre conjunciones astrales bajo un cielo estrellado, encima de una mujer encantada, entre ruinas del pasado y en el placer del presente.

Galaxia. Interespacio. Naturaleza. Perfumes. Nada salvaje... Un poco de resistencia, quizá demasiada. Es raro. Avanzo mientras ella cierra los ojos.

–El banco está frío.

Pero se deja ir estirando completamente la espalda y levanta un poco las piernas, ayudándome.

–Ay...

–¿Te hago daño?

–No, no te preocupes...

No te preocupes... No me lo puedo creer, yo, Gin, lo estoy haciendo... Me quedo en silencio, suspendida, casi escuchando la energía que fluye sobre mí, debajo de mí, dentro de mí. En este momento decisivo, tan importante para mi vida, único, para siempre. No podré borrarlo nunca. Mi primera vez. Y te he elegido a ti. Y te he elegido a ti. Parece casi esa canción... Pero no lo es. Es la realidad. Estoy aquí, yo, en este momento. Y Step. Lo veo, lo siento. Está encima de mí. Lo abrazo, lo aprieto, lo aprieto fuerte, más fuerte. Tengo miedo, como todas las veces que se hace algo que no se conoce. Pero es un miedo normal, más que normal... ¿O no? Qué putada, Gin, que ahora no acudan a tu mente todas tus obsesiones, las películas que te montas, en definitiva, todo... Me cago en diez, Gin, pero ¿qué estás haciendo? Gin-Sabia y Gin-Salvaje... ¿Dónde estáis? Nada, se han ido al carajo... Pero ¿cómo puede ser? ¡Ellas también! Menuda broma... Las odio, Dios mío, no. Tierra trágame... Tengo miedo, ayuda. Cierro los ojos, respiro, suspiro, de todos modos me gusta. Estoy apoyada en su cuello, en su hombro, y ya no estoy tensa, ya no estoy preocupada... En silencio, así, llevada, abandonada, naufragada... Y me gusta. Lo noto. Noto sus manos, noto que me toca entera, que me quita hasta las últimas prendas que llevo encima, dulcemente, sí, casi sin que me dé cuenta... ¿Y ahora qué hace? No, ayuda... Se está metiendo. Dios mío, qué palabra, no quiero ni pensar. No quiero estar aquí pensando, viéndome desde fuera, examinándome, desdoblándome, teniendo esta mente que sigue hablando, diciendo... Oh, pero ¿qué quieres?... Basta, suéltame... ¡No! Quiero relajarme. En la cuna de su amor, en este mar, en el deseo, lentamente dejarme llevar por sus corrientes. Perdida. Sí, sin pensamientos. Perderme así entre sus brazos... Ahora, así.

La noto aún tensa, no, bien, se está relajando... Un último movimiento siguiendo a tiempo una música que no está, pero aún más bonita quizá por eso. Corazones y suspiros...

Un repentino silencio. «Dios mío, Gin –pienso–, estás a punto de hacerlo...» Siento el perfume de su respiración, de su deseo. Y busco la boca de Step, su sonrisa, sus labios. Los encuentro y casi me zambullo en ellos para esconderme, para encontrarme, en un beso más largo, más profundo, más envolvente, más... Más todo.

Un gemido más fuerte y ahora es mía. Resulta extraño pensarlo. Es mía, mía. Mía hoy, mía ahora... Mía en este momento, sólo mía.

Me da por pensarlo. Mía. Mía para siempre... Quizá. Pero ahora, sí. Ahora es amor... Dentro de ella. Y aún más, y otra vez, y aún más, sin parar... Ahora sonríe, dulcemente, sin pensarlo demasiado.

Y precisamente en ese momento lo siento, es él, está dentro de mí... Es un instante. Un salto, una zambullida al revés... Un dolor agudo, un agujero en la oreja, un pequeño tatuaje, un diente caído, una flor recién brotada, una fruta arrancada, un paso alcanzado, una caída esquiando... Sí, eso, una caída esquiando en la nieve fresca, fría, blanca, recién caída, directamente del cielo, y tú que estás allí, con el rostro levantado, resbalando aún, riéndote, avergonzándote, abriendo la boca todavía llena de nieve, tú, negada, tú, divertida, tú en la primera caída, en tu resbalón... En aquella nieve, blanda y limpia, igual que yo me siento en este momento. Finalmente. Está dentro de mí, lo siento, en mi vientre, auxilio, auxilio... Pero qué bonito. Y sonrío, alejo el dolor, vuelvo a sentir, a probar, y experimento el placer, un pequeño mordisco... Estoy bien, me gusta, lo quiero. Como sus letras, en piel, desde hoy, grabadas para siempre dentro de mí.

–Step, tengo ganas de ti.

–¿Qué has dicho?

–No me tomes el pelo.

–No, te juro que no te he entendido.

Step sigue moviéndose encima de mí, dentro de mí. Lo miro a los ojos y me pierdo embelesada por su mirada, por esos ojos que contienen amor o quizá no, pero no me lo pregunto, ahora no... Y me habla y no lo entiendo, y suspira en mi oído, y el viento, y el placer, que roba, que se lleva sus palabras, y sonríe, y se ríe, y sigue moviéndose, y me gusta, y me gusta un montón, y no entiendo, y le beso las manos, y estoy hambrienta, y se lo repito...

–Step, tengo ganas de ti...

Más tarde, no sé cuánto más tarde, Gin me abraza sentada sobre mis piernas mientras intento quitarme nuestra protección. Me lo quito. Un rastro de suave tinta roja entre los dedos. Firma indeleble. Mía... Para siempre mía. Para siempre mía. No me lo puedo creer.

–Pero...

–Eso era lo que quería decirte...

–¿O sea que nunca habías...?

–¡No, nunca había...!

–¿Por qué no lo dices?

–No había hecho nunca el amor, ¿qué pasa? Siempre hay una primera vez para todo, ¿no? Bueno, pues ésta ha sido mi primera vez.

Me quedo sin palabras, no sé qué decir. Quizá porque no hay nada que decir.

Gin se viste. Mía... Me mira y sonríe encogiéndose de hombros.

–¿Qué extraño, no? Entre tantos y va a tocarte precisamente a ti. No te sentirás culpable, ¿verdad? Pero espero que tampoco alardees...

Se pone la camiseta y luego la chaqueta sin ponerse el sujetador. Aún no puedo decir nada. Se mete el sujetador en uno de los bolsillos.

–Además, yo qué sé... Habrá sido la noche... Pero a partir de mañana no pienses cosas extrañas: tengo que recuperar el tiempo perdido. Entre otras cosas porque estadísticamente llevo cuatro años de retraso. La mayoría de las chicas lo hacen a los quince.

Ahora ya está completamente vestida, en la escalera, bajo la farola, mientras yo acabo de abrocharme la chaqueta. Después se echa a reír. Segura, serena, a sus anchas.

–Pero también es cierto que hoy en día recuperamos ciertos valores del pasado. O sea que digamos que yo estoy en el medio.

Poco después bajo a su lado y echamos a andar. Esta vez, finalmente en silencio, entre otras cosas porque yo no he conseguido decir nada más. Después, en un momento dado, me pasa el brazo por la espalda. Yo la abrazo estrechándola contra mí. Seguimos así, mientras la respiro. Ella, Gin, aún perfumada de su primer amor. Mía. Mía. Mía...

–¿Sabes, Step?, estaba pensando en algo...

Ya está, lo sabía. ¡Era demasiado bonito! Las mujeres y sus reflexiones. Acaban por estropear hasta los momentos más hermosos, los únicos que merecen ser vividos en silencio. Finjo no estar preocupado.

–¿Qué?

Apoya la cabeza en mi hombro.

–Me ha venido una idea extraña, es decir, en realidad es una curiosidad... ¿Tú no lo has pensado? Quién sabe si desde los tiempos de la antigua Roma hasta hoy, en ese sitio lo había hecho ya alguien.

–Nadie.

–¿Y cómo puedes estar tan seguro?

–No hay nada que saber, ciertas cosas las sientes, las sientes y basta.

Se para y me mira. Tiene una mirada muy intensa. Y sonríe de una forma...

–Estoy seguro..., nadie. Confía en mí.

Entonces apoya de nuevo la cabeza sobre mi hombro. La he convencido de verdad. Tal vez por cómo lo he dicho. Joder, realmente me gustaría saber si alguien lo ha hecho alguna vez en ese sitio. Pero no hay forma de averiguarlo. Sin embargo, no sé cómo es posible que hasta yo esté convencido. Gin vuelve a hablar.

–Entonces hemos escrito un fragmento de historia..., la nuestra.

Me sonríe y me da un beso en los labios. Suave. Caliente. Amorosa. Nuestra historia... Mucho más que veinte euros. Me parece que al final me ha robado de verdad.

Cuarenta y nueve

–Para aquí, frena.

No lo pienso dos veces y lo hago. Raudo, veloz, tal como es ella. Menos mal que no llega ningún coche por detrás. Mi hermano... ¿Quién lo aguantaría después? Claro que siempre podría tomarla con el ladrón. Gin baja de prisa del coche.

–Ven.

–Pero ¿adónde?

–Sígueme. Mira que haces preguntas...

Estamos delante del puente Milvio, en una pequeña plaza junto al Tíber de donde sale via Flaminia, que llega hasta la piazza del Popolo. Gin corre por el puente y se para a medio camino, delante de la tercera farola.

–Ya estamos, es ésta de aquí.

–¿Ésta qué?

–La tercera farola. Hay una leyenda sobre este puente, el puente Milvio o Mollo, como lo llamaba Belli.

–¿Qué pasa?, ¿ahora te haces la culta?

–¡Soy culta! Sobre muy pocas cosas, pero lo soy. Como por ejemplo ésta, ¿quieres escuchar la leyenda o no?

–Antes quiero un beso.

–Vamos, escucha... Es una historia preciosa.

Gin se vuelve y resopla. La abrazo por la espalda. Nos apoyamos en el pretil y miramos a la lejanía. Algo más allá hay otro puente, el de corso Francia. Me pierdo con la mirada. Y ningún recuerdo altera este momento. ¿Incluso los fantasmas del pasado saben respetar determinados momentos? Parece ser que sí. Gin se deja besar. Debajo de nosotros, el Tíber, oscuro y lóbrego, discurre silencioso. La luz débil de la farola nos ilumina ligeramente. Se oye el lento chaparrear del río en los diques. Su curso se rompe de repente alrededor de las columnas del puente. El agua gorjea, se levanta, rebulle, barbota. Después, inmediatamente después, se une otra vez y sigue en silencio su carrera hacia el mar.

–¿Me la cuentas o no?

–Ésta es la tercera farola que da al otro puente... ¿Ves eso de ahí?

–Sí... Me parece que alguien se ha equivocado atando la motocicleta...

–Pero ¿qué dices, tonto? Es el «candado de los enamorados». Se engancha un candado en esta cadena, se cierra y se arroja la llave al Tíber.

–¿Y después?

–Ya nunca te separas.

–Pero ¿quién inventará esas historias?

–No lo sé. Ésta existe desde siempre, la refiere incluso Trilussa.

–Te burlas de mí porque no lo sé.

–Es verdad... Lo que ocurre es que tienes miedo de poner un candado.

–Yo no tengo miedo.

–Eso es de un libro de Ammaniti.

–O de una película de Salvatores, según se mire.

–De todos modos, tienes miedo.

–Ya te he dicho que no.

–Claro que sí, y te burlas porque no tenemos un candado.

–Quédate aquí, no te muevas.

Vuelvo al cabo de un minuto con un candado en la mano.

–¿Y eso de dónde lo has sacado?

–Mi hermano. Lleva un candado con una cadena para bloquear el volante.

–Claro, no se le puede ocurrir que sea su hermano el que le mangue el coche.

–Tú eres tan responsable como yo. Además, aún me debes veinte euros.

–Tacaño.

–¡Ladrona!

–Pero ¿qué dices? ¿Qué quieres?, ¿el dinero del candado? Si quieres, al final pasamos cuentas...

–Entonces me deberás demasiado.

–De acuerdo, basta, dejémoslo ahí. Entonces, ¿vas a hacerlo o no?

–Claro que sí.

Pongo el candado en la cadena, lo cierro y saco la llave. La mantengo un momento entre los dedos mientras miro a Gin. Ella me mira. Me desafía, me sonríe y levanta una ceja.

–¿Y ahora?

Cojo la llave entre el índice y el pulgar. La dejo colgar un poco más, suspendida en el vacío, indecisa. Después, de pronto, la suelto. Y vuela hacia abajo, patas arriba en el aire, y se pierde entre las aguas del Tíber.

–Lo has hecho de verdad...

Gin me mira con aspecto extraño, soñador, incluso un poco emocionada.

–Ya te lo he dicho. No tengo miedo.

Me salta encima, a horcajadas, me abraza, me besa, grita de alegría, está eufórica, está loca, está... Está preciosa.

–Eh, eres demasiado feliz. ¿Acaso funciona de verdad esta leyenda?

–¡Tonto!

Y echa a correr, gritando en el puente. Se cruza con un grupo de hombres. Tira del abrigo del más serio, lo hace girar sobre sí mismo y casi lo obliga a bailar con ella. Luego se marcha corriendo otra vez, mientras los demás se ríen. Empujan bromeando al tipo, que se ha enfadado y quiere reñirla. Paso cerca del grupo y me encojo de hombros. Todos comparten la felicidad de Gin. Incluso el tipo serio al final me sonríe. Sí, es verdad, es tan guapa que todo el mundo, al verla, no puede evitar sonreír.

Cincuenta

Mañana.

–¡No me lo puedo creer! –Paolo entra como un huracán en mi habitación–. Una pasada, no tenía ninguna duda, sabía que seguías siendo el mítico Step. ¿Cómo demonios te las has arreglado?

Todavía no entiendo nada; sólo sé que la palabra «coño» hubiera sido más apropiada. «Demonios» es algo que no soporto. Doy media vuelta en la cama y asomo entre las almohadas.

–¿Para qué?

–El coche..., lo has encontrado, y en tan poco tiempo... Te ha bastado una noche. Eres demasiado.

–Ah, sí... Hice algunas llamadas. Y tuve que «dar» lo que ya sabes.

–¿Qué sé? No, no lo sé... –Paolo se sienta en la cama–. ¿Qué has tenido que dar?

–Oye, no te hagas el tonto... El dinero.

–Ah, claro. Pero, qué importa eso, la felicidad... Oye, ¿cómo era el tipo que me lo robó? ¿Un listillo, un imbécil, un tipo duro, uno de esos con cara...?

Interrumpo esa falsa hipótesis de retrato robot.

–No lo vi. Me lo trajo un tipo que conozco, pero él no tenía nada que ver con el robo.

–Bueno, mejor así. Ya está hecho; a lo hecho, pecho.

–¿Qué quieres decir?

–Bueno, se dice así, ¿no?

Me vuelvo en la cama y meto la cabeza debajo de una de las almohadas. Mi hermano. Dice cosas que no sabe ni siquiera qué significan. Noto como se levanta de la cama.

–Gracias otra vez, Step.

Está a punto de salir de la habitación, cuando me incorporo.

–Paolo...

–Sí, dime...

–El dinero...

–Ah, sí, ¿cuánto hemos tenido que pagar?

–¿Hemos? Has tenido que pagar dos mil trescientos. Mucho menos de cuanto habías previsto.

–¿Tanto? ¡Me cago en la puta!

Cuando se trata de dinero sí que le salen los tacos de verdad.

–¡Ladrones!... Me dan ganas de no dárselo.

–Sí, pero es que yo ya he pagado. Aunque si quieres denunciamos el robo y se lo devuelvo en seguida.

–No, no, ¿bromeas? Es más, gracias, Step, tú no tienes nada que ver. Te lo dejo sobre la mesa.

Poco después me levanto. La mañana ya ha empezado y tengo ganas de desayunar. Me cruzo con Paolo en el salón. Está sentado, acabando de rellenar el cheque.

–Aquí lo tienes. –Perfecciona su firma con un último retoque–. He añadido algo para ti por las molestias.

Cojo el talón y me lo guardo. Paolo sonríe como diciendo «¿Estás contento?».

2.400. Es decir, cien euros más de lo que hubiera tenido que darle al ladrón, cien euros para un tipo que se ha dejado la piel para encontrar su coche; al menos, eso es lo que él piensa. ¡Menudo agarrado! ¡Pero si vives a lo grande! Dame al menos 2.500, ¿no? Pero como en realidad me ha dado una propina enorme por «prestarme» su coche y por una espléndida velada, una buena cena y todo lo demás..., no puedo sino decirle:

–Gracias, Paolo.

–Faltaría, gracias a ti.

Odio este tipo de frases.

–¿Sabes qué? Lo más absurdo es que me han robado también un candado.

–¿Un candado?

Me hago el loco.

–Pues sí: estaba tan preocupado por el coche que cuando lo aparcaba ponía también una cadena alrededor del volante. Pero ayer no la puse... ¿Cómo iba a pensar que iban a robarme el coche del garaje? ¿Para qué querrá un candado un ladrón?

–¿Para qué? Ni idea.

Realmente no sé qué responder a esa pregunta. «Pues para el candado de los enamorados...»

–Pero la cosa no acaba ahí, Step, mira.

Me lo tira sobre la mesa. Lo cojo y lo miro mejor. Delicado, sencillo. Reconozco el cierre que abrí anoche. Un sujetador. Su sujetador.

–¡¿Lo entiendes?!... ¡Esos desgraciados me robaron el coche para echar un polvo! Sólo espero que ella no se entregara a ese ladrón de mierda. Es más, espero que el candado se lo pusiera ella.

–Bueno, si has encontrado un sujetador en el coche, no creo que las cosas fueran como imaginas.

–Pues sí, eso también es verdad.

Me levanto y me dirijo hacia la cocina.

–¿Qué haces?, ¿te lo quedas?

Hago ver que no entiendo.

–¿El qué?

–¿Cómo que el qué? ¡El sujetador!

Sonrío y lo balanceo delante de mi cara.

–¡Bueno, por qué no, haré una nueva edición de Cenicienta! En lugar del zapatito, buscaré la chica a la que le vaya bien este sujetador.

–Bueno, les irá bien a todas las que llevan la talla tres.

–Menudo ojo tienes... Mejor, así no será tan difícil encontrarla.

Paolo me mira y levanta las cejas.

–Tú te crees un príncipe azul, ¿verdad, Step?

–Depende de quién sea esta vez Cenicienta.

Cincuenta y uno

–¿Entonces?

Ele viene hacia mí y casi me salta encima. Parece enloquecida.

–Cuéntamelo todo, venga... ¿Qué hiciste?

Después me rodea con los brazos, casi torturándome.

–Estoy segura de que...

–¿Y tú cómo sabes qué he hecho?

–Lo noto... Lo noto... Sabes que yo soy sensible.

Se sienta circunspecta a mi lado.

–Sí, ya, sensible... Bueno, te lo cuento, pero no se lo digas a nadie, ¿eh?

Ele asiente, sonriendo, y abre de par en par los ojos; no cabe en sí de alegría.

–Hicimos el amor.

–¿Qué?

–Ya lo has oído.

–No te creo.

–Pues créetelo.

–Sí, claro, menuda bola acabas de soltarme.

–Bueno, de acuerdo, pues no hicimos nada.

–¡Sí, nada! No te creo.

–¿Ves? No me crees te diga lo que te diga.

–Vale, pero también hay un punto medio, ¿no?

–Sí, pero y si no fue así, ¿qué quieres?

–Quiero la verdad.

–La verdad ya te la he dicho.

–¿Cuál es?

–¡La primera!

–¿O sea, que follasteis?

–¿Por qué tienes que hablar siempre así?

–Porque es lo que hicisteis, ¿no?

Me mira ofendida, sin creerme aún.

–Entonces me has mentido.

–Está bien, pues follamos, hicimos el amor, hicimos sexo..., llámalo como quieras. Pero lo hicimos.

–O sea, que así, de repente, lo has hecho con él...

–¡Siií, ¿y con quién si no?!

–Bueno, como habías esperado tanto...

–¡Precisamente! Mira que eres boba. Cuántas veces me habrás dicho: «Hazlo, vete con ése (y me ponías delante a uno cualquiera), vete con aquél, pero ¿qué te importa?, si no te gusta no vuelves a verlo y ya está»; y ahora te quejas porque me he liado con Step. Eres rara de cojones.

–Es que me parece extraño... ¿Y cómo fue?

–¿Que cómo fue? Qué sé yo, no tengo con qué comparar.

–Bueno, quiero decir si te encontraste cómoda, si te hizo daño, si sentiste placer, de cuántas maneras lo hicisteis... ¿Dónde estuvisteis?

–Dios mío, no me lo puedo creer, pareces un río desbordado con todas esas preguntas.

–¡Lo soy!

–¿El qué?

–Un río desbordado.

–Está bien, estuvimos en el Capitolio. Allí empezamos..., y después nos trasladamos al Foro romano...

–¿Y allí te la metió?

–¡¡¡Ele!!! ¿Por qué siempre tienes que estropearlo todo? Fue precioso. Si sigues así, no te cuento nada más.

–Eh, si sigues así, seré yo quien te pediré los derechos.

No me lo puedo creer. Es su voz. Ele y yo nos volvemos de golpe. Están precisamente allí, sentados dos filas más atrás. Step y Marcantonio. Lo han oído todo. Pero ¿desde cuándo están ahí? ¿Qué he dicho? ¿De qué he hablado? En una décima de segundo recorro rápidamente toda la última media hora..., mi vida, mis palabras. ¡Dios mío! ¿Qué le habré contado? Algo sí que he dicho. Pero ¿desde cuándo están ahí? Estoy perdida, acabada, me gustaría desaparecer debajo de la silla. Por otro lado, esto es el TdV, el Teatro delle Vittorie, el templo de la farándula. ¿Quién era ese muñeco? Provolino. ¿Cómo era su frase? «Bocaza mía, estate callada.» Y si fuera la Carrà, querría hacer como el personaje de esa canción suya, Maga Maghella, y desaparecer. En cambio, cruzo mi mirada con Step, que levanta la ceja:

–Bueno, lo pasamos bien, ¿eh, Gin?

Sonríe divertido. No sé qué decir... No debe de haber oído tanto. Al menos, eso espero.

Marcantonio rompe ese dramático silencio.

–Bueno, ¿qué hacemos esta noche? Después de todos esos bonitos relatos podríamos ir a un *privé*. –Marcantonio me mira. Tiene una mirada muy intensa. Bromea. Al menos, eso espero...–. ¿Qué tal un intercambio de parejas?

Ele estalla en una carcajada, mirándome.

–Pues no estaría mal. ¡Contigo, Gin, una locura!

Marcantonio se acerca y me acaricia el pelo. Step permanece sentado en la silla y juega con el asiento haciéndolo balancearse hacia adelante y hacia atrás. Yo no sé qué hacer. Es como si me faltara la respiración. Me sonrojo, o al menos eso creo. Bajo los ojos, resoplo. Los pelos se me ponen de punta. Después ocurre el milagro.

–¿Entonces, todos listos? ¡Empezamos los ensayos!

Desbandada general ante las palabras del ayudante de estudio. O quizá del supervisor, no lo sé. Sea quien sea, me ha salvado. Salgo disparada pero un instante después vuelvo atrás. Lo veo desprevenido ante mi gesto, mejor así. Me acerco y lo llamo.

–¿Step?

Se vuelve. Le doy un beso suave en los labios. Ya está. Step me mira y esboza una sonrisa como sólo él sabe.

–¿Sólo eso?

No quiero darle la razón.

–Sí, sólo eso. Por ahora.

Y sin decir nada más, me alejo tranquila. El supervisor del estudio se acerca a Step.

–Qué carácter tiene esa chica, ¿eh?

–Sí, qué carácter.

–¿Cómo se llama?

–Ginevra, Gin para los amigos.

–Es tremenda.

El supervisor del estudio se aleja. Y yo, por si las moscas, lo vuelvo a llamar.

–Eh...

–¿Sí?

–Es verdad, es tremenda. Y es mía.

Cincuenta y dos

Tarde de pruebas. Estoy en la sala de dirección artística con Marcantonio. Cerca de nosotros, separados simplemente por un cristal, están Mariani y todos los demás. El Serpiente se mueve nervioso. El Gato & el Gato están sentados como buitres a las espaldas de Romani. Miran el monitor de la consola como enloquecidos, saltan de una esquina a otra de la sala, buscando el encuadre perfecto, el ideal que ofrecer en casa para reproducir lo mejor posible lo que verán. Romani, no; Romani está tranquilo. Fuma lentamente un cigarrillo, lo mantiene suspendido en el aire a pocos centímetros de su cara en un extraño juego de equilibrio. La ceniza dibuja un difícil arco que parte de sus dedos, se prolonga en el aire permaneciendo así, suspendida en el vacío, sin caer. Con la otra mano, Romani hace unos ligeros movimientos y chasquea los dedos. Alterna las cámaras que sin demora le son ofrecidas por el tipo que está en el mezclador. El tipo es impasible. Pulsa botones en un teclado, como si tocara un pequeño piano, quita del monitor más pequeño las imágenes y las pasa al monitor grande delante de Romani. Uno, dos, tres, fundido, cuatro, cinco, seis, vista aérea.

–¿Ves, Step?, esto es la tele. –Marcantonio me da un manotazo en el hombro–. Ven, vayamos a nuestro sitio, estamos a punto de empezar.

–¿Y ahora qué se hace?

–Bueno, nada en especial. Es sólo una prueba antes del ensayo general. Llevamos retraso, pero es así casi siempre.

–Ah, entiendo.

Me encojo de hombros. No es que me haya quedado demasiado claro, pero debe de ser un momento importante porque hay una extraña tensión. Los cámaras empiezan a coger los auriculares, se los ponen en la cabeza como soldados listos para internarse en una trinchera. Mueven veloces la palanca del zoom, un golpe seco, haciendo que se balancee, y empuñan las cámaras al vuelo, estiran las piernas y se ponen en posición, propietarios de ametralladoras listas para disparar sobre cualquier imagen que solicite el general Romani.

–Tres, dos, uno... ¡Adelante con las siglas!

Arranca la música. El monitor en color, inmóvil frente a nosotros, cobra vida repentinamente. Entran los logos de colores que hemos hecho nosotros. Después, de repente, desaparecen. Y debajo de ellos una serie de telones se abren uno tras otro, perfectamente sincronizados. La cámara dos, donde un único cámara tiene el placer y la posibilidad de estar sentado, avanza lentamente hacia el centro del estudio. En el monitor en color veo lo que enfoca. Tiene la luz roja encendida: es la señal de que está grabando. Avanza inexorable como un perfecto fusil de caza. Ha enfocado el último telón, esa pequeña puerta del fondo que repentinamente se abre. Allí están. Una tras otra, rubia, morena, pelirroja, salen como pequeñas mariposas de esa pequeña puerta, como hojas de colores que caen de un otoñal árbol televisivo, ellas, las bailarinas. Vestidas, desvestidas, veladas. Con los músculos escondidos, con las sonrisas improvisadas, con el pelo peinado o teñido, con las caras maquilladas. Avanzan ligeras hasta el centro y ocupan su sitio con elegancia. Después, con un único paso, se mueven a la vez como pequeños soldaditos delicados. Bailan sobre sí mismas, alejándose y acercándose de nuevo, estiran los brazos y sonríen, apagándose y encendiéndose delante de cada cámara que se ilumina de rojo poniéndolas en antena. Y los cámaras, impecables, bailan con ellas, cambian el encuadre, las llevan de la mano, las sueltan y las recuperan. Y Romani dirige el conjunto, perfecto maestro de una música recién creada, formada por imágenes y luces. En silencio, Marcantonio golpea a tiempo las teclas del ordenador, liberando, uno tras otro, los títulos que aparecen y desaparecen moviéndose en 3D ahora sobre el rostro de aquella chica morena, ahora sobre una vista aérea, ahora sobre una panorámica que se funde. Muy bien. No se equivoca ni una sola vez. Una última pulsación y la música se interrumpe. Silencio. Las chicas puestas en fila estiran los brazos y con un solo gesto señalan el fondo del teatro. Por esa pequeña puerta aparece el presentador.

–Buenas noches..., buenas noches. Aquí estamos... ¿Qué significa el título de «Los grandes genios»? Pues quiere decir..., por ejemplo, ser genial quiere decir estar aquí con estas preciosas chicas y, sobre todo, que te paguen por ello...

Miro a Marcantonio.

–¿Va a decir todas esas cosas?

–Bueno, ¿qué importa?... Lo hace de prueba para divertirse, para hacerse el simpático, o quizá para ligarse a una de las bailarinas, pero cuando está en antena es muy distinto: es un presentador muy serio. Ojalá fuera así. Es más, no entiende que caería mucho mejor a todos. Hoy en día la gente lee de todo, lo siguen todo y lo saben todo. Y en cambio, él cree que sólo lo miran los idiotas.

–Bueno, si lo miran mucho, un poco idiotas sí que son.

Marcantonio se vuelve y levanta una ceja.

–Hum, veo que estás aprendiendo. Nada mal. Siéntate aquí, te explicaré qué tienes que hacer.

–¿Cómo que qué tengo que hacer? ¿Acaso no estás tú?

–Pero un día podría no estar, puedo tener cosas que hacer, y además..., estás en prácticas, pero el día de mañana estará todo en tus manos y tienes que dominar el oficio. –Dominar el oficio. Me suena fatal. Es como haber sido absorbido por un enorme aspirador que te atrapa y ya no te suelta. Me siento al lado de Marcantonio, que empieza a explicarme–: Con este botón haces reset, con éste envías otra vez el logo en 3D...

Intento seguir la explicación, pero después me distraigo un momento. En el monitor ha aparecido Gin; le ha llevado algo al presentador, que le sonríe y le da las gracias. Miro el primer plano que Romani amablemente le concede. Después Gin se aleja y el presentador sigue explicando algo. También Marcantonio explica algo. Yo pienso en Gin y en el contrato que he firmado para este trabajo. Maldito aspirador. En ambos casos, me siento jodido.

Más tarde, una vez terminadas las pruebas. Detrás de los bastidores, las chicas se cambian de prisa, encendiendo los móviles, que empiezan a sonar. Gin se acerca a Ele, que está doblada en dos en una esquina de los vestuarios.

–Ele, pero ¿qué haces?

–Nada, recuperando el aliento, tengo ganas de vomitar. ¡Qué cansancio! Pero es divertido. ¿Siempre es así?

–Esto no es nada, tienes que ver el directo. Esto ha sido sólo un ensayo.

–Oh, pues las demás también están rotas. Se nota que hace un montón de tiempo que no practican. Yo hago otros dos ensayos y estaré perfecta. Quizá porque físicamente tengo buena base...

Sonríe y le propina un manotazo en el hombro y después le guiña el ojo. Está en el séptimo cielo. Bueno, finalmente la han cogido. Al menos esta vez. Quién sabe si ha sido por ese entrometido... Gin no quiere ni siquiera pensarlo. La mira mientras se cambia. «Ele se quita la ropa de una manera... –piensa–. Siempre me ha divertido su forma de vestirse y desvestirse...» No tanto por lo que se pone, sino por cómo lo hace. Parece una pelea entre ella y la ropa. Todo le sienta siempre mal, se lo pone lo mejor que puede, se lo ajusta un poco, se toca el pelo, se lo echa hacia atrás y, venga, ya está lista.

–Eh, Gin, ¿qué haces luego?

–Pues no lo sé.

–Dime la verdad.

Me mira levantando la ceja.

–¿Tienes ya plan?

–¿De qué?

Le tiro la sudadera y acierto de lleno.

–¿A ti te parece que si tuviera plan, como tú dices, no te lo diría?

–Entiendo, o sea, que tienes plan.

Coge la sudadera a modo de pañuelo y hace ver que se suena la nariz. Las demás la miran con la boca abierta. Como de costumbre. Es su broma preferida, lo hace desde que nos conocemos. Pero yo no digo nada. Ele finge secarse la nariz con la mano mientras las otras, asqueadas, siguen mirándola.

–Gracias, menuda amiga...

Y diciendo esto, me arroja la sudadera de vuelta, sonríe y se marcha. Algo más tarde, ya me he duchado. Este teatro es una pasada. Todas las comodidades respirando el que ha sido el debut de la Carrà, de Corrado, de Pippo Baudo, de Celentano y de quién sabe cuántos artistas más. Salgo con la bolsa al hombro y miro a mi alrededor. Nada, no lo veo.

–Señorita... Sus amigas ya se han marchado...

El guardia jurado me parece sinceramente disgustado. Qué ingenuo, como si yo las buscara a ellas.

–¿Quiere que la lleve a alguna parte? Dentro de poco acabo; está a punto de llegar mi colega.

Y se ríe enseñando unos dientes amarillos, torcidos luchadores de algún cigarrillo barato. Después se pierde precisamente tropezando en una risa zafia.

–Para mí sería un placer...

No es tan ingenuo; es más, es incluso un poco vicioso.

–No, gracias, muy amable.

Y como mi madre me enseñó, me alejo sin dar demasiada confianza.

Cincuenta y tres

He encontrado a mi Cenicienta. Step, ¿qué coño piensas? Te han sorbido el seso... Tu Cenicienta..., madre mía, estás hecho polvo. De acuerdo, me gusta. ¡Tiene carácter, es simpática, es divertida y es guapa! Llega tarde... Estoy debajo de su casa, le he hecho una llamada perdida con el móvil y me la ha devuelto. O sea, que ha entendido que estoy aquí abajo. ¡Basta! Pienso en llamarla por el interfono, ¡a mí qué me importa que sus padres no deban enterarse de su vida privada! Gianluca, su hermano, ya nos vio besándonos. Dos veces. Imagínate... Y si sus padres ven que salimos... ¿Qué pasa? ¡Si nos hubieran pillado follando, lo entendería! Bueno, eso sí que sería un problema. Basta, yo llamo.

Me acerco al portal y en el interfono busco Biro, su apellido.

–Quieto, ¿qué haces?

–¿Cómo que qué hago? Llamo a una tardona.

–¡Si soy puntualísima! Has hecho la llamada perdida y he bajado de inmediato. Pero pensaba que ibas con el Audi A4 y en cambio vas en moto y yo con falda.

–Bueno, los otros conductores se pondrán contentos... ¿Llevas braguitas debajo?

–¡Imbécil!

Me da un puñetazo en el hombro de siempre. Ya debo de tener un cardenal.

–Lo siento, pero he discutido largo y tendido con el ladrón, he pactado el precio y después se lo he devuelto a mi hermano, que ha estado encantado.

–Pobrecillo.

–¿Cómo que pobrecillo? Aparte de que económicamente le va muy bien, el tío estaba dispuesto a pagar hasta cuatro mil trescientos euros por recuperar su coche, y resulta que gracias a mí le ha salido mucho más barato.

–¿Es decir?

–Algo más de la mitad.

–O sea que, en tu opinión, hasta le ha salido bien.

–Claro. Venga, sube.

–¡Pues menudo negocio tener un hermano como tú!

–Dilo más fuerte.

Gin levanta la voz.

–¡Que menudo negocio tener un hermano como tú!

–Era un decir, ya te he oído.

Me besa en los labios y sube detrás al tiempo que se acomoda la falda debajo de las piernas.

–Menudo sentido del humor, ¿eh? Estaba bromeando.

Le paso el casco.

–Oye, se me ha ocurrido algo... ¿Qué tal va tu hermano de dinero?

–Mal. Además, quien toca a mi familia lo tiene claro: lo largo, ¿entendido? Es más, sólo el hecho de que hayas podido pensarlo cambia las cosas.

Gin baja de la moto y se planta delante de mí.

–¡Es más, las cambiamos en seguida!

–¿Qué quieres decir? ¿Me vas a dar otro beso mejor que el de antes, que era un poco esquivo y no precisamente largo?

–¡Pero qué dices! ¡Cambio de planes, venga, baja!

–No, no me digas que tenemos que pegarnos otra vez. Para eso quedemos en el gimnasio.

–Pero ¿qué has entendido? Cambio de planes quiere decir que bajes de la moto, que conduzco yo.

–¿Qué? –Pienso para mis adentros que ella, Gin, quiere conducir la moto. Mi moto. Conducir mi moto. ¿Y quién, si no? Una mujer. Sí, de acuerdo, es Gin, pero sigue siendo mi moto, y ella, aunque es Gin, sigue siendo una mujer. Después me doy cuenta del absurdo. No creo lo que oigo–: Está bien, me apetece ver cómo te las arreglas.

Soy yo quien dice eso, Step. ¿Pero es que te has vuelto loco? Nada. Ya no razono, no me lo puedo creer. Me cago en la puta... Estoy fatal. Me deslizo sobre el sillín manteniendo las piernas rectas. Dejo que la moto resbale debajo de mí y acabo en el asiento de atrás, dejándole espacio a Gin, que sube delante. ¡Y yo, para colmo, la ayudo! Ah... Me he vuelto loco.

–¿Sabes cómo se conduce?

–¡Claro! ¿Por quién me has tomado? Aunque no te conocía, he hecho muchas cosas en mi vida.

–Sí, claro... –Me dan ganas de sonreír, pero me contengo. Pienso en el banco, en la oscuridad de la otra noche, en «nuestra historia»... Querría decirle: «Sí, como la otra noche», pero no lo hago. Sería de mal gusto hacerlo. Puf–. ¡Ay!

Me ha dado un codazo en la barriga.

–Ya sé qué has pensado.

–¿Qué?

–Has pensado: «Sí, claro, como la otra noche... Ya veo cuántas cosas has hecho... No habías estado nunca con ningún chico y, si no hubiera sido por mí...» ¿Verdad? Di la verdad, has pensado eso.

No hay nada que hacer, las pilla todas. Miento descaradamente:

–Tú no estás bien de la cabeza. ¡Claro que no, no he pensado eso para nada! Estás obsesionada con que pienso siempre en eso. ¡Pero te equivocas!

–Sí..., ¿y entonces en qué pensabas? Te he visto sonreír por el retrovisor...

–En nada... En la gasolina..., en que te dejo conducir la moto.

–Sí, está bien..., te creo. ¡Vamos, es mejor! ¿Cómo se enciende esto?

–Esto es una Honda Custom 750 con rueda lenticular... Alcanza los doscientos como si nada y se enciende así.

Me inclino hacia delante, agarro el manillar y tengo a Gin entre mis brazos, como si la estuviera abrazando desde atrás. Después, con el pulgar derecho, pongo la moto en marcha. Doy un poco de gas y respiro profundamente entre su pelo. Suave y perfumado, ligero, casi me acaricia. Cierro los ojos. Me pierdo.

–¡Eh!

Los vuelvo a abrir.

–¿Qué pasa?

–Si te quedas así, no podré conducir.

Sonríe.

–Ah, claro.

Aparto los brazos y me echo hacia atrás en la moto. Gin se pone el casco y se lo abrocha. Yo hago lo mismo.

–¿Estás listo, Step?

–Sí. ¿Sabes cómo se meten las mar...?

No me da tiempo a acabar la frase cuando Gin ya ha metido primera y ha saltado hacia delante acelerando. Estoy a punto de caerme de la moto por culpa del rebote hacia atrás. Me ha pillado desprevenido. No volverá a pasarme..., espero. La agarro fuerte, me abrazo a su chaqueta y con los brazos alrededor de la cintura. Caray, no conduce mal... Increíble. Cambia las marchas tranquilamente, jugando con el embrague. Ha llevado moto de verdad. Y quizá a menudo. Rojo, frena en el semáforo con una marcha demasiado alta. Como no podía ser de otro modo. La moto se para de repente y casi se clava. Nos caeríamos hacia la derecha si no fuera porque bajo de prisa la pierna al suelo y las sostengo a las dos, a ella y a mi moto. Mi moto...

–Eh, ¿cómo va? ¿Estás segura de que quieres llevarla tú?

–No he visto que estaba rojo. No volverá a pasar.

Acciona las marchas para ponerla en punto muerto.

–¿Estás segura de que...?

–Ya te lo he dicho, no volverá a pasar. ¿Ya has decidido adónde vamos?

–Al Warner. Hay un montón de salas y hacen...

No me deja acabar.

–De acuerdo, estupendo. Así puedo darle caña.

Y sale muy de prisa, en primera, cogiéndome otra vez desprevenido.

Warner Village. Catorce salas o más, películas distintas que empiezan a distintas horas. Dos restaurantes, un pub y un montón de gente.

–Eh, Gin, creía que no llegaríamos.

–¿Qué? ¿Porque nos quedaríamos sin gasolina o porque no encontraríamos el cine?

–Digamos que mi preocupación residía en... ¡si llegaríamos vivos!

–¡Ja, ja! ¿No te ha gustado el trayecto? Y con tu moto... ¿No te he transmitido emoción y tranquilidad al mismo tiempo? Aceleraba, cogía una curva muy cerrada... Cuando pasaba entre dos coches y te notaba apretar mi chaqueta soltaba el gas, frenaba un poquito y sentía que abandonabas la presa. Ha sido precioso conducir así. Tú y tus emociones. Era como si estuvieras pendiente de un hilo, el del gas.

Camino en silencio mientras nos dirigimos a la taquilla.

–Oye, Step, ¿la has entendido o no?

–¿El qué?

–La historia del hilo del gas.

–Bueno, tampoco hace falta tanto rollo, ¿no?

–¡Y yo qué sé! Te has quedado callado, como si hubieras perdido el control de la situación. ¡Vamos, compra las entradas, que yo voy a por palomitas!

–Sí, pero ¿para qué sala?

–¡Y yo qué sé!

–¿Qué tipo de película te apetece ver? ¿Una comedia, una romántica, una de terror...?

–Elige tú... Yo te he traído hasta aquí, y ¿encima tengo que elegir también la película? ¡Esto es demasiado! Podrás hacer algo tú, ¿no? Sólo ten en cuenta que la película de terror me parece que ya la has visto.

–Creo que te equivocas, Gin, no la he visto.

Miro el cartel y la encuentro: *La verdad oculta*. No, no la he visto. Además, ¿ella cómo sabe qué he visto y qué no?

–¿Cómo que no? Si incluso has hecho de protagonista: *¡Sobre el asfalto detrás de Gin!*, una película terrorífica. Uuuh... Aún estás temblando, te veo. Mejor una romántica, venga..., ¡que si te caes, te caes bien y no te hace daño!

Delante de mí dos chicas se ríen. Gin se aleja sacudiendo la cabeza.

–De locos...

Me meto las manos en los bolsillos. Las chicas de delante me miran aún un rato y sonríen otra vez. Después, por suerte, una de las dos empieza una conversación que las lleva a otro sitio. Por primera vez entiendo qué significa sentirse como un «hombre objeto». Y además convertido en hombre objeto por una chica, por Gin, la Gin que ha conducido mi moto, que la ha llevado bien, tranquila, segura, veloz, que sabía el camino, que ha llegado hasta aquí... A lo largo de todo el trayecto, de noche, con falda, con el tráfico rodando de prisa. Gin..., la primera chica que ha conducido mi moto. ¡Y la primera que me ha convertido en objeto! Me dan ganas de reírme. Ya me toca. Me pongo serio y compro las entradas, sin dudas sobre la elección.

Gin está frente a la entrada de la sala con dos grandes recipientes de palomitas entre los brazos y una Coca-Cola con dos cañas dentro.

–O sea, que lo has conseguido...

Cojo la Coca-Cola, doy un sorbo y me adelanto.

–Venga, vamos.

Gin sacude la cabeza y me sigue, intentando que no se le caigan las palomitas.

–¿Se puede saber qué película has elegido?

–¿Por qué? Te reirás de todos modos.

–¿Yo? Eso no es cierto. Yo me adapto a todo, no soy una tocapelotas. Además, no he visto ninguna de ésas. La comedia, la romántica e incluso la de terror, todas me servían.

–Pues eso..., las he elegido todas.

Saco seis entradas del bolsillo.

–Primero la de terror, después la comedia para que te recuperes y luego la romántica, para que así a lo mejor me recupere yo.

–¿Con la romántica?... ¿De qué?

–Te recupere a ti, en sentido físico, quiero decir. Me explico: quedamos, tú conduces mi moto, vamos a ver tres películas en vez de una; entre la segunda y la tercera hay un intervalo de veinte minutos y quizá podamos tomar algo... ¿Y yo qué gano con todo esto? ¿Nada?

No es justo, así que al final espero que mi recompensa sea «una cosa», es decir, «esa cosa», ¿no?

–¿Una sola cosa? Tú vales mucho más. ¡Toma, te las mereces todas!

Gin me lanza el recipiente de las palomitas. Yo lo cojo como puedo, teniendo en cuenta que tengo en la mano la Coca-Cola. El resultado no es el mejor. Me quedo con algunas palomitas pegadas al pulóver, una incluso en el hombro, y muchas, demasiadas, a mis pies. Gin se aleja encogiéndose de hombros.

–¡No te preocupes, invita la casa!

Precisamente en ese momento pasan las dos chicas que estaban delante de mí en la cola y se echan a reír otra vez. Me sacudo alguna que otra palomita de encima y después sonrío yo también.

–Tenéis que entenderla, ¡no lo quiere admitir, pero está enamorada!

Asiento. Bueno, me parece que han dado por buena mi explicación. Y un poco más satisfecho, entro en la primera sala. Está a oscuras.

–Gin..., Gin, ¿dónde estás?

La llamo en voz baja, pero de todos modos siempre hay algún quisquilloso.

–Sh.

–Pero si ni siquiera han empezado los títulos de cabecera... ¡¿Qué pasa?! –levanto la voz–. ¡Gin, hazme una señal!

De la derecha me llega una palomita que me da en la mejilla.

–Estoy aquí...

Me siento a su lado y en seguida me ofrece su recipiente.

–Si ya te has comido todas las palomitas, coge las mías. Soy generosa, ya lo sabes.

–¡Sí, más que ofrecerlas, las tiras directamente!

Meto una mano entre sus palomitas y cojo unas cuantas antes de que acaben igual que las demás.

–Step, dime una cosa: ¿esta idea de ver tres películas la has copiado de Antonello Venditti?

–¿Antonello Venditti? ¿Qué dices? ¿Y ése quién es?

–¡Un cantautor! Ya sabes, esa canción que habla también de Milan Kundera, que habla del colegio, de Julio César...

–No la he oído nunca.

–¿No?

–¡No, nunca!

–Pero ¿en qué mundo vives? No prestas atención a las palabras...

–No, no presto atención a un cantautor romano...

Delante de nosotros, un tipo se vuelve decidido.

–En cambio, nosotros sí prestamos atención a vuestras palabras, sólo que nos gustaría oír qué dicen en la película. ¿O es que, en vuestra opinión, ahora también salen los títulos?

Preciso, pedante y vengativo. Ha esperado a que habláramos precisamente para soltar su broma sobre los títulos. Podría haber vuelto a hacer simplemente «sh». Nos habríamos callado y punto. Pero se ha pasado, y mucho. Hago ademán de levantarme.

–Perdona, pero...

No me da tiempo a acabar la frase cuando Gin me tira de la chaqueta y hace que vuelva a caer sobre el asiento.

–Step..., hazme algunos mimos, anda.

Me atrae hacia sí sonriendo y yo no me hago de rogar.

Después de la primera película, *La verdad oculta*, vamos a tomar una cerveza al pub del Warner antes de que empiece la comedia.

–Dime la verdad, Gin..., ¿has tenido miedo?

–¿Yo? No conozco esa palabra.

–¿Entonces por qué te apretabas tanto contra mí y después, cuando no daba miedo, apartabas la mano?

–Tenía miedo.

–Ah, ¿has visto? Te lo he dicho...

–Tenía miedo de que el de detrás nos denunciara..., por pelearnos o, peor aún, por actos obscenos en un lugar público.

–Mejor la segunda opción.

–Pues claro, así hubiera salido mejor parada yo también.

–No, no lo digo por eso. Es que colecciono denuncias, ¡y la de actos obscenos me falta!

–Bueno, si es por eso, conmigo no acabarás nunca la colección.

–¿Estás segura? Aún faltan dos películas.

Hace un movimiento veloz. Le inmovilizo la cerveza antes de que me la eche por encima.

–Tranquilo. Sólo iba a acabármela porque está a punto de empezar la otra película. Si pierdes tiempo, ¿qué harás con tu colección?

Sonríe y se acaba la cerveza de un trago. Después se levanta secándose adrede la boca con la manga de la chaqueta.

–Vamos..., ¿no te apetece?

Ofendida, entra en la sala. *Scary movie*. Primero una de terror; ahora una comedia sobre las películas de terror. ¿Quién sabe qué le parece mi elección? Pero no se lo pregunto, demasiadas preguntas. Gin se mueve en la silla. De vez en cuando se ríe durante alguna escena algo delirante. Bueno, el hecho de que se ría ya anima. ¿Se ríe de mí? Demasiadas preguntas, Step. ¿Qué te pasa? ¿A qué viene tanta inseguridad?

Gin se levanta.

–Oye, voy al baño.

–De acuerdo.

–¿Has entendido?

–Sí, me has dicho que vas al baño.

Gin sacude la cabeza y sonríe saliendo de la fila, agachándose para no molestar a los de detrás. ¿O para no llamar demasiado la atención? Me vuelvo. Detrás está vacío, no hay nadie. Vuelvo a mirar la película. Un tipo con una máscara corre tropezando por todos lados. Pero no me da risa. Quizá porque estoy pensando en Gin. Y en el baño. O quizá porque no da risa. De todos modos, yo también tengo que ir al baño. Bueno, «tengo» es algo exagerado. Me apetece, es mejor, cuando menos para saber si lo he entendido o no.

En todo caso, si Gin me dice «Pero ¿qué has entendido?», le diré: «¿Qué has entendido tú? Simplemente tenía que ir al baño. ¿Qué pasa? ¿Es que yo no puedo mear?» Hum..., no se lo creerá nunca. Cruzo la fila sin hacer demasiado ruido. Las risas de alguien de más adelante tapan el hecho de que he chocado con una butaca medio bajada. Me froto el músculo anterior del muslo y me meto en el baño. No la veo. ¿Se habrá encerrado en el baño en serio?

–Eh, menos mal.

Asoma de repente por detrás de la pesada cortina granate.

–Por un momento he pensado que no lo habías pillado. –Se ríe.

No le digo que por un momento realmente no lo había pillado–. ¡Me has asustado!

Gin se me acerca y me besa. Está caliente, suave, guapa, perfumada, deseable..., ¡y lista para acabar la colección!

–¿Qué, no dices nada?

–Sí. ¿Qué hacemos, nos encerramos en el baño?

Ella sonríe.

–No, nos quedamos aquí.

Apoya las manos atrás, se da impulso con los antebrazos y se aúpa hasta el lavabo, sentándose encima. Después estira las piernas y me rodea con ellas. Cuando estoy a punto de besarla veo sobresalir sus bragas del bolsillo de su chaqueta. Se las ha quitado ya y eso me excita aún más. Una carcajada de la sala llega imprevista mientras me desabrocho los pantalones. También esto me excita aún más. Después estoy dentro de ella. Ella. Todo. Nos reímos juntos mientras la penetro. Después ella, de repente, gime y suspira mientras al otro lado estallan en una nueva carcajada. Apoyo las manos en sus nalgas, casi me agarro a ella, y empujo hacia adentro para que sea aún más mía. Del otro lado se ríen otra vez. Ella también. Es más, no, no se ríe, sonríe. Y después suspira. Apoya la cabeza en mi cuello y me muerde con suavidad.

–Venga, Step, sigue, no te pares...

Yo sigo lentamente y ella se mueve sobre la pila. Veo sus piernas. La falda cae hacia un lado. Su piel sobre la porcelana blanca y fría del lavabo. Gin se estremece. Mueve las manos hacia atrás y apoya la cabeza en el espejo. Yo le levanto los muslos y entro aún más. Suspira. Cada vez más fuerte. Suspira mientras noto que está a punto de correrse. Después, una gran carcajada llega procedente de la sala. El ruido de la puerta de al lado. Cierro los ojos, consigo a duras penas salir y me corro también yo. Pero Gin pierde el equilibrio y está a punto de caer de lado al suelo. Para no caerse se agarra a un grifo y lo abre, mojándose toda la falda por detrás.

–¡Ah, está helada!

Nos reímos. Cierro al vuelo el grifo. Inmediatamente después me abrocho los pantalones y me adecento lo mejor que puedo. Gin se mira al espejo. Por detrás tiene la falda completamente mojada. Cruzo mi mirada con la suya.

–¿Te ha gustado, eh?

Una carcajada llega de la sala en el momento oportuno.

–¡Qué gracioso!

–Bueno, a ellos les ha hecho reír.

La pesada cortina granate se mueve y después, ¡plop!, como sacada de la chistera de un prestidigitador algo torpe, aparece una señora.

–Oh, no podía salir; esta cortina pesa demasiado... El baño es aquí, ¿verdad?

–Sí, el de señoras es la puerta de la derecha.

Le dice Gin sin cruzar demasiado rato su mirada. Después ella también desaparece tras la cortina.

–¡Gracias! –responde la señora, y pasa frente a mí sin darse cuenta. Yo, que sí me he dado cuenta, me agacho al vuelo y sigo a Gin en dirección a la sala.

–Eh, has perdido esto.

Me las quita de la mano al vuelo.

–Dámelas en seguida.

Sentada en su sitio, Gin se pone las braguitas empujando hacia atrás en la butaca con los hombros.

–¡Madre mía, qué vergüenza si llega a encontrarlas esa señora!

–¡Sí, ¿y si hubiera conseguido abrir antes la cortina?! ¿Sabes qué habría ocurrido entonces?

–¡Sí, que hubieras completado tu colección!

Y también esta vez la sala se ríe.

Algo más tarde, tras la segunda película. En un restaurante del Warner estilo californiano o algo parecido. Pechuga de pollo a la plancha con parmesano y espinacas frescas. Una ensalada césar para compartir.

–¡Eh, que esa hoja era mía!

Gin me da un golpe con el tenedor.

–¿Y cómo iba a saberlo, eh?

–¿Y ésta?

Pincho una al vuelo precisamente de su lado.

–Ésa también.

Pero no le da tiempo a detenerme cuando ya me la he metido en la boca. Me río masticándola con la boca abierta como un extraño perro herbívoro pero divertidamente voraz.

–¡Qué asco...!

–¡Buh! –respondo a su acusación dando un salto hacia delante para asustarla. Y precisamente en ese momento...

–Veo que lo pasáis muy bien juntos... ¡Así deberían ser todas las parejas! El amor no es bonito si no es peleón...

Nos quedamos con la boca abierta. O mejor dicho, yo la cierro casi en seguida, ya que la tengo llena de espinacas. No tengo demasiada confianza con esa señora; es más, para ser sincero, no tengo ninguna. Sólo la he visto una vez, y... en el baño. Es la misma de antes, la que ha estado a punto de descubrirnos... en erótica actitud. Gin la reconoce y baja la mirada sonrojándose. Qué ridícula. Ha sido ella quien lo ha querido y ahora se avergüenza.

–Perdonad que os moleste, pero ¿sabéis dónde hay un baño por aquí?

Gin parece haber encontrado en el plato una espinaca interesante pero la abandona inmediatamente y señala con el tenedor al fondo de la sala. Yo hago lo mismo pero sin tenedor.

–¡Por allí! –decimos a la vez, y después, justo después, nos echamos a reír.

–¿Por qué os reís?, ¿tenéis que ir vosotros también?

Miro a Gin irónico.

–¿Tenemos que ir también nosotros?

Ella niega con la cabeza, hace una extraña mueca y consigue no sonrojarse.

–No, ahora no. ¡Dentro de poco empieza nuestra película!

–¿Vais a ver otra? ¡Qué bonita pareja, qué unidos estáis!

–Sí... –Miro a Gin sonriendo–. Tengo que decir que el cine nos une mucho. ¡Sobre todo el baño del cine!

–No entiendo...

Gin me mira y sacude la cabeza. Después sonríe a la señora, enternecida por su ingenuidad.

–¡Nada..., era una broma!

–Bueno, perdonad. Os dejo, que se me escapa el pipí. Quizá he bebido demasiado, o será la edad...

–Tranquila, señora. Nosotros también vamos muy a menudo al baño...

Gin me da un manotazo en el hombro.

–¡Se acabó! ¡Rápido, que empieza la película, vámonos!

Y al cabo de un instante, después de despedirnos de la mujer, estamos en otra sala. Aquí dan una película de hace algunos años, pero en el Warner es una novedad. Se abraza a mí y sigue la película con una mano en la boca. Se acurruca, se mordisquea un poco las uñas y se apoya de nuevo en mí. *Mensaje en una botella*. Kevin Costner ha perdido a su mujer y no quiere volver a empezar. No quiere seguir viviendo. Escribe cartas y las mete en botellas que se pierden en el mar, una tras otra; es su amor que naufraga. Pero no le escribe a nadie. Después alguien encuentra el mensaje en la botella. Una periodista. La carta la conmueve también a ella y se convierte en un acontecimiento. Se encienden las luces. Primera parte. Gin se ríe sorbiendo por la nariz, se cubre el rostro con el pelo y no se deja ver. Se vuelve hacia el otro lado, me mira desde abajo, estalla en una carcajada otra vez y vuelve a sorber por la nariz.

–¡Has llorado!

La señalo culpable.

–¡Pues... sí! No tengo por qué avergonzarme.

–¡Está bien, pero sólo es una película!

–Sí, y tú eres un insensible.

–Lo sabía... ¡Como siempre, es culpa mía! ¿Vamos al baño a hacer las paces?

–Cretino... Ahora no viene al caso.

Gin me da un puñetazo en el hombro.

–¿Y por qué a veces viene al caso y a veces no? Aparte de que eso de «viene» suena fatal...

–¡Ves, eres un inoportuno! Tú sigue haciendo bromitas, ¡pelma! Pero yo...

–¡Sh! ¡Silencio, que empieza la película!

Y se desliza butaca abajo, lanzándose encima de mí. Abrazándome y riendo detiene mi mano, que buscaba alguna distracción.

Algo más tarde, delante de una cerveza.

–¿Te ha gustado?

–Mucho, aún estoy mal.

–¡Joder, Gin, no te pases!...

–¿Y qué quieres que haga? Yo soy así. Claro que si no se hubiera hundido con el barco y todo lo demás... Ahora que había vuelto a enamorarse..., a amar a la periodista... Qué malos son los directores.

–Pero ¿por qué? ¡Es perfecto! Ahora será la periodista la que escriba cartas de amor y las meta en botellas, así las encontrará otro y la historia volverá a empezar... O bien meterá un peso dentro, así las botellas acabarán en el fondo y las leerá Kevin Costner.

–Madre mía, ¡qué macabro eres!

–Intento desdramatizar este drama que estás viviendo.

–No estoy viviendo ningún drama. Además, llorar es liberador, sienta bien, vacía las glándulas, ¿entendido? Es un equilibrador, precisamente como los besos.

–¿Los besos?

–Sí. Los besos contienen encimas, extrañas sustancias... Tipo... Endorfinas, creo, en resumen, como una droga. Los besos tranquilizan... ¿Por qué crees que te beso yo?

–Pues yo pensaba... que era pura atracción sexual.

–Pues no, es puro efecto calmante.

–Me estás mostrando un aspecto nuevo de mí mismo; tendría que besar a más mujeres, tal vez descubrieran que soy mejor que la tila, ¡deberían venderme en el supermercado! ¿Sabes la pasta que...?

–¡¿Sabes la de hostias que te daría?!

–¿Ah, ves? Sólo de pensarlo te pones celosa.

–Step, ¿has pensado alguna vez...?

–¿En qué, en ser celoso?

–No, en escribir, qué sé yo, una nota, un poema...

–Sí, y meterlo en una botella.

En realidad intenté escribirle a Babi. Era Navidad. Lo recuerdo como si fuera ayer. Las hojas de papel reducidas a bolas debajo de la mesa, intentos desesperados por encontrar las palabras adecuadas. Adecuadas para un desesperado. Yo, yo que corría jadeante en la inútil carrera, en la imposibilidad de reconquistar un amor que se va, que ya se ha ido. Y después volver a verla, a ella, con otro, y no encontrar ni siquiera la palabra más sencilla. Qué sé yo... Hola. Hola, cómo estás. Hola, hace frío. Hola, es Navidad. Hola, feliz Navidad. O peor aún... Hola, pero cómo... O bien: hola, ¿no te he dicho nunca...? Hola, te quiero. Pero ¿qué tiene que ver esto ahora? No tiene nada que ver.

–No, nunca he escrito nada. Ni siquiera una tarjeta de felicitación.

–¿Y ni siquiera lo has intentado?

–No, nunca.

¿Qué quiere? ¿Por qué insiste? Me mira de reojo.

–Hum... –dice, perpleja. Y después ataca de nuevo–: ¡Bueno, lástima! ¡En mi opinión sería precioso!

–¿El qué?

–Recibir algún escrito de ti. Estaría bien un poema, un bonito poema.

–¡Y encima tiene que ser bonito! No basta con que lo escriba, sino que además tiene que ser bonito.

–¡Pues claro, sobre todo bonito! No hace falta que sea largo. Un bonito poema sincero, lleno de amor..., ¡quizá para que te perdone!

–¡Qué te parece! Todavía no he escrito el poema y ya he hecho algo malo.

–Pues claro. ¿Acaso antes no me has mentido? –Sonríe, enarca una ceja y se levanta dejándome en la mesa–. ¡Falso!

Acabo el último sorbo de cerveza y en un instante estoy a su lado.

–Dime una cosa: ¿cómo lo has sabido? –Le digo, confirmando que ha acertado.

–Tus ojos, Step. Lo siento, pero tus ojos lo dicen todo..., ¡o al menos, bastante!

–¿O sea?

–Me han dado a entender que al menos una vez habías intentado escribir una carta, un poema u otra cosa. Yo no lo sé, lo sabes tú.

—Ah... claro.

—¿Ves?, has dicho «claro».

Me he liado con ese «claro». Pero ¿qué tiene eso que ver? Caminamos el uno al lado del otro, cerca, en silencio, hacia la moto. Algo es seguro: tengo que ponerme las gafas más a menudo. Las de sol. Quizá incluso de noche. O bien no decir mentiras. No, es más fácil usar las gafas... Ah, claro.

Cincuenta y cuatro

10 de octubre

¡Vaya, el primer programa ha ido de maravilla! Yo, Gin, no he fallado en nada. Faltaría más. Tenía una única entrada al final del programa en la que debía llevar simplemente un sobre con el nombre del ganador. ¿Cómo podía equivocarme? Bueno, podía tropezar. En cambio, Ele ha estado genial. Tenía que entrar a mitad de programa para dar el sobre con la clasificación provisional. Ha entrado, ha llegado hasta el presentador en el momento adecuado y se ha colocado en el sitio adecuado, sólo que... ¡se ha olvidado de llevar el sobre! ¡Genial! ¡Pero qué digo, más que genial! Ele es siempre Ele. Pero todos se han reído, el presentador ha hecho una broma (aunque no debía de ser muy buena, ya que ahora no la recuerdo). ¡Y Ele les ha caído bien en seguida a todos! Al final, en lugar de enfadarse con ella, la han aplaudido y se han reído. ¡Alguien incluso ha dicho que lo ha hecho adrede! Ele..., imagínate. El mundo del espectáculo... Quiere ver a la fuerza algo malo. Como dijo mi tío Ardisio cuando supo que trabajaba en esto: «Cuidado, sobrinita, que allí el más limpio tiene sarna.» Tal vez sea verdad. De todos modos, Step se perfuma siempre...

5 de noviembre

¡Ahora ya soy una más! Me han hecho hacer de una de las chicas adjuntas al ballet. De locos... ¡Y hasta seguía el ritmo en los ensayos!

Mañana tenemos programa, habrá que ver cómo lo hago. Me han dicho que el peso del directo es otra cosa. «¡Ahí te equivocas con más facilidad y tu error llega directamente a las casas de los espectadores!» ¡Socorro! No quiero ni pensarlo. Hasta me verá mi madre. No se pierde ni uno. Lo ve hasta el final y siempre consigue verme. La otra vez me dijo: «¡Esta noche te he visto!» «Te equivocas, mamá, hoy no he salido.» «¡Cómo que no! Has entrado al final para los saludos... Eras la última de la derecha, al final del escenario...» ¡Mi madre! No se le escapa nada. Bueno, casi nada.

6 de noviembre

¡Perfecta! El coreógrafo me ha dicho: «¡Perfecta!» He levantado la ceja y le he dicho: «¿Quién, la que está delante de mí?» Carlo, el coreógrafo, se ha echado entonces a reír como un loco. «Eres muy simpática», me ha dicho. Pero no se ha parado allí. Me ha pedido mi número de teléfono. «Vamos, así te llamo para ensayar. Puedes mejorar si vienes a los ensayos con las demás...» ¡Perfecto, me gusta bailar! Habría sido todo perfecto si precisamente mientras Carlo apuntaba mi número de teléfono en su móvil no hubiera pasado Step por allí. Step y su don de la oportunidad. Perfecto, él también. Sólo que se ha puesto como una furia. Step, celoso. ¿Cómo tengo que interpretarlo? Ele dice que Step es fantástico, maravilloso. ¡Es verdad, con ella! No sólo eso, sino que Ele dice que Marcantonio está obsesionado con eso de la pareja abierta.

Step, en cambio..., ¡con la pareja blindada! ¿Es que no puede haber un término medio?

Por suerte, sobre su don de la oportunidad hemos hecho las paces. Último piso de mi edificio, la mejor manera de hacer las paces..., y de mejorar..., como dice Step. Por suerte, allí no llega el ascensor y tampoco creo que a las dos de la madrugada alguien decida tender ropa en la azotea. Esta vez mi hermano no ha aparecido. Ah, y tampoco la señora del baño del cine. «Bueno —ha dicho Step—, buenas noches, mi colección de denuncias tendrá que esperar...» ¡Pero si seguimos así, antes o después la acabará de verdad!

10 de diciembre

¡Uff! ¡Pero por qué siempre acaba así! ¿No puede haber una relación serena y tranquila y, sobre todo, profesional entre un hombre y una mujer que trabajan juntos? Evidentemente, no. Carlo, el coreógrafo, me ha tirado los tejos. Y a lo bestia. Ha ido a saco: me ha rozado una teta. Pensaba que me sobrevendría un escalofrío sensual, pero en cambio se ha ganado un empujón, y de los fuertes. Se ha dado contra la barra del espejo y se ha quedado doblado en dos. Quizá me he pasado. No, no me he pasado, ni mucho menos. Sólo que me ha dicho que no vuelva a la sala de ensayos. «A menos que...», ha añadido. ¿A menos que qué...? ¿Te das cuenta? ¿A menos que qué? ¡Bah! Le hubiera tenido que contestar: «¡Sí, a menos que me presente con Step!» Entonces no se llevaría sólo un empujón... Lo he decidido. No le diré nada de Carlo a Step. Para su colección no sirven las repeticiones.

20 de diciembre

No lo puedo creer. Está siempre distraído sobre todo y sobre todos por lo que respecta al trabajo y, en cambio, en esto Step se ha fijado. «¿Cómo es que no estás en el ballet?» «Bueno —le he dicho—, Carlo ha querido probar a alguna otra chica...» No se lo ha creído. Y no ha parado ni un segundo de insistir hasta el final de los ensayos. Preocupante, la verdad.

«Sí, y mira a quién ha elegido Carlo. ¡A Arianna, la más fácil de todas!» «¿Y tú qué sabes?», hubiera querido contestarle, pero he pensado que era mejor no levantar más sospechas. Pero me ha acribillado a preguntas: «Pero ¿cómo puede ser? Si te gustaba mucho bailar... Pero si ya no os saludáis, pero si en el programa no te habías equivocado nunca... ¿No será que te ha tirado los tejos?» Ante esta última pregunta he tenido una reacción imprevista. No hubiera querido que Step la notara. Al final, me ha dicho: «¡Está bien, basta!» Menos mal, he pensado. Y me estaba relajando cuando ha añadido: «Se lo preguntaré directamente a él... Algo más sabrá decir, ¿no?» «Haz lo

que quieras», le he dicho... No podía más. Y después he pensado: no sé qué dirá Carlo y, sinceramente, no me importa. Una cosa es segura: si habla, echará de menos mi empujón.

24 de diciembre

Hemos ensayado hasta las seis y después todos a casa para celebrar la... ¡Navidad! Carlo está aún entero, o sea, que no ha hablado. Lo más extraño es que ahora me saluda muy simpático. Bah..., los milagros de Step. Quizá. De todos modos, mejor no indagar. Step y yo hemos tenido una idea estupenda: primero cada uno en casa de sus padres para la gran cena y luego, después de medianoche, todos a casa de Step, o mejor dicho, de su hermano, para abrir los regalos. ¡Vendrán también Ele y Marcantonio, que extrañamente aún siguen juntos! Extrañamente para Ele, a quien conozco bien, y extrañamente para Marcantonio, a quien conozco poco. Bah, de todos modos, no creía que duraran tanto. ¡Bueno!, quizá han llevado a la práctica el esquema de la pareja abierta... ¡Bah! Pues mejor para ellos. Releo ahora lo que he escrito y veo que está lleno de «bah»... ¿Me habré vuelto insegura? ¡Bueno, quizá, bah! De algo estoy segura: en la vida es mejor no tener demasiadas certezas. Por ahora funciona... con Step. ¡Y funciona de maravilla!

25 de diciembre

Me he despertado a mediodía y he preparado un desayuno fantástico, ¡panetone y capuchino! ¡Vaya! ¡Soy muy feliz! Un montón de gente dice que las fiestas de Navidad entristecen..., pero a mí, en cambio, me chiflan. El árbol con las lucecitas, el pesebre, la cena juntos, llena de cosas ricas... Claro que se gana algún que otro kilo, pero ¿dónde está la tristeza? Después los pierdes. Un poco de movimiento y los pierdes. Y con Step tienes ganas de perder kilos, pero ¿cuándo engordas? ¡Qué broma tan mala! Esperemos que nadie encuentre este dia-

rio. De todos modos, si por casualidad tú, que ahora lo has cogido, lo estás leyendo, que sepas que ¡te estás equivocando! ¡¿Lo has entendido, maldito/a ladrón/a, curioso/a?! De todos modos, no quiero ni pensarlo. ¡Ayer fue todo precioso, demasiado! A las doce y media estábamos todos en casa del hermano de Step. Paolo, su hermano, no estaba. Se había ido a celebrar la Navidad con su novia, una tal Fabiola. O sea que estábamos solos. ¡Fue precioso! Marcantonio trajo un CD maravilloso. «Café del Mar», *o algo parecido, y lo puso. Atmósfera perfecta, sugerente pero no demasiado, me atrevería a decir que suave. ¡Y atrévete, Gin, atrévete! Ron, aguardiente, champán... Había de todo. ¡Di dos sorbos al ron de Step y ya estaba borracha! Jugamos a la botella para ver quién era el primero en abrir los regalos. Salió Marcantonio, o sea, que les tocó a ellos. Sólo que Marcantonio aprovechó el juego de la botella y «memorioso» como dijo él, «de los viejos tiempos», cuando sólo gracias a esa botella se superaba nuestra timidez..., se lanzó sobre Ele, agarrado tipo pulpo. La besó chupeteándola toda y Ele se reía y se reía... ¡Están estupendamente! ¡Realmente bien! Me alegro mucho por Ele. Y además, qué bonitos regalos, preciosos. Ele, siempre exagerada, le regaló un programa de diseño gráfico muy especial que acaba de llegar de Estados Unidos y que le costó un riñón (eso lo dijo Step, que lo había usado cuando estaba fuera). Al verlo, Marcantonio literalmente enloqueció, la abrazó y empezó a gritar: «¡Eres la mujer de mi vida, eres tú!» Pero Ele, en lugar de alegrarse, se enfadó y le dijo: «¡O sea, que tu amor se puede comprar..., basta un programa de diseño gráfico!» «¡Eh, no! —contestó Marcantonio—. No es un programa de diseño gráfico..., es un Trambert XD americano!» Como respuesta, ella le saltó encima, cayeron en el sofá y empezaron a pelearse. Después Marcantonio la detuvo y le dijo: «No hagas eso. Tienes que ser más simpática, más amable, más servicial, te pega más, te hace más guapa. Eso, así estás más guapa, o sea, que eres aún más guapa...» En resumen, la aturulló de tal manera ¡que al final a Ele hasta le gustó el regalo! ¡Y qué regalo! ¡Un traje de geisha! De seda azul marino, precioso, con la chaqueta estilo coreano, muy elegante. Ele se apoyó la chaqueta encima del pecho y se miró al espejo. Se le pusieron los ojos brillantes y me dijo des-*

pacio: «Era mi sueño.» Su sueño. Ser una geisha... ¡Madre mía! Volvieron las dudas, pero pasaron en un instante. Entre otras cosas porque me tocaba a mí. Abrí el regalo que me había hecho Step. «¡No! No me lo puedo creer, no tengo palabras.» «¿Qué pasa?, ¿no te ha gustado?», dijo él. Yo lo miré y sonreí. «Abre el tuyo...» Step empezó a abrir el paquete pero mientras tanto seguía: «Se puede cambiar... Si no te va, se cambia, ¿eh? ¿O no te gusta el color?» «Ábrelo, venga», le dije. «¡No! —exclamó él entonces—. ¡No me lo puedo creer!» Me copió la frase y no sólo eso. Nos regalamos dos chaquetas Napapijri azul marino, idénticas, totalmente idénticas... Madre mía, no tenía palabras. «¡Es fantástico, Step! ¡A esto se le llama simbiosis! ¿Te das cuenta?, hemos tenido la misma idea. ¿O, como de costumbre, me has seguido?» «Pero ¿qué dices?» ¡Me reí un montón! ¡No quería parecer celoso delante de su colega Marcantonio! Como si Ele no le contara a Marcantonio todo lo que yo le cuento a ella. O sea que... moraleja, ¡todos lo sabemos todo de todos! Pero ¿qué importa? ¡Nos queremos! ¡Eso es lo que importa! El cierre de la velada fue precioso. Música, turrón, charlas..., y después Ele y Marcantonio se marcharon. Me quito las botas, me tumbo en el sofá, me apoyo en Step y meto los pies debajo de un cojín, buscando el calor. Posición de sueño. Hablamos un montón. O mejor dicho, yo hablo un montón. Le hablo de los pendientes que me han regalado mis padres, del regalo de tío Ardisio, del de las tías, del de la abuela... Después, cuando le pregunto a él cómo ha ido, noto que se pone tenso. Insisto y al final, con esfuerzo, descubro que él y Paolo han cenado con su padre y con su nueva novia. Step me cuenta que su hermano le ha regalado unos zapatos negros, muy bonitos, y su padre un pullóver verde, el único color que no soporta (¡bueno es saberlo! ¡Menos mal! Había una chaqueta verde Napapijri... ¡Pero a mí el verde tampoco me gusta! ¡Uf! Ha salido bien... Suerte simbiótica). Step me subraya que la tarjeta del regalo de su padre se la ha hecho firmar también a su nueva novia. Intento justificarlo, pero él no tiene dudas: «Si ni siquiera la conozco. ¿Tú querrías un regalo de alguien que no conoces?» Desde ese punto de vista, tiene parte de razón. Después, qué absurdo (después de mi larga insistencia), me dice que ha recibido también un regalo de su madre pero que no lo ha abierto. Y con mi broma: «Bueno, a tu madre sí la conoces, ¿no?», creo que he metido la pata. «Pensaba que la conocía.» Dios mío, le he estropeado la Navidad. Por suerte lo recupero. Con dulzura, con tranquilidad, con pasión, con el tiempo... Hemos oído incluso a Paolo que entraba. Es verdad que hacerlo en Navidad va un poco contra mis principios, pero me sentía culpable. Bueno, es una pequeña justificación. Digamos que ha entrado en juego otro aspecto, además del de ser cristiano. Aunque esperemos que no haya entrado en juego nada más. Entre otras cosas, porque un nacimiento... ¡precisamente en Navidad! Bueno, sería lo máximo. Nos hemos reído sobre esto con Step. Por suerte él estaba tranquilo, aunque ha bromeado sobre la elección del nombre. ¡Fácil! Jesús o Virgen, depende de si es chico o chica. Blasfemo... ¡Mejor dicho, desagradable! «Eres tan irreverente como Madonna», le he contestado. De cualquier modo, el regalo de su madre no lo ha abierto.

Cincuenta y cinco

Capuchino y croissant, lo más tranquilo que hay en Vanni.

–¡Step! No me lo puedo creer.

Pallina corre a mi encuentro. No me da tiempo a volverme cuando casi me lo tira todo encima. Me abraza. Algunos nos miran. Cruzo la mirada con la de una señora reflejada en el espejo que hay frente a mí. Come un croissant y suspira. Ojos ligeramente brillantes. Fan nostálgica de «¡Caramba, qué sorpresa!» y de otros programas de televisión parecidos. ¿O tal vez está impresionada por el capuchino demasiado caliente? Bah.

–Pallina, cálmate. –Sonrío abrazándola–. Sólo falta que nos propongan participar en algún *reality show*.

Ella se aparta y me mira. Tiene el brazo en mi cintura y ladea ligeramente la cabeza.

–¿*Reality show*?, ¿de qué hablas? ¡Step, estás muy cambiado! Mi padre diría que has entrado en el embudo.

–¿Qué quieres decir? ¿En qué embudo?

–Mírate... –Me hace dar una vuelta sobre mí mismo y vuelve a detenerme delante de ella con una carcajada–. Vas vestido casi a la moda.

–Sí, aunque...

–Bueno, sea como sea, has abandonado la cazadora hortera de delincuente chuloputas.

–Pero por qué... –Me miro el chaquetón azul marino que llevo sobre un par de vaqueros y un jersey de cuello alto–. ¿Qué pasa, que así no estoy bien?

–No, no me lo puedo creer. ¡Step busca aprobación! ¡Ay, qué mal estamos...!

–Uno cambia. Uno se transforma, nos volvemos más flexibles, escuchamos...

–Entonces estamos realmente mal. ¡Has entrado totalmente en el embudo!

–¿Otra vez? Pero ¿qué quiere decir eso del embudo?

–Mi padre compara la vida social con un embudo. Al principio nos movemos libremente por la parte ancha, sin pensar, sin demasiadas obligaciones, sin tener que reflexionar. Pero después, cuando nos adentramos en el embudo, entramos en la parte más estrecha y entonces hay que seguir hacia adelante, las paredes se estrechan, no se puede volver atrás, no se puede andar, los demás te empujan, ¡hay que ir en fila, en orden!

–Madre mía, ¡qué pesadilla! ¿Y todo eso porque he cambiado de chaqueta? ¿Qué pasaría entonces si me vieras mañana?

–¿Por qué?

–Tenemos programa en directo y tengo que vestirme de ordenanza: ¡americana y corbata!

–No, no me lo puedo creer. Iré mañana. ¿Cómo iba a perdérmelo? ¡Step con americana y corbata! ¡Increíble! ¡Ni que vinieran a hacer un concierto a mi casa Boy George y George Michael y decidieran acostarse conmigo!

–Si tú lo dices, Pallina. ¿Puedes explicarme la comparación? Dos célebres gays del mundo de la música, ¿qué relación tienen con que yo me ponga americana y corbata? Si hubieras dicho algo como «meterse» en camisa de once varas...

–Pues no lo sé. Es verdad. Como comparación es extraña, tendré que pensarlo. Pero en ese sentido, por lo que a ti respecta... no ha cambiado nada, ¿verdad? Porque dicen que en televisión, después del mundo de la moda, es donde está el porcentaje más alto de...

Por un instante pienso en el encuentro que tuvimos en la terraza la otra noche. Pero es sólo un instante. Me río. Y pasó. Me río de verdad.

–No, no, estate tranquila. ¡Y tranquiliza sobre todo a tus amigas!

–¡Presuntuoso!

Me da un ligero empujón. Quién sabe si también ella ha pensado en la otra noche.

–Por cierto, ¿tú qué haces en ese programa?

–Lo que he estudiado en Estados Unidos. Logos, diseño por ordenador, emitir los títulos de cabecera, subtítulos con los resultados o el dinero que se puede ganar. Ya sabes, los textos que ves debajo de la cara de los presentadores... Yo me ocupo de eso.

–¡Caray, televisión! O sea, bailarinas, azafatas, tías buenas de todo tipo y mujeres que se entregan a cambio de trabajo. Y cuando cambies de idea, me imagino que eso es un paraíso de consumaciones...

–Bueno, no. Digamos que ése es el lado más agradable del trabajo.

Precisamente en ese momento pasa por nuestro lado una de las bailarinas. Una..., la que está más buena.

–Hola, Stefano.

–Hola.

–Nos vemos dentro.

–Claro.

Se marcha sonriendo, guapa y segura, con paso decidido, tranquilo, consciente de las atenciones más o menos delicadas, de los pensamientos, los más distintos, que acompañan su alejarse de espaldas.

–Ya lo has entendido todo, ¿no?

Pallina está en una forma excelente, no se le escapa una.

–Y además..., ¿Stefano? Es la primera vez que oigo que te llaman así. Dios mío, si hasta vas de incógnito.

–Step es demasiado íntimo, ¿sabes?

Precisamente en ese momento oigo que me llaman.

–¡Step!

Me vuelvo. Es Gin. Avanza sonriente y espléndida, guapa en su transparencia salvaje. Pallina levanta una ceja.

–Sí, es verdad. ¡Step es demasiado íntimo!

Gin llega y me besa de prisa en los labios. Después se hace a un lado como diciendo: estoy lista para conocer a tu amiga... Porque es una amiga, ¿verdad? Mujeres...

–Ah, sí, perdona, te presento a mi amiga Pallina. Pallina, ésta es Ginevra.

–Hola. –Gin le da en seguida la mano–. Si quieres llámame Gin.

–Pues yo soy siempre Pallina para los amigos y los no amigos.

Se escrutan por un instante de arriba abajo, veloces. Después, no se sabe cómo ni por qué, pero por suerte, deciden caerse bien. Se echan a reír.

–Step –dice Gin–, yo me marcho. No llegues tarde, que te buscaban dentro.

–De acuerdo, gracias, voy en seguida.

–Adiós, Pallina –la saluda sonriente y se aleja–. Encantada de haberte conocido.

Nos quedamos un momento en silencio mirando cómo se marcha. Después Pallina, curiosa, pregunta:

–¿Es actriz?

–No, tiene un papel muy sencillo, hace de azafata.

–¿Es decir...?

–Lleva los sobres.

–Lástima, es un talento desperdiciado.

–¿A qué te refieres?

Pallina pone voz de falsete:

–«Encantada de haberte conocido...»

–A lo mejor a Gin le has caído bien de verdad.

–¡¿Ves?, sería una actriz perfecta! Te ha engañado incluso a ti.

–Eres demasiado recelosa.

–Vosotros, los hombres, sois muy poco recelosos. Ya verás como tengo razón. ¿Cuándo volverás a verla?

–Dentro de poco.

–Pues entonces, o se quedará callada y pondrá mala cara o te bombardeará a preguntas: «¿Quién era esa Pallina? ¿Qué hace? ¿Desde cuándo la conoces?» Y preocúpate sobre todo si te pregunta: «¿Tuviste una historia con ella?»

–¿Por qué?

–Porque entonces no sólo es curiosa..., sino que está enamorada.

Y Pallina se aleja así, como ella hace, como siempre ha hecho, brincando.

Se reúne con una amiga suya que no conozco y desaparece. Y a mí me deja, una vez más, simplemente preocupado.

Poco después estoy dentro del Teatro delle Vittorie. Saludo a Tony, el guardia jurado de la entrada, y miro a mi alrededor buscándola.

–Toma –le arrojo el paquete. Tony lo coge al vuelo como el mejor *quarterback* de un equipo americano. Todo bien si no fuera por el físico y que, por lo general, son de color.

–Oh, gracias, Step. Te has acordado.

Mira contento su paquete de MS.

–¿Cuánto te debo?

–No importa. Si se me acaban los míos, me ofreces alguno.

Falsos los dos. Yo no fumaría nunca un MS ni siquiera si me acabo el mío. ¿Y te parece que él no sabe lo que vale un paquete si, por lo que veo, se fuma casi dos al día? Bueno, de todos modos me apetece invitarle. En el fondo me cae simpático. Miro a mi alrededor. Quizá esté en la máquina de Coca-Cola o en la del café. No me da tiempo a comprobarlo.

–Si buscas a Gin, ha ido a cambiarse.

Tony sonríe guiñándome el ojo. Oh, no hay nada que hacer, a nadie se le escapa nada. Claro que a un guardia de seguridad..., sería un contrasentido.

–Gracias.

Es inútil decir: «No, en realidad estaba buscando a Marcantonio.» No haría más que empeorar la cosa.

–Hola, Step, te he visto en Vanni hablando con una morena bajita. Es Simona, una de las azafatas del programa.

–Era Pallina, una amiga mía.

–Sí, sí, claro..., ¡cómo no! Mira que se lo digo a Gin.

Ya ves... Simona se aleja. Y precisamente en ese momento llega Marcantonio.

–Oye, precisamente te estaba buscando, ven a nuestro sitio, que los autores quieren hablar con nosotros.

–Está bien, voy dentro de cinco minutos.

–Dos.

–Tres.

–De acuerdo, ¡pero ni uno más!

Marcantonio lanza al vuelo el cigarrillo justo delante de sus pasos, lo apaga en cuanto toca el suelo y desaparece por uno de los pasillos. No me da ni tiempo a doblar la esquina cuando choco con alguien. Pum, como una furia. Casi se cae hacia atrás, pero la cojo en seguida.

–¡Gin!... Pero ¿adónde vas?

–Nada, corro para hacer un poco de ejercicio. No he podido ir al gimnasio. Es más, para ser sincera... –Se acerca y me susurra al oído, después de haber mirado alrededor para comprobar que no hay nadie–. Hoy me han echado del Urbani.

–¡No!

–Sí. Ha venido un tipo con una hoja y me ha dicho: «Usted ya vino a hacer clases de prueba en febrero y en junio, ¿no?»

–¡No!

–¡Pues sí! ¿Qué pasa, es que tengo que jurártelo?

–No, ¿qué tiene eso que ver? Es que no puedes...

–¿Por qué?

–Porque tú no pasas inadvertida...

–¡Hum, qué simpático! Yo creo que lo has estropeado todo tú.

–¿Yo? Pero ¿por qué? ¡Tú estás loca!

–No, el loco eres tú, que me contestas.

–Eh, oye...

Ahora empezará con las preguntas. Lo sabía, Pallina tiene razón. Pallina siempre tiene razón.

–¿Has visto a Marcantonio? ¡Te buscaba, ha dicho que tenéis una reunión importante!

–Sí, gracias, lo he visto antes.

La miro y sonrío. Gin hace ademán de marcharse y la detengo.

–¿No tienes que decirme nada más?

–No, ¿por qué? Ah, sí... –Lo sabía. Pallina no puede no tener razón. Gin me mira de reojo como dándose por aludida. Ahora, lo sabía...–. Esta noche viene mi tío a cenar, así que, por desgracia, luego no podremos hacer nuestro «ensayo general».

–¡Ah!

Me quedo decepcionado. No tanto por el ensayo como por su falta de interés.

–¿Qué pasa? –me mira con curiosidad.

–No, nada...

–Step, acuérdate de los ojos...

–¿Qué?

–No tienes que mentir, y estás mintiendo.

–No, es decir, sí. Es que me preguntaba...

–Sí, lo sé... «Pero ¿cómo puede ser que Gin no me pregunte: "¿Quién era ésa? ¿De qué la conoces?..."» ¿Qué pasa? Tuviste una historia con ella, ¿verdad?

–Sí..., exacto.

–Bueno. Primero, sea quien sea, ¿qué importa? ¿Quieres estar conmigo? Pues eso es lo importante. Segundo, podrías decírmelo..., o no decírmelo, sea la historia que sea. Así que ¿por qué correr el riesgo con tus ojos? Una cosa es segura: tú le gustas.

–¿Yo? Pero si es la novia de un amigo.

Me sale casi natural usar el presente para mi amigo Pollo, y eso me hace sentirme mejor.

–¡Tú le gustas, Step, fíate de mí! Quizá hasta te ha tirado los tejos. Recuerda, una mujer ve a otra. Fíate de mí, Step. A mí, y a veces a pesar de mí, no se me escapa nada.

Se aleja así, intentando compensar con una carrera veloz su falta de gimnasio. Es verdad, Gin, a ti no se te escapa nada. Bueno, vayamos a esa reunión de autores. Ah, y otra cosa: Pallina no siempre tiene razón.

Entro en la sala apenas a tiempo para ver la escena. Renzo Micheli, el Serpiente, está de pie delante de Marcantonio. Tiene unos folios en la mano y los agita en perfecta sintonía con su voz. Agitada. Sesto y Toscani, el Gato & el Gato, están allí detrás, encogidos, riéndose en silencio y lanzándose de vez en cuando miradas divertidas por no se sabe qué.

–¿Entiendes? No vuelvas a cagarla. No puedes permitirte equivocarte. No puedes permitírtelo. Si te digo una cosa, haz caso. Los resultados se dan en orden de izquierda a derecha, no en columnas.

–Pero es que como no habíamos hablado con Romani de cómo hacer que se vieran, he pensado...

Micheli, el Serpiente, lo interrumpe de inmediato:

–Ése es el error. ¡He pensado! Sabía que te habías pasado de la raya, pero no entendía dónde. Tú debes obedecer y punto. ¡No te atrevas a pensar! –Y diciendo esto, Micheli, el Serpiente, le tira los folios aún calientes de la impresora a la cara–. ¡Toma, rehazlos y déjamelos ver entonces!

Marcantonio consigue parar los primeros folios, pero los demás le llegan a la cara y, como una violenta lluvia de papel, se abren en abanico. Toscani, con su habitual palillo en la boca, finge un extraño asombro divertido.

–Oh.

Después, no satisfecho con eso, lame el palillo como si fuera un Chupa-Chups. Sesto, apoyado en una mesa cercana, se levanta curioso por ver cómo reaccionará Marcantonio. Pero nada, no pasa nada. Micheli espera aún un momento. Después:

–Anda, vamos...

Parece casi disgustado por no obtener respuesta a su provocación. Esos simples folios de papel, como guantes de seda de un espadachín que pertenece al pasado, no han obtenido respuesta en su abofetear. Marcantonio recoge algunas hojas esparcidas sobre la mesa. Renzo Micheli, seguido por el Gato & el Gato, está a punto de salir de la habitación cuando me encuentra a mí en medio. Es un instante, un titubeo. Me mira levantando una ceja y aprieta un poco los ojos, como diciendo: ¿por casualidad quieres contestar tú? Pero es sólo un instante. Me hago a un lado dejándolos pasar. Esos extraños padrinos de un duelo que ha salido mal salen divertidos de la habitación. Inmediatamente después me inclino para recoger las hojas esparcidas alrededor, para romper ese molesto silencio, para echar una mano, allí donde puedo, a Marcantonio. Habría sido absurdo decidir en su lugar reaccionar ante ese inútil desafío. Y es Marcantonio el que me ayuda a salir.

–Y así es, querido Step, como hoy has aprendido otra lección. A veces, en el trabajo, tu fuerza y tus razones deben dejarse de lado cuando chocas con el poder... Pelearse con Micheli sería como borrarse del mapa, tirar al río una hipoteca para el futuro. Él será el sustituto de Romani.

Sus palabras empiezan a enturbiarse.

–Y yo, ¿sabes?, acabo de comprar un piso, tengo una hipoteca y... ya no soy el noble de otros tiempos... En resumen, entonces era distinto.

Asiento con la cabeza, sigo fingiendo que escucho. Fragmentos de palabras un poco balbuceantes. Una extraña justificación plantada allí, en el aire, como puede. Parecen las letras de un anónimo, distintas unas de otras, pegadas y después enviadas para pedir el rescate que debe pagarse. Pero yo no tengo ese dinero. Yo no puedo hacer nada. Recojo los últimos folios, los estampo sobre la mesa y los dejo allí, delicadamente. Después de un «Claro, Marcantonio, te entiendo, tienes razón...» salgo de escena con un «Sí, quizá yo también habría reaccionado de esa manera». Y dejo así, con ese quizá, una duda tranquilizadora en él, un pequeño espacio para su dignidad. Gin no habría tenido dudas. Ella habría descubierto mi mentira en seguida. Tal vez. ¡Ojalá! Ojalá me arrojaran los folios a la cara los tres a la vez. No espero nada más. Me están tocando las narices. Y cultivando este pequeño sueño, me alejo. Cierro la puerta y me pongo las gafas. Después me dan ganas de reírme. Qué estúpido, pero si Gin no está.

Cincuenta y seis

Entro en casa y dejo la bolsa. Me quito la chaqueta y oigo charlar a Paolo a lo lejos. ¿Estará con alguien o es la televisión? Paolo llega sonriendo hacia mí.

–Hola..., tengo una sorpresa para ti.

No es la televisión. Hay alguien. Después, de repente, ese alguien aparece. Enmarcada por la puerta del salón, con un poco de luz de la ventana a sus espaldas que desenfoca a mis ojos la silueta, delicada visión así, fuerte y presente en cambio en mi vida, en toda mi vida pasada. Mi madre. Mamá.

–He preparado algo por si tienes hambre, Step –dice Paolo cogiendo el chaquetón del armario y poniéndoselo–. Si tienes hambre, está todo allí, en la mesa.

Insiste, preocupado por esa situación. No sé si en la duda de que yo tenga hambre o al haberme servido ese plato que tal vez en ese momento no me apetecía: encontrarme con mamá. Tal vez no tenía ganas, podría haberlo pensado, o quizá no. Pero es un instante. Paolo ha salido dejándonos así, solos. Solos como nos hemos quedado desde ese día. Al menos, yo. Sólo sin ella. Sin la madre que me había diseñado inspirándome en todos sus cuentos, en aquellas fábulas que me había leído de pequeño, en todas esas historias que me había contado junto a mi cama, donde a mí, con apenas unas décimas de fiebre, me gustaba refugiarme acurrucándome en ese calor, el de las mantas y el suyo. Sabiendo que ella estaba allí, a mi lado, contándome un cuento, cogiéndome de la mano, tocándome la frente, trayéndome un vaso de agua. Ese vaso de agua... Cuántas veces, tan sólo para tenerla cerca un segundo más, a punto de dormirme le había pedido ese último favor para verla entrar de nuevo, enmarcada en la jamba de otra puerta, de otra casa, de otra historia... Aquélla con mi padre. Y este espléndido diseño precisamente creado por ella, lleno de amor, de fábula, de sueños, de encanto, de luz, de sol..., puf, borrado en un segundo. Haberla descubierto allí, en la cama con otro.

–Hola, mamá...

Uno cualquiera, un desconocido, un hombre distinto de mi padre con mi madre y, desde entonces, la oscuridad. Completa oscuridad. Me encuentro mal. Me siento a la mesa, donde los platos ya están puestos. No veo ni siquiera qué hay, y sólo ante la idea de comer me dan ganas de vomitar. Pero es mi única posibilidad de escapar. Calma, Step. Pasará. Todo pasa. No, no todo. Con ella el dolor aún no ha pasado. Ese vaso de agua... Calma, Step. Has crecido. Bebo un poco de agua.

–Ya sé que estás trabajando, ¿estás contento? –¿Contento? Dicha por ella, esa palabra me da ganas de reír. Pero no lo hago. Respondo algo, igual que al resto de sus preguntas–. ¿Qué tal te fue por Estados Unidos? ¿Tuviste problemas? ¿Hay muchos italianos? ¿Piensas volver? –Contesto. Contesto a todo más o menos bien, creo, tratando de sonreír, de ser amable. Precisamente como ella me ha enseñado. Amable–. Mira, te he traído esto.

Y saca algo de un bolso, no del que yo le regalé aquella vez por Navidad o por su cumpleaños, no recuerdo cuándo. Pero recuerdo que ese bolso lo encontré allí, en la butaca de aquella casa. En el salón... La cama de otro que la había invitado a ella, a mi madre. Invitar. Invitar. Invitar... Basta, Step. Déjalo ya.

–¿Los reconoces? Son los *morselletti* que te gustaban tanto.

Sí, me gustaban mucho. Me gustaba todo de ti, mamá. Y ahora, por primera vez, después de haberla mirado varias veces, la veo de nuevo. Mi madre. Sonríe con la pequeña bolsa transparente entre las manos. La deja con suavidad sobre la mesa y me sonríe otra vez inclinando la cabeza hacia un lado. Mi madre. Ahora lleva el pelo más claro. Ahora su piel parece también más clara. Ella, delicada como siempre, parece aún más frágil. Más delgada. Eso, parece más delgada y tiene la piel ligeramente encrespada por un viento ligero. Y los ojos. Sus ojos, un poco empañados, es como si tuvieran menos luz. Es como si alguien, malvado conmigo, hubiera girado hace poco ese interruptor, dejando en penumbra nuestro amor. Mi amor. Bebo un poco más de agua.

–Sí, me acuerdo. Me gustaban muchísimo.

Y uso el pasado sin querer, sin saber, con el miedo de que incluso esos simples bizcochos hayan perdido ese sabor que me gustaba tanto.

–¿Has abierto mi regalo?

–No, mamá.

No consigo mentirle. Aún ahora no consigo decirle una mentira. Y no es sólo por el miedo a ser descubierto... Me acuerdo de Gin y de la historia de los ojos. Por un instante, me dan ganas de sonreír. Y es una suerte.

–No, mamá, no lo he hecho.

–Eso no es bonito, ¿lo sabes?

Pero no espera que le pida perdón, no hace falta. Su sonrisa me da a entender que todo está en su sitio, ya es pasado, y ella no hace que me pese.

–Es un libro y me gustaría mucho que lo leyeras. ¿Lo tienes aquí?

–Sí.

–Entonces ve a buscarlo.

Y sus palabras son tan amables que no puedo no levantarme, ir a mi habitación y volver inmediatamente después con el paquete, apoyarlo sobre la mesa y desenvolverlo.

–Ya está. Es de Irwin Shaw: *Lucy Crown*. Es una historia muy bonita. Cayó en mis manos por casualidad y me impresionó mucho. Si tienes tiempo, me gustaría que lo leyeras.

–Sí, mamá. Si tengo tiempo, lo haré.

Nos quedamos un momento en silencio, y aunque es sólo un instante, me parece larguísimo. Bajo la mirada, pero tampoco la cubierta del libro me ayuda a que pase esa infinidad. Doblo el papel de regalo, pero tampoco eso me hace aumentar el peso de los segundos que parecen no pasar nunca. Mi madre sonríe. Es ella quien finalmente me ayuda a salvar esa pequeña eternidad.

–También mi madre doblaba siempre el papel de los regalos que recibía. Tu abuela. –Se ríe–. Quizá lo hayas heredado de ella. –Se levanta–. Bueno, me marcho...

Me levanto también yo.

–Te acompaño.

–No, no te molestes.

Me da un beso ligero en la mejilla y después sonríe.

–Yo me las arreglo. Tengo el coche abajo.

Va hacia la puerta y sale, sin volverse. Me parece cansada y yo me siento agotado. No encuentro toda esa fuerza que siempre he creído tener. Ese beso, quizá, no haya sido tan ligero.

Cincuenta y siete

Algo más tarde.

–Oh, precisamente estaba pensando en ti... ¡Tenemos simbiosis! ¡En serio, estaba a punto de llamarte!

Siempre tan alegre, Gin desarma.

–¿Dónde estás?

–Aquí abajo. ¿Me abres?

–Acabo de cenar; mi tío aún está aquí. Además, ¿qué quieres? ¿Subir a mi casa y que te presente a toda la familia?

Se ríe alegre.

–Venga, Gin, invéntate algo. Qué sé yo..., que tienes que recoger la ropa de la azotea, que tienes que ir a buscar algo a casa de tu amiga que vive en el piso de arriba, que tienes que escaparte conmigo, di eso si quieres, pero sube... Tengo ganas de ti.

–No has dicho «tengo ganas de verte», sino «tengo ganas de ti».

–¡Sí, y te lo repito!

Tengo la impresión de ser el participante de uno de esos estúpidos concursos. Espero no haberme equivocado de respuesta. Gin hace una pausa larga, demasiado larga. Quizá me haya equivocado de respuesta...

–Yo también tengo ganas de ti.

No dice nada más y oigo que abre el portal. No cojo el ascensor. Subo los escalones veloz como un rayo hasta el último piso, sin pararme, a veces incluso de cuatro en cuatro. Y cuando llego, se abre el ascensor. Es ella. Simbiosis hasta en eso. Me zambullo en sus labios y busco allí mi respiración. Besándola sin tregua, sin dejarla respirar. Le robo la fuerza, el sabor, los labios, le robo hasta las palabras. En silencio. Un silencio hecho de suspiros, de su camiseta que se abre, del gancho de su sujetador que salta, de nuestros pantalones que se bajan, de la barandilla que se mueve, de ella que se ríe haciendo «Sh» para que no la oigan, de ella que suspira para que yo no me corra, al menos no en seguida. Y extrañas posturas en aquella trampa de piernas, en esa maraña tejana que me excita aún más, que me fascina, que me extasía. Parar por un momento y de rodillas, sobre el frío mármol del rellano, besarla entre las piernas. Ella, Gin, *cowgirl* extrañamente descompuesta, imita un rodeo muy personal para no caer de mis labios. Para después cabalgarla otra vez y correr juntos, nosotros, estúpidos, salvajes, apasionados, caballos enamorados agarrados al suelo por una barandilla de hierro. Ésta vibra en silencio como nuestra pasión. Por un instante suspendidos en el vacío. Ruidos lejanos. Ruidos de las casas. Una gota que cae. Un armario que se cierra. Pasos. Después ya nada. Nosotros. Sólo nosotros. Su cabeza hacia atrás, su pelo suelto, abandonados en caída en la tromba de la escalera. Se mueven frenéticos, casi querrían saltar, como nuestro deseo. Pero un último beso nos hace corrernos juntos, volver al suelo precisamente mientras llaman el ascensor.

–Sh –ella se ríe derrumbándose en el suelo. Casi exhausta, sudada, mojada, y no sólo de sudor. Con el pelo que se le pega a la cara y se ríe con ella. Nos abrazamos juntos así, púgiles tocados, deshinchados, agotados, acurrucados en el suelo, vencidos. Esperando un inútil veredicto: empatados en puntos... Y sonriendo, nos besamos–. Sh –dice otra vez ella–. Sh. –Se complace en ese silencio... Sh.

El ascensor se detiene un piso más abajo. Nuestros corazones laten veloces y no ciertamente de miedo. Me escondo entre su pelo. Me apoyo en su suave cuello. Descanso tranquilo. Mis labios cansados, felices, satisfechos en busca sólo de una última respuesta.

–Gin...

–¿Sí?

–No me dejes...

Y no sé por qué, pero lo digo. Y casi me arrepiento. Y ella se queda un momento en silencio. Después se separa de mí y me mira curiosa. Luego lo dice despacio, casi susurrándolo:

–Tiraste al río la llave del candado.

Después, cariñosa, coge mi cabeza entre sus manos y me mira. No es una pregunta. No es una respuesta. Después me da un beso y otro, y otro más. Y no dice nada más. Sólo me sigue besando. Y yo sonrío. Y acepto encantado esa respuesta.

Cincuenta y ocho

Una tarde calurosa, extrañamente calurosa para ser diciembre. El cielo azul, intenso, como esos días de montaña donde te mueres de ganas de esquiar. Sólo que yo tengo que trabajar. Como dice Pallina, he entrado en el embudo, pero es el último programa o, mejor dicho, el último día de ensayo antes del último programa. Sin embargo, me parece un día especial. Siento algo extraño y no entiendo por qué. Tal vea sea un sexto sentido, pero nunca lo hubiera imaginado.

–Buenos días, Tony...

–Buenas, Step.

Entro apresuradamente en el teatro. Un grupo de fotógrafos más o menos lamentables, con cámaras de fotos tan distintas como sus ropas, me corta el paso. No son ciertamente como esos pesados grupos de japoneses que te encuentras por las plazas de Roma. A ellos no se les escapa ninguna imagen.

–Por allí, se ha ido por allí... Rápido, que la pillamos.

Me quedo asombrado y esto Tony, naturalmente, no lo deja escapar.

–Están persiguiendo a la Schiffer. Ha llegado antes porque tiene que ensayar la entrada en el escenario. Pero ¿qué tendrá que ensayar si sólo tiene que andar? Si por lo menos hubiera escaleras... ¿Qué tiene que ensayar, si hace un montón de años que sabe andar? ¡Bah! Quizá sea para justificar el dinero que cobra, me cago en sus muertos. –Y ya puestos, Tony añade–: Si buscas a Gin, ha ido precisamente al camerino de la Schiffer. La ha llamado uno de los autores. A lo mejor la hace entrar con la Schiffer. Mira que si aprende a andar ella también, verás el dinero que gana. Más que andar..., prepárate para dar en seguida la vuelta al mundo. Viajes gratis contigo y con el chófer.

Tony. Se ríe algo descarado tropezando con una extraña tos llena de humo y con ninguna salud. A pesar de ello, enciende en seguida otro MS y tira el paquete acabado. ¿Es el que le llevé ayer u otro nuevo? Qué importa. Total, si no le importa a él. Bueno, mejor que vaya a ver cómo está Marcantonio y cómo va nuestro trabajo. Eso, aunque sea por contrato, tendría que interesarme. Allí está. Sentado frente al ordenador, concentrado. Lo miro desde lejos a través de la puerta entreabierta. Después sonríe para sus adentros, pulsa una tecla, lo manda a la impresora y, satisfecho, enciende un cigarrillo justo a tiempo para verme llegar.

–Eh, Step, ¿quieres uno?

Bueno, al menos él, a diferencia de Tony, ofrece y no parece estar tan mal.

–No, gracias.

Vuelve a cerrar el paquete.

–¡Mucho mejor! –Se lo mete en el bolsillo de la chaqueta y se alisa el poco pelo que tiene a ambos lados de la cabeza echándoselo hacia atrás–. Lo he conseguido... He podido enfocarlo todo precisamente como querían.

–Ah, muy bien.

Me doy cuenta de que evita voluntariamente decir «como querían los autores», pero no es el momento de hacérselo notar. Cuando menos porque me ha ofrecido un cigarrillo. Nos quedamos un momento en silencio mirando los folios que salen de la impresora. Brrr. Brrr. Uno tras otro. Precisos, limpios, ordenados. Colores claros y suaves, perfectamente legibles, precisamente como querían, imagino. Marcantonio espera la salida del último folio, después los coge delicadamente de la máquina y sopla suavemente encima para que se seque la última tinta recién impresa.

–Ya está. Creo que están perfectos. –Me mira buscando mi aprobación–. Sí, creo que sí.

La verdad es que no estoy demasiado seguro. Que le hayan tirado esas hojas a la cara a Marcantonio me ha hecho olvidar por completo cuál era el motivo de la discusión.

–¡Sí, perfectos! –me limito a decir, queriendo así salir airoso de alguna manera. Pero no basta. Por desgracia, no es suficiente.

–Oye, Step, ¿me haces un favor? ¿Puedes llevarlos tú a los autores?

Finalmente ha conseguido pronunciar esa palabra. Pero ésa es una victoria, ¿cómo se dice?, ¡pírrica! Porque de todos modos me toca a mí enfrentarme a ellos. ¡Qué rollo! Pero no puedo decir que no. Ahora ya estoy en el embudo. Ya. Y además me ha pedido un favor Marcantonio, mi maestro. ¿Cómo puedo decirle que no?

–¡Claro, faltaría más!

Me mira aliviado. Me pasa los folios y mientras salgo de la habitación vuelve a aposentarse en la silla, apaga el cigarrillo y enciende en seguida otro. ¡Qué palo! De una cosa estoy seguro: fuma demasiado. Bueno, tengo que hacerlo. No hay nada mejor que una cosa que tienes que hacer. Tienes, primera ley del embudo. Estoy empezando a odiar este embudo. Tony me saluda con su sonrisa divertida de costumbre. Siempre la misma, cada vez que paso. Pero ¿puede ser que Tony no fume sólo MS? ¿Dónde ha dicho que están los autores? Ah, sí, en el primer piso, donde está también el camerino de la Schiffer. Subo de prisa la escalera. Allí están. Los fotógrafos están todos sentados o, mejor dicho, repantigados sobre pequeños sofás descoloridos. Esperan la salida de la diva aspirando a poder sorprenderla sin maquillar, aunque siempre guapa. Todo para poder dar un poco más de valor a sus eventuales fotos robadas. Extraño oficio. Cansado y ferozmente ligado a demasiadas hipótesis. Cuando llego no me dirigen ni siquiera una mirada, nunca mejor dicho. Sólo un fotógrafo, o mejor dicho, una, me dedica un instante su mera atención. Curiosidad femenina tal vez. Pero ni siquiera ésa es suficiente para levantar de alguna manera la maquinita de fotos que le cuelga del cuello. Mejor. Ya me pesa llevar estos folios. Seguramente los autores tendrán algo que decir. Sólo me falta el interés de algún otro. Miro a mi alrededor buscando dónde estarán. «Schiffer.» El letrero, perfectamente impreso con letras grandes por un *laser write*, destaca nítido en la primera puerta. La segunda puerta no tiene ninguna indicación. La elección me sale bastante natural. Llamo. No oigo respuesta. Algunos segundos después, la abro. Nada. Silencio. Exceptuando que aparece un pequeño pasillo. En el fondo hay otra puerta. Del mismo tipo, del mismo color. Avanzo con los folios en la mano. Tal vez estén allí, en esa otra habitación. Bueno, como tienen que estar en algún sitio, mejor comprobarlo. Pero mientras me acerco oigo un ruido, un ruido extraño. Unas risas ahogadas. Después unos movimientos desordenados, sordos, rebeldes. Como patadas sin coordinación de un niño levantado en el aire que intenta darle a una pelota que está bajo sus pies. Pero la pelota está demasiado lejos para darle el placer de ese tiro. Y así es como abro la puerta. Sin llamar. Simplemente maleducado, pero me sale espontáneamente. Del mismo modo que me parece irreal lo que veo. Toscani rodea a Gin con los brazos por detrás. Sesto está apoyado en una mesa con su palillo de siempre en la boca y sonríe divertido ante la escena. Micheli está delante de Gin y se mueve con un extraño ritmo. Después, de repente, entiendo la escena. Gin tiene la camiseta rasgada. Su pecho está desnudo, descubierto por un sujetador que ha acabado torcido. Tiene un trozo de cinta americana en la boca. Toscani le está lamiendo el cuello con su lengua rasposa. Michele, *el Serpiente,* tiene los pantalones bajados delante de ella, la polla fuera, y se está masturbando. Gin, con el pelo mojado de sudor por la pelea, se vuelve de repente hacia mí. Está desesperada. Me ve. Suspira. Parece sentir un instante de alivio. Toscani cruza mi mirada y deja de lamerla. Su lengua se queda suspendida en el aire como su boca abierta. Sesto no es menos. Tiene cara de estar aterrado y él también abre la boca. Su estúpido palillo queda así colgado del labio inferior. Finalmente esos folios tienen su razón de ser. Es un instante. Los arrojo con fuerza a la cara de Sesto, el único que podría ser el primero en intervenir. Le doy de pleno. Intenta evitar el golpe, pero resbala de la mesa y acaba en el suelo. A Michele, *el Serpiente,* no le da tiempo a volverse. Lo golpeo con el puño cerrado de derecha a izquierda con el brazo abierto como para alejarlo. Le acierto de pleno justo en la tráquea. Vuela hacia atrás y acaba con las piernas en el aire y suelta un extraño estertor, mientras su tímida polla se encoge en seguida. Se avergüenza incluso de haber intentado exhibir esa ridícula erección. Toscani suelta a Gin. En un instante estoy sobre ellos. La libero definitivamente arrancándole de la boca el trozo de cinta.

—¿Estás bien?

Asiente con la cabeza, con lágrimas en los ojos, con las cejas agarrotadas. Le tiemblan los labios en una desesperada tentativa de hablar.

—Sh —le digo.

La alejo amablemente, la empujo con dulzura hacia la puerta de salida. La veo marcharse así, de espaldas. Intuyo que se está poniendo el sujetador en su sitio. Se acomoda la camiseta, ordenando las ideas en la medida de lo posible. Quiere encontrar un sitio para su dolor. Intenta llorar, pero no puede. De todos modos, no se vuelve. Simplemente se aleja, insegura sobre sus pasos, vacilante sobre las piernas, pensativa sobre qué hacer. Por lo que respecta a mí, en cambio, no tengo dudas. ¡Pum! Me vuelvo de golpe y pego a Toscani con una violencia de la que no pensaba que era capaz. Le doy en la cara, desde abajo, golpeándole el labio, la nariz, la frente, casi destrozándolo, pero apoyando todo mi peso, toda mi furia. Acaba contra la pared y no le da tiempo a recuperar el equilibrio cuando estoy encima de él. Le doy de pleno con el pie derecho en el estómago, quitándole la respiración, dándole apenas tiempo a caerse para después coger una breve carrerilla llena de potencia y golpearlo casi como si fuera una pelota. ¡Pum! En plena cara. Como un chute de rigor, como el mejor Vieri, o Signori, o Ronaldo y todos los demás juntos, sin excluir ninguno. Con un único grito y una amenaza. Es un rigor para no equivocarse. ¡Pum! Otra vez. Contra la pared. Se le deshace la mejilla. Hay una salpicadura de sangre mucho mejor que la de cualquier rabioso intérprete del más sucio pop art. Salto por encima de Micheli, que, aunque respira entrecortadamente, está recuperando el aliento. Le sonrío involuntariamente. Qué bien que se esté recuperando. Debe de estar en forma para lo que naturalmente decido guardarme para el final. Después me dirijo hacia Sesto. Se tapa la cara con las dos manos esperando quién sabe qué milagro... Pero no tiene lugar. ¡Pum! Le pego con la derecha, un puñetazo generoso, bonito, tenso, abierto. De derecha a izquierda con todo el peso de mi cuerpo. ¡Pum! Otra vez. Allí, en la oreja, con una violencia tal que me sorprendo de que no le salte. Pero después me tranquilizo. Bien, sangra. Y él, estúpido, sorprendido, aún incrédulo, se quita las manos de la cara y se las lleva delante de los ojos. Y las mira sin querer creerlo, buscando quién sabe qué absurda explicación para ese dolor, para esa sangre, para ese ruido. Pero no le da tiempo a hacer nada. ¡Pum! Ahora su cara está libre. Pum. Pum. Uno tras otro, le planto una serie de golpes en la cara. Uno tras otro, de pleno y sin tregua, en los ojos, en la nariz, en los labios, en los dientes, en los pómulos, ¡pum! ¡Pum! ¡Pum! Uno tras otro, cada vez más de prisa, cada vez más de prisa, cada vez más de prisa, como un loco, como un tipo ordinario. ¡Pum! ¡Pum! ¡Pum! Son mis golpes los que lo mantienen en pie, los que sostienen esa cara que se está borrando. ¡Pum! ¡Pum! ¡Pum! No siento dolor y no siento piedad y no siento nada que no sea placer. Ya no sé a quién pertenece toda esa sangre que hay en mis manos. Sonrío. Me detengo. Respiro. Mientras él se cae como un saco muerto. Resbala, flojo, alelado, acaso feliz, aunque no lo diga, de seguir vivo. Quizá. Pero es un detalle. Después lo veo por casualidad. Me parece el broche adecuado. Me agacho, lo cojo sosteniéndolo entre los dedos con asco y desprecio. Y pum. Le planto su palillo en lo que ha quedado de su labio inferior. No me da tiempo a volverme. Crash. Me llega desde atrás una silla. Me da de pleno en la nuca. Noto sólo el golpe. Me vuelvo. Micheli está en pie delante de mí; ha recuperado el aliento. A sus espaldas han aparecido todos esos fotógrafos inútiles. Famélicos, reanimados, incrédulos, casi se lanzan ávidos sobre este imprevisto plato caliente recién servido. Mueven voraces sus cámaras fotográficas inundándonos de flashes. Habrán visto marcharse a Gin. La habrán visto alterada, con la camiseta desgarrada, llorando. Pero la han visto marcharse. Eso hace sentirme mejor. Abro de par en par los ojos, intento enfocar después del golpe recién recibido. Justo a tiempo. Veo llegar de nuevo la silla. Me agacho por instinto dejando que me pase por encima de la cabeza. Fshhh, es un instante. Apenas noto un viento suave sobre mi pelo. Esquivada. Por poco, pero esquivada. Me levanto de golpe bloqueándole el brazo, le aprieto la muñeca haciendo que se le caiga la silla y después lo atraigo hacia mí y le doy un cabezazo. ¡Pum! Un cabezazo perfecto, en plena nariz, rompiéndosela. Lo repito en seguida. ¡Pum! En la ceja. Y otra vez. ¡Pum! En plena cara. Se derrumba ante los flashes de los fotógrafos, que siguen impertérritos sacando fotos. Micheli está por el suelo. Presa del ímpetu, de su idea, según él genial, de golpearme con una silla, no ha pensado mínimamente en esconder el estúpido utensilio que lo ha empujado a hacer todo esto: tiene aún la polla fuera. El responsable de ese sucio atentado que ha salido mal cuelga arrugado entre los inútiles pantalones grises. Como si un poco de franela bastara para otorgar elegancia. Y yo no tengo dudas: él es el verdadero culpable. Y entonces es justo que pague. No espero nada más. Me preparo. Está a punto de acabarse el tiempo. El pívot está quieto con la pelota en la mano. Es el último partido de baloncesto, decisivo para la victoria del campeonato. Y repentinamente él lanza... O como un saltador que se prepara para el último salto: oscila sobre sus pasos, intenta encontrar el ritmo justo dentro de él, de batir el récord del saltador anterior. O como la rayuela, ese juego de patio de colegio en el que después de lanzar una piedra había que brincar por un difícil recorrido. O como en *Gunny*... «Cuidado con lo que buscas, porque podrías encontrarlo...» Pues eso, vosotros me habéis encontrado a mí. No tengo dudas y, sin lanzar la primera piedra, me preparo, me elevo y salto, sincronizado con el flash de los fotógrafos. Y a mí qué me importa. ¡Pum! Le salto encima y otra vez, ¡pum! ¡Pum! Con el tacón, en el centro, mientras Micheli se agita y ese ridículo utensilio entre sus piernas se abarquilla cada vez más. ¡Pum!, otra vez, sin piedad, chafando con mi peso ese amago de polla ahora con sus eventuales alas arrancadas. Pum, la polla o lo que queda de ella sangra... Tomo carrerilla y, ¡pum!, acabo así, en perfecta sintonía con los últimos flashes de los fotógrafos, desintegrándole los huevos, suponiendo que alguien que actúe así los tenga de verdad. Pero yo, ante la duda, prefiero asegurarme. Nunca se sabe si un tipo como Michele puede querer engendrar otro gusano de esa estirpe... Y eso hago para sellar el cierre de este encuentro, soy afortunado. Por otro lado, era la habitación de los autores. Usarla forma parte de su oficio. La veo: pequeña, roja, de hierro. Llama mi atención casi brillando. La cojo. Me agacho sobre Michele. Algún que otro flash me acompaña curioso. ¿Qué querrá hacer? Y entonces los satisfago. ¡Clac! Un único golpe, con fuerza, determinada, precisa, perfecta. Micheli grita como un loco, mientras la grapadora sella del todo las ganas de esa estúpida polla de salir a hacer cucú. Micheli se derrumba. Busca desesperado entre sus piernas qué ha quedado de esa improbable ave fénix. Y no consigue dar una respuesta. Pero ¿cómo puede ser? Mi grapadora... ¡Rebelarse precisamente contra mí! Contra mí, que soy un autor. Ya. Sonrío mientras salgo de la habitación. Pero yo no, yo no soy un autor. Y la grapadora me lo ha puesto «a huevo»..., para no salirnos del tema. Algunos fotógrafos preocupados se apartan dejándome pasar. Sonrío divertido a algún que otro flash. La fotógrafa, que antes me había mirado con algo de curiosidad, me dedica ahora toda su atención. Está fascinada por la exclusiva. Después vuelve de inmediato, profesional, a inmortalizar la escena. Hace una última foto. Pero es demasiado para ella. Vomita apoyándose en la puerta. Alguien se mueve. Alguien consigue hacerme una foto de cerca. Ya veo el gran titular de una hipotética revista: «Última noticia. ¡Step ha salido del embudo!» Sí, bravo. Es exactamente así. Y estoy contento. Después salgo de escena.

Cincuenta y nueve

No me da tiempo a bajar. La noticia ha llegado antes que yo. Una extraña agitación ha vuelto febril el teatro. Parece que estemos en un improvisado directo. Todos corren de un lado para otro. Curiosos, enloquecidos, gritando, ansiosos por saber, ya dueños de una historia. La colorean como mejor les parece, añadiendo datos, exagerándolos, cambiando el principio, el final. «¿Te has enterado?» «Pero ¿qué ha pasado?» «Una pelea, un marroquí..., un polaco..., los albaneses de siempre..., un guardia ha disparado... ¿Hay heridos? ¡Todos!» Pregunto por Gin. Una chica me dice que se ha marchado a casa. Mejor. Voy hacia la salida. Tony viene a mi encuentro. También él parece nervioso. Debe de estarlo de verdad, ya que no lleva el cigarrillo en la boca.

—Vete, vete, Step. Está llegando la policía. —Parece el único que ha entendido algo—. Sea como sea, has hecho bien. Esos tres siempre me han caído como el culo.

Y se ríe divertido de su sinceridad. Él, simple portero en la entrada del embudo, se lo puede permitir. Voy hacia la moto. Oigo que me llaman.

—¡Step, Step! —Es Marcantonio, que corre hacia mí—. ¿Todo bien?

Me miro por un instante las manos ensangrentadas y, sin quererlo, me las froto. Qué extraño. No me duelen. Marcantonio se da cuenta. Lo tranquilizo.

—Sí, todo bien.

—De acuerdo, mejor. Entonces vete a casa. Yo me quedo aquí. Te llamo más tarde y te lo cuento todo. ¿Gin está bien?

–Sí, se ha ido a casa.

–Perfecto. –Después intenta desdramatizar–: ¿No será que no les ha gustado el trabajo que he hecho y te han arrojado los folios a la cara también a ti? ¿Sabes?, me sentiría culpable si todo esto hubiera pasado por mi culpa...

Nos reímos.

–No, les ha gustado mucho. Sólo tenían un pequeño cambio que hacer. Quizá hasta consigan decírtelo.

–Sí, quizá...

Vuelve a su actitud casi profesional.

–Bueno, este último programa puede incluso salir en antena sin cambios, ¿no?

–Sí, creo que sí. Sólo tienes que volver a imprimir esas hojas, las que les he subido se han estropeado un poco.

–Ah, ¿las hojas? Por lo que he oído, son ellos los que están estropeados, y no sólo físicamente. Es una fea historia. Ya verás como sales bien parado.

Arranco la moto.

–Gracias, Marcantonio. Nos llamamos.

Meto primera y me alejo. ¿Bien parado? Pero ¿de qué? Sinceramente, me da igual. Gin está bien, eso es lo que me importa.

Algo más tarde. Estoy en casa y la llamo. Hablamos por teléfono. Aún está nerviosa. Ha hablado con sus padres. Se lo ha contado todo. Habla despacio. No ha recuperado toda la fuerza. Oigo sus palabras algún tono más bajo que de costumbre. Pero es normal.

–Por suerte ha llegado un chico que me ha salvado, eso les he dicho a mis padres.

Se ríe un poco. Y eso me alegra. Me da por pensar: «No has dicho ha llegado mi chico...» Me parece demasiado. Aún es pronto para bromear sobre ello... Sigo escuchándola tranquilo.

–Me han dicho que los denuncie. Tú harías de testigo, ¿verdad?

–Sí, claro.

Me divierte haber cambiado de papel. Me había hartado de la película de costumbre donde siempre interpretaba el mismo personaje. Bueno, de imputado a testigo. Y además, de parte de la justicia. ¡Contra el sistema! No está mal. Aunque tendría que empezar a cambiar de género, porque mis películas siempre tratan de juicios...

La escucho aún un rato. Después le aconsejo que se tome una tila y que intente descansar. No me da tiempo a colgar cuando el teléfono empieza a sonar. No me apetece contestar y además está Paolo, o sea, que quizá es para él.

–Ya voy.

Parece contento de contestar.

–Claro.

Pasa por delante de mí. Asiento y decido darme una ducha. Mientras me desnudo, entiendo que no era para él. Lo oigo hablar en el salón.

–¿Cómo? ¡En serio! ¿Y cómo están? Ah, nada grave... ¿Cómo que gravísimo? Ah, bastante grave. Me estaba preocupando... Pero ¿cómo ha pasado? Ah... ¿Cómo? ¿Que quieren invitarlo al programa de Mentana? Ah, ¿y también a «Costanzo Show»? ¿Y al de Vespa? Pero habrá tenido una razón para hacer lo que ha hecho... –Por el tono entiendo que intenta salvarme–. Bueno, él es así... Ah..., ¿dice que ha hecho bien? ¿Cómo? ¿Que quieren presentarlo como un héroe? Ah, una especie de héroe, un paladín, el justiciero en el trabajo... Bueno, no sé si aceptará... No, yo no soy su agente..., sólo soy su hermano.

Me dan ganas de reírme y me meto en la ducha. Qué idiota, Paolo; podría haber dicho que era mi agente. Hoy en día todos los hermanos hacen de agentes de los divos. Sólo hay un problema. Abro más el grifo del agua caliente. Yo no soy un divo y no tengo intención de serlo. Pero sobre esta última decisión mía nadie parece estar de acuerdo conmigo.

Al día siguiente, a las siete de la mañana, el teléfono empieza a sonar. Llegan las preguntas más absurdas. Una tras otra. Se presentan todas las radios, las más diversas televisiones, invitaciones para toda clase de programas, de cualquier formato, de cualquier género, a cualquier hora, sobre cualquier tema. Y después más periodistas, críticos, comentaristas, simples curiosos... Y Paolo les contesta a todos. Después de la ducha de anoche, mi hermano quiso saber la historia con pelos y señales... Me tuvo más de una hora en un pseudointerrogatorio, aunque ofreciéndome, en lugar de la lámpara de costumbre en la cara, un plato de espaguetis. No estuvo mal. Cocina bien, mi hermanito. Hablé y comí con gusto. También tomé una buena cerveza helada. La necesitaba. Desayuno mientras lo miro. Está al teléfono. Lo anota todo y contesta; apunta los números de teléfono, las citas, los horarios para participar en eventuales programas.

–Ah, enviarán al chófer. Sí, sí... ¿Y como retribución? mil quinientos euros... Sí... No... No... De acuerdo... Aunque en «Fatti e fattacci» nos han ofrecido dos mil quinientos...

Me mira sonriendo y me guiña el ojo. Sacudo la cabeza y muerdo el croissant. He oído decir que, por lo general, son los abogados cansados del derecho los que se convierten en representantes. Pero un asesor financiero que se hace representante... Eso no lo he oído nunca, aunque podría ser una buena idea.

El abogado que se hace representante en el fondo parte de un concepto del derecho y de la justicia para después perderlo de vista. En cambio, el asesor financiero no. El asesor financiero parte del concepto de fisco, fraude y ahorro, y haciéndose representante no hace más que perfeccionarlo. Mi hermano. Seguro que sería un excelente agente, pero yo sería un pésimo divo.

–Adiós, Pa, yo salgo.

Paolo se queda así, con el teléfono suspendido en el aire y la boca entreabierta.

–No te preocupes, voy a ver a Gin.

Y parece entenderlo.

–Sí, sí, claro.

Lo veo precipitarse en seguida sobre la hoja. Hace una suma rápida de las que podrían ser sus hipotéticas ganancias. Después me mira y en un instante ve cómo se esfuman. Cierro la puerta. Estoy seguro de que está pensando en el día de fiesta que ha cogido en la oficina. Mi hermano. Mi hermano, el asesor financiero que se convierte en mi representante. Qué absurda es la vida.

Sesenta

Gin está bien. Tiene los ojos aún un poco enrojecidos, está algo abatida, pero está bien. La camiseta rasgada y el sujetador los ha metido en un sobre. Como prueba, dice ella. No los quiero ver. Me duele volver a pensar en la escena. Le doy un beso suave. No tengo ganas de ver a sus padres, no sabría qué decir. Pero han entendido quién soy. «El de la botella de champán», les ha dicho Gin a sus padres para que lo entendieran.

–Quieren darte las gracias.

–Sí, ya lo sé. Diles que ya me doy por... No, mejor diles que tengo problemas, que debo ir a casa... Bueno, di lo que quieras.

No tengo ganas de oír sus gracias. Gracias. «Gracias» a veces es una palabra incómoda. Hay cosas por las que no quisieras que te las dieran. Intento hacérselo entender con amabilidad. Me parece que lo he conseguido.

Más tarde, ya estoy en casa. Paolo intuye que tiene que dejarme en paz. No me propone citas ni la idea de fáciles ganancias. No me pasa ni a papá ni a mamá. También han salido fotos en algunos periódicos y un montón de gente me ha llamado por teléfono para saber cómo estaba. Para apoyarme. O quizá sólo para decir: «Yo lo conocía bien...» Pero yo no quiero a nadie. Quiero ver el programa. Eso es. Son las nueve y diez. Empiezan las siglas. Después sólo dos rótulos con los títulos de siempre y la sorpresa. Los nombres y los apellidos de los tres autores ya no están. Las bailarinas siguen bailando perfectamente sonrientes y tranquilas a pesar de lo que ha pasado. Por otro lado, ¿qué tienen que ver? Además ya se sabe que... el espectáculo debe continuar. Es el último programa. Cómo no va a salir en antena. Razones de mercado. Algo he aprendido. Es fácil entender de qué material está hecho el embudo. De dinero. Los títulos continúan. Las chicas bailan. La música es la misma. El público sonríe. Hay otra sorpresa: mi título aún está. Me suena el móvil. Veo el número. Es Gin. Contesto. Se ríe. Parece mucho más alegre, en plena recuperación.

–¿Has visto? Tenía yo razón. Lo pensaba, pero no te lo he dicho, es como decir que no tendrás problemas. Estoy contenta por ti.

Está contenta por mí. Ella está contenta por mí. Qué chica. Es increíble. Siempre consigue sorprenderme. Me despido.

–Nos llamamos luego, cuando se acabe.

Cuelgo. No tendrás problemas. ¿Qué problemas puedo tener? Como mucho, una denuncia por pelearme. Otra. El único problema es que no acabo la colección. Abro una cerveza y en ese momento suena el móvil. Es un número oculto. No tendría que fiarme y, sin embargo, no sé por qué, tengo ánimos y contesto. Y no me he equivocado. Es Romani. Reconozco su voz. Echo un vistazo a la tele. Efectivamente, están en una pausa publicitaria. La primera del programa, casi siempre a las nueve cuarenta y cinco. Miro el reloj. Van algunos minutos adelantados. Quién sabe quién habrá hecho la escaleta. Quizá ya la habían hecho esos tres. Seguramente no han podido rehacerla. Pero me olvido de todos esos pensamientos. Intento prestar atención a lo que me está diciendo y me quedo sorprendido escuchándolo.

–Así que quería decirte, Stefano, que lo siento mucho. No lo sabía. Nunca lo podría haber imaginado. –Y sigue con su calma de costumbre, con su elegancia, con su voz tranquila y firme, rotunda. Una voz que da seguridad. Lo escucho en silencio y me quedo sin palabras aunque hubiera querido decir algo. Otras dos chicas han denunciado el mismo hecho sucedido hace tiempo. No habían tenido el valor de hablar por miedo a perder el trabajo o, peor, simplemente a salir en los medios. Y quizá haya más–. Después de lo que has hecho, Stefano, están ganando seguridad. No se habría descubierto en mucho tiempo, tal vez nunca. Así que me siento culpable de haber hecho que te encontraras en una situación como ésa. Además, precisamente tu novia... –Sacudo la cabeza. No hay nada que hacer. Hasta Romani lo sabe. Debe de haber sido Tony–. Por lo que te ruego que aceptes mis disculpas y gracias, gracias de verdad, Stefano.

Aún otro gracias. Gracias de Romani. Gracias. La única palabra que no quería oír.

–Bueno, ahora te dejo, tengo que volver al programa. Pero ven a verme. Tengo una cosa para ti. Es un regalo. Al fin y al cabo, yo no lo puedo usar. Tengo otro programa que empieza dentro de dos meses y no puedo parar.

Intenta no dar demasiada importancia a su gesto. No hay nada que hacer, es un tipo grande.

–Así estáis un tiempo tranquilos. Después, si va bien, trabajamos otra vez juntos...

Hace una pausa.

–Si os apetece... A mí me gustaría. Te espero... ¿Stefano?

Por un instante teme que se haya cortado la línea. No he dicho nada. Ni siquiera un comentario, pero acabo la conversación con elegancia:

–Sí, Romani, de acuerdo, pasaré mañana, gracias.

Acabamos así la llamada. Miro la tele. Como por arte de magia, la publicidad termina y la emisión vuelve a empezar. Me acabo la cerveza. Bueno, al menos un gracias he conseguido decirlo también yo.

Sesenta y uno

En el TdV lo están desmontando todo. Pedazos de escenario son sacados uno tras otro con una facilidad extrema. Un equipo de destructores actúa implacable, con determinación, sin ninguna duda, casi con rabia. Se ríen entre sí y casi parecen sentir placer haciéndolo.

–Es más fácil destruir que construir...

Su voz me sorprende a mis espaldas, pero siempre es tranquilizadora. Sonrío dándole la mano. Hasta su apretón me gusta. Sincero, sereno, fuerte, que no necesita demostrar nada. Ya no. Romani. Ha sido la persona más interesante que he conocido. La más distinta, la más inesperada. Al verdadero amo de ese embudo, frustrante y preocupante por tantos lados, al final consigues llegar a apreciarlo. Andamos. Pedazos de escenografía siguen cayendo desde lo alto. Pequeños derrumbes de colosos de Rodas pictóricos, mañana ya olvidados. Seguir adelante por la fuerza, la importancia y la estupidez del éxito, la droga del éxito, la belleza del éxito. Creer por un instante que no te olvidarán. Pero no será así. No será así.

–Toma. –Me da un sobre–. Son los contratos para ti y para Ginevra para el próximo programa que haré. Si os apetece, ya estáis dentro. En marzo, un concurso sobre música. Un programa muy fácil y ya emitido en varios países de Europa. Alcanza más del treinta y cinco por ciento en España. Estará Marcantonio y también el mismo coreógrafo. He confirmado a algunas bailarinas y he excluido a otros. –Sonríe aludiendo a esos tres–. También porque no creo que vuelvan a trabajar en el mundillo. He pedido una campaña de prensa contra esos tres de quitar el aliento. No por nada..., ¡sólo para destacarnos a los que somos buenos! –Se ríe–. También he escrito un artículo especial sobre ti. Saldrá dentro de unos días. Te harás famoso. –Otra vez. Nada. No hay nada que hacer. Estoy condenado a ser famoso gracias a una pelea–. Querría que Ginevra y tú aceptarais este contrato. He pedido que os aumenten las retribuciones a los dos. Digamos que es un contrato... reparador. No por culpa nuestra, pero ya que la cadena ha aceptado mi sugerencia... ¿Vosotros por qué tendríais que rechazarlo? –Se ríe. Después permanece en silencio–. Bueno, pensadlo...

–Oiga, Romani, ¿puedo preguntarle algo?

–Claro.

Lo miro un instante. Pero ¿qué más me da? Se lo pregunto.

–¿Por qué lleva siempre uno de los dos botones del cuello desabrochado?

Me mira y guarda un momento de silencio. Después sonríe.

–Es muy sencillo: para conocer a quien tengo delante. Todos tienen esa curiosidad, las ganas de preguntármelo, de saber. Pero muchos no lo hacen. Por eso la gente se divide en dos grupos: quien no osa hacerme esa simple pregunta y quien sí se atreve. Los primeros se quedarán siempre con la curiosidad. ¡Los segundos, en cambio, descubrirán la razón de esa gilipollez! –Nos reímos. No sé si es verdad, pero como explicación me gusta mucho y decido aceptarla así–. Éste, en cambio, es un sobre de mi parte. Un sitio excelente donde ir a pensar en el contrato... La playa y el calor ayudan a decir que sí.

Y sonríe aludiendo a todos aquellos hipotéticos síes que se pueden decir. Después se aleja veloz fingiendo que tiene algo que hacer y da alguna que otra orden inútil al equipo. Al fin y al cabo, ahora ya lo han destruido todo. Pero así me ha burlado. Esta vez no he tenido tiempo de darle las gracias.

Sesenta y dos

No me lo puedo creer. Gin ha dicho que sí. Ha tenido que inventarse que, además de mí, van a ir otras tres o cuatro personas, pero sus padres han dicho que sí. No sólo eso. Una frase tranquilizadora: «Además, si va él...» Ese «él» soy yo. Qué absurdo. Por primera vez unos padres imaginan que su hija está segura a mi lado. Bueno, de algo ha servido el embudo. Gin segura... ¡Sí, entre mis brazos! Un sueño. Como el sobre de Romani. Otro sueño. Vuelo en primera: Tailandia, Vietnam y Malasia. Todo pagado, todo organizado. A veces, hacer las cosas bien vale la pena. Incluso en un mundo a menudo demasiado indiferente e injusto. A veces. Cuando encuentras a alguien valiente y honesto. Como Romani. Los mejores vuelos. Los mejores bungalós. Las playas más bonitas. El sol, el mar y un contrato que nos espera cuando volvamos para decir que sí o que no. Y la libertad. La libertad de decir que sí a cada minuto si nos apetece hacer algo o no, sin compromisos, sin «la mesa está lista», sin se «debe» hacer, sin llamadas inesperadas, sin problemas, sin encuentros con quien no quieres encontrarte. Subimos al avión libres, tranquilos.

Yo un poco menos. Miro a mi alrededor. Qué bobo. No, no está. No puede estar. Eva, la azafata, no trabaja para la Thai. Una señorita con los ojos almendrados, la piel ligeramente ambarina y un perfecto uniforme nos acomoda en nuestros asientos. Le sonrío. Es muy amable. También es muy guapa. Nos sirve algo de beber. Cuando se marcha, Gin me da un codazo.

—¡Ay!

–Te quiero maleducado y antipático con la azafata.

–Claro, siempre lo he sido.

–Mírame a los ojos...

Me pongo las gafas de sol riendo.

–¡Hay demasiada luz!

Intenta quitarme las gafas.

–Ahora en serio, dime una cosa: ¿has tenido alguna vez un lío con una azafata?

Sonrío. Bebo un sorbo del vaso que la señorita de la Thai amablemente nos ha ofrecido. Después la beso rápidamente. El suave champán tiñe nuestros labios. Lo hago durar un poco. Las burbujitas parecen tranquilizarla. Quizá también mi beso. Sobre todo mi respuesta: «Jamás.» Y más que nada, el hecho de que el avión empieza a despegar. Gin me abraza con fuerza olvidando mi eventual pasado y preocupándose por el inminente presente. Estamos volando. Recogen el tren de aterrizaje. El aparato llega a las nubes. Un atardecer más cercano nos acaricia desde la ventanilla. Gin afloja su abrazo y posa la cabeza sobre mí.

–¿Te molesta si me pongo así?

Casi no me da tiempo a contestar. Noto cómo se duerme, cómo abandona las últimas tensiones, cómo se deja ir entre mis brazos, en un avión en pleno vuelo, entre nuestras nubes, ligeras. Se siente segura. Tierna. Intento moverme lo menos posible. Cojo de la bolsa que tengo al lado *Lucy Crown*, el libro que me regaló mi madre, y empiezo a leer. Me gusta cómo está escrito. Al menos en las primeras páginas no hace daño. Por ahora.

–Oh, happy day...

Una música inesperada. Me doy cuenta de que me he dormido. El libro está apoyado sobre la mesita. Gin está a mi lado, mirándome, y sonríe. Tiene una cámara de fotos entre las manos.

–Te he hecho algunas fotos mientras dormías. Estabas guapísimo..., ¡parecías incluso un buen chico!

La abrazo atrayéndola hacia mí.

–Pero si soy bueno...

Y la beso. Más o menos convencida de mi afirmación, decide de todos modos participar. Después advertimos la presencia de alguien y nos separamos para nada intimidados. Al menos yo. Ella se sonroja. Es la azafata de antes, con dos vasos en la mano. Amable y profesional, no hace que nos pese nuestro amor.

–Son para vosotros... Falta poco...

Los cogemos curiosos. La azafata, delicada y suave, se aleja tal como ha venido.

–Ya no me acordaba: es 31 de diciembre... –Gin mira su reloj–. Faltan sólo unos segundos.

Una extraña cuenta atrás con acento americano sale de la cabina del avión.

–Tres, dos, uno... ¡Feliz Año Nuevo!

Suben la música. Gin me da un beso.

–Feliz Año Nuevo, Step el bueno...

Brindamos con los dos vasos que han llegado justo a tiempo. Después nos damos otro beso. Y otro. Y otro más. Ya sin miedo a que nos interrumpan. En el avión todos cantan y festejan contentos por el año pasado o por el que vendrá, contentos de estar de vacaciones o de volver a casa. Sea como sea, contentos. Con su champán. Con la cabeza, y no sólo eso, entre las nubes. El avión desciende un poco y no por casualidad.

–Mira... –dice Gin señalando fuera de la ventanilla. En algún país de allí abajo están celebrándolo. Los fuegos artificiales abandonan la tierra para venir a saludarnos. Para celebrar que pasamos. Estallan debajo de nosotros como flores recién abiertas. De mil colores imprevistos. De mil diseños pensados. Pólvora, perfectamente coordinada, se libera encendiéndose en el cielo. Una tras otra. Una dentro de la otra. Y por primera vez los vemos desde arriba. Gin y yo abrazados, con las caras enmarcadas en la ventanilla, divisamos el final, la parte siempre escondida, conocida sólo por las estrellas, por las nubes, por el cielo... Gin mira extasiada los fuegos artificiales–. ¡Qué bonito!

Luces lejanas consiguen pintarla. Delicadas pinceladas de color luminoso acarician sus mejillas. Y yo, tímido pintor improvisado, la abrazo y la beso. Me sonríe. Seguimos mirando afuera. Un extraño juego de husos horarios, de horas legales, de paso veloz sobre países lejanos, nos regala otro fin de año y otro, y otro más. Cada hora es de nuevo medianoche y de nuevo fin de año, y otra vez, y otra más. Y fuegos distintos, de distinto color, lanzados desde un país distinto, vienen hasta nosotros. Sonríen acercándose, trayendo la felicitación de quién sabe qué pirotécnico. Y la música continúa. Y el avión, veloz y tranquilo, avanza expedito. Atraviesa el cielo, la felicidad y las esperanzas de quién sabe cuántos países. Y la azafata, precisa y ordenada, aparece y desaparece puntual cada fin de año, trayendo champán. Nosotros, borrachos de felicidad y no sólo de eso, nos felicitamos una y otra vez. Brindamos varias veces por ese mismo Año Nuevo, con una única gran certeza: «Que sea un año feliz...»

Y después de haberlo celebrado tanto, cansados de todos esos años pasados en un instante, nos dormimos serenos y tranquilos. Nos despertamos en la playa. Y casi nos parece que seguimos soñando. Frente a ese mar, frente a esa agua cristalina siempre caliente, ese sol y esos atardeceres.

Tailandia, Koh Samui.

–¿Has visto, Step? Es igual que las postales que recibo. Siempre he creído que quizá un extraño falsificador las había retocado por ordenador.

Gin.

–Incluso trabajando no podría haber imaginado tanto.

–Pero qué gran fantasía tiene Dios. Y además, de la nada, Él no tenía ejemplos a los que referirse... Gran pintor...

Y sale así, dejándome en el agua, entre miles de peces de colores y ninguna respuesta. Después, se me ocurre algo.

–Bueno, le debemos un gracias a Romani.

En su pequeña proporción. Ríe y se aleja hacia el bungaló. Sin pareo. Serena y tranquila como pocas. Contoneándose adrede divertida, saludando a una niña pequeña tailandesa, que la llama por su nombre, ya amigas, y no sólo porque Gin le ha regalado una camiseta.

Vietnam. Phuquoc.

Otra vez en el agua, ahora abrazados, ahora salpicándonos, ahora en una pequeña batalla en la arena ante los ojos divertidos de niños curiosos ante esos dos extraños turistas, ¡que primero se pelean y después se besan! Y seguimos así, besándonos un poco más, mecidos por el sol, mojados de deseo, y antes de que la curiosidad de todos esos niños se vuelva malicia, entramos en el bungaló. Una ducha. Cortinas echadas bailan al ritmo del viento pero sin alejarse demasiado de los cristales. Alguna que otra ola rompe contra las rocas y nosotros, cerca, seguimos su ritmo.

–Oye, eres un milagro de la naturaleza... Te has vuelto buena.

–¡Idiota!

Me propina un puñetazo suave en la barriga.

–Siempre olvido que eres tercer dan.

–Ahora quiero guiar yo.

–Acuérdate de la vez que quisiste conducir mi moto... y estuviste a punto de caerte en el semáforo.

–Cretino. Pero después la llevé bien, ¿no? Confía en mí.

–Está bien, quiero fiarme.

Sale de debajo y se me sube encima, sellando ese paso con un gran beso, muy largo. Se pone a horcajadas sobre mí, me la coge con la mano y se la mete dentro, suave y decidida, con seguridad. Sigue besándome. Inclinada sobre mí, tiene los brazos abiertos y empuja hacia abajo la pelvis con fuerza, acogiéndome hasta el fondo en su vientre más lejano. He hecho bien en fiarme. Me aprieta fuerte las muñecas y abandona por un instante su beso. Abre la boca, que queda suspendida sobre mis labios. Suspira varias veces para después pronunciar esa fantástica frase. «Me corro.» Lo dice despacio, lentamente, separando casi cada pequeña letra, con una voz baja..., demasiado baja. Eróticamente insaciable... Y en un instante me corro también yo. Gin se echa el pelo hacia atrás, empuja una o dos veces la pelvis hacia mí y después se para y abre los ojos. Plop. Como si hubiera vuelto de repente. De nuevo reluciente de encanto.

–¿Tú también te has corrido?

–¡Pues claro! ¿Qué creías?

–Pero ¿tú estás loco? –Se ríe–. Estás completamente loco. –Se desliza hasta mi lado, se apoya en un hombro y me mira divertida–. O sea que te has corrido dentro de mí...

–Pues claro, ¿de quién si no? Aquí sólo estamos tú y yo.

–Pero no tomo nada, no tomo la píldora.

–¡Dios mío! ¿De verdad? ¿No eres tú la que toma la píldora?... ¡Me he confundido! ¡Te he tomado por otra!

–¡Cretino..., imbécil!

Vuelve a ponerse encima y empieza a pegarme.

–¡Ay! ¡Ay! Basta, Gin, estaba bromeando.

Se tranquiliza.

–Entiendo, pero ¿bromeabas también cuando has dicho que te habías corrido?

–¡No, sobre eso, no! ¡Claro que no!

–¿Qué significa «claro que no»?

–Que era un momento tan bonito, tan único, tan fantástico, que me parecía estúpido interrumpirlo. ¿Cómo decirlo?, fuera de lugar...

Vuelve a tumbarse a mi lado y se hunde casi con una zambullida en la almohada.

–Tú estás loco... ¿Y ahora qué hacemos?

–Bueno, recupero un poco el aliento y si quieres volvemos a empezar. ¿Guías también tú?

–¡Digo qué hacemos, qué hacemos, venga, si ya lo has entendido! No bromees siempre... ¿Dónde encontramos la píldora del día después en Vietnam? ¡Esto es absurdo, no la encontraremos nunca!

–Pues entonces no la busquemos.

–¿Cómo?

–Si no vamos a encontrarla nunca, es inútil que la busquemos, ¿no?

La beso. Se queda un instante turbada. Pero se deja besar. No participa demasiado. Me separo y la miro.

–¿Entonces? –Tiene una cara divertida. Está sorprendida y perpleja al mismo tiempo–. Tu razonamiento es impepinable y...

–Y entonces ya te lo he dicho: no la busquemos. Recupero el aliento y volvemos a empezar.

Sacude la cabeza y sonríe, loca también ella, y me besa. Me acaricia y me besa de nuevo. Y el aliento vuelve pronto. Y decido guiar yo, sin prisa, sin sacudidas en el motor, acelerando. Y mientras el atardecer una vez más juega al escondite, nosotros nos corremos de nuevo, esta vez sin escondernos, riéndonos, unidos, como antes, más que antes. Locos de absurdo, locos de amor, y de todo lo que vendrá.

Más tarde. En un extraño pub llamado por unos irónicos dueños vietnamitas Apocalipsis Now, tomamos una cerveza. Gin garabatea a toda velocidad en su diario.

–Oye, ¿se puede saber qué clase de *Divina comedia* estás escribiendo? Desde que estamos aquí sentados no has hecho más que escribir, ¿dónde queda entonces la conversación? La pareja es también diálogo, ¿no?

–¡Sh! Estoy inmortalizando el momento.

Gin escribe una última cosa rápidamente y después cierra el diario.

–¡Hecho! Mucho mejor que Bridget Jones. ¡Será un bestseller mundial!

–¿Qué has escrito?

–Lo que hemos hecho.

–¿Y tardas tanto en describir un polvo?

–¡Idiota!

Es un instante. Gin me arroja su cerveza encima. Algunos vietnamitas se vuelven. Primero se ríen y después se quedan en silencio preocupados, un poco indecisos sobre lo que sucederá. Yo me sacudo la cerveza de la cara, me seco en la medida de lo posible con la camiseta. Y luego me río tranquilizándolos.

–Todo en orden... ¡Ella es así! Como no sabe decir «te quiero», te arroja la cerveza a la cara.

No entienden nada pero sonríen. También Gin esboza una sonrisa «simpática», pero es falsa. Bebe otro sorbo.

–¿Quieres saber qué he escrito? ¡Todo! No sólo que hemos hecho el amor, sino también lo que ha pasado. Es un fragmento de nuestro destino. Quizá gracias a ese instante tendremos un hijo. Estaremos juntos para siempre.

–¿Para siempre? ¿Sabes?, lo he pensado bien. Yo creo que en Vietnam tal vez exista la píldora del día después. ¡Busquémosla en seguida!

Me agacho veloz precisamente cuando Gin me lanza la poca cerveza que queda en su vaso. Esta vez no me alcanza. Los vietnamitas se ríen divertidos y aplauden. Han entendido el juego, más o menos. Me inclino hacia ellos y me celebra un extraño coro: «Te quiero..., te quiero..., te quiero.» Lo pronuncian mal pero lo han entendido de verdad. No me da tiempo a volver a levantarme. El vaso de cerveza me alcanza en la barriga.

–¡Ay!

Esta vez es Gin la que se inclina y las mujeres vietnamitas explotan en un bramido. No sé si tendremos un hijo, pero una cosa es segura: si las cosas fueran mal, siempre podemos montar una compañía de teatro y hacer espectáculos.

Malasia. Perentian. Tioman.

Dorados, sanos, ligeramente tostados por un sol que no nos ha abandonado nunca. Caminamos. Una tarde de un día cualquiera. Como son todos los días cuando estás de vacaciones. Nos paramos delante de un pintor tumbado a la sombra de una palmera y elegimos sin prisa.

–¡Aquél, ése!

Uno de los muchos cuadros clavados en la arena como grandes conchas de colores dejadas secar al aire. Lo elegimos juntos, divertidos de que precisamente nos haya impresionado el mismo.

–Qué simbiosis la nuestra, ¿verdad, Step?

–Ya.

Pago cinco dólares, el pintor nos lo da y nos lo llevamos caminando lentamente hacia nuestro bungaló.

–Estoy preocupada.

–¿Por qué? ¿Por tu barriga? Es pronto.

–¡Cretino! Me parece extraño. ¡Diez días y aún no nos hemos enfadado! Ni siquiera una vez. Todo el día juntos y ni una discusión.

–Bueno, entonces es mejor decir: «Todas las noches juntos y siempre hemos...»

Gin se vuelve de golpe. Pone cara de dura.

–¡Hecho el amor! No te enfades. ¿Por qué me miras mal? Estaba a punto de decir precisamente eso. Todas las noches juntos y siempre hemos hecho el amor.

–Sí..., sí..., claro.

–Aunque... –Seguimos andando–. Perdona, eh, Gin, pero decir que hemos follado siempre refleja mejor la idea.

Echo a correr.

–Cretino. ¡Entonces dime que quieres discutir!

Empieza a correr también ella intentando alcanzarme. Abro de prisa la puerta del bungaló y me meto dentro. Poco después llega también ella.

–Entonces..., quieres discutir.

–¿No ves –le señalo la ventana– que es casi de noche? ¡Ya es tarde, si se discute, se discute de día! –La atraigo hacia mí–. Porque de noche...

–¿De noche...? –dice ella.

–Se hace el amor, ¿de acuerdo? Lo diré como tú prefieras.

–Está bien.

Sonríe. La beso. Es preciosa. La alejo un poco de mi cara y sonrío yo también.

–¡Pero ahora follamos!

Me pega otra vez. Pero es un instante. Luego nos perdemos entre las sábanas frescas que huelen a mar. Y hacemos el amor, follando.

Sesenta y tres

Hemos pasado varios días en la isla. Y es verdad, no hemos discutido nunca. Es más, hasta nos hemos divertido. Nunca hubiera imaginado que eso fuera posible, y con una chica como ella... La otra noche me encontré extraviado entre las olas del mar. Parecían dulces por lo suaves y calientes que eran, en aquellas aguas bajas, sin corriente. O quizá todo fue por la belleza y la sencillez de ese beso que nos dimos. Así, en silencio, mirándonos a los ojos, abrazados bajo la luna, sin ir más allá. Nos hemos reído, hemos charlado, nos hemos quedado abrazados. Lo más bonito de una isla como ésa es que no tienes compromisos. Todo lo que haces lo haces simplemente porque te apetece, no porque tengas que hacerlo. Cenamos cada noche en un pequeño restaurante. Es todo de madera, y está precisamente sobre el mar, de modo que si bajas tres escalones ya estás en el agua. Leemos el menú sin entender muy bien qué dice realmente. Al final, pedimos siempre explicaciones. Las personas que trabajan allí son todas muy amables y sonríen. Y tras haber escuchado sus explicaciones más o menos comprensibles, hechas de gestos y de risas, nos ponemos de acuerdo cada vez sobre un plato distinto. Quizá porque queremos probarlos un poco todos, porque esperamos que al menos uno nos guste. Pero sobre todo porque estamos bien.

—Por favor, sin salsas extrañas, sin nada encima. *Nothing, nothing...*

Los tipos, al oírnos hablar así, asienten con la cabeza. Siempre. Incluso cuando decimos cosas absurdas. Al final, no sabemos nunca qué nos traerán realmente. A veces lo decimos bien, a veces mal. Intento aconsejar a Gin.

–Estés donde estés, si te inclinas por el pescado a la plancha, siempre vas sobre seguro.

Se ríe.

–Madre mía, ya hablas como un viejo. Con lo bonito que es probarlo todo.

Miro a mi alrededor. En esta isla no hay casi nadie. En una mesa alejada de nosotros come otra pareja. Son más mayores y silenciosos que nosotros. ¿Es normal que al envejecer se tengan menos cosas que decir? No lo sé, y no quiero saberlo. No tengo prisa. Lo descubriré cuando sea el momento. Gin, en cambio, habla un montón, de esto y de lo otro, de cosas divertidas e interesantes. Me hace partícipe de retazos de su vida que yo nunca habría conocido, ni siquiera imaginado, si no fuera a través de ella. Y yo la escucho, mirándola a los ojos, sin perderla nunca de vista. Además, siempre tiene mil propuestas.

–Oye, he tenido una idea estupenda. Mañana iremos a una isla que hay aquí delante; mejor no, cogemos una barca y salimos a pescar; no, no, mejor hacemos un poco de *trekking* en el interior... ¿Eh, qué dices?

Yo sonrío. No le digo que la isla tiene un diámetro de apenas un kilómetro.

–Claro, excelente idea.

–Pero ¿cuál es excelente? ¡Te he hecho tres propuestas!

–Las tres son excelentes.

–A veces me parece que me tomas el pelo.

–¿Por qué dices eso? Estás preciosa.

–¿Ves?, me tomas el pelo.

Me levanto, me siento a su lado y le doy un beso. Largo, larguísimo, con los ojos cerrados. Un beso totalmente libre. Y el viento intenta pasar entre nuestros labios, nuestra sonrisa, nuestras mejillas, entre nuestro pelo... Nada, no lo consigue, no pasa. Nada nos separa. Sólo oigo pequeñas olas que se rompen debajo de nosotros, la respiración del mar, que hace eco en nuestras respiraciones, que saben a sal... Y a ella. Y por un instante tengo miedo. ¿De tener ganas de perderme otra vez? ¿Y después? ¿Qué pasará? Bah. Me relajo. Me pierdo en ese beso. Y abandono ese pensamiento. Porque es un miedo que me gusta, sano. De repente Gin se aparta de mí, se aleja y me mira fijamente.

–Oye, ¿por qué me miras así? ¿En qué piensas?

Le cojo el pelo que el viento le ha echado hacia delante. Se lo recojo dulcemente en mi mano. Después se lo echo hacia atrás, liberando su cara, aún más bella.

–Me apetece hacer el amor contigo.

Gin se levanta. Coge la chaqueta. Por un instante parece enfadada. Después se vuelve y esboza una preciosa sonrisa.

–Se me ha pasado el hambre. ¿Vamos?

Me levanto, dejo dinero en la mesa y me reúno con ella. Echamos a caminar por la orilla. La abrazo. La noche. La luna. Un viento aún más ligero. Barcas lejanas en mar abierto. Velas blancas que baten. Parecen pañuelos que nos saluden. Pero no, no nos marchamos. Aún no. Pequeñas olas nos acarician los tobillos, sin hacer demasiado ruido. Son calientes, lentas, silenciosas. Son respetuosas. Parecen un preludio de un beso que quiere ir más allá. Tienen miedo casi de dejarse oír. Un camarero llega con los platos a nuestra mesa. Pero ya no nos encuentra. Después nos ve. Ahora ya lejos. Nos llama.

–Mañana, comeremos mañana.

El tipo sacude la cabeza y sonríe. Sí, esta isla es preciosa. Aquí todos respetan el amor.

Sesenta y cuatro

Cuando era pequeño y volvía de vacaciones, Roma me parecía distinta cada vez. Más limpia, más ordenada, con menos coches, con un sentido de la circulación repentinamente cambiado, con un semáforo de más. Esta vez me parece idéntica de cuando la dejamos. Es Gin la que me parece distinta. La miro sin que se dé cuenta. Espera formal en fila nuestro turno para coger el taxi. Se toca de vez en cuando el pelo, vigorizándolo, se lo aparta de la cara y éste, aún con sabor a mar, obedece. No, distinta no; simplemente, más mujer. Tiene su maleta entre las piernas y una mochila no demasiado pesada colgada del hombro derecho. Austera y erguida, pero suave en los rasgos. Se vuelve, me mira y sonríe. ¿Es mamá? Dios mío, ¿puede ser que espere de verdad un bebé? He sido un loco. Me mira curiosa intentando quizá adivinar mis pensamientos. En cambio, yo la miro intentando adivinar algo acerca de su barriga. Me acuerdo entonces de una obra de teatro que vi de pequeño, la historia de Ligabue. Pero no el cantante, sino el pintor. Mirando a una modelo suya, pintándola sobre una tela, Ligabue, por la luz distinta de sus ojos, por los suaves rasgos de su cuerpo, sabe que está embarazada. Pero yo no soy pintor, aunque quizá haya sido más loco que Ligabue.

–¿Se puede saber en qué piensas?

–Te parecerá absurdo, pero estaba pensando en Ligabue.

–Pues no sabes lo mucho que me gusta como cantante y como hombre.

Canturrea alegre, perfectamente afinada. Se sabe todas las palabras de *Certe notti*, pero no ha adivinado uno de mis pensamientos. Por suerte. Al menos esta vez.

–¿Y sabes qué? Ligabue me gusta también como director... ¿Has visto *Radiofreccia*?

–No.

Ha llegado nuestro turno. Metemos el equipaje en el maletero y subimos al taxi.

–Lástima, en un momento dado hay una bonita frase: «Creo que tengo un gran agujero dentro de mí, pero el rock and roll, alguna que otra amiguita, el fútbol, las satisfacciones laborales y las gamberradas con los amigos lo llenan de vez en cuando.»

–Caray..., sí que tienes memoria.

Gin insiste:

–*¿Y Da dieci a zero?*

–Tampoco.

–¿Estás seguro de que pensabas en el cantante y no en el Ligabue pintor?

Me mira con curiosidad e insolencia. Esta chica me preocupa. Le digo dónde vive Gin al taxista, que asiente con la cabeza y arranca. Oh, todos lo saben todo. Me pongo las gafas de sol. Gin se ríe.

–Te he pillado, ¿eh? ¿O no sabes ni siquiera quién es?

No espera la respuesta. Decide dejarme en paz. Se apoya en mi hombro como durante los vuelos en avión. Como todas estas últimas noches. La veo reflejada en el retrovisor del taxista. Cierra los ojos. Parece descansar, pero después los abre otra vez. Cruza mi mirada con la suya incluso a través de las gafas. Sonríe. Quizá lo haya entendido todo. Pero algo es seguro: si es niña, la llamaré Sibilla.

Un último saludo:

–Adiós, nos llamamos.

Con la mochila al hombro y la maleta en la mano, entra en el portal. La veo marcharse así, sin poder ayudarla. No ha querido: «No quiero que me ayudes y, sobre todo, no me gustan las despedidas demasiado largas. ¡Vete!»

Gin es demasiado. Subo de nuevo al taxi y doy mi dirección. El taxista asiente con la cabeza. También la conoce. Bueno, por otro lado, es su trabajo. En un instante me vienen a la mente muchos momentos del viaje. Es como un álbum hojeado velozmente. Entonces escojo las fotos más bonitas. Las zambullidas, los besos, las bromas, las cenas, las charlas sin prisa, el amor sin prisa, los despertares sin prisa. ¿Y ahora? Estoy preocupado y no sólo por el huso horario. La echo de menos. Dejarla en casa precisamente después de un viaje es como marcharme de nuevo pero sin saber adónde ir y, sobre todo, con quién. Solo. Y a Gin ya la echo de menos. Estoy preocupado por eso. ¿Me habré vuelto demasiado romántico?

–Ya hemos llegado, doctor.

Por suerte, está el taxista, que me devuelve a la realidad. Bajo. No espero la vuelta, cojo mis cosas y entro en casa.

–¿Hay alguien?

Silencio. Mejor así. Necesito entrar muy despacio, sin demasiado ruido, sin demasiadas preguntas, en mi vida de todos los días. Pongo en su sitio parte de la ropa de la maleta, dejo en el cesto de la ropa sucia del baño la que hay que lavar y me doy una ducha. No noto el cambio horario pero por suerte oigo el móvil. Salgo de la ducha. Lo cojo en seguida. Me seco un momento antes de contestar. Es ella, Gin.

–Caray, lo he encendido hace un segundo, antes de ducharme. Sabía que no podrías resistir.

–Sólo te he llamado para saber cómo te las apañabas sin mí. ¿O ya te estás dando de cabezazos contra la pared? ¿Tienes el síndrome de abstinencia... de amor?

–¿Yo? –Aparto el móvil un poco y finjo dirigirme a un abundante público femenino que está delante–. Calma, chicas, calma... ¡Ya voy!

Gin finge que está enfadada.

–Qué raro que no hayas dicho «ya me vengo». «¡Acabo en un instante, chicas!» Habrías sido más sincero. ¡No las desilusiones! ¡Ay! ¡Ay!

–¡Hum! Venenosa. Si pones las cosas en estos términos hablamos con Romani, dos intervenciones en cualquier programa como el caso del año y nos volvemos en seguida a dar la vuelta al mundo.

–Sin ir demasiado lejos... Empieza a prepararte el discurso para mis padres, tendrá que ser dentro de unos días.

–¿El qué?

–Bueno, si no llega «ella», será mejor que pases tú, ¿no?

–¿Cómo?

–Pues sí, no hay ni rastro de «ella», ¡o sea que estoy embarazada! Prepárate la promesa de boda, las excusas y todo lo demás.

Me quedo en silencio.

–¡Muy bien! ¡Veo que lo has entendido! ¡Ahora diviértete con las chicas que tienes ahí, que te queda poco tiempo!

–Yo pensaba que sólo tendría que ocuparme de elegir el nombre.

–Claro, ¡lo más fácil! No, mira, de eso ya me ocupo yo. Tú preocúpate de todo lo demás. ¿Sabes qué dice siempre mi madre? «¿No querías una bicicleta? ¡Pues ahora pedalea!»

–Bicicleta... Si es niña podemos llamarla así. Será seguramente una chica muy deportista y qué sé yo, en honor a tu madre...

–Menos mal. Creía que ya estabas deprimido, pero veo que todavía tienes fuerzas para decir gilipolleces.

–Sí, pero ya son las últimas. Ya sabes que, como padre, tendré que ser aún más serio. Pero ¿estás segura de que yo soy el padre? Mi abuelo siempre decía: «*Mater semper certa est, pater numquam.*»

–Muy bien, vive en la incertidumbre. ¡Pero puedes estar seguro de que si es tonto, querrá decir que es tuyo!

–¡Menos mal que tenía el síndrome de abstinencia de amor!

–Step..., no discutamos.

–¿Y quién quiere discutir?

–Te echo de menos...

Alejo otra vez el móvil.

–Chicas, ¿queréis saber qué ha dicho? Que me echa de menos...

–Venga..., no seas estúpido.

–Has cambiado.

–¿Por qué?

–Por lo general me llamas tonto.

–¿Y qué es mejor, tonto o estúpido?

–Bueno, digamos que prefiero estúpido... Además, has dicho que llamarías tonto a mi hijo, así que a mí tienes que llamarme a la fuerza estúpido, porque si no en esa casa no nos aclararemos. ¡Menudo lío!

–¡Cretino!

–Eso... ¿Y cretino quién es, entonces? ¿El otro?

Nos reímos. Y seguimos riéndonos así. Hablando sin saber muy bien de qué ni por qué. Después decidimos colgar, prometiendo que nos llamaremos mañana. Es una promesa inútil: lo hubiéramos hecho de todos modos. Cuando pierdes tiempo al teléfono, cuando los minutos pasan sin que te des cuenta, cuando las palabras no tienen sentido, cuando piensas que si alguien te escuchara creería que estás loco, cuando ninguno de los dos tiene ganas de colgar, cuando después de que ella ha colgado compruebas que lo haya hecho de verdad, entonces estás perdido. O mejor dicho, estás enamorado, lo que, en realidad, es un poco lo mismo...

Sesenta y cinco

En Roma, los días siguientes vuelven lentamente a la normalidad. Las horas ocupan de nuevo su lugar. Vuelve a hacer frío. Cada uno en su casa. El mar se aleja, igual que su recuerdo. Quedan sólo las fotos de ese espléndido viaje. Muy pronto acaban en quién sabe qué cajón, también olvidadas. Romani se ha alegrado de vernos, tan contentos y morenos, sobre todo gracias a él. Y aún se ha alegrado más al vernos aceptar ese contrato de trabajo, siempre gracias a él. Paolo y Fabiola parecen estar de acuerdo. Paolo ha abandonado la idea de hacer de representante, de mi representante. Ha vuelto a trabajar como asesor financiero. Le deja tomar todas las decisiones a Fabiola, su novia, y así salen las cuentas. Porque si a él las cuentas no le salieran tanto en la oficina como fuera, podría enloquecer. Por lo que oigo de los relatos de Paolo, mi padre y su novia, de la cual no recuerdo para nada el nombre ni quiero hacer el mínimo esfuerzo por recordarlo, siguen enamorados y en sintonía. Enamorados... Tampoco sobre esto quiero hacer el mínimo esfuerzo. De la vida sentimental de mamá, Paolo en cambio no sabe nada. O al menos no me cuenta nada. Sin embargo, está preocupado por su salud. Le ha visto hacer varias visitas al hospital, pero tampoco de eso sabe nada. O también en este caso no quiere contarme nada. Y tampoco sobre esto consigo hacer un esfuerzo. No puedo. Ya me ha parecido difícil leer el libro que mamá me regaló. Una historia parecida a la nuestra pero con un final feliz. Un final feliz, sí. Pero es una novela.

–Hola, ¿qué estás haciendo?

–Estoy preparando la bolsa; iré un rato al gimnasio...

Todo ha vuelto a la normalidad. También Gin.

—¿De verdad? Yo iré esta tarde. Hoy me toca... —Hace una pausa buscando en su calendario de gimnasios de gorra—. ¡El Gregory Gym en via Gregorio VII! Menos mal que no está muy lejos. ¿Nos vemos más tarde?

—Claro.

—Entonces, un beso y hasta luego.

Entonces no sabía qué pasaría, que de ese «claro» no estaría después tan seguro.

En el gimnasio saludo a alguna gente. Después empiezo a entrenarme. Sin apretar demasiado, sin excederme con el peso. Tengo miedo de herniarme. Hace demasiado tiempo que no me entreno.

—Eh, bienvenido.

Es Guido Balestri, delgado y sonriente como siempre. Con su chándal granate roto como siempre, con una sudadera *radical-chic* de marca, como todas sus cosas, también éstas como siempre.

—Hola. ¿Te entrenas?

—No, he pasado por el gimnasio precisamente con la esperanza de encontrarte.

—No tengo una lira... —Se ríe divertido quizá porque los dos sabemos muy bien que es la última cosa que podría necesitar—. Y durante un tiempo tengo que evitar las peleas.

—Pues claro, uno se quema si se deja ver demasiado. ¡Ya eres un divo de las peleas! —Entiendo que debe de haber seguido toda la historia. Pero él prefiere hacérmelo saber, y para bien—: He recortado todos los artículos: el héroe, el paladín, el justiciero de la tele...

—Sí, se han pasado.

—¡Bueno, tú también, por las fotos que he visto!

—No lo sabía. ¿Han publicado también las fotos de los tres? Eso me lo he perdido.

Pero no es importante. Aún tengo bien presente la escena real con los originales de carne y hueso. Dejo el tema de lado.

—Entonces ¿qué puedo hacer por ti?

—Soy yo el que puede hacer algo por ti. Pasaré a recogerte a las nueve, Step, ¿te apetece?

–Depende.

–Oye, ¿no te habrás convertido en una de esas señoritas que creen tener la exclusiva del placer masculino? ¿Del estilo «iría pero no puedo»? Venga, te llevaré a una bonita fiesta, gente tranquila, cosa fina. ¿No me digas que has acabado en la jaulita de alguna piba? ¡Veremos a los colegas, algo tranquilo!

La idea de recordar viejos tiempos me apetece. Ha pasado un montón de tiempo. ¿Por qué no? Desconectar un momento de todo. Una zambullida en el pasado. Pienso en Pollo, pero no me duele. Un buen baño es lo que me hace falta. Manotazos en el hombro de gente que no veo desde hace demasiado tiempo. Alguna historia del pasado, apretones de manos y miradas sinceras. Amigos de peleas, los amigos más sinceros.

–¿Por qué no?

–De acuerdo, entonces dame la dirección y paso a buscarte con el coche. –Nos despedimos–. ¡A las nueve! Estate preparado...

Sigo entrenándome aún un rato. Le pongo más ímpetu. Presuntuoso. ¿Qué haces? ¿Quieres estar en forma para encontrarte con los amigos de antes? ¿Estar a la altura de sus recuerdos? ¡Step, el mito! Y, autoirónico, decido parar y darme una buena ducha.

Poco después ya estoy en casa. Me suena el móvil.

–Hola, no has pasado a buscarme.

Gin parece decepcionada.

–He pensado que aún estarías en el gimnasio.

–¡Ya quisiera! He tenido que ayudar a mi madre a subir la compra. Después se ha dado cuenta de que había olvidado comprar leche y entonces he ido yo. Después he vuelto y se ha dado cuenta de que se había olvidado el pan y he ido otra vez yo. Y encima el ascensor estaba estropeado.

–Bueno, no has ido al gimnasio pero estás igualmente en forma.

–Sí, claro. ¡Tengo unos glúteos fantásticos! ¿Quieres venir a verlos ahora? Justo tengo que subir a la azotea a recoger la ropa tendida porque esta noche me parece que lloverá.

–No, no puedo. Dentro de poco pasará a buscarme un amigo.

–Ah... –Gin parece quedarse mal.

–He dicho un amigo, Guido Balestri, aquel tipo alto y delgado... Estaba la noche que fuimos al Colonnello.

Intento tranquilizarla.

–Pues no me acuerdo. Está bien, como quieras. Bueno, yo a la azotea subiré igualmente. Y quien esté...

–Venga, no seas tonta. ¿Todavía nada?

–Todavía nada. Por ahora, eres aún un hipotético papá...

–Bueno, entonces aprovecho y esta noche salgo. Quizá hablemos luego.

–Nada de quizá. ¡Hablamos luego! ¡Y *llámame* sin la *elle*!

–De acuerdo. –Me río–. Como quiera el tercer dan.

No me da ni tiempo a colgar cuando suena el interfono. Es Guido.

–Ahora bajo.

Sesenta y seis

Raffaella da vueltas por el piso. Nada que hacer. No le salen las cuentas. Peor que el charcutero de debajo de casa, que cada vez te anota algo de más en la cuenta, o el gasolinero de la plaza, que te lava el coche y luego te llena el depósito. Personas de confianza que después se disculpan con la frase de siempre: «Pero si no es tanto; es el euro, señora, que nos ha hecho doblar el precio de todo.» Parece que haya sido acuñado adrede para sus timos. Pero aquí se trata de otra cosa, de Claudio. Claudio ha cambiado. Hasta en cómo le hizo el amor el otro día, sin querer quitarse la camisa. Es raro. Además de la música, ha cambiado incluso de gustos de lectura. Siempre había leído sólo *Diabolik* y, como mucho, *Panorama*. Y qué casualidad que esa revista sólo la cogía cuando en la portada salía una chica guapa. Naturalmente, medio desnuda. Hasta aquí, todo normal. Decía siempre que dentro había un importante artículo sobre el mundo de las finanzas. Pero ¿ahora? ¿Cómo se explica ese libro? Raffaella se acerca a la mesilla de noche de Claudio y lo coge. *Poemas*, de Guido Gozzano. Lo hojea. Nada, no hay nada. Después, de repente, algo que está entre las páginas cae. Una postal. Le da la vuelta en seguida para ver qué hay escrito. Nada. Sólo el sello y la firma de quien la ha enviado. Una «F», una simple «F». El sello es de Brasil. ¿Quién puede habérsela enviado? Alguien que ha estado en Brasil. Mira la fecha del matasellos. Fue enviada hace seis meses. De los amigos que conocemos, ¿quién pudo haber ido a Brasil hace seis meses? Filippo, Ferruccio, Franco. No, no me parece que haya ido ninguno de ellos. Por otra parte, ninguna de sus mujeres les habría dejado ir. A menos que fuera uno de ellos a escondidas... y le enviara una postal a Claudio con una F... No, no encaja. Da la vuelta a la postal y la mira. Hay una guapa chica brasileña. La clásica foto de una chica paseando por la playa con el culo al aire y un biquini tipo hilo dental. Lo raro es que se ve perfectamente su cara y sonríe. Nada. Vuelve a meterla en el libro y empieza a hojearlo. En un punto encuentra una frase subrayada en rojo. ¿Cómo puede ser? Claudio odia el rojo. Nunca lo usaría. Le recuerda los muchos errores que cometía en el colegio en clase de italiano, precisamente porque no leía nunca nada. Y además, el verso subrayado: «No amo más que las rosas que no cogí», con un signo de exclamación añadido. ¿Un signo de exclamación? Encima alguien que para colmo ha estropeado la sintaxis del poema, la ha afeado, violado. Alguien que no respeta nada y a nadie. Ni siquiera a mí. Sobre todo, a mí. Raffaella va velozmente a las últimas páginas para ver si está el precio, si ha sido recortado o tapado. No, el precio está ahí. Lo mira mejor. Se lo acerca a la cara, y de repente se da cuenta. Hay restos de pegamento. El precio estaba tapado. Han quitado la pegatina. ¡Ha sido Claudio! No quería que se viera el nombre de la tienda donde compraron este libro. ¡Se lo han regalado! Y ha sido esa «F». Esa imbécil de «F». Raffaella lo deja todo en su sitio. Tiene que idear un plan. Por desgracia, la única persona que conoce en la Telecom es el doctor Franchi, un amigo de Claudio. A ella no le diría nunca nada, ni de las llamadas ni de los mensajes que Claudio envía. La estúpida solidaridad masculina... No hablaría nunca, ni siquiera bajo tortura. Raffaella ya ha examinado su teléfono, y varias veces. Ni un mensaje, ni enviado ni recibido. También las llamadas realizadas, las recibidas o las perdidas son pocas, muy pocas. Es un móvil limpio, demasiado limpio. O sea, que está sucio. ¿Pero cómo puede arreglárselas? No es evidentemente como ese imbécil de Mellini, que para ahorrar se abonó al «You & Me», ese plan de llamadas donde eliges el número al que llamas más a menudo, y en el contrato mandó incluir directamente el número de la amante. Ése fue un juego incluso demasiado fácil de descubrir. Menudo desgraciado. Al menos en eso podía tener un poco de estilo. Debería estar contento ahora, con lo que ahorra: hasta la amante lo ha dejado. Pero a lo mejor lo hizo adrede para que lo descubrieran. Cuando un marido deja un mensaje en el móvil, quiere decir que, de todos modos, no le importa nada su mujer. Y que no sabe cómo decírselo. Así se ahorra también el mal trago. Qué desgraciados son los hombres. O sea que, por absurdo que parezca, tendría que estar contenta de que quite la etiqueta que tapa el precio del libro y que me lo esconda todo... Y así, mientras sopesa desesperada esta última consideración suya, repentinamente se le ocurre una idea. Una inspiración, un instante, una iluminación. Entorna los ojos y empieza a estudiarla en todos sus detalles. Y al final sonríe, porque entiende que es perfecta.

Algo más tarde. Claudio regresa a casa y Raffaella sale a su encuentro, saludándolo.

–Hola, ¿cómo estás? ¿Ha ido bien el trabajo?

–Muy bien.

–Ven, que te ayudo.

Claudio se deja quitar la americana, pero se queda perplejo. ¿A qué se debe esa repentina amabilidad? Hay algo que no funciona. ¿Habrá descubierto algo? ¿Otro problema con sus hijas? Pues habrá que afrontarlo en seguida. Claudio la sigue al dormitorio.

–¿Todo bien, tesoro? ¿Hay algún problema?

–No, todo bien, ¿por qué? ¿Quieres algo de beber?

Hasta me pregunta si quiero algo de beber... Entonces hay un problema, y gordo.

–¿Cómo está Daniela?

–Muy bien, fue a hacerse los análisis. Hoy deberían darle los resultados, pero parece que todo está bien. Pero ¿por qué me haces todas esas preguntas?

–Es que estás tan amable, Raffaella...

–Yo siempre soy amable.

–¡Pero no tanto!

Es verdad –piensa Raffaella–. Demonios, me estoy traicionando.

–¡Tienes razón, no se te puede esconder nada! Había olvidado por completo que Gabriella me ha invitado a jugar al burraco con ella. Pero habíamos dicho que a lo mejor íbamos al cine con los Ferrini, ¿no?

–Ah. –Claudio suspira, relajándose–. Pues seré sincero, querida: yo también lo había olvidado. Además me ha llamado Farini diciendo que esta noche me da la revancha al billar, ¿te das cuenta? ¡Ahora seguro que viene a nuestro despacho!

–¡Perfecto, me alegro por ti! Entonces date una buena ducha, así te relajas. Si pierdes otra vez, pensará que lo haces adrede para darle gusto..., ¡y eso no está bien!

–Tienes razón, esta noche lo gano, estoy seguro.

Claudio se desnuda del todo y se mete en la ducha. Se relaja bajo el chorro de agua. «Qué maravilla –piensa–, nunca nada me ha parecido tan fácil.» Y ella hasta se siente culpable. Puedo ir al hotel Marsala sin problemas y disfrutar hasta tarde. Qué suerte tengo... Y no sabe cuánto se equivoca. Raffaella acaba de ultimar su plan. Ahora no tiene dudas. No es perfecto: es diabólico. Claudio termina de ducharse. Se seca rápidamente, excitado ante la idea de salir, y se despide.

–Pero ¿qué haces? ¿Tú no sales?

–No, jugamos hacia las diez. Así que esperaré a que regrese Daniela, me apetece.

–Vale, salúdala de mi parte y diviértete.

–Tú también.

Raffaella se despide de él con una sonrisa. Claudio sale corriendo. Pero si hubiera tenido ojos en la nuca habría visto como esa sonrisa, en cuanto se ha vuelto, se ha transformado en una mueca horripilante. La de una mujer que sabe lo que hace. Y que llegará hasta el fondo. Raffaella coge el teléfono fijo y llama a sus dos hijas. Después, a todas sus amigas más íntimas, a las que podrían de alguna manera tratar de localizarla en el móvil. A todas les dice lo mismo. Para todas inventa la misma mentira.

Sesenta y siete

Poco después estoy en el coche con Balestri. Le he traído una cerveza. Conduce alegre y deportivo, quizá no sólo por la cerveza.

–Ya está, ya hemos llegado.

Via di Grottarossa. Bajamos. Algunos coches están aparcados delante de la villa pero no reconozco ninguno. Llama a un interfono. Corsi. Tampoco conozco el apellido. Guido me mira curioso, parece divertido.

–Oye, Guido, ¿no te habrás equivocado de dirección? No veo la moto de nadie. Además, ¿ese Corsi quién es?

–Ésta es la casa, confía en mí y estate tranquilo. Al menos seguro que conoces una persona.

Abren la verja. Entramos. La villa es muy bonita, vidrieras tapadas con cortinas de distintos colores asoman sobre el jardín. Una piscina medio vacía descansa algo más allá, esperando los primeros días de mayo, y allí cerca, una pista de tenis con tierra batida y la red tensa parece montar guardia. Un camarero sonriente nos espera en la puerta, se aparta y nos hace pasar cerrándola a nuestras espaldas.

–Gracias.

Guido lo saluda. Parecen conocerse.

–¿Está Carola?

–Claro, está allí, pasad.

Nos acompaña por un pasillo. Cuadros iluminados se alternan perfectos en el interior de una impecable librería, entre libros antiguos, jarrones chinos suavemente pintados y objetos de cristal. Todos delicadamente encajados en esa madera clara. Llegamos a un gran salón. El camarero se aparta y una chica corre a nuestro encuentro.

–Hola.

Abraza a Guido saludándolo afectuosamente, pero sin besarlo en los labios. Debe de ser Carola.

–¿Lo has conseguido?

Guido se vuelve hacia mí y sonríe como diciendo: «Claro, Carola, ¿no ves que está aquí?»

Ella me mira. Se queda por un instante sorprendida. Me observa con atención como si me estuviera sopesando. Entorna los ojos, los aprieta como si no creyera que yo... soy yo.

–Pero él..., ¿es él?

Guido le sonríe.

–Sí, es él.

–Sí, creo que soy yo... Por lo general, me llaman Stefano, Step para los amigos... Pero nunca me habían llamado «él»... Pero ¿podéis explicarme qué está pasando?

Y repentinamente, desde esa puerta entornada, desde ese salón lleno de personas desconocidas, de voces lejanas y confusas, de libros antiguos, de cuadros pintados por el tiempo, oigo una risa. Su risa. La risa de la que he añorado, de la que he buscado, de ella, que ha sido mi sueño de mil noches. Babi. Babi. Babi... Babi está sentada en un sofá en medio del salón. Es el centro de atención, cuenta algo y se ríe, y todos se ríen. Mientras yo, solo, me quedo en silencio. Ése es el momento que tanto he esperado. ¿Cuántas veces en Estados Unidos, hurgando en los recuerdos, apartando momentos dolorosos, peñascos de desilusión, he llegado allí, al fondo, hasta encontrar esa sonrisa? Y ahora está aquí, frente a mí. Y la comparto con otras personas. Todo lo que era mío, sólo mío. Y repentinamente me veo corriendo a través de un laberinto hecho de momentos: nuestro primer encuentro, el primer beso, la primera vez... La explosión enloquecida de mi amor por ti. Y en un instante recuerdo todo lo que no he podido decirte, todo lo que hubiera querido que supieras, la belleza de mi amor. Eso es lo que hubiera querido mostrarte. Yo, simple cortesano admitido en tu corte, arrodillado delante de tu simple sonrisa, frente a la grandeza de tu reino, hubiera querido mostrarte el mío. Sobre una bandeja de plata, abriendo los brazos en una reverencia infinita, mostrándote mi regalo, lo que sentía por ti: un amor sin límites. Aquí tienes, mi señora, ¿ves?, todo esto es tuyo. Sólo tuyo. Más allá del mar y en el fondo, allí abajo, más allá del horizonte. Y aún más, Babi, más allá del cielo y más allá de las estrellas, y aún más, más allá de la luna y más allá de lo que se esconde. Eso es, éste es el amor que siento por ti. Y más aún. Porque esto es sólo lo que podemos saber. Te amo por encima de todo aquello que no podemos ver, por encima de lo que no podemos conocer. Ya está, eso es quizá lo que también hubiera querido decirte. Pero no pude. No pude decirte nada que tuvieras ganas de escuchar. ¿Y ahora? ¿Qué podría decirle ahora a esa chica que está sentada en el sofá? ¿A quién puedo mostrarle las maravillas de ese gran imperio que le pertenecían? Te miro y ya no estás. ¿Dónde te has metido? ¿Dónde está esa sonrisa que me convertía en náufrago de certezas, pero tan seguro de felicidad? Querría escapar pero no hay tiempo, ya no hay tiempo. Aquí estás. Babi se vuelve lentamente hacia mí.

–¡Step! No me lo puedo creer... Qué sorpresa...

Se levanta y viene a mi encuentro. Me abraza, me aprieta fuerte y me besa dulcemente. En la mejilla. Después se separa, pero no demasiado. Me mira a los ojos y sonríe.

–Qué contenta estoy de verte... Pero ¿qué haces aquí?

Pienso en «¡Carramba che sorpresa!». ¿Qué habría gritado Raffaella Carrà? Ah, sí: «¡Está aquí Babi!» Pero no me da tiempo. Empieza a hablar. Se ríe y habla, habla y ríe. Parece saberlo todo de mí. Sabe dónde he estado, qué he hecho en Estados Unidos, conoce mis estudios, mi trabajo...

–Y volviste a Italia a principios de septiembre. Para ser exactos, creo que el tres. Y ni siquiera me felicitaste por mi cumpleaños... No te acordaste, ¿eh? Bueno, te perdono...

Y sigue así, riendo. El 6 de septiembre era su cumpleaños, y ese día yo me acordé perfectamente, como siempre. Como todos los años, también en Estados Unidos, como todo lo que tenía que ver con ella, lo más bonito y lo más doloroso. ¿Y ella? Ella me perdona. ¿El qué? ¿No haber sabido olvidarla?

–¡Es el 6 de septiembre! Ves como no te acuerdas...

–Ah, es verdad.

Le sonrío y la dejo continuar. Ella habla por los dos, decide ella, avanza ella, como ha hecho siempre.

–Y luego hiciste un programa de televisión y después vi los periódicos, con esas fotos. Para salvar a esa chica... ¿Cómo se llama? Bueno, ahora no me acuerdo. De todos modos, te busqué, pero...

Por suerte continúa. Sin pedirme el nombre. Ginevra, Gin para los amigos. Tendría que llamarla. Tengo que llamarla. Le he dicho que hablaríamos luego, quizá. Sí, he dicho quizá. Siempre me puedo excusar en ese «quizá». Apago el móvil. Me vuelvo. Me sale instintivamente. Veo que Guido me sonríe. Se da cuenta y me guiña el ojo. Él, pérfido Mecha, yo, estúpido Pinocho en las manos de una Hada Azul. ¿Buena o mala? Y lo veo marcharse. Veo como se cierra la puerta a sus espaldas y me deja solo. Solo con ella, con Babi, solo con el destino de mi pasado. Y Babi me coge de la mano.

–Ven, te presentaré a mis amigos.

Y me arrastra así, más novia, más mujer, más segura, más madura. Más... más no sé qué.

–Mira, éste es Giovanni Franceschini, el propietario del Caminetto Blu... Él es Giorgio Maggi; seguro que lo conoces: tiene esa gran empresa inmobiliaria que se dedica a la compraventa... Sí, que ahora es muy conocida: se llama Casa Dolce Casa.

–No, no la conozco, lo siento.

Y sonrío, y saludo como si todo eso me importara algo. Y otros nombres, y otras historias. Títulos comerciales de jóvenes pseudonobles de esta sociedad que ya no tiene ningún título... Al menos, para mí.

–¡Y ella es Smeralda, mi mejor amiga! –Babi se me acerca cómplice, mansa, ronronea y me sugiere cálida al oído–: Digamos que ha ocupado el sitio de Pallina.

Y se ríe. Y yo sólo percibo su perfume: Caronne. Y la miro. Al menos en eso no ha cambiado. Y querría decirle: «¿Y quién ha ocupado mi sitio?» Mi sitio. Ya. «¿Por qué pensabas que tenías uno?», podría contestarme. Entonces me quedo callado, me quedo en silencio. La miro mientras continúa con ese extraño baile de presentaciones. Ella, hábil cortesana, dama impecable de ésa, su alta sociedad, de su corte dorada. Y baila, y se ríe y echa hacia atrás la cabeza y cascadas de pelo y perfume y de nuevo su risa. Y otra vez... Otra vez tú. Pero no teníamos que volver a vernos... Y siento todo mi dolor. Lo que no sé, lo que no he vivido, lo que ahora me falta. Para siempre. ¿Cuántos brazos te han estrechado para convertirte en lo que eres? Cuánta razón tienes. Qué cierto es. Qué importa. Al fin y al cabo, ella no me lo dirá, por desgracia. Por eso me quedo en silencio. Y la miro. Pero no la encuentro. Entonces voy a buscar esa película en blanco y negro que ha durado dos años. Toda una vida. Esas noches pasadas en el sofá. Lejos. Sin conseguir darme una explicación. Arañándome las mejillas, pidiendo ayuda a las estrellas. Fuera, en el balcón, fumando un cigarrillo. Siguiendo después ese humo hacia el cielo, arriba, más arriba, más aún... Allí, donde precisamente habíamos estado nosotros. Cuántas veces he nadado en ese mar nocturno, me he perdido en ese cielo azul, llevado por los efluvios del alcohol, por la esperanza de encontrarla otra vez. Arriba y abajo, sin tregua. Por Hydra, Perseo, Andrómeda... Y abajo, hasta llegar a Casiopea. La primera estrella a la derecha y después todo recto, hasta la mañana. Y otras muchas. Y a todas les preguntaba: «¿La habéis visto? Por favor... He perdido mi estrella. Mi isla, que no existe. ¿Dónde estará ahora? ¿Qué estará haciendo? ¿Con quién?» Y a mi alrededor, ese silencio de esas estrellas entrometidas. El ruido molesto de mis lágrimas agotadas. Y yo, estúpido, buscando y esperando encontrar una respuesta. Dadme un porqué, un simple porqué, cualquier porqué. Pero qué idiota. Ya se sabe. Cuando un amor se acaba se puede encontrar todo, excepto un porqué.

Sesenta y ocho

Claudio conduce tranquilo. De vez en cuando mira el retrovisor para ver si Raffaella lo está siguiendo. Nada. Ningún coche detrás de él, ninguna sospecha. Sólo una patrulla de la policía, que en un determinado momento enciende las luces y acelera derrapando. Claudio ve pasar el vehículo como una flecha girando a la derecha, Cassia abajo. No se han dignado dirigirle ni una mirada. Se entiende –piensa para sus adentros–. Yo soy un ciudadano modelo, nunca he hecho nada malo. Y del todo convencido de su completa inocencia, acelera y toma corso Francia, a toda velocidad hasta via Marsala. Poco después está en Porta Pia. Se para cerca del Europa, aparca y saca el móvil del bolsillo. Lo abre, mira. Nada, ningún mensaje. Había quedado con Francesca en que nos veríamos en el hotel a las nueve y media. Si hubiera habido algún problema o hubiera acabado antes, me habría enviado un mensaje. Mejor así. Cuantos menos mensajes se envíen, menos probabilidades de ser descubiertos. Después de que Raffaella abrió el extracto bancario y me hizo ese tercer grado sobre el taco de billar, no puedo llamar o mandar más mensajes desde mi móvil. Es demasiado arriesgado. Raffaella sería capaz incluso de llamar a Franchi y de hacerle un tercer grado también a él. Él no está acostumbrado a una fiera como ella, y con más o menos solidaridad masculina, al final cedería. Estoy seguro. Es mejor llamar siempre desde la oficina y borrar los mensajes tras haberlos leído. Claudio cierra el teléfono y vuelve a metérselo en el bolsillo donde lo lleva siempre. Luego, tranquilo y relajado, decide permitirse un cigarrillo. Cuando es necesario, es necesario. Además, hoy no hay ningún tipo de inquietud. Y así es como Claudio se enciende un buen Marlboro. Pero si hubiera mirado bien su móvil, se hubiera dado cuenta de que es ligeramente más nuevo que el de costumbre. Y en ese caso no habría sentido inquietud, sino auténtico terror.

Beep. Beep. El sonido de llegada de un mensaje. El móvil de Claudio centellea sobre la mesa. Lo sabía. Era sólo cuestión de tiempo. Raffaella sonríe y lo coge. Espera un instante y lo mira indecisa. Eso, éste es el momento que podría cambiar totalmente mi vida. Y pensar que cuando Claudio quiso coger esos dos móviles idénticos en 3, porque estaban de oferta, yo lo critiqué tanto. Pobre Claudio –piensa–, haber podido cambiar hoy mi móvil por el que tenía en la chaqueta no tiene precio. Después su cara cambia repentinamente, se endurece. La rabia la transforma. Entonces decide abrirlo. Descubrir esa carta, ese mensaje que podría acabar definitivamente con la partida más importante de su vida. Lo abre y después lee: «¡Hola, tesoro! He acabado ahora. Nos vemos allí a las nueve y media, como dijimos.»

Raffaella abre de par en par los ojos, se le vuelven verdes de bilis, se le salen de las órbitas, la rabia le hace rechinar los dientes, jadear al respirar. Querría arrojar el móvil de Claudio contra la pared, pero sabe que entonces perdería toda traza de esa «F» de mierda, de esa mujer que se permite llamarlo «tesoro». Y repentinamente entiende la importancia de ese móvil, único indicio, única prueba para un proceso judicial futuro. Un mapa perfecto para poder llevarla ahora hasta su tesoro. Raffaella se tranquiliza, respira hondo, se relaja. Debe recuperar la lucidez. Debe actuar con astucia. Coge el móvil de Claudio y escribe lentamente la respuesta.

«Tengo que ir en taxi. En casa me han cogido el coche. ¿Qué le digo al taxista?», y después lo envía. Y espera. Espera no haber cometido ningún error, no haber usado una manera de escribir distinta, que no hubiera ninguna contraseña entre ellos, tipo «corto y cambio» o alguna otra gilipollez parecida. Claudio ha sido cuidadoso, pero no es tan genial. Nunca podría haber sospechado que yo cambiaría su móvil por el mío. Y precisamente en ese momento llega el mensaje de respuesta: «Tesoro, ¿cómo es que me escribes? Habías dicho que era peligroso. No sé el nombre de la calle, pero basta con que le digas hotel Marsala y te lleva seguro. Hasta pronto. Quiero tenerte como la última vez»...

Y ante la lectura de estas últimas palabras, Raffaella casi se siente morir. Se le encoge el estómago, se le tensa la mandíbula, le da un ataque de hígado. Luego va hasta el teléfono fijo y marca un número: 3570. Segundos después, la voz de la operadora de radio taxi le contesta.

–Por favor, un taxi para piazza Jacini en seguida. Es urgente. Espero en línea.

Algunos segundos después llega una voz grabada:

–Venecia 31 en dos minutos.

Raffaella cuelga para confirmar. Después lo piensa y le sobreviene casi una carcajada histérica. Venecia 31. Venecia fue su primer viaje. Y es en un taxi llamado así el que acabará todo. Después corre hasta el baño y vomita incluso lo que no ha comido.

Algo más tarde. Parado en el piazzale de Porta Pia, Claudio mira la hora. Son las nueve. Aún tiene media hora. Tiene sed. Decide ir a tomar una cerveza a un bar cercano. Pone el coche en marcha y hace un cambio de sentido. Aunque ha cometido una infracción, ha sido prudente: ha mirado que no viniera nadie. Sólo había un taxi que llegaba desde el fondo de la calle. Si hubiera estado atento, habría visto su nombre: Venecia 31. Claro que eso tampoco le hubiera dicho nada. Pero si hubiera estado aún más atento, si hubiera mirado también dentro del vehículo, entonces habría entendido que no había escapatoria para él.

Raffaella baja del taxi, paga y entra en el hotel Marsala. Mira a su alrededor. Una decoración horrible. Una planta de plástico en una esquina. En el suelo, una alfombra roja raída. Cerca de la pared hay una vieja butaca de madera gastada. Delante, una mesita con el cristal roto y algunas revistas viejas descuidadamente colocadas encima. Un conserje se asoma en el mostrador.

–Buenas noches, ¿puedo ayudarla? ¿Necesita algo?

–El señor Gervasi me ha aconsejado este hotel. ¿Está en su habitación?

El conserje la mira. Pero es un instante. Ya ha visto bastantes como para saber que es mejor que se meta en sus asuntos. Después se vuelve. Mira en el cajón de las llaves. La dieciocho aún está allí.

–No, aún no ha llegado.

Sonríe a la señora de manera amable.

–Bien, gracias, entonces, si no le importa, lo esperaré aquí.

Raffaella se sienta en la butaca, tratando de no hacerlo con demasiado ímpetu. Sólo faltaría eso, caerse, romperse una pierna y que tuvieran que llevarla al hospital. Ahora que sabe la verdad, que ha llegado a la meta, al final de su carrera. Este último encuentro no quiere perdérselo por nada del mundo. Raffaella abre un periódico y lo hojea velozmente. Pero es como si no viera las fotos, los textos, los anuncios. Sólo páginas de colores. De color rojo sangre. Y precisamente en ese momento llega Francesca. Abre la puerta de cristal del hotel y entra con su alegría de siempre, saludando al conserje.

–¡Hola, Pino! ¿Ha llegado Claudio?

El portero la mira a ella y después a Raffaella. Responde casi balbuceando.

–No..., aún no.

–Entonces, dame las llaves; lo esperaré arriba.

El portero le da la llave número dieciocho y después decide marcharse a la otra habitación. En algunos casos, es mejor no haber visto nada.

Raffaella arroja el periódico sobre la mesilla y se levanta. Camina hacia ella, se detiene a un paso y la mira a los ojos. Francesca se queda sin palabras. Asustada, da un paso atrás. Raffaella, repentinamente, la reconoce. No me lo puedo creer. Qué estúpida he sido. No era una postal: era una foto plastificada. La chica de la playa es ella. Ella es «F».

–Pero ¿qué ocurre?

Raffaella esboza una sonrisa desafiante.

–Nada, una inspección. ¿Cómo te llamas?

–Francesca, ¿por qué?

En un instante, esa «F» toma forma. Francesca la imbécil.

–Estás esperando a Claudio, ¿verdad?

Francesca no entiende nada. O quizá no quiere entender. De todos modos, Raffaella no le da tiempo. Coge el móvil de su marido y marca el número, su propio número.

–Espera, que ahora te lo paso.

Claudio acaba de comprar una cerveza y está bebiendo un sorbo en el coche cuando casi se queda de piedra al oír sonar ese móvil en su bolsillo. Vibra y suena con un timbre que no es el suyo. Lo coge. Lo mira sorprendido, sin entender nada. Después lo abre. Y en ese momento ve lo que nunca habría esperado: su nombre, «Claudio», que brilla enorme en la pantalla. ¿Cómo es posible que me esté llamando a mí mismo? No entiende nada. Ése es su último, estúpido pensamiento, antes de poder reaccionar, entender, caer en las profundidades del drama. Sigue mirando su nombre como hipnotizado por ese timbre, sin entender que ese sonido es su llamada para un viaje sin retorno al infierno. Después, de repente, no aguanta más y decide contestar.

–¿Sí? –dice casi temeroso, preocupado por oír quién sabe qué al otro lado. Y, en efecto, es precisamente ella, la última persona que hubiera querido oír: su mujer.

–Hola, Claudio, te paso a una persona.

Él se queda sin palabras, no le da tiempo a decir nada, mientras Raffaella pone el móvil contra la oreja de Francesca. Claudio no puede imaginar, no quiere imaginar cuál será ahora la segunda voz que oirá... ¿Quién es la persona que está con su mujer? ¿Quién puede ser? Entonces, completamente desorientado, decide hablar igualmente.

–¿Hola...?

–Claudio, ¿eres tú? Soy Francesca... Aquí hay una señora que me ha preguntado...

Pero no le da tiempo a acabar. Raffaella le quita el móvil de la oreja y vuelve a hablar con Claudio.

–Te espero en casa.

Precisamente en ese momento, Claudio pasa con el coche por delante del hotel Marsala con el móvil aún abierto y las ve juntas: Raffaella y Francesca. No cree lo que ve, se queda aterrado y acelera, intentando huir de alguna manera. Pero no sabe que desde este momento ya no tiene escapatoria.

Francesca se dirige enfadada a Raffaella:

–Perdona, pero estaba hablando con él, ¿por qué me has quitado el teléfono? Eres una maleducada...

Raffaella le sonríe y después le coge de las manos las llaves de la habitación. Francesca la deja hacer. El gran cuadrado de madera pesada, con el número dieciocho pegado a las llaves, oscila en las manos de Raffaella.

–¿Era ésta la habitación donde «tenías» a Claudio? –Francesca no contesta. Raffaella levanta una ceja–. Yo no soy una maleducada, yo soy la señora Gervasi. ¡Y tú, tú no eres una mierda! –Y le arroja el cuadrado de madera a la cara, rompiéndole la nariz y grabando para siempre en sus recuerdos ese número dieciocho.

Sesenta y nueve

–Oye, Step, ¿me estás escuchando?

–Claro... –miento.

–Qué contenta estoy de verte... ¿Por qué no me llamaste cuando volviste?

–Bueno, no sabía...

–¿No sabías qué? –Se ríe tapándose la boca. Se toca el pelo echándoselo hacia atrás–. ¿Si estoy sola?

Me mira. Ahora con unos ojos más intensos. Sin esa flor en la boca. Pero no dice nada más, y yo vuelvo a pensar en nuestro Battisti. En cuando ella se hacía trenzas, en sus mejillas rojas, en nuestros bares oscuros... En el mar negro. Pero no espero respuesta.

–Voy a tomar algo.

Por suerte encuentro en seguida un ron. Un Pampero, el mejor. Cojo un vaso y me lo bebo. Quisiera... Me sirvo otro. No quisiera... Me lo bebo de un trago. Pero si quieres... Otro vaso más. ¿Cómo puede una roca detener el mar? Nunca he sabido contestar a esa pregunta. Vuelvo con ella y nos sentamos en un sofá. Y mirándola, encuentro la respuesta. Es imposible. El mar es infinito. Precisamente como sus ojos. Y mi roca... Bueno, mi roca es demasiado pequeña. Ella me mira y se ríe. Se ríe.

–Has bebido, ¿verdad?

–Sí, un poco.

Y en un instante estamos allí, a la sombra, como esas dos bicicletas abandonadas. Y pasa el tiempo. No sé cuánto. Y ella me lo cuenta todo, todo lo que se puede contar, lo que decide contarme. Ella, mujer. Ella, que era clara y transparente como yo... Y antes de que le pregunte cuántos brazos la han estrechado para convertirse en lo que es, se acaba la velada. Precisamente como mi botella.

–Adiós, Carola, adiós, chicos.

Y todos se despiden, se intercambian besos, citas, se recuerdan compromisos futuros. Y nos encontramos fuera del portón. Solos, poco después.

–¿Y ahora qué haces?

–Pues nada. He venido con mi amigo Guido en coche, pero él se ha ido.

–No te preocupes, yo tengo el mío. Te llevo yo, vamos. –Y me subo en un Minicooper azul último modelo con CD incorporado–. Divertido, ¿no?

Me mira mientras conduce.

–Nos conocimos en un paseo en moto en el que yo iba detrás de ti y nos reencontramos con un paseo en coche y esta vez conduzco yo.

–Sí, divertido...

No sé qué añadir. Sólo me pregunto si Guido había imaginado también esto. Mecha impecable de mente genial. Vuelvo a ver su sonrisa, el guiño y su perfecta salida de escena, de gran elaborador de destinos... Pero ¿por qué precisamente del mío?

–Toma.

Babi me da su bufanda.

–Gracias, pero no tengo frío.

Se ríe.

–Tonto. –Ahora me mira más seria–. Póntela en los ojos. No tienes que ver nada. Te acuerdas, ¿no? Ahora me toca a mí. Y a ti te toca jugar.

Sin decir nada, me la ato alrededor de la cabeza tal como hizo ella esa vez en la moto detrás de mí. Ella y sus ojos vendados volando tranquilos. Ella abrazada a mí, sin ver, dejándose llevar hacia esa casa en Ansedonia, su sueño, de noche, esa noche, su primera vez... Ahora la siento conducir tranquila, subir un poco la música. Me dejo llevar así por la música, por ella, por esa botella de ron que ha acabado dentro de mí.

–Ya está, ya hemos llegado.

Me quito mi bufanda-venda y en la penumbra la diviso. La Torre.

–¿Te acuerdas? ¿Aquella vez que te dormiste...?

¿Cómo podría olvidarlo? Después, cuando me desperté, discutimos y luego hicimos las paces. Como hacíamos las paces. Como se hace la paz entre enamorados. Y sin darme siquiera cuenta, la encuentro entre mis brazos. Y sin embargo, no hemos discutido. Esta vez, no... Me besa. Suave, sin pudores, y sonríe en la penumbra.

–Oye, pero ¿cuánto has bebido?

–Un poco.

Aunque no me parece que le importe demasiado. Y sigue así, acariciándome.

–Te he echado de menos, ¿sabes?

Me siento como un bobo, ¿qué puedo decir? ¿Cómo puedo saberlo? Y además, ¿será verdad? ¿Por qué me dice esto? ¿Por qué? ¿Y yo? Yo no sé qué decir. Querría quedarme callado, pero me sale un simple

–¿Sí?

–En serio.

Sonríe. Después me desabrocha la camisa y baja un poco más. Y sigue tranquila, sin prisas pero decidida, segura, aún más segura, si es que recuerdo bien cómo la dejé.

–Ven, sal...

Casi me empuja fuera del coche y se ríe divertida porque ha empezado a llover. Se levanta la camiseta y se quita el sujetador, quedándose con el pecho desnudo. Se deja acariciar por el agua y después por mí, que resbalo con la lengua por sus pezones mojados. Con manos seguras me desabrocha el cinturón, me desabrocha los pantalones dejando que caigan, mete la mano dentro y me susurra al oído:

–Aquí está... Hola... Cuánto tiempo...

Lanzada como no lo había sido nunca. Al menos, conmigo. Después me besa en el pecho mientras el agua del cielo sigue cayendo. Y Babi resbala hacia abajo, dejándose llevar por esas gotas hasta encontrarlo. Y yo me relajo así, llevado por el ron, por la lluvia que cae del cielo, por ella caída tan bajo. Y me gusta. Y lo hace bien. Me gusta un montón y sufro casi al admitirlo. Ahora mojado, del todo y por todos lados, raptado por su boca que me chupa, casi con rabia, me dejo llevar. Todo ese tiempo pasado, ese dolor sufrido... Esa mujer perdida... Levanto la cabeza al cielo. Las gotas de lluvia se ven de repente, acariciadas por ese haz de luz lejana. Querría hacer lo mismo que Battisti... «Pero le he dicho que no y ahora vuelvo a ti con mis miserias, con las esperanzas nacidas muertas que ya no tengo el valor de insuflar de vida...» Y en cambio, me quedo. Y ella sigue así, sin parar, más de prisa, con su boca ávida de todo lo que es mío. Después se separa, se levanta, me embiste, me tira al suelo y yo me dejo caer. Me tumbo a su lado, bajo la lluvia. Y sube encima de mí y se levanta la falda y debajo no lleva nada. Mojada por todas partes, me aparta las manos y está encima de mí. Empieza a cabalgarme. El agua cae. Me agarro con las manos al suelo. La cabeza me da vueltas, he bebido demasiado, ella desde arriba sonríe, disfruta y me mira, deseosa, sensual, lanzada. Y yo toco la tierra mojada, la hierba, y la aprieto, y por un instante no querría estar allí. Pero ¿cómo...? ¿Y esa sonrisa suya tan querida? ¿Acaso no has vuelto para esto? Y de repente, un relámpago. Sin luz. Como un pájaro nocturno, un batir de alas, fragoroso en su delicadeza. Su voz.

–¿Me llamarás luego?

–Sí, quizá te llame.

–Nada de quizá. ¡Hablamos luego! ¡Y *llámame* sin la *elle*!

Y entonces, como los píxeles, como los *frames*, una foto superpuesta, una imagen desenfocada, una simple Polaroid... Repentinamente se dibuja nítida en mi mente. Gin. Dulce Gin, tierna Gin, divertida Gin, limpia Gin. Se me aparece toda, en todo su esplendor. Y la luna lejana parece proponerme para ella una nueva cara: quebrada, desilusionada, traicionada. Y en esa palidez lunar veo todo lo que no hubiera querido ver nunca... Como por arte de magia la lluvia se espesa, los efluvios del alcohol se disipan. Y yo, repentinamente lúcido, intento escapar de debajo de ella. Pero Babi me agarra con más fuerza, me mantiene quieto, se mueve arriba y abajo, casi con rabia, sigue su carrera con aún más ímpetu, no, no me deja escapar. Casi arrastrada por ese deseo mío de huir, me cabalga y goza, sin darme respiro, ni tregua, ni reposo. Más, más y más. Se aparta sólo en el último momento, cuando me corro. Y satisfecha, contenta, ya saciada, se derrumba sobre mí. Se abandona así, dejando allí en cualquier sitio, por el suelo, a dos pobres inocentes. Mi semen y mi culpa. Después me da un beso suave, que no sé a qué sabe. Sólo sé que me siento aún más culpable. Y me sonríe, bajo la lluvia, más lanzada que nunca, más mujer que entonces. Espejo deforme de lo que tanto he amado.

–¿Sabes, Step?, tengo que decirte algo...

Mientras vuelvo a vestirme bajo el agua, bajo la lluvia que desearía que fuera purificante, bajo las nubes oscuras que me miran inquisidoras, bajo esa luna que desdeñosa me ha girado la cara, ella continúa:

–Sólo espero que no te enfades.

Sigo vistiéndome en silencio. La miro. ¿Yo? ¿Enfadarme, yo? ¿Ahora que ya no estás? ¿Cómo podría enfadarme?

Se lleva con las dos manos el pelo mojado hacia atrás. Después ladea la cabeza, intentando volver a ser niña por un instante. Pero no puede, no lo consigue.

–Pues eso..., quería decirte que voy a casarme dentro de unos meses.

Setenta

Noche cerrada. Claudio ha dado vueltas por toda Roma. No puede creer cómo se ha dejado pillar. Cómo no se ha dado cuenta de que ése no era su móvil, sino el de su mujer. Por otro lado, son idénticos. Me cago en todo y en haber hecho caso de ese anuncio. Era una trampa. He ahorrado, sí..., pero ¿cuántas compensaciones me tocará pagar ahora? ¿Y durante cuántos años? No consigue calcular todo lo que le espera. Pero hay que afrontarlo. Ya son las dos. ¿Se habrán acostado todas, no? Aparca debajo de casa, fuera de la verja, precisamente para que no lo oigan volver. Luego sube la cuesta con paso acolchado, en la noche, abre despacio el portal y lo cierra sin hacer ruido. Después la puerta de su casa, muy despacio, lentamente, moviendo el picaporte de la puerta interna con suavidad, para no hacer ruido. Pero el resorte final lo traiciona.

–Papá, ¿eres tú? –Daniela aparece en el salón–. ¡Hola! ¡Te he esperado despierta porque estoy muy contenta! Me hice los análisis y hoy me han dado los resultados. ¡El bebé está bien y, sobre todo, no tengo sida!

Pero a Claudio no le da tiempo a alegrarse. Desde la oscuridad de la cocina, Raffaella le salta encima, lo agrede desde atrás, casi subiéndosele a caballito, gritando, arañándole las mejillas con las uñas, arrancándole el pelo, mordiéndole las orejas. Raffaella es una especie de arpía, un extraño volátil aullante a su espalda. Tiene las piernas apretadas en torno a su cintura y no lo suelta. Claudio empieza a gritar de dolor y corre como un loco por el pasillo, ante los ojos atónitos de Daniela, que no sabe absolutamente nada y que esperaba poder compartir su felicidad con sus padres. Claudio, que ha llegado al final del pasillo, se vuelve de golpe y se lanza con un empujón dentro del gran armario, desfondándolo con la arpía sobre los hombros. Acaba debajo de los abrigos, que caen de las perchas, en medio del olor a naftalina, de las cajas de zapatos, de los muchos regalos de fiestas pasadas que ya se han perdido. Claudio consigue liberarse de Raffaella, sale del armario y corre a su habitación. En ese momento, Babi sale de su cuarto.

–Pero ¿qué pasa? ¿Qué sucede?, ¿hay ladrones? –Después ve a su padre con la cara ensangrentada–. Pero ¿qué te ha pasado? ¿Qué te han hecho?

En ese momento llega Raffaella.

–¿Qué le han hecho? ¡Qué nos ha hecho él! ¡Hacía meses que follaba con una brasileña en un hotel de la estación! –Y diciendo esto, arranca del armario, ya destrozado, un pedazo de madera e intenta golpear a Claudio, que se encierra en la habitación.

Claudio saca su maleta. Después abre el armario pero no cree lo que ve: todas las camisas, las chaquetas, los pantalones, los jerséis y todos los trajes están destrozados, cortados, desgarrados. Una especie de gran e inmenso armario de confeti. Entonces coge lo único que le ha quedado. Abre la puerta y sale de la habitación. Babi corre hacia él.

–Pero papá, ¿adónde vas?

–Me marcho. Me habéis tocado demasiado las pelotas, todas vosotras. No entendéis que una persona necesita libertad...

Raffaella se abalanza sobre él desde atrás y lo golpea en la espalda, entre el cuello y la nuca, con el trozo de madera del armario. Pero Claudio es más rápido y pone en medio el libro de Gozzano, *Poemas*. Y luego dicen que la literatura no sirve para nada. Echa a correr, cruza el pasillo y está a punto de salir de casa, pero Babi lo alcanza en la puerta.

–Papá, pero me acompañarás al altar, ¿no?

–Tu madre. Ella siempre lo ha decidido todo, ¡pues que se ocupe también de esa última tocada de pelotas!

Y diciendo esto se libera también de ella y baja corriendo la escalera. Uf. Claudio suspira aliviado. Pensaba que sería peor. Baja la escalerita del portal y repentinamente se le echa encima otra persona.

–¡Ah!

Claudio se pone a la defensiva. Pero es Alfredo, el ex de Babi, completamente borracho y con una botella en la mano.

–¡Señor Gervasi, tiene que ayudarme, mire cómo estoy! No puede dejar que Babi se case con ese tal Lillo sólo porque gane más que yo, ¡¿cómo?! ¡Vendiendo bragas! ¿Pero es que no le da vergüenza? ¿Y nuestra amistad? ¿Y los días pasados a la mesa? ¿Dónde los deja, eh? ¿Dónde los deja? ¡Se arrepentirá! ¿Entiende?

Claudio lo mira y sonríe agotado.

–No he conseguido salvar mi matrimonio, así que imagínate si tengo que preocuparme por el de los demás.

–¿Ah, sí? ¡Pues ahora verá!

Alfredo avanza. Agita amenazador la cerveza, dándole vueltas en la mano y avanzando hacia él. Claudio no duda y le suelta una patada en los huevos. Alfredo cae al suelo y se dobla sobre sí mismo, dolorido. Claudio le propina entonces una patada a la cerveza, enviándola lejos.

–¡No tuve problemas con Step, así que imagínate lo que me preocupa un tipo como tú!

Y se marcha contento, mirando las estrellas, soñando con la nueva vida que le espera y algo preocupado por toda esa ropa que tendrá que volver a comprarse.

Setenta y uno

–Sí, ¿diga?

–Oye, ¿dónde te metiste anoche? Te llamé un montón de veces pero primero no había cobertura y después lo tenías apagado.

Gin. Me siento fatal. ¿Por qué he contestado al móvil?

–Pues sí... Fui con Guido a cenar a un sitio, pero no me di cuenta de que no había cobertura. Era un sótano.

No sé qué decir. Tengo ganas de vomitar. Y ella, cosa absurda, me salva.

–Un sótano, ya... Intenté localizarte varias veces pero luego me dormí. Hoy no podemos vernos. ¡Qué palo! Tengo que acompañar a mi madre a visitar a una tía que vive fuera de Roma. ¿Hablamos luego? Yo no lo apagaré... ¡Es broma! ¡Un beso bonito y después, cuando estés despierto, uno aún más bonito!

Y cuelga. Gin. Gin. Gin. Con su alegría, Gin con sus ganas de vivir. Gin con su belleza. Gin con su pureza. Me siento como una mierda. Estoy lleno de mierda. Me cago en el ron, me cago en todo lo demás. Madre mía, cuánto bebí. ¿Cuánto había bebido puede servir como justificación? No es suficiente. Era capaz de razonar y de saber lo que quería. De decir que no desde el principio, de no irme con ella, de no aceptar la bufanda, de no besarla. ¡Culpable! Sin ninguna sombra de duda. Aunque una sombra sí que tengo... ¿Y si lo hubiera soñado? Me levanto de la cama. Esa ropa que descansa sobre la silla aún mojada de lluvia, esos zapatos aún sucios de barro no dejan lugar a dudas. No fue un sueño. Es una pesadilla. Culpable. Culpable más allá de toda duda razonable. Busco en la cabeza una frase, palabras a las que agarrarme. ¿Por qué no encuentro nada a mi alrededor? Recuerdo algo que me dijo una vez el profesor de Filosofía: «El débil duda antes de tomar una decisión; el fuerte después.» Me parece que era de Kraus. O sea que, según él, yo sería fuerte. Y sin embargo, me siento tan estúpido y débil. Y así, estúpido artífice de esta condena mía, me arrastro hasta la cocina. Un poco de café me ayudará. Pasará un día y después otro y después otro más. Y luego todo esto estará lejos, pertenecerá al pasado. Me sirvo el café ya hecho. Aún está caliente. Debe de haberlo dejado Paolo antes de salir. Me siento a la mesa. Bebo un poco, como una galleta. Después veo la nota. Reconozco la letra. Es de Paolo. Perfecta y ordenada como siempre. Pero esta vez me parece un poco tambaleante. Quizá estaba cansado y la ha escrito corriendo. La leo. «He ido con papá al hospital Umberto I. Han ingresado a mamá allí. Ven pronto, por favor.» Ahora entiendo la escritura incierta. Se trata de mamá. Dejo el café y voy a darme una ducha rápida. Sí, ahora me acuerdo. Paolo me había dicho algo, pero no me parecía especialmente preocupado. Me seco, me visto y algunos minutos después ya estoy en la moto. Un poco de viento en la cara hace que me tranquilice en seguida. Todo va bien. Step, todo va bien. Es ese «ven pronto, por favor» lo que me preocupa.

Setenta y dos

–Perdone, estoy buscando a la señora Mancini, me parece que la han ingresado hoy.

Un enfermero perezoso de aspecto aburrido subrayado por un cigarrillo que pende de sus labios apoya un *Corriere dello Sport* abierto sobre quién sabe qué objetos de contrabando y echa un vistazo al ordenador que tiene delante.

–¿Has dicho Mancini?

–Sí.

Después se me ocurre que podría haber usado el apellido de cuando era joven. No me sale llamarla por su apellido de soltera. ¿Cuál era? Ah, sí.

–Podría ser también Scauri.

–¿Scauri? Sí, aquí está. Segunda planta.

–Gracias.

Hago el gesto de buscar en la lista. Pero en cuanto paso por delante de su sitio, el enfermero aburrido parece despertar de golpe y me interpela:

–No, ahora no puedes subir. Las visitas son a las tres. –Mira el reloj que hay a mi espalda–. Y duran una hora.

–Sí, lo sé, pero mi madre...

–Ya. Pero a mí eso me trae sin cuidado. Es a las tres para todo el mundo.

Y en ese instante vuelvo a ver la nota de Paolo: «Ven pronto, por favor.»

Y después ya no veo nada. Lo agarro por el cuello con la mano derecha y lo empujo hasta encontrar la pared más cercana, contra la que lo estampo. Me apoyo con la mano abierta en su cuello con todo mi peso.

–Tengo que ver a mi madre. Ahora. Inmediatamente. No quiero armar jaleo, así que no me lo impidas, por favor...

Uso la misma palabra que ha empleado Paolo esperando que pueda obtener algún resultado. El enfermero quiere decir algo. Aflojo la presa. El tipo recupera el aliento y refunfuña: «Segunda planta.» Después tose: «Habitación ciento catorce.» Tose de nuevo. «Puedes ir.»

–¡Gracias!

Me alejo así, rápidamente, antes de que se lo piense mejor, antes de que diga o haga algo justo pero que en este momento me parecería profundamente equivocado. Ciento veinte, ciento diecinueve. Derecha e izquierda. Avanzo así entre algunas habitaciones, entre algunas habitaciones con personas acostadas, entre algunas vidas abandonadas en el umbral de un más o menos infierno feliz. Un viejo desdentado me dirige una sonrisa. Intento devolvérsela pero no consigo gran cosa. Ciento dieciséis. Ciento quince. Ciento catorce. Aquí está. Casi tengo miedo de acercarme. Mi madre. La veo allí, tumbada entre las sábanas, pálida, pequeña como no la había visto nunca. Mi madre. Parece haber notado algo, un ligero ruido que, sin embargo, no he hecho. Quizá sólo un latido acelerado, el de mi corazón al verla de ese modo. Se vuelve hacia mí y sonríe. Se acomoda incorporándose sobre los hombros, inclinando hacia atrás la espalda. Pero un dolor repentino se le dibuja en el rostro haciendo que deseche la idea. Se afloja y vuelve a caer sobre la almohada, mirándome avergonzada por ese intento fallido. Acudo en seguida a su lado. La cojo delicadamente por debajo de la espalda y la ayudo a incorporarse despacio. La ayudo teniendo mucho cuidado de no tocar todos esos tubos que cuelgan con quién sabe qué medicina, perdiéndose en sus brazos. Tiene la cara atravesada por una mueca, teñida de dolor. Pero es sólo un instante. Ya ha pasado. Me sonríe mientras cojo una silla libre de una de las habitaciones de al lado y me siento junto a ella, junto a su cabezal para que no tenga que hablar en voz alta, para que no se canse, ya no.

–Hola.

Intenta hablar pero la hago callar llevándome el índice a la boca. Luego permanecemos en silencio unos instantes, al cabo de los cuales parece sentirse mejor.

–¿Cómo estás, Stefano?

Es absurdo. Ella preguntándomelo a mí. Una sonrisa delicada. Me mira buscando respuesta. Intento hablar pero no me salen las palabras.

–Bien. –Consigo decir antes de que eso suceda. Una palabra un poco más larga se habría roto entre mis labios, como un frágil cristal. Mi dolor se habría hecho mil pedazos, añicos, como un espejo delgadísimo que refleja toda nuestra vida, la mía y la de mi madre. Juntos. Sus palabras, sus cuentos, sus risas, sus bromitas, sus carreras, sus regañinas. Su cocina, su ponerse guapa. Resbalan así, sin posibilidad de ser retenidos, como gotas de agua en el cristal de un coche en marcha, en la ventanilla de un avión que despega, en caída libre desde una ducha de playa que han dejado abierta y el viento barre. Mamá.

Como ella ha hecho conmigo tantas veces, me sale natural. Le cojo la mano. Ella, como respuesta, me la aprieta. Noto sus dedos más delgados, algunos anillos más sueltos, la piel casi puesta al azar sobre esos huesos finos. Acerco su mano a mi boca y la beso. Se ríe, leve.

–¿Qué es, el beso del perdón?

–Sh. –No quiero hablar, no puedo hablar–. Sh.

Apoyo la mejilla sobre el dorso de su mano. Me tranquiliza estar sobre ese cojín humano, pequeño pero lleno de amor. ¿El mío?, ¿el suyo? No sé. Me quedo allí descansando, con los ojos cerrados, con el corazón tranquilo, con las lágrimas suspendidas, en silencio. Me acaricia la cabeza con la otra mano y juguetea con mi pelo.

–¿Has leído el libro que te regalé?

Asiento con la cabeza moviéndome suavemente por su mano, mi cojín. La noto sonreír.

–¿Has entendido entonces que puede pasar? Tu madre es una mujer, una mujer como todas... ¿Como todas? Quizá más frágil.

Me quedo en silencio. Busco una ayuda, algo, no puedo más. Me muerdo el labio inferior y contengo las lágrimas. Auxilio. Que alguien me ayude. Mamá, ayúdame.

–Me equivoqué, es verdad, y el Señor quiso que precisamente lo descubrieras tú. Pero ha sido un castigo demasiado grande. Perder por ese error a mi hijo.

Me levanto de golpe y consigo sonreírle, tranquilo, fuerte, como ella me quiere, como me ha hecho ella, mi madre.

–No me has perdido: estoy aquí.

Me sonríe. Consigue alargar el brazo y acariciarme la mejilla.

–Entonces te he reencontrado. –Le sonrío y asiento con la cabeza–. Aunque te perderé otra vez...

–¿Por qué? No..., ya verás como todo irá bien.

Mamá cierra los ojos y sacude la cabeza.

–No, me lo han dicho. Volveré a perderte.

Hace una pausa y me mira. Después sonríe lentamente. Veo en su rostro la felicidad de tenerme a su lado y después, en cambio, el dolor que la asalta desde dentro. Imprevisto. Una pequeña mueca. Cierra los ojos. Poco después vuelve a abrirlos, otra vez serena. El dolor ha pasado. Me mira y sonríe.

–Pero esta vez no será por mi culpa.

Me quedo en silencio. Querría encontrar algo que decir, volver atrás, retroceder. Disculparme por todo el tiempo pasado. Querría no haber entrado nunca en esa casa, no haberla visto con otro hombre, no haberla molestado, no haber sufrido, haber sido capaz de entender antes, de aceptar, de perdonar. Pero no ha sido así. No puedo hablar. No sé hacer nada más que apretarle la mano, suavemente, con el miedo de que todo pueda volver a romperse. Pero ella me salva, me ayuda, una vez más. Por otro lado, es mi madre. Mamá.

–Hablemos de lo que nos ha alejado al uno del otro.

Me coge por sorpresa. Me quedo en silencio.

–No hagamos ver que no pasa nada. Creo que lo peor es fingir que no ocurre nada. Si estás aquí, quiere decir que de alguna manera lo has superado.

Nada, no hablo. Entonces intenta ayudarme.

–Bueno, de todos modos, no creo que fueras a Estados Unidos por mi culpa, ¿no?

Sonríe. Y esa sonrisa suya lo hace todo más fácil.

–Necesitaba unas vacaciones.

–¿Dos años? Te lo has tomado con calma. De todos modos, siento lo que pasó. Tu hermano no entendió nada. Y tu padre... no quiso entender. Tendría que haber estado él en tu lugar. Habían pasado cosas... –Se interrumpe.

Repentinamente, una punzada de dolor atraviesa su sonrisa. Como una ola ligera venida de quién sabe dónde. Después desaparece de nuevo y mamá vuelve a abrir los ojos. Y vuelve a buscar la sonrisa. Y la encuentra.

–¿Ves?, no tengo que hablar. Mejor así. Al menos de él te quedará siempre un buen recuerdo. Yo soy la culpable, la que lo estropeó todo, y es justo que lo pague.

Otra punzada. Esta vez parece más fuerte. Me acerco a ella.

–Mamá...

–No es nada, estoy bien, gracias... –Respira hondo–. Las medicinas que me dan son muy fuertes. A veces es como si no estuviera. Sueño aun estando despierta, ya no siento nada. Es bonito. Debe de ser una droga. Ahora entiendo por qué los jóvenes tomáis tanta. Hace olvidar cualquier clase de dolor.

–Pero si yo nunca he tomado drogas...

–Lo sé. Has sabido vivir cerca de tu dolor. Pero ahora basta. No le permitas nada más. Haz que te devuelva tu vida.

Nos quedamos un momento en silencio.

–Te he echado de menos, mamá.

Apoya su mano en la mía y me la aprieta. Intenta hacerlo con fuerza, pero la siento débil, frágil. Miro su mano. Es delgada. Ha perdido mucho de esa vida que ella misma generosamente me ha dado.

–De todos modos, Stefano, no quería hablar de mí.

–¿Qué quieres saber?

–Recuerdo que cuando era muy joven, más joven que tú, tuve un novio que me gustaba muchísimo. Estaba convencida de que compartiría toda mi vida con él. Sin embargo, se fue con mi mejor amiga y yo estaba como enloquecida. Deberías haber visto a mis padres... Al final lo asumí, y justo después conocí a tu padre. ¿Sabes?, me hubiera gustado que la primera vez fuera con él... Quiero decir, lo que en un momento concreto nos parece perfecto, con el paso del tiempo, puede no serlo. Quizá entendamos que no era tan perfecto, y aunque lo hemos perdido, nadie dice que no podamos volver a encontrarlo, o incluso encontrar algo mejor.

Se queda un momento en silencio y me sonríe. Le gustaría que yo fuera feliz. Y a mí me gustaría mucho serlo. También para ella.

–He conocido a una chica.

–Muy bien, eso es lo que quería oírte decir. ¿Me cuentas cómo es?

–Es divertida, es guapa, es rara. Es... especial.

Y precisamente en ese momento:

–¡Step! –Martina, la cría de once años que conocí en piazza Jacini, aparece en la puerta–. ¡No me lo puedo creer!

–Dios mío... –Mi madre se queda sin palabras–. ¿No me digas que ella es esa chica tan «especial» con la que sales ahora?

Después se echa a reír. Al final tose y otra vez le sobreviene una punzada de dolor. Pero se le pasa en seguida. Y vuelve a abrir los ojos. Y sonríe de nuevo.

–Martina, ¿qué haces aquí?

–Mi madre trabaja aquí. Ahí está.

En la habitación entra una mujer guapa con una bata blanca.

–Hola. Soy la jefa de sala y tendría que cambiar el goteo de la señora. De todos modos, ésta no es la hora de las visitas.

–Sí, lo sé, perdone.

–Mamá, es amigo mío. ¿No sabes quién es? Es Step, el de la inscripción del puente...

–Martina, acompaña fuera al señor. Hago mi trabajo y después lo dejo entrar un momento para despedirse de la paciente, ¿de acuerdo?

–Gracias.

Estoy a punto de salir de la habitación cuando mi madre me llama.

–Stefano, ¿puedes hacerme un favor? ¿Puedes traerme un vaso de agua?

–Claro –y salgo con Martina.

–¿Quién es esa señora?

–Mi madre.

–¿Está muy mal?

–Creo que sí, pero aún no lo sé con seguridad.

–Si quieres se lo pregunto a mi madre. Ella lo sabe todo; es genial en su trabajo. Hoy no podía dejarme en casa y me ha hecho venir. Bueno, entonces, ¿quieres que se lo pregunte?

–No, Martina, no te molestes.

Se queda un poco desilusionada. Camina a mi lado en silencio.

–Pero, enséñame dónde puedo conseguir el agua.

–¡Claro! –Se anima otra vez–. Ven, vayamos por aquí, que se llega antes.

Poco después regresamos a la habitación. La jefa de sala acaba de controlar el último tubito. Le da un golpe preciso a un gotero, comprobando que el líquido empiece a caer. Le parece que está todo en orden.

–Bueno, pasaré otra vez hacia medianoche. –Después se dirige hacia la salida–. Puede quedarse cinco minutos más.

–Gracias.

–Ven, Martina, vamos.

Coge a su hija del brazo para estar segura de que sale de la habitación.

–¡Ay, mamá, no me estires! ¡Ya voy! Adiós, Step, hasta pronto.

La saludo con la mano y vuelvo a ocupar mi sitio junto a la cama. Dejo el vaso de agua sobre la mesilla.

–Gracias, Stefano. No sabía que tuvieras tantas admiradoras. La enfermera me ha contado que Martina y sus amigas están literalmente enloquecidas con tu inscripción del puente.

–Ya, no creía que fuera a hacerme famoso por eso. ¡Si ni siquiera la firmé!

Mi madre se ríe.

–Pero la gente habla, ¿no lo sabes? Siempre se sabe todo. ¿Y ella? La que estaba contigo..., a tres metros sobre el cielo..., ¿qué dice?

–La vi ayer.

–¿Qué quiere decir que la viste ayer? ¿No estás saliendo con otra?

Guardo silencio. Mamá estira los brazos.

–Bueno... Creo que soy la persona menos indicada para hablar de eso, ¿no? –Nos miramos. Después, de repente, nos echamos a reír. Parece estar mejor. La medicina ha hecho su efecto–. No sé qué has hecho, pero ¿quieres un consejo? No le cuentes nada a la otra, ni siquiera que la has visto. Supera solo y en silencio tu error. Espero que lo que yo hice no sea hereditario, porque si no tendría que sentirme culpable también por tus errores.

–No, mamá, déjalo, con que yo me sienta culpable es suficiente. He deseado tanto volver a verla, he pensado en ella día y noche, he imaginado ese momento, cómo sería...

–¿Y cómo ha sido?

–¡Tú y yo... a tres metros sobre el cielo!

–A veces hacemos cosas estúpidas. Y no precisamente cuando estamos enamorados, sino cuando creemos estarlo.

Nos quedamos en silencio.

–Bueno, mejor así. Al menos has aclarado algo. Las historias pasadas son pasado. Se acabó. Creo que no podías evitarlo.

–Pero debería haberlo hecho y, para colmo..., va a casarse.

–Ah, bien. ¿Y es por eso por lo que te has quedado mal?

–No. Lo absurdo es que no me importó nada. Me pareció otra persona, alguien que no tenía nada que ver conmigo, con lo que yo recordaba; ya no era la chica que tanto había añorado, por culpa de la cual había estado tan mal. Y lo más absurdo es que se casa y que me lo dijo cuando ya había pasado todo. Me sentí aún más culpable.

–¿Por lo que te dijo?

–No, por la otra chica. Por lo distinta que es de ella y porque no se lo merece.

Mi madre me mira. Después sonríe. Y vuelve a ser esa madre que tanto he echado de menos.

–Stefano, hay cosas que tienen que suceder, ¿y sabes por qué? Porque si hubiera ocurrido más adelante, entonces ya no habría sido posible arreglarlo. De eso, lamentablemente, estoy segura.

Nos quedamos así un rato, en silencio.

–Bueno, me voy. No quiero que vuelva la enfermera y me vea aún aquí.

–Yo en tu lugar estaría más preocupada por si vuelve tu pequeña admiradora.

–¡Ah, eso seguro!

Le doy un beso en la mejilla. Ella me sonríe.

–Ven a verme otra vez.

–Claro, mamá.

Llego a la puerta y me vuelvo para saludarla. Me sonríe desde lejos y levanta la mano. Hasta me guiña el ojo, quizá para que la vea más fuerte.

–Stefano...

–Sí, mamá, dime. ¿Necesitas algo?

–No, gracias, ya lo tengo todo. Bienvenido.

Setenta y tres

El sol se pone. Interfono. Alguien contesta.

–Perdone, ¿está Ginevra?

–No. Está en la iglesia, aquí al lado, en San Bellarmino. ¿Quién es?

Me alejo. No tengo ganas de contestar. Maleducado por una vez. Perdonadme también vosotros, pero hoy me lo puedo permitir. Entro en la iglesia en silencio. No sé qué decir, qué hacer, acaso rezar, y en ese caso, ¿por qué? Ahora no. Ahora no quiero pensarlo. Algunas señoras mayores de rodillas mirando hacia el altar. Todas ellas tienen un rosario. Lo mueven de vez cuando entre las manos, nerviosas, pronunciando palabras dirigidas al Señor, oraciones que esperan que él pueda oír. Él puede, claro que sí. Pero quién sabe si quiere. Quién sabe si lo considerará justo, siempre que exista la justicia. Pero no quiero pensarlo. Tengo otras cosas que hacer. Yo ya tengo mi pecado. Para mí es todo más fácil. Allí está. La veo de espaldas. No está arrodillada, pero reza. De todos modos, le dice algo ella también al Señor. Me acerco despacio.

–¿Gin?

Se vuelve y me sonríe.

–Hola... Qué bonita sorpresa... Le estaba dando las gracias al Señor, ¿sabes?... –Se lleva las manos al vientre–. Todo está en su sitio. Estaba muy preocupada... Es decir, no es que no quisiera... Pero así, por casualidad, me parecía feo. Una cosa tan importante, tan bonita, tener un hijo...

–Sh –le digo.

Le doy un beso suave en la mejilla. Me acerco después a su oreja y sin pausa, sin esperar más, sin miedo, me lanzo. Se lo cuento todo, le susurro mi pecado, lentamente, esperando que entienda, que pueda entender, que pueda perdonarme. Ya he acabado. Me echo hacia atrás. Ella me mira en silencio. Yo la miro. No me cree.

–¿Es una broma? –Intenta sonreír.

Sacudo la cabeza.

–No. Perdóname, Gin.

Empieza a pegarme con los puños, con rabia, llorando, gritando, olvidándose de que está en la iglesia o, quizá, justificándose por eso.

–¿Por qué? ¿Por qué? ¿Dime por qué? ¿Por qué lo has hecho? ¿Por qué?

Sigue así, desesperada, cae de rodillas y sigue llorando, sollozando, buscando esa respuesta que yo no tengo. Después se marcha corriendo, dejándome allí, en esa iglesia casi vacía, bajo las miradas de esas mujeres mayores que por un instante han olvidado sus oraciones y se ocupan de mí. Las miro y estiro los brazos. Quizá vosotras podréis perdonarme. Pero no podéis, vosotras no. Contra vosotras no he pecado. Sólo os he molestado un poco... Sí, por eso tal vez podáis perdonarme. Se vuelven de nuevo hacia el altar y retoman en silencio sus oraciones. Quizá me hayan perdonado. Al menos ellas. Con ella será más difícil.

Setenta y cuatro

Algunos días después. La casa de los Gervasi está a oscuras. Un silencio y una tranquilidad que desde hace tiempo no se veía. Suave perfume de flores. Babi mira en la cocina y se da cuenta de que hay distintos ramos de novia para la prueba.

–¡Vete, Lillo, no tienes que ver nada! Lo estropearás todo, venga. Será más bonito si es una sorpresa.

–Esperaba que pudiéramos estar un rato juntos, con todos estos preparativos, estamos dejando de lado otro tipo de entrenamiento...

–Quizá más tarde, creo que hay alguien en casa. Venga, vete, quizá luego te llame. Si se marchan, vienes tú, y si no, voy yo a tu casa, ¿de acuerdo?

–Está bien, como quieras.

Babi le da un beso fugaz a su futuro esposo. Lillo, ligeramente enojado, sonríe, después baja velozmente la escalera y desaparece en el rellano del piso de abajo. Babi cierra la puerta.

–Mamá..., ¿estás en casa?

–Estoy aquí, en el salón.

Raffaella está sentada en un sofá, con las piernas estiradas, bebiendo un té verde que, naturalmente, hoy en día está muy de moda. Babi se reúne con ella. Las persianas están cerradas. Un amable reloj de péndulo marca el tiempo que pasa. Se oye alguno que otro ruido de la calle como un eco lejano y nada más. Babi se sienta en el sofá delante de ella.

–¿Sabes, mamá?, he pensado que... Nosotros no sabemos realmente qué ocurre en las demás familias, lo distintas que son de nosotros, qué historias tienen...

–Pues no sé, pero está claro que lo tienen difícil para superarnos.

Se miran y repentinamente se echan a reír.

–No, estoy segura de que no. Tengo que decirte algo. Anoche vi a Step.

Raffaella se pone seria.

–¿Por qué me lo cuentas?

–Porque decidimos que nos contaríamos todo.

La madre se queda pensativa.

–Sí, precisamente el otro día ordenaba tu habitación y encontré el póster que te trajo, aquel que tuviste tanto tiempo colgado del armario. Donde hacíais el «caballito», como lo llamáis vosotros.

–Sí, me acuerdo. ¿Lo tiraste?

–No, cuando sea el momento lo tirarás tú.

Un extraño silencio entre ellas, roto repentinamente por Babi:

–Ayer hice el amor con Step.

–¿Lo dices a propósito? ¿Pretendes fastidiarme?

Raffaella se levanta y después pierde por un instante la calma.

–¡Dime la verdad! ¿Qué quieres de mí, eh? Dime qué quieres...

Parece querer abofetearla, sacudirla con violencia. Está cerca, demasiado cerca. Babi levanta la mirada y le sonríe tranquila, serena.

–¿Qué quiero de ti? Si ni siquiera sé qué quiero de mí, imagínate si puedo saber qué quiero de ti. Además, lo que tú podías darme ya me lo has dado.

Raffaella vuelve a sentarse. Respira hondo. Vuelve la calma. Permanecen un momento en silencio sentadas en los sofás. Figuras femeninas de distinta edad pero muy parecidas en tantas cosas, en demasiadas cosas. Después, Raffaella sonríe.

–Te sienta bien ese nuevo corte de pelo.

–Gracias, mamá. ¿Cómo va con papá?

–Bueno. Ya te puedes imaginar... volverá. Ha querido demostrarse algo a sí mismo, pero volverá. No es capaz de estar lejos. Él no es un problema. Pero ¿qué has decidido tú?

–¿Yo? ¿Sobre qué?

–¿Cómo que sobre qué? Dime qué tengo que hacer. Esta noche voy a la fiesta de los Marini. Quizá alguna amiga me pregunte algo, querrán saber... Acabas de decirme que viste a Step anoche... ¿Y bien? ¿Qué has decidido? ¿Te casarás igualmente?

–Claro. ¿Por qué no iba a hacerlo?

Raffaella suspira; ahora está más tranquila. Todo volverá a su sitio. Es sólo cuestión de tiempo y todo volverá a ser perfecto como antes, es más, mejor que antes.

Un nieto de quién sabe quién, una boda como Dios manda y un marido castigado temporalmente. Sí, todo volverá a su sitio. Raffaella se levanta del sofá.

–Bueno, entonces puedo marcharme. Esta noche tenemos partida de burraco. ¿Sabes jugar?

–No. Una vez vi que jugaban en casa de Ortensi, pero no me senté.

–Tienes que probarlo, es mucho mejor que el gin. Es más divertido. Un día que tenga un poco de tiempo te lo enseñaré, ya verás como te gusta.

–De acuerdo.

Raffaella la besa y está a punto de salir.

–Mamá...

–Sí, dime.

–Hay otro problema...

Raffaella vuelve a entrar en el salón.

–A ver...

–Lo he pensado mucho y no quiero que te enfades, pero no quiero llamar las mesas de los invitados con nombres de flores. Es demasiado banal. Stefanelli también lo hizo en su boda.

–Tienes razón.

–Qué sé yo, podríamos usar, por ejemplo, nombres de piedras preciosas. ¿No es más elegante?

Raffaella sonríe.

–Mucho más. Tienes razón, es una excelente idea. Haremos que cambien el cartel y las tarjetas de mesa. Si todos los problemas fueran como ésos...

La besa otra vez y sale feliz. Tengo una hija espabilada. Es un poco como yo, resuelve siempre cualquier problema encontrando la mejor solución. Raffaella va a su habitación a arreglarse. Al cabo de poco sale corriendo, elegante e impecable como siempre. Quiere llegar puntual a casa de los Marini. Y sobre todo, tiene una última y gran preocupación. Esta noche tiene que ganar como sea al burraco.

Setenta y cinco

–Mamá, yo salgo.

–De acuerdo, Gin. Pero llámame si se te hace demasiado tarde. Dime si vendrás a cenar. Quiero prepararte esa pizza que te gusta tanto.

No la escucho.

–Sí, gracias, mamá.

Me pongo una sudadera y decido salir, perderme así, sin prisa. Sólo yo puedo entenderlo. He deseado tanto todo esto. ¿Y ahora? Nada, ahora me encuentro sin nada, sin mi sueño. Pero ¿era todo verdad lo que tanto había soñado? No quiero pensar en eso. Estoy fatal. Uf, no hay nada peor que encontrarse en una situación así. Todos hablamos mucho cuando nos cuentan cosas parecidas que les ocurren a otras personas. No sé por qué, pero nunca pensamos que puedan sucedernos a nosotros y, en cambio, el día menos pensado, ¡pam!, te toca a ti, como si te hubieras traído mala suerte tú sola. Joder, Gin, tienes que arreglar cuentas con tu orgullo y tus ganas de seguir con él... ¡Pero no me apetece arreglar cuentas, me cago en la puta! ¡Qué coñazo! Siempre he sido una negada en matemáticas. ¡Y además, en el amor no existen ecuaciones ni operaciones matemáticas! No existe el contable de los sentimientos, o peor, el asesor financiero del amor. ¿Qué ocurre, que hay que pagar un impuesto para ser feliz? Si fuera verdad, lo pagaría a gusto... Pero qué ganas tengo de estar con él... Estoy en el puente Milvio. Paro el coche y bajo. Me acuerdo de esa noche, de esos besos, de mi primera vez. Y después aquí, en el puente... Me detengo delante de la tercera farola. Veo nuestro candado y me acuerdo de cuando arrojó la llave al Tíber. Era una promesa, Step. ¿Tan difícil era mantenerla? Me echo a llorar. Por un instante, querría llevar algo encima para romper el candado. ¡Te odio, Step!

Subo de nuevo al coche y arranco. Me voy a dar una vuelta, así, sin saber adónde ir. Durante un buen rato. No sé cuánto, no lo sé. Sólo sé que ahora voy en dirección al mar. Perdida en el viento, distraída por las olas, por la cantinela de las corrientes. Pero estoy fatal. Y además, me siento tan estúpida... No puedo creerlo, no es posible. Echo muchísimo de menos a ese imbécil, echo de menos todo lo que había soñado. Sí, claro, lo sé, alguien podría decirme: «Pero, Gin, es normal, ¿qué esperabas? ¡Era su novia! Step se fue a Estados Unidos porque estaba mal. ¡Es normal que haya vuelto a caer!» ¿Ah, sí? Pues entonces yo no soy en absoluto normal, ¿entiendes? ¡No me siento así y, sobre todo, no me importa nada! Sí, así es. ¿Entonces, qué? ¿Lo has comprendido o no, gafe, que no eres más que una gafe?... Ah, pero yo lo sé, estoy segura... Pensabas desde el principio que pasaría esto, ¿verdad? Desde que empezó nuestra historia... Pues ¿sabes qué te digo, a ti, que no eres más que un asqueroso cenizo? No me importa nada de nada, ¡porque estoy loca! ¿De acuerdo? Sí, estoy loca, estoy loca por él, y por todo lo que había soñado para nosotros. O sea, que te lo digo: si te veo, te parto la cara. Es más: te hago un tercer dan que te acordarás toda la vida. Y además, no puedes ni imaginarte lo mucho que deseo hacerlo.

Setenta y seis

El enfermero de guardia está sentado delante de un monitor. Es el mismo de antes. Acaba de teclear algo en el ordenador y después me ve entrar. Me reconoce y se pone rígido de repente. Luego se encoge de hombros y esboza una media sonrisa, como diciendo: «Claro, no es la hora pero puedes entrar.»

–Gracias.

Me dan ganas de reírme. Pero no es justo. También me siento un poco culpable. Y no sólo por eso. Lo sé. No me gusta cambiar las reglas con la violencia, pero necesito ver a mi madre, ahora que la he reencontrado. Recorro el pasillo en silencio. De las habitaciones situadas a ambos lados me llegan respiraciones afanosas y dolientes. Todo huele a limpio y a lavanda. Pero con un no sé qué de falso. Un hombre se arrastra en pijama con la barba descuidada y los ojos apagados. Bajo el brazo lleva una *Gazzetta dello Sport* de un rosa abarquillado. Quizá la compra por parte de su equipo de un nuevo jugador podría de alguna manera volver a animarlo. Quién sabe. En el dolor, las cosas más sencillas y banales asumen un valor inesperado. Todo se convierte en un pretexto cualquiera para la vida, un interés que de algún modo pueda distraernos. Ahí está, descansando, perdida en un cojín mucho más grande que su pequeña cara. Me ve y sonríe.

–Hola, Stefano...

Cojo una silla y me pongo a los pies de su cama.

–¿Y bien?

Me mira interrogativa. Ya sé a qué se refiere.

–Nada, no he podido. Lo siento. Se lo he dicho.

–¿Y cómo ha ido?

–Me ha pegado.

–Oh, finalmente una que te da. Has elegido el camino más difícil. ¿Es una chica muy especial?

La describo.

–Y tengo una foto.

Se la enseño. Es curiosa. Pequeñas arrugas aparecen en su cara. Y después, una sonrisa de sorpresa. Después, de nuevo, una punzada de dolor en alguna parte de su cuerpo, escondida, bien escondida. Por desgracia.

–Tengo que decirte algo...

Me preocupo y se da cuenta.

–No, Stefano. No es nada importante... Es decir, lo es, pero no debes preocuparte.

Permanece un momento en silencio, indecisa sobre si decírmelo o no. Parece que hayamos vuelto a tiempo atrás, cuando yo era pequeño, y ella..., ella estaba bien. Me gastaba bromas, me escondía cosas, me tomaba el pelo y nos reíamos juntos. Tengo ganas de llorar. No quiero pensarlo.

–Entonces, mamá, dime.

–Yo conozco a Ginevra.

–¿La conoces?

–Sí, tienes muy buen gusto... Es decir, ella ha tenido mucho gusto... O sea, que es ella quien te ha elegido y tú has armado todo este lío...

Prefiero no pensarlo.

–Pero ¿cómo es que la conoces? ¿Cómo ha sido?

–Me hizo jurar que no te lo diría. ¿Que cómo fue? Fue ella la que quiso conocerme. Yo siempre veía a esa chica esperando debajo de casa. Venía a menudo. Al principio pensé que esperaba a alguien que vivía en el edificio. Pero cuando me iba con el coche, veía que ella también se marchaba.

–¿Y?

–Entonces un día me la encontré en el supermercado y chocamos. No sé si fue casualidad, pero el caso es que empezamos a hablar...

Tose. Se encuentra mal. El esfuerzo ha sido demasiado. Busca en el aire oxígeno, vida, algo..., pero no encuentra nada. Después me mira y sus ojos están llenos de amor, de dulzura; son los ojos de una mujer que querría gritar: «¿Eh, qué haces? ¿Por qué me miras así? ¡Soy tu madre! No puedes sentir compasión por mí.» Y entonces yo vuelvo a ser su hijo, egoísta, pequeño, en definitiva, precisamente como me quiere ella.

–Cuéntame cómo fue, por favor.

–Sí. Pues hicimos amistad, no sé cómo, pero empezamos a charlar... Ella no sabía que yo la había visto debajo de casa. Bueno, la verdad es que ahora no estoy tan segura. El caso es que le hablé un poco de mí, de papá, de Paolo, de ti...

–¿Qué le contaste de mí?

–¿De ti?

–Sí, de mí, ¿de quién si no?

–Pues que te quiero mucho, que te echaba de menos, que te habías ido al extranjero, que volverías... Al final parecía sentir curiosidad por nuestra historia. Y preguntaba siempre si habías llamado..., si había sabido de ti.

–¿Y tú?

–¿Qué podía decirle? Nunca sabía nada de ti. Después supe que volverías ese día, cuando me dijo Paolo que iría a buscarte al aeropuerto... Y entonces, cuando hablé con Ginevra...

–¿Hablaste? Pero ¿por qué? ¿También os llamabais?

–Sí, nos habíamos intercambiado los teléfonos. ¿Qué tiene de raro? Nos habíamos hecho un poco amigas.

No puedo creerlo. Qué raro. Parece todo tan extraño.

–¿Entonces, qué?

–Nada, se lo dije.

–¿Y ella?

–Y ella siguió charlando, como si nada; me dijo que se había apuntado a natación... Ah, sí, me hizo reír porque me preguntó si quería ir con ella... Pero ahora que lo pienso, hay una cosa rara...

–¿Qué?

–Desde que volviste he ido a menudo al supermercado...

–¿Y?

–Pues que desde entonces no he vuelto a encontrármela nunca más.

La miro. Me quedo en silencio. Después asiento y sonrío. Ella querría devolverme la sonrisa, pero otra oleada de dolor le hace cerrar los ojos. Esta vez, más rato. Le cojo la mano. Ella me la aprieta con fuerza, con una fuerza inesperada. Después suelta la presa y vuelve a abrir los ojos, y cansada, más cansada que antes, esboza una sonrisa.

–Stefano..., te lo ruego... –Me señala un vaso–. ¿Me traes un poco de agua, por favor?

Cojo el vaso y me levanto. Doy algunos pasos y oigo otra vez cómo me llama.

–Stefano...

Me vuelvo.

–¿Sí?

–Mándale unas bonitas flores a mi amiga Gin, unas flores preciosas.

Apoya la cabeza sobre la almohada y me sonríe.

–Sí, mamá, claro...

Salgo de la habitación y encuentro en seguida el baño con el agua potable que me había señalado Martina. Tras dejarla correr un poco, lleno el vaso tal como me ha enseñado mamá, ni demasiado ni demasiado poco. Algo más de la mitad, la medida justa. Regreso a la habitación y me bastan algunos pasos. La veo tranquila, descansando. En la ciento catorce. Con una sonrisa dulce en la cara y los ojos cerrados, tal como la he dejado. Pero no ha querido esperarme. Mamá siempre ha odiado las despedidas. Y, no sé por qué, me acuerdo de cuando me marché con el tren en la primera excursión del colegio a Florencia. Las otras madres estaban todas allí con sus pañuelitos, blancos o de colores, o lo que tenían a mano, saludando a los niños que se asomaban a las ventanillas de los compartimentos. Yo también me asomé. La busqué en la marquesina entre la gente, entre las otras madres, pero ella ya no estaba. Ya no estaba. Precisamente como ahora. Ya se ha ido. Mamá... Dejo el vaso en la mesilla a su lado. Te he traído agua, mamá. No lo he llenado demasiado precisamente como tú me enseñaste. Mamá. La única mujer que no dejaré nunca de amar. Mamá. Esa mujer que no hubiera querido perder nunca. Y que en cambio he perdido dos veces. Mamá..., perdóname. Y salgo así, en silencio, entre camas numeradas, entre personas desconocidas. Distraídas por su dolor, no miran el mío. Un timbre suena a lo lejos. Dos enfermeros me adelantan corriendo. Uno choca conmigo sin quererlo, pero no presto atención. Van hacia mi madre. Estúpidos, no saben que se ha marchado. No la molestéis. Ella es así, no le gustan las despedidas, no se vuelve hacia atrás, no se despide. Mamá, te echaré de menos, más de cuanto te he echado de menos en estos años. «Si aquello que me hirió también te hirió a ti, yo te veo feliz en un campo de fresas, yo te veo feliz así, bailando ligera, preciosa, así...» Palabras de una canción que vuelve. Para ti, mamá, sólo para ti. Llévatelas, agárralas fuerte allí donde estés yendo. Baila bellísima en ese campo de fresas, finalmente libre de todo lo que te había aprisionado aquí. Estoy llorando. Bajo. No está el enfermero de recepción. Hay una mujer. Me mira, curiosa por un instante, pero no dice nada. Habrá visto a mucha gente salir sin esconder su propio dolor. Ya no hace caso. Le parecemos todos iguales, está casi aburrida de nuestras estúpidas lágrimas que no sirven para nada. Salgo. Es por la tarde. El sol aún está alto, el cielo límpido. Veo llegar a mi padre y a mi hermano. Están lejos. Charlan serenos, sonríen. Quién sabe de qué hablan. No lo sé y no quiero saberlo. Dichosos ellos que aún no saben nada. Pocos momentos antes del dolor inevitable, de la impotencia total, de la aceptación definitiva. Que disfruten aún. Aún tranquilos y contentos, ignorantes. Aún por poco. Cambio de calle y me alejo. Ahora tengo otra cosa que hacer. Me dejo ir, me pierdo en el viento. Me gustaría que mi dolor se volviera ligero. Pero no es así. Y llego allí por casualidad, sin quererlo, lo juro. En este momento no diría nunca una mentira. Y veo a ese niño con su amigo.

–Entonces quedamos en el parque a las cuatro, ¿vale? Eh, Thomas, estoy hablando contigo, ¿vale?

–Sí, sí, entiendo, a las cuatro, no estoy sordo.

–Sordo, no, pero tonto sí. Claro que es inútil que vayas, Michela no vendrá.

–¡Pero quién te dice que espero a Michela! ¡Quiero ver a Marco, que tiene que devolverme el balón!

–Sí, sí, el balón...

A veces uno está en el lugar adecuado en el momento justo. Lo miro. No me parece que el chaval tenga derecho precisamente a ignorar a la cría de los Stellari. Martina, como mínimo, se merece una oportunidad. Al menos una. Me acerco. No me hace demasiado caso. Por un instante me mira con curiosidad, me examina para ver si me conoce, si ya me ha visto en algún sitio. Entonces le doy un bofetón en toda la cara. Y se queda así, sin palabras. Me mira aturdido, pero sin llorar, agarrado a su dignidad. Después le digo lo que tengo que decirle. Y él escucha en silencio, sin huir. Me gusta ese crío. Después me alejo con la moto. Miro por el retrovisor. Y veo cómo se hace cada vez más pequeño. Una hormiga en un mundo aún por descubrir y por entender. Se frota la mejilla izquierda con la mano. Roja como la pizza que me había ofrecido Martina. Y por un instante, el hecho de haber entrado ya en los que serán sus recuerdos me hace sentir seguro. Viviré algo más de tiempo. Después pienso en mamá, en sus últimas palabras, en su consejo. Sí, mamá. Claro, mamá. Como tú quieras, mamá. Y obediente como no lo he sido nunca, como ese hijo que me hubiera gustado tanto ser, entro en la tienda más cercana.

Setenta y siete

Algo más tarde. En casa de los Biro.

–Ginevra, ¿puedo entrar?

Gin le abre la puerta de su habitación a su madre.

–¿Qué pasa, mamá?

–Esta tarde han traído esto para ti.

Rodeada por un gran ramo de rosas rojas, la madre se asoma a su habitación y le sonríe dejándolas sobre la cama.

–¿Has visto qué bonitas? Y además, mira... hay una rosa blanca en el centro. Sabes qué quiere decir, ¿verdad?

–No, ¿qué quiere decir?

–Es una petición de disculpas. ¿Alguien te ha hecho algo, alguien tiene que excusarse?

–No, mamá, está todo bien.

Pero a las madres no se les escapa nada. Además, los ojos enrojecidos de Gin no dejan lugar a dudas.

–Toma... –Le pasa un pañuelo y le sonríe–. Cuando quieras, ven a la mesa.

–Gracias, mamá, pero ahora no me apetece comer.

–Está bien. Pero no te lo tomes muy a pecho. No vale la pena.

Gin sonríe a su madre.

–Ojalá...

Antes de salir, la madre le entrega una nota.

–Toma, esto estaba entre las rosas. Quizá sea la explicación a esa rosa blanca.

–Quizá...

La madre la deja sola, sola con su dolor, sola con sus flores, sola con la nota. Hay momentos que una madre conoce bien. Tal vez porque ha pasado por ellos. Quizá porque sabe que una hija se puede amar incluso de lejos. Quizá porque, a veces, cuando está por medio el dolor, todo ese amor no puede ser más que un estorbo. Cierra la puerta y la deja así, con esa nota entre las manos. Mi nota. Gin la abre. Gin lee curiosa el principio: «Me lo has pedido muchas veces y yo te he dicho siempre que no. Me habría gustado regalártelo para tu cumpleaños, para Navidad, para una fiesta cualquiera. Nunca para pedirte perdón. Pero si tuviera que servir, si no bastara, si tuviera que escribir aún mil y mil y mil más, lo haría también porque no puedo vivir sin ti.» Y Gin sigue leyendo: «He aquí lo que querías: mi poema.» Sonríe y lee, lee. Resbala entre las palabras, llora, sorbe por la nariz y se ríe otra vez. Se levanta y continúa. Nuestros momentos, nuestra pasión, el viaje, la emoción. Y sigue sonriendo, sorbiendo aún por la nariz, secándose los ojos, destiñendo alguna palabra mía con alguna que otra lágrima que se le ha escapado de la mano. Y avanza así, hasta el final. No le digo nada de mi madre. Sólo le hablo de nosotros. No le hablo de nada más que de mí, de mi corazón, de mi amor, de mi error. Robo las palabras de una película que he visto y vuelto a ver muchas veces en Nueva York... «Quiero que levites, quiero que cantes con fervor... Ten una felicidad delirante o al menos no la rechaces. Ya sé que te suena cursi, pero el amor es pasión, obsesión, alguien sin el cual no vives. Yo te digo: lánzate de cabeza, encuentra alguien a quien amar con locura y que te ame de la misma forma. ¿Cómo encontrarlo? Olvídate del cerebro y escucha tu corazón. Yo no oigo tu corazón. Porque la verdad, tesoro, es que no tiene sentido vivir si no se tiene esto. Hacer el viaje y no enamorarse profundamente equivale a no vivir. Pero tienes que intentarlo, porque si no lo intentas, no vivirás nunca...» Y yo espero haberla convencido de que ya ha encontrado a ese alguien, un alguien que espera ser perdonado algún día. Pero no tengo prisa. «Te esperaré. Y esperaré. Y esperaré aún más. Para verte, para tenerte, para sentirme otra vez feliz. Feliz como un cielo en el ocaso.» Gin se echa a reír. Después tiene una extraña sensación, repentina. Se vuelve de golpe. Mira en su mesa. Allí, en la esquina donde siempre los ha tenido escondidos. Y repentinamente lo entiende. Y se siente morir. Sale corriendo.

–¡Mamá, lo has dejado entrar en mi habitación!

–Pero si era ese chico simpático, el del champán, ¿no? Parece tan buen chico... Además, te había traído estas preciosas flores... No podía decirle que no, me parecía descortés.

–Mamá... No sabes qué has hecho.

Setenta y ocho

Estoy sentado en mi habitación. Me siento como un ladrón. Y en efecto, lo soy. Pero soy demasiado curioso. Cuando los he visto sobre la mesa, no podía creerlo. Tres diarios, uno para cada año. Desde el primer año de instituto. Gin es increíble. Siempre tan desordenada, y después, repentinamente precisa. Empiezo a hojear el primero. Ha hecho un montón de anotaciones divertidas. Quién sabe quién será ese tal Francesco. Fra, como ella lo llama. Las páginas están todas llenas de corazoncitos. De todos modos, no la ha tenido. Me ha sorprendido de verdad que no hubiera estado jamás con un chico. No lo hubiera creído nunca, en serio. Es demasiado tierna. Y además, tan guapa... Es como es. Única. Tiene una fuerza, una determinación... A veces parece distraída y, en cambio, lo está siguiendo todo; mira a su alrededor, incluso en las fiestas, quizá mientras charla con una amiga, al tiempo que observa con quién hablo, con quién no hablo, qué pasa al fondo del salón, quién acaba de entrar, quién dice qué y sobre quién... Y se ríe como una loca y tiene siempre una broma preparada... Gin. Siento mucho lo que ha pasado. La situación con Babi se me escapó de las manos. No sabía qué estaba haciendo, había bebido. Sí... Venga, Step, parece que la tengas delante y estés volviendo a explicárselo todo..., es absurdo. A veces sólo buscas el amor. Sí, pero no te das cuenta de que esa mujer a la que tanto has querido se ha marchado, ya no está. ¿Eras tú la que la había inventado? Buscas en ese ósculo el desesperado sabor de todo aquello que has sentido, experimentado..., pero ya no está. ¿Quién te lo ha robado? ¿Escondido?

¿Robado? ¿Quién? He reencontrado sus ojos, pero no esa luz, no esa sonrisa que tanto he añorado. Así, al separarme de ella esa noche, repentinamente lo entendí: mi Babi ya no estaba. Nada, sólo su pelo apagado como esa sonrisa naufragada quién sabe dónde. Entonces he vuelto a cerrar los ojos y me he escapado lejos, entre los recuerdos, bailando aún con ellos, como un carrusel grande y único, todos de la mano, riendo, bromeando. Y he vuelto a ver a esa chica, a la Babi de entonces, bella como un primer mar en primavera, fresca y asustada, deseosa de amar y ser amada, temerosa hasta del simple gesto de quitarse un sujetador. Allí está, para siempre mía y de nadie más... Aunque a veces no hay que perturbar los recuerdos. Basta. No quiero pensarlo más. Lo hecho, hecho está. Gin lo entenderá. Tiene que entenderlo. Si no se lo hubiera contado, habría vivido siempre oculta, nunca hubiera salido a la luz. Volver a la luz del amor. Lo entenderá. Tiene que entenderlo. En el fondo no sabía nada de mí, no me había visto nunca.

Pero ¿qué hay aquí? Empiezo a leer.

28 de mayo de 2002

¡Hoy soy feliz, feliz como no lo he sido nunca! Finalmente he olvidado del todo a Francesco, lo he borrado, dinamitado, expulsado, para siempre...

Te creo, a saber qué clase de tipo era...

Porque ayer pasó la cosa más increíble de mi vida. Estaba en una fiesta en casa de Roberta Micchi, una chica mayor que yo, una a la que se tiran un montón de quinto. Me había colado con otras dos amigas (Ele y Simo) y nos estábamos divirtiendo cuando llegaron ellos..., los que se cuelan, los Budokani.

Joder, no me lo puedo creer, ¿habla de nosotros? Pero ¿de cuándo está hablando? ¿De qué fiesta? Sigo leyendo muy de prisa.

Descubrí que se llamaban así mientras arrojaban el pastel de la homenajeada y le daban a Giò (el hortera que le tira los tejos a Ele) ¡¡¡en toda la cara!!! Menuda puntería. Armaron un jaleo... Creo que también desaparecieron un montón de cosas. En resumen, estoy alucinada, estoy completamente loca por él. En cuanto entró, chocó conmigo. Pero me pidió perdón, y para que no me cayera, me cogió al vuelo y me agarró, abrazándome... ¡Ostras! De repente teníamos las caras a un milímetro y enloquecí. Quién sabe si él se dio cuenta. ¡Sólo sé que se llama Step! Un nombre divertido. ¡Además, es guapísimo! Sólo espero volver a verlo pronto...

Es decir, que nos habíamos conocido. Nos vimos. O, mejor dicho, chocamos... Pero ¿qué significa toda esta historia? Joder, ¿así que en la fiesta donde conocí a Babi, donde me duché con ella cargada al hombro, estaba también Gin? Chocamos..., no me acuerdo. Pero a lo mejor no se refiere a esa vez... Sigo leyendo veloz, hojeando otras páginas, buscando otros momentos, otros recuerdos, otras verdades. Y avanzo como enloquecido, sorprendido, alucinado. Hojeo de prisa las páginas del diario. Mis ojos vuelan entre las líneas... Adelante, atrás. Aquí.

¡Lo he visto! Son las dos y media de la madrugada y no puedo dormir. He estado en el Olimpica y él estaba allí con su amigo, que creo que se llama Pollo. ¡Ha ganado incluso una carrera! ¡Me gusta un montón, pero veo que tontea demasiado con esa imbécil de quinto, la Gervasi! Joder, Step, si sales con ella pierdes puntos. Ésa es una imbécil (me repito...), ¡de casa a la iglesia! Es más, no sé ni siquiera qué hacía allí, ¡¡¡hasta ha hecho de camomilla*!!! O tú las transformas, Step, o no sé qué pensar. Debes de tener un don y no sé decirte cuál, no quisiera ser cursi, ¡¡¡pero la verdad es que con esa «batuta» tuya montas unos líos!!! Estaba también la ordinaria de Maddalena. Quién sabe si es verdad lo que dicen, que tienes una historia con ella. Bueno, no sé qué pensar. ¡Eh, príncipe mágico!,* Cum laude *o como demonios te llamen, antes o después te darás cuenta de que existo (espero). ¡Hasta me había puesto el cinturón de* camomilla*! Pasaste por delante de mí*

y ni te dignaste mirarme... TRANSFÓRMAME... *De lo contrario, te embrujo yo. Bueno, me voy al sobre.*

Me quedo sin palabras y continúo. Otra vez algo que tiene que ver conmigo.

Eso es, lo sabía, está con los demás y ha pasado por la piazza Euclide... Me ha dicho Ele que siempre quedan ahí...

Continúo un poco más. Hojeo dos o tres páginas de prisa...

¡No me lo puedo creer! ¡¡¡Han empezado a salir!!! ¡¡¡Step, te odio!!! ¡Y por si fuera poco, esa boba de la Gervasi se ha dado de hostias con The Body! ¡Con Madda Federici! ¡Entonces era verdad que tenías una historia con ella! Claro que a Babi le ha dicho de todo... Y le ha dado. No hay derecho, joder... ¡Oye, cuando es necesario, es necesario! ¡¡¡Pero cómo coño sales con una tía así, Step!!! Te juro que un día tendrás que explicármelo. ¿No te das cuenta de que esa tipa no tiene agallas? ¿Que para ella tú eres un juguete caro? ¡En cuanto te tenga, acabarás en el armario con todos esos juguetes del pasado de los que ya se ha hartado! Es verdad que a veces los hombres sois de un ridículo y de un banal que no os dais cuenta del oro que tenéis al lado (¡yo!), y vais a buscar el cobre lejos (¡¡¡ella!!!). Pero qué suerte tiene... Quiero ver cómo se las apaña. ¡¡¡Y tanto que quiero verlo!!!

Y de hecho, lo hace. Hojeo las páginas y me doy cuenta de que no me ha dejado ni un instante. Página tras página. Gin... Lo has anotado todo. Siempre estabas ahí.

Ayer estuve en Fregene. Estaba en Mastino. Pasó por allí. Madre mía, de ensueño. Está muy moreno. Me gustaría gritarle: «¡¡¡Step, estás para chuparse los dedos!!!» Estábamos jugando al pañuelo mientras esa sosa de la Gervasi estaba sentada en un patín, ¡¡¡y al principio ni siquiera se dio cuenta de que habías llegado!!! ¡Pero qué imbécil puede llegar a ser!

*Y él, demasiado encantador, la ha hecho subir en la moto y le ha vendado los ojos para llevarla quién sabe dónde... Un rapto de ensueño... ¡*MI SUEÑO*! ¡¡¡Dios mío..., me han robado mi sueño!!! ¡Devolvédmelo, es mío!*

Demasiado simpática. Silenciosa espectadora. ¿Cómo puedo olvidarme? Aquella vez que fui con Babi a la casa de las rocas, a Feniglia, sueños que se rompen en las rocas del pasado. No quiero ni pensarlo... Quiero seguir adelante. Dos páginas después.

¡No me lo puedo creer! ¡¡¡No me lo quiero creer!!! Y en cambio, es verdad. Ele me ha llamado para avisarme..., he ido hasta allí para comprobarlo. No quiero fiarme de nadie en esas ocasiones. Y en cambio, es exactamente así. ¡Allí, en ese puente, preciosa!

*¡*TÚ Y YO... A TRES METROS SOBRE EL CIELO*! ¡Si un chico escribiera algo así para mí, ¿cómo iba a dejarlo escapar?! ¡Gervasi, me cago en la puta, qué potra que tienes!*

Y aún más, aún más...

¡Han venido a la fiesta donde yo estaba, no me lo puedo creer! Se han disfrazado de Tom y Jerry. Dios mío, estoy fatal...

Y aún más...

Su amigo Pollo ha muerto. He estado en la iglesia. Me hubiera gustado abrazarlo. He rezado por él, por su amor. Pero él en este momento la necesita a ella, no a mí.

Y sigo en silencio entre esas páginas, leyendo fragmentos de mi vida. Revisitándolos a través de su escritura, sus notas coloridas, sus frases subrayadas.

¡Lo han dejado! He sabido que lo han dejado. Me lo ha dicho Silvia, la Serva, la llaman así porque siempre lo sabe todo de todos y vive de

observar. ¡Es verdad! Lo siento... Sé que no tendría que estar tan contenta. ¡Pero cómo lo estoy, para enloquecer! ¡Para enloquecer! Quiero hacerte feliz, Step. Quiero hacer que te sientas amado... Te lo ruego, dame esa posibilidad...

Y aún más. Aún más.

Es Navidad. He salido y he ido hacia su casa, es decir, donde vive ahora, a casa de su hermano. Lo he visto salir en moto con su hermano Paolo detrás. Estaban abrazados, se estaban riendo. Bien, estoy feliz. Me parece que está mejor. Si quieres de verdad a una persona tienes que pensar en su bien, en lo que lo hace realmente feliz. No debes ser egoísta... (Madre mía, me estoy convirtiendo en una pesada...) ¡De todos modos, lo he visto hacer un caballito alucinante con el hermano detrás, gritando! Me ha hecho reír mucho. He vuelto a casa. He abierto el regalo de mis padres. ¡Me han regalado un pijama precioso! ¡Step, cuando lo veas, te relamerás los bigotes! (¡Qué cursi que soy!) Después me he metido en la cama y he abrazado la almohada. ¿Soy estúpida? La he besado como si fueras tú, Step. ¡Me gustas demasiado! Me he dormido soñando..., una cosa que es también un deseo. Antes o después, nos encontraremos...

Y aún más. Aún más. Avanzo entre páginas alegres y trozos de vida que le afectan sólo a ella. Aquí. Habla otra vez de mí.

Estoy rota. Estoy fatal. He sabido que se marcha. Ostras, la suya debe de haber sido una historia realmente importante, si ha tomado esa decisión. Pero me acuerdo de una frase que mi madre siempre me ha dicho, es una cosa preciosa: «Puedes cambiar de cielo pero no puedes cambiar de estado de ánimo.» ¿Le servirá marcharse? Sólo sé que te esperaré, Step...

Es cierto. A veces no sirve estar solo bajo otro cielo. Lo que tienes que resolver está siempre dentro de ti, estés donde estés. Y aún más. Aún más.

¡No me importa, nadie sabe nunca nada de Step! ¡Coño, no puede ser! He decidido que quiero conocer a su madre. Ella sabrá algo, ¿no?

Y aún más. Aún más. Hojeo apenas algunas otras páginas.

Lo he conseguido. La he conocido «por casualidad» en el supermercado. Quizá se haya dado cuenta... (¡espero que no!) Hemos congeniado un montón... Me gusta, pero no sé, es como si estuviera mal por algo, tiene una tristeza, me trata como si fuera mayor pero... Es fuerte... Es realmente guapa. ¡Es igual que su hijo!

Mamá se había dado cuenta. A ella no se le escapaba nada. Y aún más. Aún más.

Estoy encantada. Nos hemos hecho amigas. Me ha contado algunas cosas de Step. Me parece conocerlo de toda la vida. Es precisamente la persona que hubiera querido conocer. ¡Estoy supercontenta porque me ha dicho que vuelve la semana próxima!

Y aún más. Aún más.

¡¡¡Qué demonios!!! Me he equivocado en todo... He llegado a las ocho y media de la mañana... ¡No había entendido que llegaba a las ocho y media de la tarde! Como dicen a. m. *y* p. m. *¡¡¡Claro que una no va a andar mirando esos detalles cuando sabe que llega Step!!! ¡No me lo puedo creer! ¡He ido al aeropuerto y lo he esperado durante doce horas, y luego no he tenido el valor de hacer nada! Es decir, en un momento dado, él se ha vuelto y yo me he escondido inmediatamente detrás de una columna, aunque quizá me haya visto! ¡Ostras, se ha dado cuenta de que alguien lo observaba! Pero ¿qué pasa?, ¿acaso tienes ojos en el cogote?... Es demasiado encantador. Ha adelgazado. Ha crecido. ¡Ha... ha!*

No me lo puedo creer, vino al aeropuerto... Y aún más. Aún más.

Esta noche lo pillo, estoy segura. Ya he pensado bien el plan. Por la tarde he ido al garaje, he abierto el tubito que une el depósito con el motor (¡Paolo me lo ha explicado todo perfectamente! ¡¡¡Es demasiado, Paolo, y demasiado fácil lo demás!!!), así no tendrá gasolina. Tendrá que echar a la fuerza. He oído en el gimnasio qué iba a hacer, o sea, que sólo tiene dos posibilidades: o se para en la gasolinera de Flaminia o en la de corso Francia. Pero uno después del gimnasio quiere correr. Para mí que se irá lejos. Tiene ganas de viento, además, un tipo como él, al que le gustan tanto las motos... Bueno, de todos modos, ante la duda, bloquearé los surtidores de las dos gasolineras. ¡Qué más me da! Lo espero en Flaminia y si veo que no llega vuelvo atrás a la de corso Francia. Un plan perfecto... Al fin y al cabo, un tozudo como él no aceptará nunca dejarse joder... ¡no por el dinero, sino por principios! ¡Un tipo acostumbrado a joder... no se deja joder!

No puedo creer lo que estoy leyendo. Paso la página. Y aún más. Aún más.

¡¡¡Lo he conseguido!!! He vuelto a casa y he hecho como Julia Roberts en Pretty Woman, *dar vueltas con el puño junto a mi cara para celebrar el espléndido plan logrado. ¡Lo he conocido! ¡¡¡Mítica Gin!!! Un poco más y me tumba sobre el capó con un puñetazo en plena cara. ¡Uf! Las he pasado canutas. Sabía que se había escondido, pero ¿qué podía hacer? ¡Tenía que hacer ver que caía en la trampa y, en cambio, ha sido él quien ha caído! ¡¡¡Y de lo lindo!!! He esperado dos años, además de las doce horas en el aeropuerto. Qué cansancio. ¡Pero estoy segura de que valdrá la pena! Estoy segura de que irá muy bien, de ensueño.*

18 de septiembre

¡Bravo! ¡Me ha ido bien, pero qué digo, superbien! He pasado la prueba en el TdV, donde él trabaja. ¡De locos! ¡Lo he logrado! La verdad es que no me lo esperaba. ¡Pero lo más absurdo es que ha pa-

sado también Ele! ¡Oh, nunca había superado una prueba! Step... ¿Y si me traes suerte? De una cosa estoy segura, ahora lo veré todos los días. ¿Y ahora? ¿Adónde vas a escapar? Pero así es demasiado perfecto... Demasiado bestia. Demasiado bonito. ¡Por otro lado, de vez en cuando hay justicia en el mundo! Oh, pero aún no me lo puedo creer... ¡De todos modos, este poema es para ti!

Step. Siempre he tenido ganas de ti.
Tengo ganas de ti.
Por todo lo que he imaginado, soñado, deseado.
Tengo ganas de ti.
Por lo que sé y aún más por lo que no sé.
Tengo ganas de ti.
Por ese beso que aún no te he dado.
Tengo ganas de ti.
Por el amor que nunca he hecho.
Tengo ganas de ti aunque nunca te he probado.
Tengo ganas de ti, de ti entero.
De tus errores, de tus éxitos, de tus equivocaciones, de tus dolores, de tus simples incertidumbres, de los pensamientos que has tenido y de los que espero que hayas olvidado, de los pensamientos que aún no tienes.
Tengo ganas de ti.
Tengo tantas ganas de ti que nada me basta.
Tengo ganas de ti y no sé ni siquiera por qué...
Uf. TENGO GANAS DE TI.

Repentinamente oigo un golpe. Me vuelvo en seguida. Gin está en la puerta de la habitación. Y Paolo está detrás de ella.

–Perdóname, Step, no he podido pararla. Se ha metido en casa como un huracán y...

Levanto la mano. Paolo lo entiende. Se interrumpe. No dice nada más. Se queda con cara de idiota, inmóvil en la puerta, mientras Gin entra en la habitación. Camina lentamente y me mira, pero parece pasar a través de mí. Es como si su mirada fuera lejos buscando quién sabe qué. Descubierta en su verdad de amor. Más allá... Tiene los ojos tristes. Húmedos. Carentes de cualquier sonrisa. Preciosos. Y se me encoge el corazón. Porque tiene una luz que conozco. Veo todo lo que he vivido, todo lo que he pasado, todo lo que he naufragado.

–Gin..., yo...

–Sh –me dice ella. Y se lleva el dedo índice a la boca, como una niña dulce. Cierra los ojos y sacude la cabeza–. No digas nada, por favor...

Recupera los diarios, uno tras otro, los apoya sobre la mesa y los revisa. Los cuenta y los mete en su bolso. Y se marcha así, sin volverse, en silencio.

Setenta y nueve

Una iglesia. Desnuda. Un centenar de personas. Algunos en pie, otros sentados, algunos apoyados en aquellas grandes columnas antiguas, oscurecidas por el tiempo pasado, por las muchas oraciones escuchadas, por los deseos invocados, por los dolores sufridos. Los suyos, los de muchas personas. Los de los demás. Y después está mi dolor. Aquí, presente. El dolor de no haber sabido ser del todo el protagonista de mi vida, de haber perdido sólo el tiempo... Y además, para esto. Juzgar. Yo, juzgando a mi madre. No puedo entender cómo no me di cuenta entonces. Repentinamente me percato de que todo se me ha escapado de las manos. Cómo enceguecido por quién sabe qué razón, he corrido furioso, ciego y rabioso hacia quién sabe qué justicia... Y sólo ahora entiendo cuánto he fallado. En mi papel más sencillo. No se me pedía nada más, nada, sólo el silencio. No expresarme. Entre otras cosas, porque no tenía títulos, ni papel, ni poder, ni derecho... Nada. Nada que me diera esta facultad: perdonar. Perdonar. ¿Quién soy yo para perdonar? ¿Quiénes somos nosotros para perdonar? ¿Quiénes somos para agenciarnos ese título? Y, sin embargo, tozudo, egoísta, ciego, he querido convertirme en juez. Sin ningún derecho, sin ningún papel, sin méritos, sin un porqué. Sin... Prosopopeya. Presa de quién sabe qué, de qué voz escuchada, fruto de esa burguesía tan insulsa... Y después, algo aún peor. No sólo arrogarse el derecho a perdonar, sino no saber siquiera hacerlo. No perdonar. Eso. Estoy aquí, en esta iglesia, en silencio. Y estoy mal. No hay nada peor que sentir que la vida se te escapa de entre las manos como si fuera la arena que pensabas hace un tiempo que era tuya y que, en cambio, ya no te pertenece. Como si estuvieras de pie, inmóvil, por casualidad, en una fábrica cualquiera, esclavo del viento y de todo lo que él ha decidido para ti. Ya no tengo nada entre las manos, ya no me queda nada. Y me avergüenzo. Miro a mi alrededor. Mi padre, mi hermano, sus parejas. Incluso Pallina, Lucone, Balestri y mis otros amigos. Falta alguno... Sobra también alguno. Pero no me apetece pensarlo. Ésta es una de esas cosas que se deben hacer para quedar bien, porque nunca se tiene el valor de ser coherente hasta el fondo, porque nunca se sabe qué nos espera... No, no quiero ni pensarlo. Hoy no. Además, a mi alrededor hay mucha gente de la que no sé ni siquiera el nombre. Parientes lejanos, primos, tíos, amigos de la familia, personas que recuerdo sólo por fotos descoloridas, recuerdos confusos de fiestas, de momentos pasados, más o menos felices, de sonrisas, de besos y de otras cosas, qué sé yo, de quién sabe cuántos años hace. Un cura ha leído un texto. Ahora está diciendo algo. Intenta hacerme entender que todo lo que está sucediendo es bueno para nosotros. Es bueno para mí. Pero no consigo seguirle el hilo. No, no puedo. Mi dolor es tan grande. No consigo pensar, entender, aceptar, estar de acuerdo... ¿Cómo puede todo esto ser bueno para mí? ¿Cómo, de qué manera, por qué absurda razón? Ha dicho cosas, me ha contado historias, me ha hecho promesas... Pero no logra convencerme. No. Sólo estoy seguro de una cosa: mi madre ya no está. Eso es lo único que tengo claro. Y eso me basta. O mejor dicho, no me basta para nada... Mamá, te echo de menos. Echo de menos el tiempo que no tendré para vivirte otra vez, para poder decirte lo que ahora he entendido. Y lo digo en silencio. Pero tú me oyes. Empieza a sonar un órgano. Desde el fondo de la iglesia veo llegar a Gin. Va vestida en tonos oscuros y camina en silencio. Pasa bajo las arcadas, se mantiene fuera de la vista de muchos, pero no de la mía. Después deposita con dulzura una corona de flores a los pies del altar y me mira. Desde lejos. En silencio. No hace nada más. Ni una sonrisa, ni un reproche. Nada. Una mirada limpia como sólo la suya puede serlo. Por encima de todo, capaz de no mezclar el dolor y el respeto con ninguna otra cosa. Una última mirada. Luego la veo regresar al fondo de la iglesia. Poco después, todo se ha acabado. La busco a la salida, pero ya no está. La he perdido. Varias personas vienen hasta mí, me abrazan, me dicen cosas, me dan la mano. Pero no puedo sentir, entender... Intento sonreír, decir gracias, no llorar. Sí, sobre todo no llorar. Pero no puedo. Y no me avergüenzo. Mamá, te echaré de menos. Estoy llorando. Estoy sollozando. Es un desahogo, una liberación, es el deseo de ser otra vez niño, de ser querido, de volver atrás, de no querer crecer, de necesitar su amor puro. Alguien me abraza, me coge por los hombros, me aprieta con fuerza. Pero no eres tú, mamá. No puedes ser tú. Y yo me apoyo, me doblo. Escondo mi cara y mis lágrimas. Y quisiera que no fuera tarde. Mamá, perdóname.

Ochenta

Algunos días después, no sé cuántos. Ese dolor que experimentas, que no consigues entender de dónde puede llegar, que no te da explicaciones, que te hunde como una gran ola que no habías visto, que te ha cogido por sorpresa, que te revuelca, te quita la respiración, te hace rodar sobre la arena mojada, sobre esos pasos que te parecían tan ciertos en tu vida. Y en cambio, no. No lo son. Ya no. Hace días que paso por delante de su portal. Hace días que la veo salir de distintas formas. De la única forma como es ella. Guapa. Guapísima. Desordenada, confusa, elegante, con el pelo recogido, con el pelo suelto, lacio, loco, rebelde. Con dos coletas, con un vestido de flores, con un peto medio caído, con un traje de chaqueta perfecto, con una camisa azul y con el cuello levantado y una falda azul marino debajo. Con unos vaqueros claros, con unos pantalones pirata, con unos vaqueros rotos con costuras, que destacan, que se hacen notar. Con toda su ropa de Yoox. Los accesorios. Los colores. La fantasía de saber reinventarse a diario. Así, tal como es ella. Sale siempre de ese mismo portal y siempre de manera distinta. Pero he visto algo que es siempre igual: sus ojos, su cara. Arrastran las señales lejanas de un disgusto vivido. Como un sueño precioso interrumpido por una persiana subida con demasiada furia. Como el sonido insistente de un móvil que alguien ha olvidado apagar y que hace sonar otro que se ha equivocado de número o, aún peor, alguien que no tiene nada que decir. Como una alarma hecha saltar por un ladrón torpe que ya ha huido en la noche. Una vida distraída ha golpeado con el codo su felicidad. Y he sido yo.

Y no puedo esconderme, no puedo justificarme. Tan sólo puedo esperar hacerme perdonar de algún modo. Ahí está. La veo salir, la veo pasar. Está en su coche. Y por primera vez después de tantos días escondido en la sombra, doy un paso adelante y me cruzo con su mirada. Detengo sus ojos. Los hago míos por un instante. Y por ellos tiernamente turbado, sonrío. Hablo y explico y cuento e intento que no se marchen. Todo con una mirada. Y sus ojos parecen escuchar en silencio, asentir, entender, aceptar eso que espero que estén diciendo los míos. Después, ese silencio hecho de mil palabras, más intenso que nunca, es interrumpido. Gin baja la mirada en busca de algo, de un poco de fuerza, de una sonrisa, de alguna palabra pronunciada en voz alta. Pero no encuentra nada, nada. Entonces vuelve a mirarme y sacude ligeramente la cabeza. Su mejilla hace una pequeña mueca, un esbozo de una media sonrisa, quizá una sombra de posibilidad, como diciendo: «No, aún no, es demasiado pronto.» Al menos eso es lo que yo quiero leer. Y se aleja así, directa hacia donde no me es dado saber, hacia la vida que le espera, quizá hacia un nuevo sueño, seguramente mejor que el que yo le he robado. Y tiene razón. Y se lo merece. Así es como me quedo allí en silencio. Enciendo un cigarrillo. Doy un par de caladas y lo arrojo al suelo. No me apetece nada. Después entiendo que no es verdad. Entonces saco algo del maletero.

Lejos, muy lejos, en esa misma ciudad. Coches en movimiento, bocinas, guardias atareados, ayudantes inexpertos entrenados sólo en maldad. Rina, la asistenta de los Gervasi, sale del edificio de los Stellari. Saluda al portero con su habitual sonrisa de vello excesivo y sigue decidida hasta el contenedor de basura, acompañada por un perfume barato que a duras penas esconde el trabajo de toda la jornada. Abre el contenedor empujando con fuerza la barra de hierro con un pie decidido. Lanza la bolsa de la basura describiendo un arco perfecto, mejor que una jugadora de voleibol. El contenedor se vuelve a cerrar, como una guillotina soltada por un verdugo distraído. Pero no puede acabar su recorrido. Por una esquina asoma un póster enrollado. Es la foto ampliada de ese chico y esa chica montados sobre una moto que «hace un caballito». El grito rebelde de ese momento de felicidad..., de ese amor ya disuelto en el tiempo. Todo ha pasado. Y ahora, como sucede a menudo, ha acabado en la basura.

Pallina sale corriendo de su portal. Alegre y decidida, elegante como no lo ha estado nunca. Sube al coche y lo besa riendo. Quiere volver a coger las riendas de su vida.

–Bueno, ¿adónde vamos?

–Adonde quieras.

Pallina lo mira y sonríe. Ha decidido intentarlo otra vez. Y él es la persona adecuada.

–Decide tú: vayamos sin rumbo por una noche.

Y Dema no se hace de rogar. Esperaba este momento desde hace años. Mete la marcha suavemente y se pierde ligero entre el tráfico. Luego sube un poco el volumen del aparato de música y sonríe.

Eva, la azafata, acaba de llegar a Roma. Deja la maleta en la habitación del hotel y en seguida intenta llamarlo. Nada, tiene el móvil apagado. Lástima, le hubiera apetecido mucho verlo. No pasa nada. Piensa un poco. Después sonríe y marca otro número. Alguien que viaja tanto siempre tiene otro número.

Daniela está sentada en su habitación. Acaba de saber que será niño. Hojea el libro de nombres, indecisa: Alessandro, Francesco, Giovanni... Busca los orígenes y el significado de cada uno. Tiene que ser un nombre importante, de un caudillo, o bien uno de esos raros, especiales, que no se olvidan. Y sonríe feliz para sus adentros. Al menos esto puedo decidirlo sola. Luego se preocupa: ¿Y si el nombre que elijo es el mismo que el de su padre? Por eso se queda perpleja y abandona ese «Fabio» que le parecía tan adecuado. Quiere ir sobre seguro..., y no sabe lo inútil que es esa duda suya. Seguro que ese niño nunca sabrá el nombre de su padre.

Babi está en su habitación. Repasa feliz la lista de los invitados. Ya falta poco. Caray con mamá, ha querido invitar también a los Pentesi, que yo no soporto, y a unos primos que no hemos visto nunca. Mamá y sus reglas. Después, por un instante, piensa que esa idea le gustaría muchísimo. Sí, sería una idea preciosa. Invitar a Step a su boda. Sería una pasada. Y no se percata de lo mucho que se parece ella a su madre. Mejor dicho, no, es mucho peor.

Dos señoras miran a su alrededor. Quieren estar seguras de que no hay nadie cerca. Después, tranquilas, mironas conspiradoras del cotilleo inútil, pueden desfogarse finalmente.

–Te lo aseguro, lo he visto con una chica joven, muy morena...

–No me lo creo... Pero ¿lo has visto tú personalmente?

–No, pero una persona de mucha confianza me lo ha contado.

–Creo que ya sé quién te lo ha dicho: me lo contó también a mí, pero me dijo que no se lo dijera a nadie. ¡De todos modos, no está morena, es de color! ¡Es brasileña!

–¿En serio? Qué raro, nunca me hubiera esperado eso de él.

–¿Por qué no? ¡Ella es insoportable!

Las dos mujeres se ríen. Después se quedan un poco disgustadas por esas risas. Quizá se lo están preguntando: ¿Cómo somos nosotras con nuestros maridos? Acaban entonces por sentirse culpables, por no saber darse una respuesta. Quizá, al fin y al cabo, no son tan distintas de ella. Raffaella está al fondo de la sala. Ambas la miran. Ella cruza su mirada y sonríe desde lejos. Ellas también sonríen, cómplices y un poco torpes. Después se miran otra vez. ¿Nos habrá descubierto? ¿Habrá entendido que hablábamos de ella? Y cada una se queda con su duda, mientras Raffaella ya no las sopesa. Dedica ahora toda su atención a su contrincante.

–*Et voilà...*, se ha acabado la segunda baraja. Y mira... ¡He hecho también un burraco!

Empieza a contar de prisa los puntos, contenta, sin perderse en charlas inútiles.

–¡Pero árbitro, si no era!

Claudio se pone en pie, con su gorra de visera que casi se le vuela, tanto es el ímpetu de su entusiasmo, de su felicidad. Vuelve a acomodarse la gorra y se sienta de nuevo junto a Francesca.

–Tú también lo has visto, Fra, ¿no era, no?

Y ella asiente con la cabeza, aunque no entiende demasiado de fútbol.

–¡No hay nada que hacer, siempre lo mismo! ¡Quieren que gane el Aniene y siempre acaba así aquí, en el Canottieri Lazio! Y todo porque tienen más socios.

Claudio, satisfecho de su genial intuición, abraza a Francesca dándole incluso un beso en los labios, sin importarle nada ni nadie. ¿Quién lo conoce?, ¿quién podría verlo?, ¿quién podría juzgar?, ¿quién podría decir: «¡Pero cómo puede ser, si tiene veinte años menos que tú!» Después Claudio, volviendo a mirar el partido, se da cuenta de que algo más allá están ni más ni menos que Filippo Accado y su mujer. Lo han oído gritar y ahora lo están mirando. Él los saluda con una gran sonrisa, casi gesticulando:

–Hola Filippo, hola, Marina –y abraza otra vez a Francesca, queriendo confirmar a todos los efectos y definitivamente esa excelente elección suya. También porque, para ser exactos, tiene veinticuatro años menos que él.

Los Accado esbozan una sonrisa, preocupados por haberse convertido en inocentes testigos de lo que, al menos para ellos, hasta ese momento habían sido sólo habladurías. Claudio lo sabe. Y está contento de haberlo confirmado del todo. Después mira a Francesca. Guapa, dulce, naturalmente bronceada, joven y, sobre todo, ¡en absoluto tocapelotas! Y le sonríe.

–¡La verdad es que si yo me llamara Paolo..., seríamos los Paolo y Francesca del tercer milenio!

Y ella, que no entiende nada de fútbol ni de muchas otras cosas, asiente también esta vez. Claudio comprende que pide demasiado. Es verdad, no se puede tener todo. Y entonces, para reafirmar lo acertado de su elección, saca un cigarrillo. Está a punto de encenderlo, pero esta vez Francesca sí sabe qué decir:

–Claudio, pero si acabas de fumarte uno...

–Tienes razón, querida.

Sonríe, mete de nuevo el cigarrillo en el paquete y luego vuelve a mirar el partido. Por el rabillo del ojo, observa a Francesca sin que ella se dé cuenta. Ella masca un chicle con la boca abierta, canturreando una extraña canción brasileña. Tiene la mirada un poco alelada, perdida en quién sabe qué pensamiento. ¿He hecho bien? ¿Es realmente esto lo que quería? Claudio siente un instante de pánico. Bueno..., sí, creo que sí. Al menos hasta que dure. Después vuelve a pensar en su gran decisión. En el gran salto que ha dado hace apenas una semana. En el fondo, ha sido Francesca la que me ha convencido de todo. Sí, ella es la mujer que esperaba. Se lo debo todo a ella. Es mérito suyo que el Z4 azul cielo esté ahora aparcado fuera del campo. Entonces Claudio se dispone otra vez a mirar el partido, entusiasta y feliz.

–¡Ánimo, chicos! ¡Empatad! ¡Meted un buen gol! –Y no sabe que precisamente en ese momento un hortera de la Garbatella se ha llevado su Z4. Con un simple cúter de un euro se ha llevado cuarenta y dos mil... Euro arriba, euro abajo.

Paolo y mi padre han decidido ir al chino de via Valadier, ese adonde van todos y de donde todos salen apestando a fritanga. Están sentados a una mesa. Se ríen y bromean en compañía de sus novias. Han pedido un montón de comida. Desde algas fritas hasta los inevitables rollitos de primavera, desde cerdo agridulce hasta pato pequinés, pasando por la sopa de aleta de tiburón, el cerdo crujiente, los ravioli al vapor y otros a la plancha, el plato novedad. Lo han probado todo. Se han dado un atracón probando los diversos tipos de salsas en esa extraña plataforma giratoria que los chinos ponen en el centro de la mesa para que te sientas un perfecto oriental. Pero cuando te llega la cuenta, aunque esté escrito en chino y haya una extraña línea final que indica un pseudodescuento, deberías entender que para ellos serás siempre y sólo un occidental. Paolo y mi padre se pelean por la cuenta. Los chinos se quedan allí delante, se divierten y sonríen mientras los miran. A ellos qué les importa... Después de la ridícula pantomima de siempre, acabe como acabe, uno de los dos pagará la cuenta.

Martina y Thomas están sentados en la escalera del bloque. Comen un pedazo de pizza. De tomate.

–Qué rica... ¿Dónde la has comprado?

–Aquí al lado. ¿Te gusta?

–Mucho.

–¿Sabes?, hace tiempo que quería invitarte, pero no sabía si te apetecía.

–¡Pues claro que me apetece! Es más, quizá mañana la compre yo y volvamos a merendar aquí. Se está bien, sentado en los escalones. ¿Qué te parece?

–Súper.

Después, Thomas, limpiándose como puede la boca con la camiseta, decide contárselo.

–¿Sabes, Marti?, hace unos días estaba paseando por la plaza cuando me pasó una cosa muy rara.

–¿El qué?

–Fue precisamente aquí. Estaba esperando a Marco, que debía devolverme el balón, y de pronto se paró un tipo con una Honda azul. Uno mayor, de al menos veinte años. Bajó, me dio un bofetón y luego, ¿sabes qué me dijo?

–No, ¿qué?

–«Deja en paz a Michela.» Volvió a subir a la moto y se marchó. ¿Te das cuenta? ¡Michela sale con un tipo de veinte años!

Es un instante. Martina sonríe sin que su amigo se dé cuenta. No puede creerlo: Step. Ese tío está loco. Es uno de esos que no se encuentran a menudo en la vida. Pero si sucede, no queda más que alegrarse. Pero Thomas no para.

–¿Y sabes a quién se parecía? ¿Te acuerdas de ese tipo con el que hablabas hace algún tiempo? Sí, cuando yo estaba sentado en la cadena y te saludé, y vosotros estabais hablando delante del quiosco... ¿Sabes quién te digo?

–Sí, ya sé quién dices, pero te equivocas. No es ese tío. Además, ¿a ti te parece que alguien así puede salir con Michela? Con Michela sale alguien como tú.

–¿Yo? Pero ¿estás loca? Yo voy detrás de ella porque se ha agenciado mi CD de Simple Plan, ¿sabes?, «*Still Not Getting Any*». Hace un mes que se lo presté. Pero al parecer, cuando le dije «Se llama Pietrito y vuelve solito», ¡ella entendió que el CD volvía solo!

Martina sonríe. No tanto por el intento fracasado de broma, sino porque empieza a entender cómo están las cosas.

–De todos modos, si es ese tipo, díselo: a mí Michela no me importa nada.

–Claro, tienes miedo...

–¡Cómo que miedo! Si pillo a ése lo pongo morado. Bueno, quiero decir, quizá dentro de unos años... Te juro que me apuntaré al gimnasio. Es más, no, aún más, me apuntaré al cursillo de *wrestling*: quiero ser como John Cena. Quizá hasta componga un rap. Es un tipo fortísimo, ¿sabes quién es?

–No.

–¡Pero no conoces a nadie! –Thomas se encoge de hombros y da otro buen mordisco a la pizza–. Hum, qué rica...

Al final sonríe él también, olvidándose de esa historia. Y hace bien. En la vida siempre buscamos explicaciones. Perdemos el tiempo buscando un porqué. Pero a veces no existe. Y por triste que parezca, ésa es precisamente la explicación. Thomas habla con Martina, se ríen y bromean sobre otras cosas. Después se miran. Ella, igual que siempre. Él, quizá como nunca lo había hecho. Y sonríe. Tal vez porque ella lo ha tranquilizado sobre esa bofetada. Tal vez simplemente porque esa chiquilla no está tan mal. No lo sabe. No importa. Mientras tanto, se acaba la pizza. Y algo empieza.

Algo más lejos. Otro bloque de apartamentos. Allí donde de un modo u otro irán a parar todos. Sin escrituras, sin inversiones atinadas o un golpe de suerte. Donde se es invitado con naturalidad. Sin reuniones de vecinos, sin un administrador aburrido o un vecino demasiado ruidoso. Ese sitio donde no importa cuánto ganas sino cuánto has sido capaz de dar. El cementerio. En el silencio de esos céspedes cuidados, tantos nombres o simples fotos no logran contar demasiado de todas esas vidas. Pero los rostros, las sonrisas, el dolor de sus visitantes cuentan en un momento la belleza de todo lo que han sido y su continua ausencia. Eso es. Hace algún tiempo que Pollo ya no está solo. Ahora hay otro pedazo de la vida de Step que le hace compañía: su madre. Los dos tienen flores preciosas, aún frescas de vida y de amor. Ese amor que Step nunca se ha ahorrado, que nunca ha tenido la posibilidad de demostrar hasta el fondo. Y en el silencio de cada día, en el eco lejano de la música de la vida que continúa, un amigo y una madre están hablando. De él. De todo lo que ha pasado, de lo que los roles de la vida no nos han permitido decir. Esas palabras que nunca han sido dichas pero que siempre han llegado. Porque el amor nunca se pierde.

Cuando subo a la moto ya anochece. Es precisamente en ese momento cuando veo regresar a Gin. Conduce veloz, tal como es ella. Acompaña la curva con la cabeza, canturrea la canción que está escuchando en ese momento. Quién sabe cuál es. Me parece otra vez alegre. Como siempre. Tal como la había dejado. Contenta de su sonrisa, de la vida que lleva, de los sueños que persigue, de los límites que no conoce. Libre. Libre de todo eso que no le interesa e incluso más aún. Y entonces me alejo así, viéndola asombrada, mientras sonríe. Y soy feliz. Como hace mucho que no lo era... Culpable sólo de esa inscripción, inmensa, que ocupa toda la fachada de su casa. Espléndida, directa, hermosa. Y ahora ya no tengo dudas. No tengo remordimientos, ya no tengo sombras, no tengo pecado, no tengo pasado. Sólo tengo unas ganas enormes de volver a empezar. Y de ser feliz. Contigo, Gin. Estoy seguro. Sí, es así. ¿Ves?, hasta lo he escrito: «Tengo ganas de ti.»

Agradecimientos

Quiero dar las gracias a todos aquellos quienes, para bien o para mal, y sobre todo sin saberlo, me han dado ánimos. En el fondo, la vida es bonita precisamente por eso, porque no depende sólo de ti. Un libro, en cambio, sí. Quiero dar las gracias a quienes me han ayudado voluntariamente.

Gracias a Giulia y sus excelentes consejos. Pero sobre todo a los preciosos momentos que me ha regalado. He escondido algunos en este libro, para que no se olviden.

Gracias a Riccardo Tozzi y a su sobrina Margherita, a Francesca Longardi y a toda la Cattleya, porque sin ellos quizá este segundo libro mío nunca hubiera visto la luz.

Gracias a Ked (¡Kylee Doust!). A su entusiasmo, al placer de escuchar sus recuerdos, que al final se unen con los míos y se convierten en valiosos consejos.

Gracias a Inge y Carlo Feltrinelli y a todos los amigos del Departamento de Ventas que «materialmente» han llevado mi libro de viaje por Italia.

Gracias a Maddy, que me corrige, me enseña mucho y, a cambio, se ríe y se divierte aprendiendo un poco de sana «jerga romana».

Gracias a Giulia Maldifassi, a Valeria Pagani y a todas las amigas del Departamento de Prensa, ¡que me han hecho conocer y viajar por Italia!

Gracias a Alberto Rollo, que con severidad pero sin dejar de ser agradable encuentra siempre la manera de indicarme el mejor camino para escribir, y yo, naturalmente, lo escucho.

Gracias a los Budokani, mis amigos, los de verdad, los que no sólo están siempre en las páginas y en los recuerdos.

Gracias a todos mis familiares, que me soportan y comparten conmigo el «sofá de los pensamientos».

¡Gracias a Carlantoine, noble inspirador!

Gracias a mi *Brother* Mimmo. Cuando le leo lo que he escrito, cierra los ojos. Después sonríe y asiente como diciendo: «Sí, va bien.» Hace lo mismo también en el mar, cuando elige las corrientes y el viento.

Gracias a Luce y a sus *morselletti*, que me gustan tanto.

Y finalmente, algunas sugerencias me las da siempre mi amigo Giuseppe. Está a mi lado, me escucha y al final se ríe conmigo. Tengo que decir que muy a menudo tiene razón. O sea que gracias también a ti.